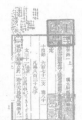

하영삼 교수의

완역
설문해자

5 (색인)

허신 저 · 하영삼 역주

完譯 說文解字

許愼 著 河永三 譯註

도서출판

한국한자연구소 연구총서 12

완역 설문해자 5 (색인)

초판 1쇄 인쇄 2022년 05월 15일
초판 2쇄 인쇄 2023년 12월 01일

저자 [한] 허신(許慎)
역주 하영삼(河永三)
표지 디자인 김소연
편집 및 교열: 김형준
펴낸이: 정혜정
펴낸곳: 도서출판 3

출판등록 2013년 7월 4일 (제2020-000015호)
주소: 부산광역시 금정구 중앙대로1929번길 48
전화 070-7737-6738
팩스 051-751-6738
전자우편 3publication@gmail.com

ISBN: 979-11-87746-69-0 (94710)
       979-11-87746-64-5 (세트)

완역 설문해자

제5책

완역 설문해자

한글독음
색인

한글독음

음	해서	전서	번호	출처
각	潅		7292	11a
각	珏		221	01a
각	礐		5998	09b
각	胳		2615	04b
각	腳		2627	04b
각	茖		301	01b
각	蛒		8808	13a
각	覺		5483	08b
각	角		2815	04b
각	趞		1034	02a
각	閣		7721	12a
각	傕		3311	05b
각	鵒		2400	04a
각	骼		6361	10a
간	侃		7451	11b
간	軒		4258	07a
간	輄		4259	07a
간	刊		2761	04b
간	細		9111	13b
간	奸		8298	12b
간	姦		8306	12b
간	娶		8192	12b
간	干		1440	03a
간	忓		6766	10b
간	懇		6938	10b
간	肝		4197	07a
간	柬		3882	06b

음	해서	전서	번호	출처
간	栞		3558	06a
간	榦		3603	06a
간	澗		7230	11a
간	灡		7332	11a
간	玕		199	01a
간	癎		4686	07b
간	矸		1982	03b
간	盰		2106	04a
간	看		2166	04a
간	瞷		2177	04a
간	稈		4412	07a
간	竿		2937	05a
간	簡		2881	05a
간	簡		6875	10b
간	牼		2338	04a
간	肝		2598	04b
간	臤		1941	03b
간	艮		5201	08a
간	艱		9121	13b
간	菅		287	01b
간	蕑		346	01b
간	衎		1273	02b
간	袆		5312	08a
간	覵		5495	08b
간	諫		1534	03a
간	豤		6058	09b
간	赶		1062	02a

간	迂	訐	1189	02b		갈	駒	䮗	6176	10a
간	鄟	鄟	4157	06b		갈	鶡	鶡	2460	04a
간	鐗	鐗	9369	14a		감	凵	凵	969	02a
간	靬	靬	1785	03b		감	凵	凵	3148	05a
간	顅	顅	5587	09a		감	勘	勘	9207	13b
간	顝	顝	5641	09a		감	匫	匫	8388	12b
간	鬜	鬜	5730	09a		감	厰	厰	5956	09b
간	齦	齦	1300	02b		감	叡	叡	2514	04b
갈	牞	牞	2803	04b		감	坎	坎	9039	13b
갈	喝	喝	927	02a		감	堪	堪	9007	13b
갈	扴	扴	7890	12a		감	嬂	嬂	6600	10b
갈	擖	擖	7898	12a		감	嵌	嵌	5876	09b
갈	暍	暍	4223	07a		감	憨	憨	6892	10b
갈	曷	曷	3029	05a		감	感	感	6877	10b
갈	楬	楬	3814	06a		감	戡	戡	8346	12b
갈	渴	渴	7306	11a		감	戥	戥	8349	12b
갈	潟	潟	5536	08b		감	械	械	3692	06a
갈	猲	猲	6276	10a		감	歛	歛	5546	08b
갈	碣	碣	5986	09b		감	歁	歁	5545	08b
갈	稭	稭	4390	07a		감	泔	泔	7341	11a
갈	竭	竭	6655	10b		감	淦	淦	7252	11a
갈	羯	羯	2335	04a		감	減	減	7403	11a
갈	葛	葛	459	01b		감	玲	玲	158	01a
갈	蝎	蝎	8780	13a		감	甘	甘	3022	05a
갈	褐	褐	5332	08a		감	疳	疳	3024	05a
갈	趒	趒	1021	02a		감	監	監	5223	08a
갈	鄩	鄩	4077	06b		감	瞰	瞰	2152	04a

감	灨	𡕚	3354	05b
감	紺	紺	8584	13a
감	甘	甘	302	01b
감	蘫	蘫	366	01b
감	峠	峠	3164	05a
감	邯	邯	4048	06b
감	酣	酣	9794	14b
감	蠶	蠶	9779	14b
감	鑑	鑑	9247	14a
감	闞	闞	7745	12a
감	鹻	鹻	7681	12a
감	驖	驖	6515	10a
감	龕	龕	7651	11b
갑	匣	匣	8397	12b
갑	岋	岋	4884	07b
갑	袷	袷	4904	07b
갑	屟	屟	7690	12a
갑	敆	敆	2019	03b
갑	甲	甲	9692	14b
갑	郟	郟	4156	06b
갑	閘	閘	7719	12a
강	僵	僵	5130	08a
강	剛	剛	2745	04b
강	勥	勥	9173	13b
강	咣	咣	796	02a
강	青	青	4781	07b
강	夅	夅	3389	05b

강	姜	姜	8071	12b
강	康	康	4551	07b
강	岡	岡	5839	09b
강	弜	弜	8463	12b
강	強	強	8781	13a
강	彊	彊	8448	12b
강	忼	忼	6695	10b
강	扛	扛	7924	12a
강	杠	杠	3658	06a
강	椌	椌	3748	06a
강	橿	橿	3489	06a
강	歁	歁	5559	08b
강	江	江	6955	11a
강	漮	漮	7307	11a
강	牨	牨	729	02a
강	犅	犅	747	02a
강	犺	犺	6312	10a
강	玒	玒	92	01a
강	矼	矼	8419	12b
강	眻	眻	9141	13b
강	畺	畺	9154	13b
강	畺	畺	9155	13b
강	穅	穅	4409	07a
강	絳	絳	8575	13a
강	綱	綱	8630	13a
강	繈	繈	8499	13a
강	繮	繮	8665	13a

강	羌		2347	04a
강	腔		2726	04b
강	薑		261	01b
강	襁		5238	08a
강	舡		2830	04b
강	講		1577	03a
강	矼		9370	14a
강	降		9600	14b
개	丰		2806	04b
개	介		714	02a
개	价		5082	08a
개	剴		2737	04b
개	匃		8374	12b
개	喈		946	02a
개	嘅		924	02a
개	塏		9070	13b
개	奔		6576	10b
개	尬		6601	10b
개	忦		6882	10b
개	忢		6808	10b
개	愷		3078	05a
개	愷		6684	10b
개	憪		6861	10b
개	慨		6696	10b
개	概		7995	12a
개	改		2011	03b
개	櫃		3683	06a
개	毃		1967	03b
개	湝		7115	11a
개	溉		7049	11a
개	犗		736	02a
개	玠		116	01a
개	疥		4722	07b
개	皆		2218	04a
개	稭		9461	14a
개	磕		6000	09b
개	祴		61	01a
개	稭		4411	07a
개	箇		2939	05a
개	絠		8679	13a
개	緒		8481	13a
개	腒		2640	04b
개	丫		2316	04a
개	芥		632	01b
개	蓋		586	01b
개	袚		5268	08a
개	郂		4138	06b
개	鍇		9223	14a
개	鎧		9365	14a
개	鎎		9387	14a
개	開		7716	12a
개	閶		7717	12a
개	駴		6198	10a
개	髻		5723	09a

개	鳩		2461	04a		거	枯		3759	06a
객	客		4588	07b		거	椐		3458	06a
객	輅		2242	04a		거	岠		1067	02a
객	麟		3103	05a		거	㴇		7082	11a
객	䬠		5350	08a		거	渠		7226	11a
갱	砳		6001	09b		거	琚		160	01a
갱	秔		4378	07a		거	璩		208	01a
갱	聲		9545	14a		거	筥		2910	05a
갱	阬		9607	14b		거	籧		2948	05a
갱	鸎		1863	03b		거	籧		2901	05a
각	俹		5122	08a		거	粔		4493	07a
각	噱		848	02a		거	胠		2616	04b
각	㤁		6770	10b		거	腒		2683	04b
각	谷		1443	03a		거	苣		620	01b
각	䫿		1881	03b		거	莒		271	01b
각	醵		9797	14b		거	蕖		264	01b
거	倨		4979	08a		거	蘧		272	01b
거	尻		9422	14a		거	虡		3101	05a
거	勮		9190	13b		거	蟲		8917	13b
거	去		3149	05a		거	袪		5260	08a
거	居		5378	08a		거	裾		5271	08a
거	巨		3017	05a		거	詎		1722	03a
거	据		7897	12a		거	豦		6066	09b
거	據		7827	12a		거	距		1399	02b
거	擧		7919	12a		거	踞		1387	02b
거	舉		7917	12a		거	車		9465	14a
거	柜		3505	06a		거	遽		1205	02b

거	鉅	鉅	9400	14a
거	鋸	鋸	9317	14a
거	胠	胠	9655	14b
거	醵	醵	3187	05b
거	驉	驉	2428	04a
거	麮	麮	3342	05b
거	詎	詎	1294	02b
건	乾	乾	9694	14b
건	件	件	5170	08a
건	健	健	4975	08a
건	巾	巾	4832	07b
건	建	建	1262	02b
건	愆	愆	6827	10b
건	揵	揵	7953	12a
건	搴	搴	7962	12a
건	攓	攓	7798	12a
건	楗	楗	3649	06a
건	鍵	鍵	772	02a
건	幸	幸	1738	03a
건	笏	笏	2730	04b
건	虔	虔	3096	05a
건	褰	褰	5273	08a
건	蹇	蹇	1011	02a
건	越	越	1044	02a
건	謇	謇	1392	02b
건	谸	谸	1190	02b
건	鄄	鄄	4040	06b

건	鍵	鍵	9266	14a
건	鞬	鞬	1833	03b
건	騫	騫	6190	10a
건	鬜	鬜	1860	03b
건	鶱	鶱	2472	04a
걸	傑	傑	4939	08a
걸	揭	揭	3150	05a
걸	桀	桀	3393	05b
걸	艺	艺	299	01b
걸	藒	藒	298	01b
걸	趲	趲	988	02a
검	儉	儉	5070	08a
검	劍	劍	2802	04b
검	撿	撿	7803	12a
검	檢	檢	3752	06a
검	瞼	瞼	2201	04a
검	芡	芡	415	01b
검	鈐	鈐	9302	14a
검	黔	黔	6528	10a
겁	劫	劫	9201	13b
겁	尻	尻	5388	08a
겁	极	极	3758	06a
겁	狚	狚	6313	10a
겁	袷	袷	5296	08a
겁	跲	跲	1379	02b
겁	鉣	鉣	9378	14a
게	垍	垍	9050	13b

게	愒	𱁺	6772	10b
게	揭	𱁺	7921	12a
게	禾	𱁺	3870	06b
격	挌	𱁺	2807	04b
격	垎	𱁺	9043	13b
격	墼	𱁺	9018	13b
격	挌	𱁺	8041	12a
격	搞	𱁺	7838	12a
격	擊	𱁺	8025	12a
격	格	𱁺	3586	06a
격	橄	𱁺	3753	06a
격	毃	𱁺	1951	03b
격	激	𱁺	7151	11a
격	昊	𱁺	6282	10a
격	磬	𱁺	6005	09b
격	綌	𱁺	8698	13a
격	鞃	𱁺	343	01b
격	覡	𱁺	3021	05a
격	舸	𱁺	2837	04b
격	諽	𱁺	1700	03a
격	鼳	𱁺	9542	14a
격	迡	𱁺	1153	02b
격	鄚	𱁺	4065	06b
격	闃	𱁺	7753	12a
격	隔	𱁺	9618	14b
격	骼	𱁺	2580	04b
격	鵙	𱁺	2374	04a

견	豈	𱁺	9623	14b
견	堅	𱁺	1943	03b
견	〈	𱁺	7440	11b
견	开	𱁺	9417	14a
견	葉	𱁺	3883	06b
견	掔	𱁺	7915	12a
견	汧	𱁺	6977	11a
견	牽	𱁺	754	02a
견	㹒	𱁺	765	02a
견	犬	𱁺	6269	10a
견	狷	𱁺	6354	10a
견	獧	𱁺	6315	10a
견	甄	𱁺	8411	12b
견	睊	𱁺	2158	04a
견	稍	𱁺	4415	07a
견	絹	𱁺	8568	13a
견	繭	𱁺	8474	13a
견	繾	𱁺	8729	13a
견	纅	𱁺	4794	07b
견	肩	𱁺	2614	04b
견	茛	𱁺	438	01b
견	蠲	𱁺	8784	13a
견	襺	𱁺	5250	08a
견	見	𱁺	5448	08b
견	譴	𱁺	1683	03a
견	狘	𱁺	6053	09b
견	趼	𱁺	1406	02b

견	衒		9519	14a
견	遣		1144	02b
견	鄄		4106	06b
견	酄		9766	14b
견	醊		9767	14b
견	銒		9245	14a
견	鋻		9228	14a
견	鵳		2290	04a
견	鵑		2439	04a
견	麔		6236	10a
견	蘮		6526	10a
견	蠲		7652	11b
결	奆		6585	10b
결	妜		8260	12b
결	抉		7893	12a
결	梟		6261	10a
결	決		7235	11a
결	潔		7430	11a
결	狷		6457	10a
결	玦		123	01a
결	眀		2174	04a
결	結		8533	13a
결	缺		3286	05b
결	肤		2624	04b
결	蚗		8827	13a
결	袺		5324	08a
결	鱝		2848	04b
결	訣		1726	03a
결	赽		1025	02a
결	趹		1002	02a
결	跌		1405	02b
결	鈌		9396	14a
결	関		7744	12a
결	駃		6211	10a
결	鴂		3313	05b
결	劍		2792	04b
결	鳺		2380	04a
결	鴃		2416	04a
겸	傔		5174	08a
겸	兼		4443	07a
겸	嗛		801	02a
겸	慊		6828	10b
겸	拑		7820	12a
겸	槏		3634	06a
겸	歉		5548	08b
겸	歁		5540	08b
겸	箝		2951	05a
겸	縑		8554	13a
겸	蒹		420	01b
겸	謙		1552	03a
겸	鉗		9315	14a
겸	鎌		9308	14a
겸	鎌		7562	11b
겸	黚		6522	10a

겸	鎌		6371	10a
겹	唊		899	02a
겹	搯		8058	12a
겹	賎		2189	04a
겹	郟		4060	06b
겹	鞅		1798	03b
경	京		3314	05b
경	倞		4976	08a
경	傾		5030	08a
경	儆		4992	08a
경	冂		3307	05b
경	剄		2790	04b
경	勁		9177	13b
경	勍		9176	13b
경	卿		5767	09a
경	哽		890	02a
경	囧		4306	07a
경	坙		7444	11b
경	埂		9068	13b
경	境		9109	13b
경	庚		9706	14b
경	徑		1224	02b
경	慶		6722	10b
경	憬		6932	10b
경	憼		6709	10b
경	扃		7691	12a
경	摼		8022	12a

경	敬		5790	09a
경	景		4192	07a
경	更		2013	03b
경	梗		3526	06a
경	樫		3660	06a
경	橄		3734	06a
경	檾		4510	07b
경	涇		6970	11a
경	澋		7334	11a
경	漀		7349	11a
경	炅		6483	10a
경	熒		7662	11b
경	頃		6405	10a
경	輕		766	02a
경	璥		84	01a
경	瓊		94	01a
경	痙		4746	07b
경	睘		2127	04a
경	磬		6010	09b
경	窠		4631	07b
경	竟		1736	03a
경	競		1729	03a
경	絅		8539	13a
경	經		8488	13a
경	綆		8678	13a
경	磬		3288	05b
경	耕		2809	04b

경	耿		7760	12a	계	係		5141	08a
경	脛		2628	04b	계	傒		5077	08a
경	莖		494	01b	계	卟		2068	03b
경	夐		367	01b	계	启		869	02a
경	褧		5254	08a	계	契		6580	10b
경	誩		1727	03a	계	嫢		8230	12b
경	謦		1472	03a	계	季		9724	14b
경	警		1550	03a	계	癠		4669	07b
경	趜		1014	02a	계	屆		5382	08a
경	輕		9472	14a	계	与		6074	09b
경	肇		9500	14a	계	愒		6720	10b
경	郠		4111	06b	계	悸		6821	10b
경	鏡		9243	14a	계	戒		1760	03a
경	鑒		9348	14a	계	啟		1988	03b
경	陘		9605	14b	계	啓		4186	07a
경	頃		5197	08a	계	枅		3617	06a
경	頸		5590	09a	계	絜		2805	04b
경	駉		6208	10a	계	桂		3414	06a
경	駫		6151	10a	계	械		3801	06a
경	驚		6187	10a	계	棨		3754	06a
경	髉		2579	04b	계	繫		3705	06a
경	高		3304	05b	계	檵		3509	06a
경	鯁		7572	11b	계	洎		7323	11a
경	鯁		7617	11b	계	灒		7159	11a
경	鱷		7616	11b	계	娃		6420	10a
경	麠		6245	10a	계	甂		8428	12b
경	黥		6542	10a	계	眦		9140	13b

계	痵	痵	4713	07b
계	瘛	瘛	4763	07b
계	癸	癸	9716	14b
계	瞅	瞅	2118	04a
계	[illegible]	[illegible]	2153	04a
계	稽	稽	3873	06b
계	笄	笄	2889	05a
계	系	系	8469	12b
계	綮	綮	8560	13a
계	繫	繫	8689	13a
계	繼	繼	8505	13a
계	[illegible]	[illegible]	8718	13a
계	罊	罊	3289	05b
계	罽	罽	4801	07b
계	[illegible]	[illegible]	2724	04b
계	蘮	蘮	497	01b
계	薊	薊	308	01b
계	蘻	蘻	403	01b
계	計	計	1543	03a
계	誡	誡	1522	03a
계	谿	谿	7463	11b
계	軫	軫	9541	14a
계	[illegible]	[illegible]	4000	06b
계	鍥	鍥	9309	14a
계	階	階	9644	14b
계	雞	雞	2282	04a
계	類	類	5646	09a
계	[illegible]	[illegible]	5674	09a
계	髻	髻	5739	09a
계	齘	齘	1282	02b
고	兆	兆	5442	08b
고	刳	刳	2759	04b
고	古	古	1457	03a
고	告	告	777	02a
고	呱	呱	792	02a
고	固	固	3911	06b
고	夃	夃	3390	05b
고	臭	臭	6636	10b
고	姑	姑	8104	12b
고	婟	婟	8238	12b
고	嫴	嫴	8212	12b
고	孤	孤	9728	14b
고	尻	尻	5383	08a
고	峼	峼	5856	09b
고	庫	庫	5905	09b
고	攷	攷	2042	03b
고	故	故	1997	03b
고	敲	敲	2045	03b
고	杲	杲	3598	06a
고	[illegible]	[illegible]	3452	06a
고	枯	枯	3588	06a
고	柧	柧	3783	06a
고	[illegible]	[illegible]	3426	06a
고	棝	棝	3764	06a

곡	嚳	778	02a		곤	悃	6697	10b	
곡	斛	9443	14a		곤	昆	4235	07a	
곡	曲	8401	12b		곤	梱	3645	06a	
곡	梏	3804	06a		곤	鯀	5542	08b	
곡	暴	3704	06a		곤	琨	186	01a	
곡	穀	3507	06a		곤	睔	2104	04a	
곡	焅	6487	10a		곤	暉	2102	04a	
곡	牿	755	02a		곤	霝	3385	05b	
곡	豐	8402	12b		곤	緄	8601	13a	
곡	硞	5996	09b		곤	箘	464	01b	
곡	穀	4422	07a		곤	蚰	8901	13b	
곡	穀	8552	13a		곤	袞	5232	08a	
곡	苖	618	01b		곤	踹	1398	02b	
곡	嗀	2852	04b		곤	輥	9502	14a	
곡	谷	7462	11b		곤	顅	5642	09a	
곡	嗀	9501	14a		곤	髡	5732	09a	
곡	陠	9633	14b		곤	鯀	7554	11b	
곡	鳿	2388	04a		곤	鶤	2386	04a	
곡	鵠	2404	04a		끌	圣	9049	13b	
곡	鼜	3343	05b		골	魕	6596	10b	
곡	縠	4513	07b		골	捐	7992	12a	
곤	丨	230	01a		골	扢	3684	06a	
곤	困	3913	06b		골	汩	7005	11a	
곤	嚞	3900	06b		골	淈	7411	11a	
곤	坤	8976	13b		골	絹	8534	13a	
곤	崑	5881	09b		골	茁	589	01b	
곤	幃	4850	07b		골	顝	5605	09a	

독음	한자	번호	쪽
골	骨	2559	04b
골	鶻	2369	04a
공	供	5003	08a
공	公	716	02a
공	共	1768	03a
공	功	9167	13b
공	収	1748	03a
공	孔	7664	12a
공	工	3014	05a
공	鞏	1880	03b
공	供	6912	10b
공	恭	6708	10b
공	恐	6908	10b
공	拱	7802	12a
공	挈	7807	12a
공	拳	8042	12a
공	控	7848	12a
공	攻	2044	03b
공	栱	3421	06a
공	淬	7157	11a
공	珙	220	01a
공	碧	5990	09b
공	空	4630	07b
공	贛	3940	06b
공	篝	2922	05a
공	閧	1781	03a
공	蛩	8884	13a

독음	한자	번호	쪽
공	貢	3930	06b
공	邛	4107	06b
공	銎	9290	14a
공	鞏	1793	03b
공	龔	1762	03a
공	龏	1769	03a
과	侉	5135	08a
과	冎	2556	04b
과	干	3391	05b
과	夥	4318	07a
과	夸	6568	10b
과	寡	4587	07b
과	戈	8332	12b
과	敤	2052	03b
과	果	3551	06a
과	裸	7086	11a
과	過	7028	11a
과	瓜	4525	07b
과	科	4433	07a
과	稞	4404	07a
과	窠	4626	07b
과	胯	2625	04b
과	薖	477	01b
과	蠃	8809	13a
과	裹	5327	08a
과	誇	1640	03a
과	課	1536	03a

과	調	調	1648	03a
과	諣	諣	1603	03a
과	跨	跨	1351	02b
과	踝	踝	1328	02b
과	蹲	蹲	1388	02b
과	過	過	1109	02b
과	顆	顆	5615	09a
과	髁	髁	2566	04b
과	剈	剈	1850	03b
곽	崞	崞	5832	09b
곽	槨	槨	3813	06a
곽	漷	漷	7035	11a
곽	藿	藿	249	01b
곽	躩	躩	1389	02b
곽	郭	郭	4133	06b
곽	鑊	鑊	9301	14a
곽	鞹	鞹	1784	03b
곽	霩	霩	3312	05b
관	倌	倌	5081	08a
관	冠	冠	4776	07b
관	官	官	9569	14a
관	寬	寬	4584	07b
관	絲	絲	8739	13a
관	悹	悹	6735	10b
관	摜	摜	7886	12a
관	棺	棺	3810	06a
관	款	款	5512	08b

관	毌	毌	4321	07a
관	涫	涫	7329	11a
관	灌	灌	6999	11a
관	爟	爟	6489	10a
관	瓘	瓘	83	01a
관	盥	盥	3145	05a
관	瞘	瞘	2109	04a
관	祼	祼	45	01a
관	筦	筦	2893	05a
관	管	管	2981	05a
관	綰	綰	8576	13a
관	罐	罐	3291	05b
관	菅	菅	327	01b
관	觀	觀	5458	08b
관	貫	貫	4322	07a
관	輨	輨	9509	14a
관	遦	遦	1110	02b
관	關	關	7733	12a
관	雚	雚	2314	04a
관	鞥	鞥	1819	03b
관	館	館	3234	05b
관	髖	髖	2568	04b
관	鸛	鸛	2448	04a
괄	佸	佸	5047	08a
괄	刮	刮	2773	04b
괄	契	契	2804	04b
괄	劀	劀	2770	04b

괄	昏		941	02a
괄	括		7978	12a
괄	栝		3740	06a
괄	楛		3736	06a
괄	聒		7768	12a
괄	苦		398	01b
괄	适		1122	02b
괄	鋯		9392	14a
괄	頡		5616	09a
괄	骺		2570	04b
괄	鬠		5718	09a
괄	鴰		2436	04a
괄	齸		1319	02b
광	伖		5103	08a
광	徎		5169	08a
광	光		6477	10a
광	匡		8385	12b
광	壙		9069	13b
광	廣		5909	09b
광	恇		6903	10b
광	愰		6817	10b
광	廮		6719	10b
광	曠		4182	07a
광	桄		3779	06a
광	洭		6997	11a
광	洸		7137	11a
광	狂		6336	10a
광	獷		6301	10a
광	磺		5981	09b
광	橫		4380	07a
광	纊		8685	13a
광	啞		1946	03b
광	粻		6632	10b
광	誑		1601	03a
광	軖		9558	14a
광	軭		9539	14a
광	迋		1103	02b
광	鄺		4041	06b
괘	卦		2067	03b
괘	咼		938	02a
괘	挂		8031	12a
괘	絓		8485	13a
괘	詿		1617	03a
괘	註		1657	03a
괴	傀		4957	08a
괴	凷		8993	13b
괴	夈		4319	07a
괴	壞		9073	13b
괴	媿		8304	12b
괴	巜		7441	11b
괴	廥		5910	09b
괴	怪		6800	10b
괴	襘		4269	07a
괴	槐		3506	06a

괴	瑰	瑰	196	01a
괴	櫰	櫰	4408	07a
괴	菲	菲	2317	04a
괴	蒯	蒯	376	01b
괴	蕢	蕢	608	01b
괴	襘	襘	5253	08a
괴	郮	郮	4162	06b
괴	髖	髖	2571	04b
괴	體	體	2583	04b
괴	魁	魁	9448	14a
괵	馘	馘	7780	12a
괵	虢	虢	3114	05a
굉	厷	厷	1897	03b
굉	宏	宏	4548	07b
굉	紘	紘	8596	13a
굉	觵	觵	2841	04b
굉	訇	訇	1630	03a
굉	轟	轟	9563	14a
굉	鍠	鍠	9343	14a
굉	閎	閎	7696	12a
굉	軥	軥	1807	03b
교	丂	丂	3037	05a
교	交	交	6592	10b
교	佼	佼	4933	08a
교	僑	僑	4968	08a
교	喬	喬	6589	10b
교	嘐	嘐	891	02a

교	跴	跴	1434	03a
교	噭	噭	780	02a
교	墽	墽	8986	13b
교	姣	姣	8153	12b
교	嬌	嬌	8309	12b
교	孂	孂	8179	12b
교	孝	孝	9730	14b
교	藠	藠	6227	10a
교	屩	屩	5410	08b
교	嶠	嶠	5875	09b
교	巧	巧	3016	05a
교	恔	恔	6702	10b
교	撟	撟	7926	12a
교	撽	撽	8011	12a
교	攪	攪	7973	12a
교	教	教	2064	03b
교	敎	敎	2505	04b
교	敫	敫	5537	08b
교	敽	敽	2018	03b
교	敆	敆	2063	03b
교	校	校	3773	06a
교	橋	橋	3767	06a
교	烄	烄	6409	10a
교	狡	狡	6273	10a
교	獥	獥	6291	10a
교	獢	獢	6334	10a
교	璬	璬	121	01a

교	疝	牖	4684	07b
교	皎	皦	4908	07b
교	曒	爜	4915	07b
교	鎏	豊	3135	05a
교	鼎	鼎	5676	09a
교	矯	䭾	3294	05b
교	礄	礄	6007	09b
교	窌	窌	4635	07b
교	窖	窖	4636	07b
교	絞	絞	6594	10b
교	繑	繑	8619	13a
교	翹	翹	2243	04a
교	膠	膠	2717	04b
교	茭	茭	318	01b
교	茭	茭	612	01b
교	蛟	蛟	8851	13a
교	蟜	蟜	8773	13a
교	警	警	1583	03a
교	趬	趬	983	02a
교	趬	趬	993	02a
교	蹻	蹻	1342	02b
교	較	較	9484	14a
교	迒	迒	1125	02b
교	郊	郊	3993	06b
교	鄗	鄗	4053	06b
교	鐈	鐈	9248	14a
교	驕	驕	6142	10a

교	骹	骹	2572	04b
교	鮫	鮫	7615	11b
교	鵁	鵁	2437	04a
교	鷮	鷮	2464	04a
교	齩	齩	1304	02b
구	丘	丠	5209	08a
구	丩	丩	1454	03a
구	久	久	3392	05b
구	九	九	9681	14b
구	仇	仇	5148	08a
구	佝	佝	5113	08a
구	俅	俅	4935	08a
구	俱	俱	5017	08a
구	俇	俇	5152	08a
구	傴	傴	5145	08a
구	具	具	1764	03a
구	冓	冓	2485	04b
구	刞	刞	2736	04b
구	劬	劬	9205	13b
구	勼	勼	5777	09a
구	劂	劂	5783	09a
구	區	區	8376	12b
구	口	口	779	02a
구	呁	呁	903	02a
구	句	句	1450	03a
구	咎	咎	5150	08a
구	垢	垢	9085	13b

구	妠	8140	12b
구	姤	8313	12b
구	媾	8116	12b
구	嫗	8100	12b
구	夋	4592	07b
구	寇	2035	03b
구	㝅	4591	07b
구	屨	5407	08b
구	廄	5906	09b
구	斀	8457	12b
구	彄	8443	12b
구	雊	1229	02b
구	懅	6879	10b
구	懼	6739	10b
구	扣	8049	12a
구	拘	1451	03a
구	捄	7990	12a
구	搆	7797	12a
구	敂	2043	03b
구	救	2022	03b
구	斠	9452	14a
구	斪	9431	14a
구	昫	4188	07a
구	晷	4199	07a
구	胊	2680	04b
구	枸	3486	06a
구	柩	8399	12b
구	梂	3514	06a
구	構	3605	06a
구	椇	3669	06a
구	㱿	5502	08b
구	欨	5554	08b
구	歐	5531	08b
구	毄	1965	03b
구	毆	1957	03b
구	毬	5372	08a
구	氍	5368	08a
구	溝	7224	11a
구	滱	7070	11a
구	漚	7289	11a
구	灈	7024	11a
구	灸	6440	10a
구	㷌	6414	10a
구	狗	6270	10a
구	玖	162	01a
구	玽	174	01a
구	球	104	01a
구	甌	8417	12b
구	痀	4711	07b
구	眗	2207	04a
구	䀰	2209	04a
구	𥄂	6629	10b
구	瞿	2351	04a
구	秵	3872	06b

구	究		4651	07b	구	裘		5349	08a
구	鉤		6653	10b	구	褔		5331	08a
구	筍		1452	03a	구	覯		5468	08b
구	簆		2920	05a	구	觓		2824	04b
구	枭		4476	07a	구	訽		1716	03a
구	糗		4475	07a	구	訽		1633	03a
구	絢		8654	13a	구	謳		1568	03a
구	絿		8538	13a	구	賕		3969	06b
구	緱		8645	13a	구	購		3970	06b
구	翎		2246	04a	구	趜		1010	02a
구	耉		5355	08a	구	跔		1397	02b
구	聥		7769	12a	구	躣		1334	02b
구	肌		2684	04b	구	軀		5227	08a
구	脈		2643	04b	구	輄		9516	14a
구	臞		2641	04b	구	迷		1168	02b
구	臼		4499	07a	구	遘		1128	02b
구	舅		9163	13b	구	避		1097	02b
구	舊		2315	04a	구	邱		4014	06b
구	芃		630	01b	구	郇		4137	06b
구	苟		636	01b	구	邱		4141	06b
구	苟		5789	09a	구	邾		4146	06b
구	苦		414	01b	구	釦		9280	14a
구	蒟		482	01b	구	鉤		1453	03a
구	藘		344	01b	구	钁		9410	14a
구	蚼		8883	13a	구	隔		9597	14b
구	蠡		8922	13b	구	雊		2281	04a
구	衢		1268	02b	구	韝		3372	05b

구	韭		4519	07b	국	籭		6617	10b
구	駒		6109	10a	국	暴		8525	13a
구	驅		6178	10a	국	爨		8732	13a
구	鬮		1888	03b	국	臼		1776	03a
구	鮈		7628	11b	국	菊		273	01b
구	鰸		7602	11b	국	蘜		416	01b
구	鱹		7633	11b	국	蘜		449	01b
구	鳩		2366	04a	국	蜠		8869	13a
구	鴝		2454	04a	국	趜		1041	02a
구	鷇		2470	04a	국	輂		9554	14a
구	鸜		2429	04a	국	曑		9512	14a
구	麤		6244	10a	국	鞫		1802	03b
구	䃂		8960	13b	국	驧		6196	10a
구	駈		6370	10a	국	鮈		7605	11b
구	勼		2227	04a	국	鞠		2371	04a
구	齨		1313	02b	군	君		838	02a
국	匊		5775	09a	군	窘		4572	07b
국	蜀		5772	09a	군	帬		4848	07b
국	㕻		1883	03b	군	攈		7947	12a
국	口		3890	06b	군	攗		2032	03b
국	國		3899	06b	군	涒		7355	11a
국	鞠		7869	12a	군	皸		1983	03b
국	鞠		4596	07b	군	窘		4648	07b
국	局		957	02a	군	羣		2343	04a
국	掬		7896	12a	군	莙		338	01b
국	攫		7824	12a	군	趣		1003	02a
국	鞠		4472	07a	군	軍		9522	14a

한글독음

궐	厥	5954	09b
궐	孑	9734	14b
궐	繠	3721	06a
궐	氒	8327	12b
궐	瘚	4712	07b
궐	蕨	637	01b
궐	蟨	8885	13a
궐	鱖	2827	04b
궐	蹶	1368	02b
궐	闕	7706	12a
궐	鱖	2567	04b
궐	鱖	7596	11a
궐	鷢	2446	04a
궤	几	9420	14a
궤	匭	8395	12b
궤	屟	5952	09b
궤	塊	9064	13b
궤	姽	8172	12b
궤	氿	5828	09b
궤	恑	6819	10b
궤	憒	6836	10b
궤	撅	8036	12a
궤	机	3533	06a
궤	樻	3459	06a
궤	殨	2537	04b
궤	氿	7206	11a
궤	潰	7189	11a

궤	袿	34	01a
궤	簋	2927	05a
궤	績	8496	13a
궤	蛫	8875	13a
궤	觤	2835	04b
궤	詭	1692	03a
궤	跪	1331	02b
궤	軌	9534	14a
궤	鬶	9298	14a
궤	匱	7703	12a
궤	鞼	1791	03b
궤	餽	3246	05b
궤	饋	3217	05b
궤	廆	6241	10a
귀	劌	2752	04b
귀	宄	4597	07b
귀	歸	1759	03a
귀	樻	3716	06a
귀	歸	1072	02a
귀	䕜	673	01b
귀	貴	3975	06b
귀	賏	3923	06b
귀	騩	6115	10a
귀	鬶	5722	09a
귀	鬼	5791	09a
귀	龜	8949	13b
귀	幗	4897	07b

한글	한자	번호	쪽
규	刲	2775	04b
규	叫	923	02a
규	嘄	852	02a
규	圭	9101	13b
규	厬	2214	04a
규	奎	6565	10b
규	嫢	8187	12b
규	嬀	8076	12b
규	戣	8335	12b
규	揆	7935	12a
규	撌	8002	12a
규	杒	3574	06a
규	楑	3425	06a
규	樛	3573	06a
규	湀	7214	11a
규	睽	2135	04a
규	窐	4618	07b
규	窺	4639	07b
규	竅	4629	07b
규	糾	1456	03a
규	赳	2812	04b
규	茥	337	01b
규	虯	1455	03a
규	葵	260	01b
규	蚪	8853	13a
규	晝	8775	13a
규	罣	7675	12a
규	規	6642	10b
규	覽	5469	08b
규	訓	1651	03a
규	赳	984	02a
규	趌	1049	02a
규	蹸	1394	02b
규	邽	4020	06b
규	郌	4042	06b
규	閨	7697	12a
규	闚	7739	12a
규	頍	5621	09a
규	頯	5585	09a
규	顝	5614	09a
규	馗	9682	14b
규	驁	6168	10a
규	鬹	1848	03b
규	麋	6251	10a
규	戁	9161	13b
균	勻	5776	09a
균	困	3901	06b
균	均	8983	13b
균	稇	4403	07a
균	筠	2999	05a
균	箘	2856	05a
균	菌	478	01b
균	鈞	9331	14a
균	麇	6242	10a

귤	橘	橘	3397	06a		근	斤	斤	9427	14a
귤	趫	趫	1038	02a		근	根	根	3547	06a
귤	趫	趫	1031	02a		근	殣	殣	2535	04b
귤	醨	醨	9820	14b		근	瑾	瑾	90	01a
극	卂	卂	1876	03b		근	瘽	瘽	4680	07b
극	亟	亟	8969	13b		근	筋	筋	2729	04b
극	克	克	4351	07a		근	芹	芹	391	01b
극	劇	劇	2798	04b		근	蘢	蘢	267	01b
극	劾	劾	9191	13b		근	堇	堇	640	01b
극	崇	崇	4916	07b		근	蟪	蟪	8745	13a
극	屐	屐	5411	08b		근	覲	覲	5487	08b
극	愅	愅	6777	10b		근	謹	謹	1516	03a
극	戟	戟	8337	12b		근	薑	薑	3082	05a
극	棘	棘	4338	07a		근	赾	赾	1030	02a
극	極	極	3609	06a		근	跟	跟	1327	02b
극	殛	殛	2530	04b		근	近	近	1179	02b
극	襋	襋	5239	08a		근	釿	釿	9434	14a
극	郄	郄	4038	06b		근	靳	靳	1816	03b
극	隙	隙	9649	14b		근	饉	饉	3241	05b
극	輒	輒	1836	03b		글	起	起	1023	02a
근	僅	僅	5058	08a		금	今	今	3257	05b
근	勤	勤	9195	13b		금	厱	厱	5963	09b
근	菫	菫	9120	13b		금	唫	唫	833	02a
근	墐	墐	9014	13b		금	噤	噤	834	02a
근	靳	靳	9702	14b		금	妗	妗	8178	12b
근	廑	廑	5934	09b		금	捦	捦	7825	12a
근	撙	撙	7876	12a		금	炃	炃	1953	03b

한글독음

기	寄	窝	4589	07b
기	眉	眉	5385	08a
기	屺	屺	5835	09b
기	己	己	9701	14b
기	異	異	9703	14b
기	幾	幾	2493	04b
기	庪	庪	5944	09b
기	徛	徛	1254	02b
기	忮	忮	6797	10b
기	忌	忌	6837	10b
기	惎	惎	6919	10b
기	技	技	7984	12a
기	掎	掎	7969	12a
기	攲	攲	5196	08a
기	鼓	鼓	5979	09b
기	鼓	鼓	1928	03b
기	旂	旂	4267	07a
기	旗	旗	4263	07a
기	旡	旡	5569	08b
기	旣	旣	3182	05b
기	曁	曁	4257	07a
기	期	期	4298	07a
기	杞	杞	3510	06a
기	棄	棄	2484	04b
기	棊	棊	3737	06a
기	機	機	3707	06a
기	欫	欫	5513	08b

기	欺	欺	5560	08b
기	殈	殈	2551	04b
기	气	气	224	01a
기	氣	氣	4483	07a
기	沂	沂	7046	11a
기	淇	淇	6991	11a
기	濜	濜	7083	11a
기	猗	猗	1323	02b
기	玘	玘	214	01a
기	璣	璣	197	01a
기	璂	璂	133	01a
기	畸	畸	9132	13b
기	畿	畿	9136	13b
기	磯	磯	6031	09b
기	祁	祁	4045	06b
기	祇	祇	26	01a
기	祈	祈	50	01a
기	祺	祺	22	01a
기	稘	稘	4439	07a
기	穊	穊	4364	07a
기	機	機	4392	07a
기	箮	箮	2890	05b
기	箕	箕	3003	05a
기	紀	紀	8498	13a
기	綺	綺	8551	13a
기	綼	綼	8585	13a
기	畢	畢	4824	07b

기	耆		5354	08a
기	肌		2588	04b
기	朡		2591	04b
기	臮		5215	08a
기	芑		660	01b
기	芰		412	01b
기	芪		451	01b
기	其		248	01b
기	萁		259	01b
기	蘉		530	01b
기	蘂		361	01b
기	蘄		328	01b
기	蚔		8776	13a
기	蚚		8782	13a
기	蚑		8840	13a
기	蟣		8765	13a
기	盤		3161	05a
기	覬		5479	08b
기	觭		2823	04b
기	記		1564	03a
기	認		1523	03a
기	譆		1638	03a
기	諅		1663	03a
기	譏		1605	03a
기	豈		3077	05a
기	譏		3079	05a
기	起		1016	02a

기	趚		985	02a
기	趮		1036	02a
기	跂		1409	02b
기	踑		1332	02b
기	踦		1330	02b
기	軝		9503	14a
기	迣		3006	05a
기	邔		4144	06b
기	邔		4079	06b
기	郊		4002	06b
기	錡		9283	14a
기	隑		9630	14b
기	頎		5660	09a
기	飢		3244	05b
기	饑		3240	05b
기	騏		6112	10a
기	騎		6156	10a
기	驥		6138	10a
기	髻		5737	09a
기	魌		5799	09a
기	覺		5801	09a
기	鮨		7639	11b
기	麒		6237	10a
기	齮		1296	02b
긴	緊		1942	03b
긴	趣		997	02a
길	佶		4971	08a

길	吉	吉	875	02a
길	姞	姞	8073	12b
길	拮	拮	7991	12a
길	桔	桔	3465	06a
길	蛣	蛣	8768	13a
길	趌	趌	1020	02a
길	鮚	鮚	7631	11b
깔	薄	薄	520	01b
끽	喫	喫	964	02a
나				
나	儺	儺	4965	08a
나	懦	懦	6782	10b
나	拏	拏	7839	12a
나	挐	挐	8038	12a
나	稬	稬	4376	07a
나	蒳	蒳	242	01b
나	蘿	蘿	440	01b
나	裦	裦	5314	08a
나	詉	詉	1634	03a
나	那	那	4091	06b
나	魖	魖	5804	09a
낙	諾	諾	1481	03a
난	偄	偄	5090	08a
난	奻	奻	8305	12b
난	戁	戁	6690	10b
난	㬎	㬎	4222	07a
난	難	難	4225	07a

난	㵟	㵟	7325	11a
난	煖	煖	6481	10a
난	燠	燠	6482	10a
난	蘭	蘭	286	01b
난	赧	赧	6556	10b
난	鸞	鸞	2392	04a
난	麜	麜	6233	10a
남	南	南	3857	06b
남	柟	柟	3404	06a
남	湳	湳	7073	11a
남	男	男	9162	13b
남	藍	藍	282	01b
남	蘫	蘫	594	01b
남	喃	喃	9823	14b
납	納	納	8502	13a
납	軜	軜	9518	14a
납	魶	魶	7544	11b
낭	囊	囊	3887	06b
낭	曩	曩	4213	07a
낭	莨	莨	475	01b
낭	蠰	蠰	8798	13a
내	乃	乃	3034	05a
내	內	內	3265	05b
내	嫯	嫯	7966	12a
내	腝	腝	4207	07a
내	奈	奈	3407	06a
내	漆	漆	7276	11a

한글 독음

농	農	農	1779	03a
농	醲	醲	9774	14b
날	豽	豽	6091	09b
뇌	腦	腦	5198	08a
뇌	媈	媈	8303	12b
뇌	捼	捼	7965	12a
뇨	嫋	嫋	8167	12b
뇨	尿	尿	5405	08b
뇨	淖	淖	7194	11a
뇨	獿	獿	6290	10a
뇨	褭	褭	5345	08a
뇨	譊	譊	1584	03a
뇨	鐃	鐃	9336	14a
누	毃	毃	9721	14b
누	槈	槈	3668	06a
누	獳	獳	6305	10a
누	蔞	蔞	377	01b
눈	嫩	嫩	8292	12b
눌	肉	肉	1447	03a
눌	朒	朒	4297	07a
눌	訥	訥	1580	03a
뉴	沑	沑	7317	11a
뉴	狃	狃	6308	10a
뉴	狙	狙	9464	14a
뉴	粈	粈	4479	07a
뉴	紐	紐	8609	13a
뉴	朏	朏	9742	14b

뉴	邢	邢	4143	06b
뉴	鈕	鈕	9289	14a
뉴	鈕	鈕	3206	05b
뉵	恧	恧	6924	10b
뉵	衄	衄	3157	05a
늠	林	林	441	01b
능	能	能	6379	10a
능	淩	淩	411	01b
니	尼	尼	5386	08a
니	跜	跜	5211	08a
니	怩	怩	6935	10b
니	柅	柅	3479	06a
니	栭	栭	3706	06a
니	泥	泥	7072	11a
니	瀰	瀰	7175	11a
니	秜	秜	4381	07a
니	膩	膩	2697	04b
닉	匿	匿	8377	12b
닉	惄	惄	6891	10b
닉	搦	搦	7968	12a
닉	休	休	7259	11a
닉	溺	溺	6968	11a
닐	暱	暱	4232	07a
닐	䵒	䵒	4449	07a
닙	囡	囡	3907	06b
다				
다	多	多	4317	07a

다	艍	2834	04b
단	丹	3170	05b
단	亶	3327	05b
단	但	5144	08a
단	剬	2746	04b
단	匰	8400	12b
단	呾	925	02a
단	單	974	02a
단	團	3892	06b
단	壇	9099	13b
단	摶	7988	12a
단	斷	9438	14a
단	旦	4256	07a
단	檀	3512	06a
단	段	1961	03b
단	緞	8967	13b
단	湍	7149	11a
단	溥	7413	11a
단	癉	4750	07b
단	短	3298	05b
단	端	6647	10b
단	簞	2912	05a
단	耑	4518	07b
단	膻	2638	04b
단	蜑	8894	13a
단	袒	5315	08a
단	褍	5279	08a
단	禪	5297	08a
단	組	2843	04b
단	篅	2833	04b
단	猯	6098	09b
단	貒	6084	09b
단	蹢	1338	02b
단	鄲	4049	06b
단	鍛	9240	14a
단	靼	1790	03b
단	鞭	3377	05b
단	驙	6194	10a
단	鴠	2373	04a
단	鷻	2442	04a
단	黵	9158	13b
달	妲	8308	12b
달	怛	6864	10b
달	撻	8003	12a
달	少	1075	02a
달	炟	6383	10a
달	獺	6349	10a
달	疸	4751	07b
달	笪	2967	05a
달	奎	2328	04a
달	達	1162	02b
달	闥	7750	12a
달	黜	6514	10a
담	倓	4951	08a

담	儋		5002	08a
담	啗		811	02a
담	啖		889	02a
담	噡		879	02a
담	媅		8195	12b
담	嬸		8277	12b
담	惔		6887	10b
담	憺		6763	10b
담	曇		4252	07a
담	橝		3630	06a
담	淡		7354	11a
담	湛		7257	11a
담	潭		7008	11a
담	澹		7176	11a
담	禫		72	01a
담	窞		4634	07b
담	糷		4470	07a
담	統		8597	13a
담	綊		8592	13a
담	緂		8589	13a
담	耼		7758	12a
담	聸		7759	12a
담	膽		2599	04b
담	荻		422	01b
담	蕁		342	01b
담	薝		430	01b
담	蟫		8770	13a

담	盫		3159	05a
담	談		1474	03a
담	郯		4126	06b
담	鄲		4136	06b
담	醰		9781	14b
담	錟		9358	14a
담	驔		6132	10a
담	賣		3321	05b
담	黕		6529	10a
담	黮		6540	10a
담	黵		6532	10a
답	揢		7987	12a
답	榙		3540	06a
답	榯		3539	06a
답	沓		3032	05a
답	澘		7330	11a
답	罙		2134	04a
답	磕		6021	09b
답	鈶		3278	05b
답	荅		247	01b
답	誻		1627	03a
답	譶		1626	03a
답	誩		1718	03a
답	譋		1672	03a
답	蹋		1352	02b
답	遝		1115	02b
답	馨		3074	05a

한글독음

덕	德		1223	02b		도	桃		3409	06a
덕	悳		6677	10b		도	橘		3760	06a
도	倒		5178	08a		도	檮		3790	06a
도	刀		2732	04b		도	櫂		3823	06a
도	到		7669	12a		도	涂		6965	11a
도	匋		3272	05b		도	渡		7246	11a
도	㕩		1914	03b		도	滔		7104	11a
도	咷		797	02a		도	濤		7424	11a
도	圖		3897	06b		도	畾		8403	12b
도	堵		9002	13b		도	牧		748	02a
도	塗		9105	13b		도	牫		740	02a
도	墻		9055	13b		도	犆		762	02a
도	夲		6622	10b		도	痑		4690	07b
도	導		1979	03b		도	盜		5568	08b
도	屠		5394	08a		도	睹		2133	04a
도	盦		5885	09b		도	禂		63	01a
도	嶹		5822	09b		도	禱		51	01a
도	度		1922	03b		도	稌		4375	07a
도	㞨		8455	12b		도	稻		4374	07a
도	悼		6907	10b		도	巢		4426	07a
도	慆		6761	10b		도	筡		2866	05a
도	挑		7892	12a		도	翿		2264	04a
도	捈		8033	12a		도	荼		668	01b
도	掉		7910	12a		도	萄		659	01b
도	搯		7806	12a		도	萄		684	01b
도	擣		7959	12a		도	麲		3118	05a
도	睹		4176	07a		도	詷		1624	03a

돌	咄		853	02a
돌	柮		3789	06a
돌	突		4645	07b
돌	腯		2665	04b
동	仝		3268	05b
동	侗		4970	08a
동	僮		4927	08a
동	冬		7478	11b
동	凍		7474	11b
동	動		9186	13b
동	同		4780	07b
동	彤		3172	05b
동	憧		6814	10b
동	挏		7880	12a
동	曈		4240	07a
동	東		3828	06a
동	桐		3522	06a
동	棟		3608	06a
동	橦		3657	06a
동	殼		1962	03b
동	洞		7152	11a
동	涷		6952	11a
동	湩		7394	11a
동	潼		6954	11a
동	犝		773	02a
동	眮		2115	04a
동	穜		4357	07a

동	童		1739	03a
동	罿		4811	07b
동	苳		662	01b
동	董		402	01b
동	蝀		8892	13a
동	衕		1270	02b
동	詷		1557	03a
동	赨		6554	10b
동	迵		1164	02b
동	銅		9220	14a
동	鈍		9305	14a
동	駉		6186	10a
동	鮦		7559	11b
동	鬱		3071	05a
두	侸		5040	08a
두	兜		5443	08b
두	呭		895	02a
두	厞		2037	03b
두	斗		9442	14a
두	杜		3416	06a
두	枓		3693	06a
두	梪		3081	05a
두	殬		2545	04b
두	毄		1954	03b
두	竇		4624	07b
두	筲		2949	05a
두	脰		2593	04b

두	蠹		8920	13b
두	覭		5492	08b
두	豆		3080	05a
두	逗		1152	02b
두	郖		4022	06b
두	鋀		9262	14a
두	鞁		1820	03b
두	頭		5573	09a
두	鮗		7564	11b
두	麤		4515	07b
둔	屍		5384	08a
둔	屯		234	01b
둔	窀		4660	07b
둔	籔		2970	05a
둔	遁		1138	02b
둔	遯		1171	02b
둔	鈍		9407	14a
득	得		1253	02b
득	昇		5459	08b
등	敒		8164	12b
등	羍		3085	05a
등	橙		3398	06a
등	甈		5371	08a
등	勝		7135	11a
등	璒		180	01a
등	登		1078	02a
등	等		2884	05a

등	簦		2953	05a
등	滕		8658	13a
등	勝		4881	07b
등	騰		3116	05a
등	騰		8743	13a
등	膡		1578	03a
등	蹬		1412	02b
등	鄧		4066	06b
등	鐙		9272	14a
등	隥		9591	14b
등	騰		6206	10a
라				
라	爐		6606	10b
라	斫		9439	14a
라	殑		2546	04b
라	砢		6027	09b
라	贏		6657	10b
라	纚		8541	13a
라	羅		4809	07b
라	臝		2718	04b
라	贏		8810	13a
라	贏		5319	08a
라	覶		5453	08b
라	邏		1218	02b
라	鑼		9257	14a
라	臝		6213	10a
락	洛		6981	11a

락	濼		7034	11a		란	蕑		2963	05a
락	烙		6496	10a		란	蘽		316	01b
락	犖		741	02a		란	讕		1701	03a
락	略		2187	04a		란	孌		9373	14a
락	筠		2921	05a		란	闌		7728	12a
락	絡		8684	13a		란	闢		7740	12a
락	落		550	01b		란	鸞		2361	04a
락	酪		9824	14b		랄	剌		3884	06b
락	鉻		9393	14a		랄	埒		9006	13b
락	雒		2273	04a		랄	剓		4870	07b
락	雳		7499	11b		랄	捋		7854	12a
락	鞳		1786	03b		랄	梸		3485	06a
락	駱		6119	10a		랄	瓎		96	01a
락	鮥		7553	11b		랄	痢		4768	07b
란	亂		9695	14b		랄	劃		1303	02b
란	卵		8966	13b		람	婪		8279	12b
란	嬌		8161	12a		람	嬻		8294	12b
란	嬾		8280	12b		람	嵐		5879	09b
란	斕		2034	03b		람	幱		4852	07b
란	孿		4203	07a		람	擥		7833	12a
란	欒		3499	06a		람	濫		7144	11a
란	欁		5499	08b		람	籃		2919	05a
란	瀾		7140	11a		람	蒚		540	01b
란	燊		7236	11a		람	蘫		594	01b
란	灡		7340	11a		람	襤		5257	08a
란	爛		6436	10a		람	覽		5460	08b
란	龗		2508	04b		람	醯		9778	14b

람	顠	顠	5652	09a
람	藍	藍	5703	09a
랍	厏	厏	5961	09b
랍	拉	拉	7814	12a
랍	粒	粒	3787	06a
랍	臘	臘	2656	04b
랍	蠟	蠟	8838	13a
랍	邋	邋	1180	02b
랑	廊	廊	5942	09b
랑	朗	朗	4295	07a
랑	根	根	3568	06a
랑	浪	浪	6974	11a
랑	狼	狼	6345	10a
랑	琅	琅	198	01a
랑	稂	稂	9460	14a
랑	硠	硠	5997	09b
랑	筤	筤	2918	05a
랑	蒗	蒗	251	01b
랑	蜋	蜋	8799	13a
랑	郎	郎	4120	06b
랑	鋃	鋃	9382	14a
랑	閬	閬	7712	12a
래	來	來	3331	05b
래	儾	儾	5041	08a
래	勑	勑	9170	13b
래	淶	淶	7071	11a
래	崍	崍	93	01a
래	睞	睞	2180	04a
래	秾	秾	4385	07a
래	覞	覞	5461	08b
래	騋	騋	6143	10a
랭	冷	冷	7481	11b
략	掠	掠	8057	12a
략	略	略	9145	13b
략	蟧	蟧	8833	13a
량	从	从	3269	05b
량	网	网	4788	07b
량	兩	兩	4789	07b
량	寁	寁	4552	07b
량	寮	寮	5571	08b
량	梁	梁	3768	06a
량	椋	椋	3435	06a
량	涼	涼	7353	11a
량	悢	悢	738	02a
량	眼	眼	2175	04a
량	梁	梁	4456	07a
량	糧	糧	4478	07a
량	緉	緉	8710	13a
량	胹	胹	2677	04b
량	良	良	3324	05b
량	蜽	蜽	8879	13a
량	諒	諒	1476	03a
량	輬	輬	9470	14a
량	醂	醂	9821	14b

한글독음

량	量		5221	08a
량	飆		8933	13b
려	侶		5171	08a
려	儷		5079	08a
려	勵		9169	13b
려	厲		5955	09b
려	呂		4610	07b
려	唳		963	02a
려	嶇		5850	09b
려	廬		5896	09b
려	慮		6669	10b
려	戾		6322	10a
려	攭		2002	03b
려	旅		4282	07a
려	梠		3626	06a
려	淚		7190	11a
려	牪		739	02a
려	琍		193	01a
려	癘		4725	07b
려	癧		4718	07b
려	盭		8466	12b
려	礪		6029	09b
려	稆		4459	07a
려	縷		8590	13a
려	臚		2589	04b
려	莫		317	01b
려	蠣		8861	13a

려	蠡		8921	13b
려	邌		1148	02b
려	邑		4032	06b
려	鑢		9229	14a
려	鑪		9324	14a
려	閭		7701	12a
려	驢		6214	10a
려	驪		6113	10a
려	鬲		5725	09a
려	鱺		7574	11b
려	麗		6254	10a
려	黎		4450	07a
력	力		9165	13b
력	秝		5957	09b
력	厤		5408	08b
력	曆		4253	07a
력	朸		3594	06a
력	櫟		3513	06a
력	櫪		3805	06a
력	歷		1069	02a
력	瀝		7337	11a
력	礐		87	01a
력	礫		191	01a
력	曆		6002	09b
력	礰		5989	09b
력	秫		4442	07a
력	鬲		2817	04b

력	遾		1053	02a	련	鏈		7568	11b
력	轢		9533	14a	련	醫		1310	02b
력	酈		4164	06b	렬	列		2760	04b
력	鬲		1846	03b	렬	劣		9188	13b
력	鬻		1859	03b	렬	劣		7448	11b
력	鱳		7607	11b	렬	栵		3618	06a
련	孌		1767	03a	렬	捩		3482	06a
련	變		8225	12b	렬	洌		7161	11a
련	戀		9722	14b	렬	烈		6393	10a
련	憐		6926	10b	렬	戾		2510	04b
련	戀		6927	10b	렬	捋		742	02a
련	攣		7960	12a	렬	梨		4416	07a
련	楝		3515	06a	렬	脟		2610	04b
련	槤		3702	06a	렬	蛚		8829	13a
련	湅		7400	11a	렬	蛚		8837	13a
련	漣		2004	03b	렬	裂		5313	08a
련	煉		6442	10a	렬	迾		1187	02b
련	練		8556	13a	렬	迾		1188	02b
련	聯		7761	12a	렬	鋝		9327	14a
련	孿		2644	04b	렬	颲		8944	13b
련	謰		1597	03a	렬	鴷		6181	10a
련	戀		1615	03a	렴	慊		4856	07b
련	輦		9556	14a	렴	廉		5918	09b
련	連		1167	02b	렴	斂		2016	03b
련	鄻		4024	06b	렴	溓		7296	11a
련	鍊		9234	14a	렴	熑		6450	10a
련	鏈		9221	14a	렴	磏		5987	09b

렴	穅		4377	07a		령	翎		2268	04a
렴	簾		2896	05a		령	聆		7766	12a
렴	簽		2923	05a		령	蛉		8831	13a
렴	蠊		8855	13a		령	蠡		8811	13a
렴	覝		5456	08b		령	軨		9491	14a
렴	霖		7508	11b		령	逞		1195	02b
렴	鎌		3213	05b		령	酃		4093	06b
렴	鬑		5713	09a		령	鈴		9334	14a
렵	儠		4963	08a		령	零		7500	11b
렵	巤		6666	10b		령	霝		7498	11b
렵	攊		7834	12a		령	領		5591	09a
렵	獵		6326	10a		령	顲		5611	09a
렵	甄		8430	12b		령	鮽		7625	11b
렵	鬣		5724	09a		령	鷺		6250	10a
령	令		5749	09a		령	齡		1321	02b
령	伶		5078	08a		령	籠		7650	11b
령	囹		3908	06b		례	例		5140	08a
령	霙		8133	12b		례	棣		3481	06a
령	嶺		5878	09b		례	櫪		3772	06a
령	柃		3679	06a		례	澧		7019	11a
령	欞		3638	06a		례	犣		760	02a
령	泠		7001	11a		례	砅		7255	11a
령	玲		150	01a		례	禮		12	01a
령	靈		206	01a		례	豊		3086	05a
령	瓴		8421	12b		례	醴		9768	14b
령	竛		2957	05a		례	隸		1940	03b
령	籦		3284	05b		례	鱧		7578	11b

례	鱧	鱧	7560	11b
로	勞	勞	9189	13b
로	嘮	嘮	904	02a
로	壚	壚	8987	13b
로	嫽	嫽	8237	12b
로	廘	廘	5902	09b
로	擄	擄	8037	12a
로	枦	枦	3467	06a
로	櫓	櫓	3744	06a
로	櫨	櫨	3616	06a
로	澇	澇	6978	11a
로	潞	潞	6989	11a
로	瀘	瀘	7417	11a
로	旅	旅	2499	04b
로	璐	璐	98	01a
로	廬	廬	8408	12b
로	癆	癆	4769	07b
로	盧	盧	3128	05a
로	鏴	鏴	2857	05a
로	簬	簬	2950	05a
로	纑	纑	8694	13a
로	老	老	5351	08a
로	艫	艫	5417	08b
로	蕎	蕎	375	01b
로	虜	虜	4323	07a
로	路	路	1407	02b
로	輅	輅	9483	14a

로	轑	轑	9507	14a
로	鏪	鏪	9279	14a
로	鑪	鑪	9276	14a
로	露	露	7523	11b
로	顱	顱	5577	09a
로	魯	魯	2219	04a
로	鱸	鱸	7601	11b
로	鷺	鷺	2403	04a
로	鱸	鱸	2422	04a
로	鹵	鹵	7676	12a
로	鹺	鹺	6509	10a
록	婱	婱	8223	12b
록	岦	岦	238	01b
록	彔	彔	4352	07a
록	漉	漉	7338	11a
록	墊	墊	159	01a
록	睩	睩	2181	04a
록	碌	碌	6032	09b
록	禄	禄	15	01a
록	簏	簏	2932	05a
록	綠	綠	8569	13a
록	麗	麗	4806	07b
록	親	親	5454	08b
록	趢	趢	1046	02a
록	逯	逯	1163	02b
록	錄	錄	9230	14a
록	騄	騄	2393	04a

록	鹿		6230	10a
록	麓		3836	06a
론	惀		6730	10b
론	論		1507	03a
롱	嚨		784	02a
롱	壠		7386	11a
롱	壠		9012	13b
롱	壟		9098	13b
롱	弄		1756	03a
롱	曨		4241	07a
롱	朧		4300	07a
롱	槞		3535	06a
롱	櫳		3636	06a
롱	櫳		3808	06a
롱	瀧		7275	11a
롱	瓏		112	01a
롱	礱		6016	09b
롱	籠		2944	05a
롱	聾		7773	12a
롱	蠪		8790	13a
롱	襱		5274	08a
롱	躘		7466	11b
롱	隴		9625	14b
롱	龓		4303	07a
뢰	儡		5149	08a
뢰	瀨		7486	11b
뢰	勵		9187	13b

뢰	礨		5854	09b
뢰	欙		3695	06a
뢰	瀨		7202	11a
뢰	牢		756	02a
뢰	瓃		137	01a
뢰	磊		6028	09b
뢰	籟		2979	05a
뢰	纇		8500	13a
뢰	耒		2808	04b
뢰	莱		568	01b
뢰	誄		1710	03a
뢰	讄		1708	03a
뢰	賂		3936	06b
뢰	賚		3941	06b
뢰	賴		3946	06b
뢰	邽		4095	06b
뢰	酹		9818	14b
뢰	鐳		9386	14a
뢰	陠		9588	14b
뢰	罍		7488	11b
뢰	頛		5644	09a
뢰	顡		5655	09a
뢰	鱨		7592	11b
료	了		9732	14b
료	僚		4960	08a
료	燎		9004	13b
료	嫽		8134	12b

료	尞	훗	6388	10a
료	尥	枂	6602	10b
료	廖	廖	5946	09b
료	膠	膠	5940	09b
료	憀	憀	6736	10b
료	憭	憭	6701	10b
료	撩	撩	7855	12a
료	敹	敹	2017	03b
료	料	料	9445	14a
료	橑	橑	3621	06a
료	潦	潦	7272	11a
료	熮	熮	6402	10a
료	燎	燎	6451	10a
료	爒	爒	6552	10b
료	獠	獠	6327	10a
료	璙	璙	82	01a
료	癆	癆	4766	07b
료	寮	寮	4621	07b
료	簝	簝	2947	05a
료	繚	繚	8527	13a
료	翏	翏	2252	04a
료	聊	聊	7762	12a
료	膋	膋	2673	04b
료	蓼	蓼	596	01b
료	蟉	蟉	8866	13a
료	繆	繆	7465	11b
료	遼	遼	1196	02b

료	鄝	鄝	4152	06b
료	醪	醪	9769	14b
료	鐐	鐐	9215	14a
료	飂	飂	8938	13b
료	鬧	鬧	1894	03b
료	鷯	鷯	2397	04a
룡	龍	龍	7649	11b
루	僂	僂	5146	08a
루	厶	匼	8378	12b
루	厽	᠘	9668	14b
루	壘	坒	9670	14b
루	塿	塿	9079	13b
루	疊	疊	9063	13b
루	婁	婁	8281	12b
루	扁	扁	7518	11b
루	屢	屢	5399	08a
루	廔	廔	5930	09b
루	摟	摟	7905	12a
루	樓	樓	3635	06a
루	橒	橒	3552	06a
루	漊	漊	7278	11a
루	漏	漏	7407	11a
루	灅	灅	7067	11a
루	瘻	瘻	4704	07b
루	簍	簍	2917	05a
루	累	累	9669	14b
루	縷	縷	8633	13a

루	腰		2657	04b	류	鎦		2880	05a
루	螻		8788	13a	류	縲		8493	13a
루	褸		5242	08a	류	纍		8643	13a
루	讄		1598	03a	류	畱		4804	07b
루	遱		1191	02b	류	藟		3440	06a
루	鄹		4071	06b	류	謬		1659	03a
루	鏤		9225	14a	류	鏐		9362	14a
루	陋		9592	14b	류	鎦		9398	14a
루	髏		2561	04b	류	雡		2284	04a
루	鏤		7561	11b	류	霤		7517	11b
루	鸁		2466	04a	류	類		6337	10a
류	劉		9184	13b	류	鰡		3191	05b
류	庮		5898	09b	류	驑		6116	10a
류	栁		3497	06a	류	闟		1887	03b
류	橮		3765	06a	류	貀		2375	04a
류	淼		7436	11b	류	鷚		2391	04a
류	瀏		7123	11a	류	貋		6365	10a
류	潘		7012	11a	륙	僇		5147	08a
류	瀏		7119	11a	륙	六		9679	14b
류	瀏		7062	11a	륙	坴		8990	13b
류	琉		202	01a	륙	戮		8348	12b
류	塗		135	01a	륙	稑		4360	07a
류	留		9150	13b	륙	陸		9576	14b
류	瞜		9129	13b	륙	髬		2410	04a
류	瘤		4715	07b	륜	侖		3256	05b
류	福		48	01a	륜	倫		5014	08a
류	襹		33	01a	륜	崙		5882	09b

륜	掄		7858	12a
륜	棆		3422	06a
륜	淪		7141	11a
륜	綸		8610	13a
륜	蜦		8854	13a
륜	輪		9547	14a
륜	陯		9659	14b
률	溧		7485	11b
률	寽		2513	04b
률	律		1256	02b
률	栗		4332	07a
률	溧		7003	11a
률	瑮		141	01a
률	䪻		8734	13a
률	膟		2672	04b
륭	癃		4761	07b
륭	隆		3861	06b
륵	勒		1829	03b
륵	扐		1465	03a
륵	扐		7983	12a
륵	泐		7297	11a
륵	肋		2611	04b
륵	阞		9573	14b
름	亯		3325	05b
름	㐭		6503	10a
름	癛		7472	11b
름	膝		7475	11b
릉	㥄		3151	05a
릉	夌		3349	05b
릉	庱		5945	09b
릉	掕		8004	12a
릉	棱		3784	06a
릉	淩		7032	11a
릉	綾		8561	13a
릉	陵		9571	14b
릉	䔖		3249	05b
리	俚		4982	08a
리	利		2740	04b
리	剺		2767	04b
리	犁		2048	03b
리	剺		1908	03b
리	吏		5	01a
리	劙		8312	12b
리	履		5406	08b
리	悝		6815	10b
리	愁		6896	10b
리	憗		6840	10b
리	摛		7844	12a
리	藜		776	02a
리	釐		5698	09a
리	李		3408	06a
리	梨		3401	06a
리	氂		775	02a
리	炎		2081	03b

리	釐	釐	774	02a
리	理	理	147	01a
리	离	离	9685	14b
리	隶	隶	6645	10b
리	縭	縭	8690	13a
리	纚	纚	8644	13a
리	纙	纙	8595	13a
리	罹	罹	4827	07b
리	蠃	蠃	2340	04a
리	董	董	309	01b
리	麗	麗	577	01b
리	螭	螭	8852	13a
리	裏	裏	5237	08a
리	覼	覼	5450	08b
리	詈	詈	4822	07b
리	讟	讟	1621	03a
리	貍	貍	6097	09b
리	邐	邐	1145	02b
리	野	野	4072	06b
리	醨	醨	9807	14b
리	里	里	9122	13b
리	釐	釐	9123	13b
리	離	離	2285	04a
리	颶	颶	8943	13b
리	魑	魑	5808	09a
리	鯉	鯉	7556	11b
린	吝	吝	931	02a

린	嶙	嶙	5872	09b
린	悋	悋	6403	10a
린	獜	獜	6314	10a
린	驎	驎	9149	13b
린	膦	膦	2110	04a
린	粦	粦	6507	10a
린	鄰	鄰	7442	11b
린	藺	藺	330	01b
린	圖	圖	8929	13b
린	蹸	蹸	1408	02b
린	轔	轔	9565	14a
린	遴	遴	1159	02b
린	鄰	鄰	3990	06b
린	閵	閵	2274	04a
린	疄	疄	5626	09a
린	鷥	鷥	7547	11b
린	鱗	鱗	7618	11b
린	廛	廛	6238	10a
린	麟	麟	6232	10a
림	惏	惏	6825	10b
림	林	林	3830	06a
림	棽	棽	3834	06a
림	淋	淋	7380	11a
림	灆	灆	7227	11a
림	琳	琳	105	01a
림	痳	痳	4729	07b
림	臨	臨	5224	08a

림	霖	霖	7510	11b
립	浴	滄	7156	11a
립	立	立	6644	10b
립	笠	笠	2954	05a
립	粒	粒	4465	07a
립	鴗	鴗	2434	04a

마

마	摩	摩	7971	12a
마	瘬	瘬	4698	07b
마	礦	礦	6018	09b
마	禡	禡	62	01a
마	蟆	蟆	8871	13a
마	駌	駌	4088	06b
마	馬	馬	6106	10a
마	䯀	䯀	2578	04b
마	鬘	鬘	5721	09a
마	魔	魔	5809	09a
마	麻	麻	4512	07b
마	麼	麼	2490	04b
막	嘆	嘆	940	02a
막	幕	幕	4859	07b
막	懇	懇	6682	10b
막	蓂	蓂	2532	04b
막	漠	漠	7095	11a
막	瘼	瘼	4683	07b
막	膜	膜	2698	04b
막	莫	莫	701	01b

막	邈	邈	1213	02b
막	鄚	鄚	4054	06b
막	鏌	鏌	9350	14a
만	萬	萬	4790	07b
만	嫚	嫚	8272	12b
만	巒	巒	5843	09b
만	幔	幔	4854	07b
만	彎	彎	8449	12b
만	慢	慢	6802	10b
만	懣	懣	6811	10b
만	澷	澷	6856	10b
만	敽	敽	2062	03b
만	晚	晚	4201	07a
만	曼	曼	1903	03b
만	楣	楣	3644	06a
만	樠	樠	3529	06a
만	槾	槾	3642	06a
만	滿	滿	7182	11a
만	獌	獌	6347	10a
만	晩	晩	2119	04a
만	瞞	瞞	2101	04a
만	矕	矕	2103	04a
만	縵	縵	8562	13a
만	萬	萬	9686	14b
만	蔓	蔓	460	01b
만	蠻	蠻	8888	13a
만	謾	謾	1593	03a

만	購	騰	3925	06b	망	芒	𦬼	387	01b
만	趥	趨	1039	02a	망	莽	莽	702	01b
만	鞔	鞔	9557	14a	망	蝄	蝄	8878	13a
만	轐	轐	9480	14a	망	誷	誷	1691	03a
만	鄤	鄤	4086	06b	망	邙	邙	4026	06b
만	鏝	鏝	9322	14a	매	勱	勱	9174	13b
만	鞔	鞔	1794	03b	매	塺	塺	9078	13b
만	鬗	鬗	5702	09a	매	妹	妹	8108	12b
만	鰻	鰻	7575	11b	매	媒	媒	8083	12b
말	末	末	3549	06a	매	寐	寐	4665	07b
말	沫	沫	6960	11a	매	昧	昧	4175	07a
말	潢	潢	7321	11a	매	枚	枚	3557	06a
말	首	首	2319	04a	매	梅	梅	3405	06a
말	眛	眛	2136	04a	매	每	每	235	01b
말	糯	糯	4481	07a	매	沫	沫	7374	11a
말	韈	韈	3378	05b	매	洙	洙	7311	11a
말	餟	餟	3250	05b	매	潣	潣	7010	11a
말	鬻	鬻	1866	03b	매	眅	眅	2129	04a
망	亡	亡	8370	12b	매	眛	眛	2176	04a
망	妄	妄	8242	12b	매	瞡	瞡	2151	04a
망	忘	忘	6810	10b	매	祺	祺	58	01a
망	望	望	8372	12b	매	鄙	鄙	4795	07b
망	朢	朢	5218	08a	매	罵	罵	4823	07b
망	朩	朩	3639	06a	매	脢	脢	2613	04b
망	网	网	4791	07b	매	腜	腜	2585	04b
망	芒	芒	513	01b	매	苺	苺	300	01b
망	茻	茻	700	01b	매	薶	薶	626	01b

매	講	讓	1642	03a
매	買	買	3962	06b
매	賣	賣	3849	06b
매	賣	賣	3974	06b
매	邁	邁	1095	02b
매	鋂	鋂	9384	14a
매	霾	霾	7526	11b
매	韎	韎	3369	05b
매	顋	顋	5610	09a
매	髦	髦	5798	09a
맥	夢	夢	4316	07a
맥	眽	眽	2139	04a
맥	衇	衇	7460	11b
맥	覛	覛	7461	11b
맥	貉	貉	6095	09b
맥	貘	貘	6088	09b
맥	霡	霡	7502	11b
맥	驀	驀	6155	10a
맥	麥	麥	3333	05b
맹	孟	孟	9725	14b
맹	氓	氓	8317	12b
맹	猛	猛	6311	10a
맹	甍	甍	8412	12b
맹	盳	盳	9148	13b
맹	盟	盟	4307	07a
맹	盲	盲	2188	04a
맹	茵	茵	453	01b
맹	萌	萌	492	01b
맹	蝱	蝱	8898	13a
맹	蟊	蟊	8919	13b
맹	郰	郰	4076	06b
맹	黽	黽	4285	07a
먹	冪	冪	373	01b
멱	冖	冖	4775	07b
멱	塓	塓	9106	13b
멱	幎	幎	4853	07b
멱	幦	幦	4892	07b
멱	糸	糸	8473	13a
멱	覛	覛	3104	05a
멱	鼏	鼏	4350	07a
면	丏	丏	5672	09a
면	偭	偭	5071	08a
면	冕	冕	4784	07b
면	勉	勉	9178	13b
면	勔	勔	9719	14b
면	宀	宀	4534	07b
면	宆	宆	4583	07b
면	寫	寫	4570	07b
면	愐	愐	6754	10b
면	檰	檰	3628	06a
면	沔	沔	6975	11a
면	湎	湎	7351	11a
면	眄	眄	2186	04a
면	瞑	瞑	2096	04a

면	緜	縣	8471	12b	명	洺	洺	7421	11a
면	緬	緬	8478	13a	명	溟	溟	7266	11a
면	臱	臱	2216	04a	명	皿	皿	3122	05a
면	丏	丏	2318	04a	명	瞑	瞑	2169	04a
면	蝒	蝒	8828	13a	명	窅	窅	4613	07b
면	蠠	蠠	8796	13a	명	莾	莾	4471	07a
면	面	面	5667	09a	명	茗	茗	693	01b
면	鞝	鞝	1831	03b	명	蓂	蓂	455	01b
면	䰄	䰄	5707	09a	명	螟	螟	8763	13a
면	鮸	鮸	7599	11b	명	覭	覭	5466	08b
면	麪	麪	3339	05b	명	鄍	鄍	4034	06b
멸	懱	懱	4874	07b	명	酪	酪	9826	14b
멸	懱	懱	6791	10b	명	銘	銘	9411	14a
멸	搣	搣	7864	12a	명	鳴	鳴	2471	04a
멸	滅	滅	7404	11a	몌	袂	袂	5262	08a
멸	烕	烕	6486	10a	모	侔	侔	5015	08a
멸	莧	莧	2321	04a	모	侮	侮	5125	08a
멸	薎	薎	2173	04a	모	冃	冃	4779	07b
멸	穫	穫	4366	07a	모	冒	冒	4783	07b
멸	蔑	蔑	2322	04a	모	冒	冒	4786	07b
멸	蠛	蠛	8896	13a	모	募	募	9204	13b
멸	薜	薜	3166	05a	모	姆	姆	8115	12b
명	冥	冥	4284	07a	모	媚	媚	8233	12b
명	名	名	835	02a	모	墓	墓	8288	12b
명	命	命	839	02a	모	慔	慔	6753	10b
명	娘	娘	8169	12b	모	慕	慕	6757	10b
명	朙	朙	4304	07a	모	摹	摹	7985	12a

모	旄	𤫧	4280	07a
모	某	𣏌	3541	06a
모	模	𣜜	3606	06a
모	母	𣫭	8099	12b
모	毛	𣥠	5361	08a
모	牟	𣎒	750	02a
모	牡	𤘫	728	02a
모	瑂	𤪎	120	01a
모	皃	𣎜	5440	08b
모	眊	𥉗	2112	04a
모	眸	𥉜	2205	04a
모	瞑	𥋀	2122	04a
모	矛	𥍌	9459	14a
모	秏	𥝿	4379	07a
모	芼	𦯬	538	01b
모	茅	𦱠	326	01b
모	菽	𦳞	537	01b
모	酋	𦾰	666	01b
모	蓩	𦿛	314	01b
모	蕘	𧁵	5353	08a
모	蝥	𧎴	8816	13a
모	蟊	𧏮	8910	13b
모	覒	𧠌	5489	08b
모	謀	𧨻	1503	03a
모	謨	𧩀	1504	03a
모	髦	𩭖	5706	09a
모	髳	𩮭	5711	09a

모	麰	𪌝	3334	05b
목	坶	𡊊	8980	13b
목	廖	𠫂	5690	09a
목	木	𣎳	3396	06a
목	楘	𣟵	3755	06a
목	沐	𣲙	7373	11a
목	牧	𤘮	2060	03b
목	目	𥃭	2088	04a
목	睦	𥈥	2148	04a
목	穆	𥝵	4367	07a
목	霂	𩄲	7503	11b
목	鶩	𪅴	2414	04a
몰	旻	𣆷	1917	03b
몰	歾	𣦏	2524	04b
몰	沒	𣲾	7260	11a
몰	玫	𤣩	183	01a
몰	頢	𩓨	5622	09a
몽	家	𡩋	4782	07b
몽	夢	𡂞	4310	07a
몽	㝱	𡓃	4663	07b
몽	幪	𢆶	4873	07b
몽	懞	𢝆	6826	10b
몽	朦	𤴞	4299	07a
몽	濛	𣿛	7280	11a
몽	瞢	𥋐	2320	04a
몽	朦	𥊋	2184	04a
몽	蒙	𦳊	649	01b

몽	夢	夣	363	01b		무	嫵	嫵	8189	12b
몽	蠓	蠔	8832	13a		무	嫵	嫵	8144	12b
몽	覭	覭	5478	08b		무	愗	愗	5865	09b
몽	醹	醹	9759	14b		무	巫	巫	3020	05a
몽	霿	霿	7527	11b		무	穒	穒	4891	07b
몽	饛	饛	3219	05b		무	憮	憮	4875	07b
몽	騎	騎	6215	10a		무	廡	廡	5901	09b
몽	鯍	鯍	7552	11b		무	憮	憮	6751	10b
몽	驆	驆	2418	04a		무	憮	憮	6744	10b
묘	卯	卯	5766	09a		무	懋	懋	6756	10b
묘	卯	卯	9745	14b		무	戊	戊	9699	14b
묘	墓	墓	9096	13b		무	拇	拇	7791	12a
묘	媌	媌	8156	12b		무	撫	撫	7882	12a
묘	廟	廟	5935	09b		무	岐	岐	2027	03b
묘	昴	昴	4211	07a		무	孜	孜	1993	03b
묘	杳	杳	3599	06a		무	楙	楙	3410	06a
묘	淼	淼	7429	11a		무	林	林	3835	06a
묘	秒	秒	8467	12b		무	楙	楙	3831	06a
묘	眇	眇	2185	04a		무	武	武	8354	12b
묘	箹	箹	2982	05a		무	毋	毋	8314	12b
묘	緢	緢	8518	13a		무	潕	潕	7014	11a
묘	苗	苗	543	01b		무	無	無	8373	12b
묘	茆	茆	667	01b		무	璑	璑	101	01a
묘	藐	藐	381	01b		무	晦	晦	9134	13b
묘	貓	貓	6101	09b		무	督	督	2150	04a
묘	鶓	鶓	2390	04a		무	瞴	瞴	2117	04a
무	務	務	9172	13b		무	繆	繆	8712	13a

한글독음

미	敉	敉	5049	08a
미	未	未	9752	14b
미	楣	楣	3625	06a
미	湄	湄	7228	11a
미	渳	渳	7366	11a
미	溦	溦	7279	11a
미	瀰	瀰	7428	11a
미	爢	爢	6437	10a
미	瑂	瑂	179	01a
미	眉	眉	2210	04a
미	眯	眯	2178	04a
미	⿱⺮微	⿱⺮微	2860	05a
미	⿱⺮冥	⿱⺮冥	2867	05a
미	米	米	4455	07a
미	糜	糜	4469	07a
미	⿰米靡	⿰米靡	4489	07a
미	⿰糸米	⿰糸米	8567	13a
미	縻	縻	8673	13a
미	冞	冞	4797	07b
미	芈	芈	2324	04a
미	美	美	2346	04a
미	⿸麻耳	⿸麻耳	7782	12a
미	莯	莯	456	01b
미	薇	薇	265	01b
미	蘪	蘪	293	01b
미	覛	覛	5475	08b
미	覹	覹	5471	08b

미	謎	謎	1724	03a
미	迷	迷	1166	02b
미	郿	郿	4004	06b
미	镾	镾	6040	09b
미	靡	靡	7658	11b
미	麋	麋	6239	10a
미	麛	麛	6235	10a
미	䵏	䵏	4445	07a
미	黴	黴	6533	10a
민	⿱敃皿	⿱敃皿	5827	09b
민	忞	忞	6752	10b
민	怋	怋	6830	10b
민	悶	悶	6858	10b
민	愍	愍	6872	10b
민	捪	捪	7883	12a
민	敃	敃	1992	03b
민	敏	敏	1991	03b
민	敯	敯	2050	03b
민	旻	旻	4171	07a
민	民	民	8316	12b
민	泯	泯	7415	11a
민	潣	潣	7167	11a
민	玟	玟	195	01a
민	珉	珉	187	01a
민	笢	笢	2868	05a
민	緡	緡	8682	13a
민	罠	罠	4808	07b

민	輾	輾	9495	14a
민	鐇	鐇	9399	14a
민	閔	閔	7747	12a
민	閩	閩	8889	13a
민	鷂	鷂	2396	04a
민	黽	黽	8952	13b
밀	密	密	5844	09b
밀	否	否	4234	07a
밀	盜	盜	3136	05a
밀	蜜	蜜	434	01b
밀	靈	靈	8916	13b
밀	謐	謐	1551	03a
밀	醯	醯	9792	14b
바				
박	亳	亳	3306	05b
박	剝	剝	2765	04b
박	博	博	1464	03a
박	嘷	嘷	813	02a
박	搏	搏	7826	12a
박	撲	撲	8010	12a
박	攽	攽	1994	03b
박	朴	朴	3555	06a
박	樸	樸	3590	06a
박	樺	樺	3615	06a
박	狛	狛	6346	10a
박	瓝	瓝	4526	07b
박	箔	箔	2731	04b

박	簿	簿	2990	05a
박	粕	粕	4492	07a
박	縛	縛	8536	13a
박	膊	膊	2678	04b
박	苩	苩	4501	07a
박	薄	薄	562	01b
박	襆	襆	5240	08a
박	迫	迫	1181	02b
박	鎛	鎛	9342	14a
박	鏷	鏷	9338	14a
박	雹	雹	7497	11b
박	霉	霉	7519	11b
박	鞲	鞲	1822	03b
박	鞴	鞴	3379	05b
박	駁	駁	6130	10a
박	駮	駮	6210	10a
박	髆	髆	2562	04b
박	欂	欂	1320	02b
반	伴	伴	4983	08a
반	羹	羹	1747	03a
반	半	半	724	02a
반	反	反	1912	03b
반	叺	叺	1765	03a
반	叛	叛	726	02a
반	扶	扶	6643	10b
반	姅	姅	8299	12b
반	媻	媻	6265	10a

반	癹	鬻	8213	12b
반	魋	禭	8096	12b
반	幋	幞	4838	07b
반	擊	擊	7931	12a
반	攽	㪵	2006	03b
반	靽	靽	9453	14a
반	槃	槃	3688	06a
반	泮	泮	7406	11a
반	潘	濳	7339	11a
반	纂	纂	7454	11b
반	班	珏	222	01a
반	畔	畔	9139	13b
반	瘢	瘢	4744	07b
반	盼	盼	2105	04a
반	瞀	瞀	2137	04a
반	磻	磻	6022	09b
반	絆	絆	8669	13a
반	胖	胖	725	02a
반	般	般	5422	08b
반	彭	彭	3100	05a
반	盤	盤	8815	13a
반	蟠	蟠	8817	13a
반	輓	輓	9485	14a
반	辬	辬	5697	09a
반	返	返	1140	02b
반	畚	畚	9763	14b
반	肇	肇	1792	03b

반	頒	頒	5602	09a
반	飯	飯	3205	05b
반	鬃	鬃	5719	09a
반	蟹	蟹	6535	10a
발	勃	勃	9199	13b
발	坺	坺	8997	13b
발	妭	妭	8118	12b
발	废	废	5924	09b
발	柿	柿	7879	12a
발	拔	拔	7957	12a
발	撥	撥	7940	12a
발	米	米	3852	06b
발	柭	柭	3724	06a
발	炦	炦	6415	10a
발	犮	犮	6321	10a
발	癹	癹	1077	02a
발	登	登	1079	02a
발	發	發	8461	12b
발	盋	盋	3147	05a
발	茇	茇	518	01b
발	袚	袚	5339	08a
발	襏	襏	2850	04b
발	跋	跋	1382	02b
발	軷	軷	9523	14a
발	达	达	1102	02b
발	迲	迲	1192	02b
발	郣	郣	4135	06b

발	酕		9782	14b
발	鐺		9304	14a
발	髮		5700	09a
발	魃		5797	09a
발	鮁		7637	11b
발	軷		2430	04a
방	仿		4996	08a
방	傍		5061	08a
방	匚		8382	12b
방	厖		5966	09b
방	唪		922	02a
방	嗙		901	02a
방	坊		9117	13b
방	妨		8241	12b
방	尨		6272	10a
방	徬		1242	02b
방	惝		6813	10b
방	房		7685	12a
방	搒		8040	12a
방	放		2503	04b
방	斜		9454	14a
방	方		5428	08b
방	旁		8	01a
방	昉		4243	07a
방	枋		3488	06a
방	榜		3733	06a
방	滂		7088	11a

방	滂		7121	11a
방	牻		737	02a
방	玤		157	01a
방	瓬		8410	12b
방	稖		4419	07a
방	紡		8503	13a
방	肪		2604	04b
방	膀		2609	04b
방	舫		5421	08b
방	芳		574	01b
방	蚌		8860	13a
방	訪		1505	03a
방	謗		1608	03a
방	跰		1404	02b
방	邦		3987	06b
방	邡		4087	06b
방	鄁		4064	06b
방	鈁		9341	14a
방	防		9609	14b
방	雱		2276	04a
방	騯		6123	10a
방	魴		7566	11b
방	駹		2382	04a
방	龐		5920	09b
배	倍		5091	08a
배	俳		5116	08a
배	坏		9087	13b

배	培	培	9056	13b		번	赦	赦	5977	09b
배	崐	崐	5891	09b		번	幡	幡	4869	07b
배	排	排	7810	12a		번	旛	旛	4281	07a
배	捧	捧	7804	12a		번	棥	棥	2080	03b
배	栖	栖	3687	06a		번	樊	樊	1766	03a
배	琲	琲	212	01a		번	橎	橎	3523	06a
배	肧	肧	2586	04b		번	瀪	瀪	7153	11a
배	背	背	2607	04b		번	煩	煩	5653	09a
배	㾺	㾺	3154	05a		번	燔	燔	6391	10a
배	裵	裵	5291	08a		번	繙	繙	6551	10b
배	輩	輩	9530	14a		번	獦	獦	6297	10a
배	邶	邶	4008	06b		번	璠	璠	88	01a
배	𨛀	𨛀	4039	06b		번	番	番	720	02a
배	配	配	9783	14b		번	藩	藩	2904	05a
배	醅	醅	9799	14b		번	緐	緐	8664	13a
배	陪	陪	9650	14b		번	繘	繘	8520	13a
배	頖	頖	5595	09a		번	播	播	2337	04a
백	伯	伯	4943	08a		번	翻	翻	2267	04a
백	佰	佰	5046	08a		번	緐	緐	669	01b
백	帛	帛	4905	07b		번	蕃	蕃	675	01b
백	捎	捎	7851	12a		번	蘋	蘋	424	01b
백	柏	柏	3532	06a		번	藩	藩	590	01b
백	洦	洦	7091	11a		번	蠻	蠻	8794	13a
백	白	白	4907	07b		번	袢	袢	5308	08a
백	百	百	2223	04a		번	覹	覹	5474	08b
백	魄	魄	5794	09a		번	鷭	鷭	4015	06b
백	鮊	鮊	7613	11b		번	蹯	蹯	4524	07b

번	頹		5637	09a	벽	擘		7980	12a
번	鼺		6360	10a	벽	檗		3491	06a
벌	伐		5142	08a	벽	壁		1071	02a
벌	罰		2786	04b	벽	愊		4341	07a
벌	橃		3770	06a	벽	璧		106	01a
벌	瞂		2213	04a	벽	甓		8426	12b
벌	閥		7752	12a	벽	皕		2229	04a
범	凡		8973	13b	벽	碧		185	01a
범	奜		3355	05b	벽	繴		4468	07a
범	梵		3839	06a	벽	繴		8681	13a
범	氾		7145	11a	벽	薜		386	01b
범	汎		7127	11a	벽	襞		5311	08a
범	泛		7253	11a	벽	辟		5768	09a
범	犯		6309	10a	벽	擗		5769	09a
범	笵		2885	05a	벽	鈚		9416	14a
범	範		9524	14a	벽	闢		7713	12a
범	芝		561	01b	벽	鷿		9665	14b
범	范		656	01b	벽	鷿		2420	04a
범	軓		9481	14a	변	辮		6776	10b
범	颿		6177	10a	변	抃		7933	12a
법	灋		6229	10a	변	昪		4217	07a
벽	僻		5105	08a	변	汳		7030	11a
벽	劈		2764	04b	변	瓸		8423	12b
벽	噼		5970	09b	변	籩		2929	05a
벽	塓		8994	13b	변	覍		5441	08b
벽	壁		9003	13b	변	變		2012	03b
벽	廦		5908	09b	변	邊		1006	02a

변	辡		9713	14b		병	并		5204	08a
변	辯		8532	13a		병	屛		5912	09b
변	辯		9714	14b		병	徫		1239	02b
변	邊		1208	02b		병	怲		6886	10b
변	釆		719	02a		병	柄		3729	06a
변	開		7707	12a		병	栟		3442	06a
변	駢		6159	10a		병	炳		6462	10a
변	餅		2564	04b		병	粤		3038	05a
별	丿		8318	12b		병	餅		8407	12b
별	釆		715	02a		병	病		4676	07b
별	刚		2557	04b		병	秉		1911	03b
별	娿		8252	12b		병	竝		6663	10b
별	潎		7385	11a		병	絣		8716	13a
별	瞥		2171	04a		병	餅		3276	05b
별	絜		8649	13a		병	胼		5765	09a
별	胇		2666	04b		병	苆		358	01b
별	覕		5490	08b		병	蛢		8801	13a
별	蟞		1360	02b		병	輧		9468	14a
별	鐅		9299	14a		병	迸		1216	02b
별	鷩		2456	04a		병	邴		4099	06b
별	龞		8953	13b		병	邢		4149	06b
병	丙		9697	14b		병	餅		3197	05b
병	倂		5019	08a		병	鮩		7630	11b
병	偋		5086	08a		병	評		6363	10a
병	兵		1761	03a		보	保		4928	08a
병	病		4670	07b		보	俌		5022	08a
병	屛		5397	08a		보	卂		5195	08a

보	報	報	6616	10b
보	寶	寶	4571	07b
보	普	普	4237	07a
보	步	步	1080	02a
보	甫	甫	2075	03b
보	簠	簠	2928	05a
보	縰	縰	8620	13a
보	菩	菩	324	01b
보	葆	葆	674	01b
보	補	補	5316	08a
보	譜	譜	1721	03a
보	踄	踄	1353	02b
보	輔	輔	9562	14a
보	酺	酺	5669	09a
보	鴇	鴇	2427	04b
보	黼	黼	4922	07b
복	伏	伏	5138	08a
복	僕	僕	1746	03a
복	匐	匐	5774	09a
복	復	復	5784	09a
복	卜	卜	2066	03b
복	反	反	1913	03b
복	墣	墣	8992	13b
복	夏	夏	3348	05b
복	宓	宓	4558	07b
복	屐	屐	3353	05b
복	幞	幞	4901	07b

복	復	復	1225	02b
복	攴	攴	1987	03b
복	服	服	5423	08b
복	榎	榎	3710	06a
복	福	福	3796	06a
복	樸	樸	3477	06a
복	濮	濮	7033	11a
복	富	富	3323	05b
복	福	福	20	01a
복	覆	覆	4616	07b
복	踩	踩	6659	10b
복	箙	箙	2964	05a
복	紱	紱	8661	13a
복	纀	纀	8617	13a
복	腹	腹	2621	04b
복	葍	葍	278	01b
복	菐	菐	1745	03a
복	蔔	蔔	369	01b
복	蕧	蕧	364	01b
복	虙	虙	3095	05a
복	蝮	蝮	8742	13a
복	蝠	蝠	8887	13a
복	複	複	5281	08a
복	覆	覆	4831	07b
복	趢	趢	1051	02a
복	璞	璞	223	01a
복	輹	輹	9497	14a

복	輻	輻	9506	14a		봉	鑫	鑫	8915	13b
복	轐	轐	9494	14a		봉	覂	覂	4829	07b
복	鍑	鍑	9253	14a		봉	賵	賵	3978	06b
복	馥	馥	4454	07a		봉	逢	逢	1129	02b
복	鰒	鰒	7614	11b		봉	鏠	鏠	9359	14a
복	曝	曝	2401	04a		봉	鳳	鳳	2360	04a
복	糒	糒	4451	07a		부	仆	仆	5131	08a
본	本	本	3544	06a		부	付	付	5034	08a
본	桑	桑	3885	06b		부	俘	俘	5143	08a
불	祓	祓	49	01a		부	傅	傅	5020	08a
불	黻	黻	1871	03b		부	蠹	蠹	6266	10a
봉	丰	丰	3859	06b		부	剕	剕	2733	04b
봉	唪	唪	861	02a		부	剖	剖	2755	04b
봉	夆	夆	3388	05b		부	副	副	2754	04b
봉	奉	奉	1749	03a		부	庮	庮	5964	09b
봉	封	封	9029	13b		부	否	否	933	02a
봉	峯	峯	5851	09b		부	否	否	7667	12a
봉	徶	徶	1240	02b		부	音	音	3169	05a
봉	捧	捧	7916	12a		부	坿	坿	9047	13b
봉	夔	夔	6490	10a		부	夫	夫	6641	10b
봉	琫	琫	127	01a		부	姇	姇	8275	12b
봉	綳	綳	8709	13a		부	婦	婦	8090	12b
봉	縫	縫	8636	13a		부	孚	孚	1873	03b
봉	芃	芃	519	01b		부	富	富	4565	07b
봉	莑	莑	506	01b		부	尃	尃	1978	03b
봉	埄	埄	399	01b		부	府	府	5893	09b
봉	蓬	蓬	671	01b		부	悆	悆	6687	10b

부	扶	𧾷	7816	12a
부	拊	𢶍	7852	12a
부	捊	𢺵	7871	12a
부	掊	𢿃	7853	12a
부	撫	𣝅	8016	12a
부	敷	𢿘	2000	03b
부	斧	𣂁	9428	14a
부	枎	𣏍	3577	06a
부	柎	𣏔	3746	06a
부	桴	𣓏	3607	06a
부	棓	𣚅	3725	06a
부	榑	𣓷	3597	06a
부	泭	𣲍	7245	11a
부	浮	𣴒	7143	11a
부	涪	𣶆	6953	11a
부	溥	𣶏	7097	11a
부	烰	𤆯	6398	10a
부	父	𠬌	1900	03b
부	瓵	𤬛	8424	12b
부	府	𤑖	4710	07b
부	痡	𤕽	4679	07b
부	衬	𥘑	35	01a
부	稃	𥝆	4407	07a
부	符	𥰸	2887	05a
부	筝	𥱊	2894	05a
부	箁	𥬼	2863	05a
부	箙	𥳷	2883	05a

부	紑	𦃽	8591	13a
부	紨	𦂅	8695	13a
부	縛	𦇄	8687	13a
부	缶	𦈎	3270	05b
부	瓿	𦉭	3275	05b
부	𣪊	𦈜	3271	05b
부	罘	𦊂	4814	07b
부	腑	𦛟	2688	04b
부	腴	𦠸	2686	04b
부	腐	𦜎	2721	04b
부	苵	𦫎	498	01b
부	芙	𦫨	685	01b
부	荸	𦳙	356	01b
부	蕡	𦳝	352	01b
부	蕾	𦽖	368	01b
부	蚨	𧌑	8868	13a
부	蠹	𧍩	8923	13b
부	袚	𧝖	5247	08a
부	䳍	𧌽	6060	09b
부	負	𧴲	3947	06b
부	賦	𧴩	3964	06b
부	賻	𧶄	3984	06b
부	赴	𧾷	980	02a
부	趴	𧿡	1339	02b
부	郱	𨜀	4131	06b
부	郛	𨛝	3995	06b
부	鄜	𨝉	4163	06b

부	部	𨛫	4021	06b
부	鄜	𨜂	4016	06b
부	鈇	鈇	9379	14a
부	阜	𨸏	9570	14b
부	附	𨷁	9613	14b
부	陚	𨼲	9634	14b
부	䭫	𨳍	9664	14b
부	頫	𩖞	5631	09a
부	駙	𩥈	6162	10a
부	髴	𩓍	5720	09a
부	鬴	𩰚	5710	09a
부	䩹	𩇀	1853	03b
부	鮒	𩶂	7638	11b
부	鮒	𩶱	7571	11b
부	鳧	𪁈	1972	03b
부	麩	𪎸	3338	05b
북	焚	𤒫	5165	08a
북	北	𨙘	5207	08a
북	踣	𧿇	1390	02b
분	債	𠊮	5129	08a
분	分	𠀉	708	02a
분	噴	𠻳	907	02a
분	坋	𡊩	9080	13b
분	坴	𡈬	9019	13b
분	墳	𡏋	9097	13b
분	奔	𢍧	6591	10b
분	奮	奮	2311	04a

분	芬	𦴍	237	01b
분	帉	𢃹	4833	07b
분	幩	𢄟	4885	07b
분	幡	𢅕	4882	07b
분	忿	𢠶	6838	10b
분	憤	𢘔	6857	10b
분	扮	𢪊	7925	12a
분	枌	𣒪	3525	06a
분	棼	𣖷	3492	06a
분	棻	𣗦	3837	06a
분	歕	𣣹	5507	08b
분	氛	𣱅	225	01a
분	汾	𣴮	6985	11a
분	濆	𤃥	7203	11a
분	瀵	𤅊	7318	11a
분	燓	𤒨	6449	10a
분	畚	𤲵	8406	12b
분	盆	𥁔	3132	05a
분	笨	𥷺	2869	05a
분	粉	𥹾	4485	07a
분	紛	𥾉	8666	13a
분	羒	𦍤	2331	04a
분	膹	𦞶	2701	04b
분	賁	𧷒	575	01b
분	袞	𧝓	5287	08a
분	豶	𧱞	6054	09b
분	賁	𧷒	3928	06b

분	贇	贇	9552	14a
분	饙	饙	2483	04b
분	鐼	鐼	9226	14a
분	餴	餴	3190	05b
분	奮	奮	1890	03b
분	魵	魵	7600	11b
분	鳻	鳻	2473	04a
분	黺	黺	4925	07b
분	鼖	鼖	3069	05a
분	黺	黺	6362	10a
불	不	不	7666	12a
불	乀	乀	8321	12b
불	乁	乁	8324	12b
불	佛	佛	4997	08a
불	泛	泛	7484	11b
불	刜	刜	2779	04b
불	咈	咈	885	02a
불	市	市	6578	10b
불	弟	弟	5864	09b
불	市	市	4903	07b
불	岪	岪	4836	07b
불	弗	弗	8320	12b
불	怫	怫	6807	10b
불	拂	拂	8021	12a
불	柫	柫	3680	06a
불	炥	炥	6401	10a
불	爇	爇	6396	10a

불	田	田	5811	09a
불	紼	紼	8715	13a
불	翇	翇	2263	04a
불	舩	舩	5764	09a
불	茀	茀	571	01b
불	趌	趌	1037	02a
불	踾	踾	1372	02b
불	髴	髴	5726	09a
불	黻	黻	4923	07b
붕	倗	倗	4990	08a
붕	堋	堋	9093	13b
붕	崩	崩	5863	09b
붕	弸	弸	8447	12b
붕	掤	掤	8045	12a
붕	棚	棚	3713	06a
붕	繃	繃	8537	13a
비	丕	丕	4	01a
비	仳	仳	5151	08a
비	俷	俷	4986	08a
비	俾	俾	5073	08a
비	備	備	5006	08a
비	匕	匕	5193	08a
비	匪	匪	8389	12b
비	卑	卑	1924	03b
비	卬	卬	5752	09a
비	厞	厞	5971	09b
비	啚	啚	3328	05b

비	嚭	嚭	3061	05a	비	柲	柲	3730	06a
비	圮	圮	9065	13b	비	椑	椑	3696	06a
비	坒	坒	9026	13b	비	棐	棐	3816	06a
비	埤	埤	9046	13b	비	榧	榧	3627	06a
비	韭	韭	9081	13b	비	横	横	3437	06a
비	羆	羆	6640	10b	비	比	比	5205	08a
비	妃	妃	8091	12b	비	毖	毖	5206	08a
비	姚	姚	8106	12b	비	毗	毗	6667	10b
비	婢	婢	8120	12b	비	沸	沸	7210	11a
비	斐	斐	8289	12b	비	淠	淠	7021	11a
비	媲	媲	8092	12b	비	濞	濞	7002	11a
비	屝	屝	5392	08a	비	濆	濆	7132	11a
비	崥	崥	5890	09b	비	辈	辈	761	02a
비	帗	帗	4860	07b	비	犕	犕	759	02a
비	庇	庇	5926	09b	비	琵	琵	8366	12b
비	庳	庳	5925	09b	비	甋	甋	8422	12b
비	畁	畁	1754	03a	비	葡	葡	2077	03b
비	悱	悱	6934	10b	비	畀	畀	3009	05a
비	悲	悲	6869	10b	비	疕	疕	4695	07b
비	惾	惾	6918	10b	비	痞	痞	4753	07b
비	扉	扉	7683	12a	비	痹	痹	4714	07b
비	搫	搫	7972	12a	비	痺	痺	4732	07b
비	較	較	2058	03b	비	癟	癟	4709	07b
비	斐	斐	5696	09a	비	眱	眱	2116	04a
비	鼻	鼻	3260	05b	비	曹	曹	2200	04a
비	朏	朏	4293	07a	비	暜	暜	2097	04a
비	枇	枇	3464	06a	비	碑	碑	5992	09b

비	祉		40	01a
비	祕		27	01a
비	闤		9688	14b
비	秕		4414	07a
비	秠		4393	07a
비	穄		4369	07a
비	竱		6661	10b
비	箄		2914	05a
비	篦		2956	05a
비	篚		3001	05a
비	桒		4463	07a
비	穊		4474	07a
비	紕		8717	13a
비	緋		8724	13a
비	羆		6381	10a
비	翡		2237	04a
비	肥		2723	04b
비	脾		2597	04b
비	腓		2630	04b
비	膍		2669	04b
비	臂		2617	04b
비	芘		483	01b
비	萉		253	01b
비	萆		604	01b
비	菲		641	01b
비	蜚		8807	13a
비	蜱		8785	13a
비	廛		8858	13a
비	蟲		8914	13b
비	蠹		8930	13b
비	蠶		8928	13b
비	裨		5307	08a
비	誹		1607	03a
비	譬		1494	03a
비	貔		6085	09b
비	費		3957	06b
비	跰		1402	02b
비	轡		8738	13a
비	邳		4121	06b
비	郫		4083	06b
비	鄙		3992	06b
비	錍		9292	14a
비	閟		7720	12a
비	陴		9653	14b
비	霏		7534	11b
비	非		7656	11b
비	斐		7657	11b
비	鼻		5375	08a
비	鞴		1805	03b
비	頒		5645	09a
비	顪		5682	09a
비	頻		5681	09a
비	飛		7654	11b
비	賁		3201	05b

비	駓		6126	10a
비	騑		6158	10a
비	騛		6136	10a
비	髀		2565	04b
비	髲		5735	09a
비	澭		1858	03b
비	魮		7644	11b
비	鮋		7577	11b
비	貔		4446	07a
비	鼙		3070	05a
비	鼻		2224	04a
빈	份		4959	08a
빈	儐		5008	08a
빈	嬪		8207	12b
빈	木		4507	07b
빈	樧		3475	06a
빈	殯		2533	04b
빈	瀕		7438	11b
빈	牝		731	02a
빈	玭		192	01a
빈	矉		2143	04a
빈	薲		281	01b
빈	覶		5473	08b
빈	豳		1632	03a
빈	豩		6068	09b
빈	貧		3967	06b
빈	賓		3950	06b

빈	邠		4003	06b
빈	顰		7439	11b
빈	臏		2569	04b
빈	鬢		5701	09a
빈	闖		1891	03b
빈	頻		5805	09a
빙	仌		7470	11b
빙	俜		5035	08a
빙	冰		7471	11b
빙	凭		9421	14a
빙	娉		8222	12b
빙	溯		7243	11a
빙	聘		7772	12a
빙	騁		6182	10a
사				
사	乍		8371	12b
사	事		1926	03b
사	些		1085	02a
사	仕		4932	08a
사	伺		5062	08a
사	伺		5185	08a
사	使		5076	08a
사	個		5102	08a
사	俟		4969	08a
사	傞		5123	08a
사	卸		5758	09a
사	厶		5814	09a

사	[illegible]	[illegible]	1907	03b
사	史	史	1925	03b
사	司	司	5743	09a
사	嗣	嗣	1429	02b
사	四	四	9671	14b
사	士	士	226	01a
사	奢	奢	6618	10b
사	姕	姕	8214	12b
사	寫	寫	4579	07b
사	寺	寺	1974	03b
사	巳	巳	9748	14b
사	師	師	3846	06b
사	思	思	6668	10b
사	捨	捨	7845	12a
사	斜	斜	9451	14a
사	斯	斯	9436	14a
사	柤	柤	3647	06a
사	梠	梠	3671	06a
사	柶	柶	3686	06a
사	梭	梭	3483	06a
사	榹	榹	3689	06a
사	槎	槎	3788	06a
사	榭	榭	3818	06a
사	樝	樝	3400	06a
사	死	死	2552	04b
사	魯	魯	6260	10a
사	汜	汜	7213	11a
사	沙	沙	7201	11a
사	泗	泗	7040	11a
사	洍	洍	7093	11a
사	涘	涘	7204	11a
사	浛	浛	7078	11a
사	㴲	㴲	7056	11a
사	瀘	瀘	7068	11a
사	灺	灺	6445	10a
사	舄	舄	6102	09b
사	牭	牭	735	02a
사	[illegible]	[illegible]	181	01a
사	[illegible]	[illegible]	3332	05b
사	祀	祀	31	01a
사	社	社	64	01a
사	祠	祠	41	01a
사	禠	禠	16	01a
사	私	私	4368	07a
사	竢	竢	6652	10b
사	笥	笥	2911	05a
사	簁	簁	2913	05a
사	篪	篪	2903	05a
사	絲	絲	8737	13a
사	舍	舍	3258	05b
사	[illegible]	[illegible]	419	01b
사	莎	莎	638	01b
사	蕼	蕼	385	01b
사	蕮	蕮	350	01b

사	虒	3115	05a
사	衰	5322	08a
사	詐	1665	03a
사	詞	5744	09a
사	謝	1567	03a
사	賒	3951	06b
사	賜	3943	06b
사	赦	2025	03b
사	躧	1400	02b
사	躧	3293	05b
사	辥	9711	14b
사	辭	9712	14b
사	迤	1134	02b
사	邪	4130	06b
사	鉈	9356	14a
사	肆	6039	09b
사	霴	7501	11b
사	鞕	1799	03b
사	飤	3207	05b
사	駟	6161	10a
사	鯊	7606	11b
사	麗	6252	10a
사	䚢	6364	10a
삭	削	2735	04b
삭	摬	7796	12a
삭	朔	4292	07a
삭	槊	3819	06a

삭	爍	6497	10a
삭	獡	6300	10a
삭	鑠	9233	14a
산	刪	2763	04b
산	匴	8387	12b
산	姍	8286	12b
산	山	5819	09b
산	栅	4511	07b
산	散	2709	04b
산	汕	7234	11a
산	潸	6980	11a
산	潜	7396	11a
산	犙	751	02a
산	狦	6295	10a
산	㺝	6339	10a
산	珊	200	01a
산	產	3860	06b
산	疝	4707	07b
산	祘	70	01a
산	筭	2995	05a
산	籬	2926	05a
산	算	2996	05a
산	繖	8726	13a
산	蒜	631	01b
산	訕	1604	03a
산	邖	4159	06b
산	酸	9809	14b

산	鏟	鏟	9275	14a
산	歡	歡	2302	04a
산	霰	霰	7504	11b
산	霰	霰	7496	11b
산	儳	儳	3196	05b
살	樧	樧	3493	06a
살	殺	殺	1968	03b
살	薩	薩	4488	07a
삼	三	三	77	01a
삼	彡	彡	5683	09a
삼	森	森	3838	06a
삼	槮	槮	3581	06a
삼	橵	橵	3450	06a
삼	滲	滲	7168	11a
삼	慘	慘	734	02a
삼	獀	獀	6292	10a
삼	糝	糝	4467	07a
삼	縿	縿	8647	13a
삼	罧	罧	4807	07b
삼	芟	芟	579	01b
삼	葠	葠	627	01b
삼	蔘	蔘	315	01b
삼	衫	衫	5347	08a
삼	霙	霙	7505	11b
삽	卅	卅	1468	03a
삽	媩	媩	8273	12b
삽	澁	澁	1234	02b

삽	插	插	7857	12a
삽	歃	歃	5543	08b
삽	澀	澀	1076	02a
삽	箑	箑	2943	05a
삽	翜	翜	2254	04a
삽	翣	翣	2266	04a
삽	臿	臿	4502	07a
삽	萐	萐	244	01b
삽	跲	跲	1376	02b
삽	鈒	鈒	9353	14a
삽	鍤	鍤	9284	14a
삽	雪	雪	7491	11b
삽	霎	霎	7535	11b
삽	靸	靸	1795	03b
삽	颯	颯	8937	13b
삽	馺	馺	6171	10a
상	上	上	6	01a
상	傷	傷	5133	08a
상	像	像	5157	08a
상	償	償	5057	08a
상	商	商	1449	03a
상	喪	喪	977	02a
상	嘗	嘗	3058	05a
상	尙	尙	711	02a
상	常	常	4847	07b
상	庠	庠	5895	09b
상	廂	廂	5943	09b

상	想		6731	10b
상	愓		6889	10b
상	桑		3842	06b
상	殤		2528	04b
상	湘		7004	11a
상	潒		7107	11a
상	爽		2083	03b
상	牀		3661	06a
상	狀		6302	10a
상	相		2154	04a
상	鍚		3297	05b
상	祥		18	01a
상	箱		2955	05a
상	緗		8723	13a
상	翔		2259	04a
상	橡		5301	08a
상	觴		2844	04b
상	詳		1510	03a
상	象		6104	09b
상	賞		3942	06b
상	賷		3960	06b
상	霜		7524	11b
상	頪		5581	09a
상	餉		3209	05b
상	薵		1857	03b
상	鱨		7580	11b
상	鷞		2365	04a

새	塞		9048	13b
새	壐		9030	13b
새	璽		8453	12b
새	簺		2989	05a
새	鰓		2818	04b
새	賽		3983	06b
색	嗇		3329	05b
색	索		4595	07b
색	夆		3019	05a
색	塞		6725	10b
색	摵		8061	12a
색	棟		3827	06b
색	歃		5538	08b
색	濇		7184	11a
색	猎		9462	14a
색	硋		5995	09b
색	穡		4356	07a
색	索		3854	06b
색	色		5763	09a
색	轖		9490	14a
색	嗇		1298	02b
생	牲		752	02a
생	生		3858	06b
생	甥		9164	13b
생	眚		2170	04a
생	笙		2974	05a
서	徐		5085	08a

서	噬		810	02a	서	紓		8512	13a
서	堳		227	01a	서	絮		8683	13a
서	犀		5391	08a	서	緒		8477	13a
서	屖		5409	08b	서	署		4818	07b
서	嶼		5877	09b	서	耡		2814	04b
서	序		5907	09b	서	胥		2682	04b
서	庶		5927	09b	서	舒		2501	04b
서	徐		1237	02b	서	芧		303	01b
서	恕		6710	10b	서	蝑		8820	13a
서	惛		6746	10b	서	西		7674	12a
서	抒		7942	12a	서	觢		2821	04b
서	揟		7996	12a	서	誓		1527	03a
서	敘		2057	03b	서	諝		1532	03a
서	暑		4224	07a	서	歃		1703	03a
서	曙		4250	07a	서	逝		1104	02b
서	書		1935	03b	서	鉏		4155	06b
서	楈		3423	06a	서	鉏		9306	14a
서	㯩		3806	06a	서	鰠		7549	11b
서	湑		7350	11a	서	鱮		7567	11b
서	潊		7425	11a	서	黍		4444	07a
서	澨		7241	11a	서	鼠		6359	10a
서	犀		768	02a	석	冟		3183	05b
서	瑞		124	01a	석	夕		4308	07a
서	㺃		4699	07b	석	奭		2230	04b
서	禂		59	01a	석	席		4880	07b
서	筮		2888	05a	석	惜		6871	10b
서	糈		4477	07a	석	昔		4231	07a

석	析	𣂚	3791	06a
석	淅	𣷓	7333	11a
석	晳	晳	4910	07b
석	晹	晹	2157	04a
석	石	𥔵	5980	09b
석	碩	𥐎	5601	09a
석	祏	祏	39	01a
석	祏	祏	4438	07a
석	夃	肏	4661	07b
석	緆	緆	8703	13a
석	舄	舄	2479	04a
석	蓆	蓆	578	01b
석	蜥	蜥	8758	13a
석	螫	螫	8847	13a
석	褯	褯	5321	08a
석	釋	釋	723	02a
석	錫	錫	9218	14a
석	鼫	鼫	6366	10a
선	亘	亘	8971	13b
선	偏	偏	4991	08a
선	僊	僊	5164	08a
선	僎	僎	4934	08a
선	僐	僐	5117	08a
선	先	兂	5444	08b
선	卭	卭	5759	09a
선	圓	圓	3893	06b
선	墡	墡	9061	13b

선	姺	姺	8078	12b
선	嫙	嫙	8183	12b
선	嬗	嬗	8253	12b
선	嬋	嬋	8310	12b
선	嬗	嬗	8211	12b
선	宣	宣	4538	07b
선	愐	愐	1090	02b
선	舛	舛	1773	03a
선	愃	愃	6723	10b
선	扇	扇	7684	12a
선	旋	旋	4279	07a
선	樿	樿	3418	06a
선	槤	槤	3691	06a
선	櫏	櫏	3519	06a
선	毨	毨	5364	08a
선	淀	淀	7172	11a
선	潬	潬	7367	11a
선	煽	煽	6495	10a
선	燹	燹	6386	10a
선	獮	獮	6325	10a
선	瑄	瑄	219	01a
선	璿	璿	103	01a
선	癬	癬	4721	07b
선	禪	禪	55	01a
선	綫	綫	8634	13a
선	縼	縼	8672	13a
선	繕	繕	8641	13a

선	翼		4796	07b
선	羨		5566	08b
선	膳		2661	04b
선	船		5414	08b
선	蝙		8844	13a
선	蟬		8824	13a
선	蟺		8864	13a
선	袘		5344	08a
선	詵		1477	03a
선	譔		1493	03a
선	譱		1728	03a
선	趨		1001	02a
선	跣		1396	02b
선	躚		1410	02b
선	籑		9543	14a
선	選		1142	02b
선	遾		1186	02b
선	鄯		3998	06b
선	銑		9227	14a
선	鏇		9277	14a
선	顓		5633	09a
선	鮮		7608	11b
선	鱓		7598	11b
선	鱻		7642	11b
설	偰		4946	08a
설	偰		4998	08a
설	劈		2750	04b

설	嗉		808	02a
설	媟		8226	12b
설	屑		5380	08a
설	幧		4861	07b
설	愢		6755	10b
설	抴		8034	12a
설	挈		7819	12a
설	揲		7821	12a
설	暬		4233	07a
설	楔		3651	06a
설	榍		3646	06a
설	泄		7029	11a
설	渫		7381	11a
설	爇		6390	10a
설	卨		9689	14b
설	紲		8674	13a
설	結		8642	13a
설	舌		1437	03a
설	設		573	01b
설	薛		322	01b
설	褻		5303	08a
설	設		1558	03a
설	說		1542	03a
설	辥		9710	14a
설	霫		7494	11b
설	齧		1311	02b
섬	剡		2741	04b

섬	夾	夾	6583	10b		섭	瓔	瓔	173	01a
섬	嬊	嬊	8206	12b		섭	銉	銉	1074	02a
섬	孅	孅	8168	12b		섭	籋	籋	2952	05a
섬	恖	恖	6774	10b		섭	聑	聑	2015	03b
섬	憸	憸	6771	10b		섭	聶	聶	7785	12a
섬	攕	攕	7795	12a		섭	譶	譶	1668	03a
섬	殲	殲	2543	04b		섭	讘	讘	1676	03a
섬	燅	燅	6505	10a		섭	躡	躡	1350	02b
섬	爓	爓	6475	10a		섭	鑷	鑷	9314	14a
섬	睒	睒	2093	04a		섭	鍱	鍱	9274	14a
섬	睗	睗	2114	04a		섭	韘	韘	3373	05b
섬	纖	纖	8516	13a		성	城	城	9036	13b
섬	覢	覢	5472	08b		성	堳	堳	8988	13b
섬	贍	贍	3985	06b		성	姓	姓	8070	12b
섬	銛	銛	9296	14a		성	婨	婨	8249	12b
섬	閃	閃	7742	12a		성	宬	宬	4553	07b
섬	陝	陝	9627	14b		성	性	性	6673	10b
섬	陵	陵	8259	12b		성	成	成	9700	14b
섬	鐵	鐵	4523	07b		성	晟	晟	4245	07a
섭	儠	儠	5011	08a		성	曑	曑	4287	07a
섭	屟	屟	5395	08a		성	楮	楮	3685	06a
섭	懾	懾	6905	10b		성	渻	渻	7193	11a
섭	攝	攝	7828	12a		성	猩	猩	6286	10a
섭	橐	橐	3559	06a		성	盛	盛	3125	05a
섭	槏	槏	7437	11b		성	省	省	2211	04a
섭	燮	燮	1902	03b		성	聖	聖	7763	12a
섭	爕	爕	6506	10a		성	聲	聲	7770	12a

소	璅	璅	166	01a
소	疋	疋	1417	02b
소	疏	疏	9740	14b
소	䟽	䟽	1418	02b
소	痟	痟	4694	07b
소	穌	穌	4428	07a
소	笑	笑	2997	05a
소	筱	筱	2858	05a
소	箾	箾	2972	05a
소	箵	箵	2909	05a
소	簫	簫	2977	05a
소	素	素	8731	13a
소	紹	紹	8508	13a
소	練	練	8727	13a
소	繅	繅	8475	13a
소	菁	菁	533	01b
소	蔬	蔬	691	01b
소	蕭	蕭	443	01b
소	蘇	蘇	256	01b
소	蛸	蛸	8800	13a
소	蠨	蠨	8835	13a
소	裮	裮	5275	08a
소	訴	訴	1680	03a
소	謏	謏	1723	03a
소	賕	賕	3971	06b
소	逍	逍	1220	02b
소	邶	邶	4101	06b

소	邵	邵	4033	06b
소	郋	郋	3997	06b
소	鄛	鄛	4069	06b
소	銷	銷	9232	14a
소	霄	霄	7495	11b
소	韶	韶	1734	03a
소	騷	騷	6199	10a
소	鱢	鱢	7620	11b
소	齭	齭	1312	02b
속	俗	俗	5072	08a
속	屬	屬	5403	08b
속	束	束	3881	06b
속	棟	棟	3640	06a
속	楸	楸	3428	06a
속	涑	涑	7384	11a
속	槀	槀	4333	07a
속	續	續	8506	13a
속	蓫	蓫	418	01b
속	藚	藚	661	01b
속	諫	諫	1531	03a
속	贖	贖	3956	06b
속	速	速	1120	02b
속	鸁	鸁	1864	03b
속	麤	麤	6234	10a
손	孫	孫	8470	12b
손	巽	巽	3010	05a
손	愻	愻	6724	10b

손	損		7937	12a
손	潠		7433	11a
손	䐣		2690	04b
손	蓀		690	01b
손	遜		1139	02b
손	顨		3008	05a
손	飧		3210	05b
솔	率		8740	13a
솔	窣		4647	07b
솔	蟀		8795	13a
솔	衛		1275	02b
솔	䢦		1094	02b
송	宋		4600	07b
송	愯		6738	10b
송	松		3528	06a
송	瘇		4736	07b
송	竦		6649	10b
송	蜙		8819	13a
송	訟		1674	03a
송	誦		1488	03a
송	送		1143	02b
송	頌		5575	09a
솨	䐹		2696	04b
쇄	刷		2772	04b
쇄	㕞		1909	03b
쇄	惢		6946	10b
쇄	曬		4228	07a
쇄	洒		7362	11a
쇄	溑		7087	11a
쇄	灑		7387	11a
쇄	瑣		154	01a
쇄	瓨		8432	12b
쇄	碎		6014	09b
쇄	繀		8487	13a
쇄	𧴪		3919	06b
쇄	鎖		9412	14a
쇄	鎩		9288	14a
쇄	頪		3336	05b
쇠	夊		3346	05b
쇠	𤸃		4771	07b
쇠	衰		5335	08a
쇠	釗		2783	04b
쇠	𩍐		1835	03b
수	乑		3865	06b
수	修		5686	09a
수	㒸		712	02a
수	几		1970	03b
수	𠩺		5949	09b
수	受		2509	04b
수	叜		1901	03b
수	售		961	02a
수	囚		3910	06b
수	垂		9103	13b
수	壽		5358	08a

수	娷	𡜺	8302	12b
수	嫂	𤳈	8111	12b
수	頶	𩒣	8130	12b
수	守	𡧀	4575	07b
수	岫	岫	5845	09b
수	帥	帥	4834	07b
수	愫	𢙫	6732	10b
수	愁	𢛈	6890	10b
수	戍	戌	8340	12b
수	手	𢬸	7789	12a
수	授	𢫾	7873	12a
수	授	𢮠	8051	12a
수	收	𢦏	2040	03b
수	數	𣀇	2003	03b
수	敤	𣀌	2054	03b
수	籔	𥴧	4268	07a
수	晬	𣊠	4248	07a
수	栿	𣏌	1950	03b
수	桥	𣓸	3802	06a
수	橡	𣝗	3469	06a
수	樹	𣝫	3543	06a
수	橾	𣡍	3761	06a
수	欶	𣤚	5544	08b
수	殊	𣨫	2526	04b
수	殳	𣪊	1948	03b
수	穀	𣪚	1955	03b
수	水	𣲖	6948	11a

수	汓	𣲠	7254	11a
수	洙	𣴩	7044	11a
수	浚	𣶐	7335	11a
수	滫	𣸏	7342	11a
수	漱	𣻅	7368	11a
수	濕	𤂢	7393	11a
수	狩	𤞤	6328	10a
수	獀	𤞮	6271	10a
수	獸	𤢾	9691	14b
수	璓	璓	161	01a
수	瘦	𤶇	4748	07b
수	盨	盨	3134	05a
수	睡	𥅬	2168	04a
수	晙	𥆟	2191	04a
수	祟	祟	68	01a
수	秀	秀	4354	07a
수	采	𥝣	4386	07a
수	穟	𥡄	4388	07a
수	籓	𥷪	2908	05a
수	籔	𥷗	2906	05a
수	粹	𥹛	4482	07a
수	綏	綏	8720	13a
수	綬	綬	8604	13a
수	繡	繡	8563	13a
수	顅	𩒫	8670	13a
수	繻	繻	8593	13a
수	繀	繀	8629	13a

숙	宿	腐	4581	07b	순	揗	揗	7849	12a
숙	赤	赤	4516	07b	순	旬	旬	5778	09a
숙	掮	掮	7952	12a	순	楯	楯	3637	06a
숙	櫹	櫹	3583	06a	순	橓	橓	3498	06a
숙	㭽	㭽	1070	02a	순	洵	洵	7077	11a
숙	淑	淑	7162	11a	순	淳	淳	7379	11a
숙	潚	潚	7110	11a	순	滣	滣	7207	11a
숙	琡	琡	218	01a	순	犉	犉	745	02a
숙	璹	璹	136	01a	순	珣	珣	97	01a
숙	翻	翻	1878	03b	순	盾	盾	2212	04a
숙	肅	肅	1931	03b	순	睻	睻	2141	04a
숙	茜	茜	9806	14b	순	瞬	瞬	2196	04a
숙	鷫	鷫	3106	05a	순	瞤	瞤	2142	04a
숙	鵻	鵻	1343	02b	순	筍	筍	2861	05a
숙	鷫	鷫	2364	04a	순	紃	紃	8626	13a
순	徇	徇	4952	08a	순	純	純	8479	13a
순	骏	骏	3047	05a	순	韋	韋	3317	05b
순	奄	奄	6579	10b	순	肫	肫	2590	04b
순	奞	奞	2309	04a	순	脣	脣	2592	04b
순	姰	姰	8216	12b	순	舜	舜	3365	05b
순	峋	峋	5873	09b	순	芛	芛	500	01b
순	巡	巡	1096	02b	순	荀	荀	688	01b
순	帥	帥	4845	07b	순	蕣	蕣	600	01b
순	旬	旬	1255	02b	순	蕣	蕣	484	01b
순	循	循	1232	02b	순	詢	詢	1719	03a
순	恂	恂	6726	10b	순	諄	諄	1499	03a
순	愬	愬	6885	10b	순	郇	郇	4050	06b

순	醇		9770	14b
순	錞		9360	14a
순	陙		9660	14b
순	䧼		2298	04a
순	順		5624	09a
순	馴		6192	10a
순	鬊		5729	09a
술	戌		9832	14b
술	沭		7045	11a
술	[illegible]		4755	07b
술	蒁		305	01b
술	術		1266	02b
술	述		1106	02b
술	鉥		9285	14a
술	鶐		2381	04a
숭	崇		5870	09b
숭	嵩		5880	09b
쉬	淬		7372	11a
쉬	焠		6447	10a
슬	[illegible]		5755	09a
슬	瑟		8365	12b
슬	璱		140	01a
슬	蝨		8905	13b
슬	[illegible]		1297	02b
습	慴		6909	10b
습	拾		7948	12a
습	槢		3417	06a

습	溼		7308	11a
습	濕		7037	11a
습	熠		6467	10a
습	習		2231	04a
습	襲		5248	08a
습	謵		1669	03a
습	隰		9596	14b
습	騽		6134	10a
습	鰼		7583	11b
승	丞		1750	03a
승	僧		5186	08a
승	勝		9182	13b
승	升		9458	14a
승	塍		8996	13b
승	抍		7922	12a
승	承		7874	12a
승	昇		4255	07a
승	椉		3395	05b
승	縢		3708	06a
승	繩		8651	13a
승	脀		2646	04b
승	蠅		8961	13b
승	賸		3937	06b
승	[illegible]		9520	14a
승	騬		6197	10a
시	侍		5029	08a
시	偲		4987	08a

시	凘	凘	7476	11b
시	匙	匙	5194	08a
시	㢋	㢋	5958	09b
시	啻	啻	874	02a
시	塒	塒	9035	13b
시	始	始	8142	12b
시	尸	尸	5376	08a
시	屍	屍	5393	08a
시	市	市	3308	05b
시	弒	弒	1969	03b
시	豨	豨	6073	09b
시	徥	徥	1236	02b
시	恃	恃	6741	10b
시	戠	戠	8356	12b
시	敊	敊	1999	03b
시	施	施	4273	07a
시	是	是	1088	02b
시	時	時	4172	07a
시	柹	柹	3403	06a
시	柴	柴	3596	06a
시	枲	枲	4508	07b
시	⿱埶氺	⿱埶氺	7108	11a
시	澌	澌	7301	11a
시	猜	猜	6310	10a
시	獄	獄	6357	10a
시	眂	眂	2120	04a
시	矢	矢	3292	05b
시	示	示	10	01a
시	祡	祡	32	01a
시	⿱竹是	⿱竹是	2976	05a
시	緦	緦	8702	13a
시	纚	纚	8558	13a
시	罳	罳	4826	07b
시	⿰犭皮	⿰犭皮	2241	04a
시	翨	翨	2234	04a
시	⿱艹是	⿱艹是	605	01b
시	⿱艹囟	⿱艹囟	625	01b
시	蓍	蓍	437	01b
시	蒔	蒔	542	01b
시	⿱施虫	⿱施虫	8804	13a
시	視	視	5449	08b
시	⿰氐見	⿰氐見	5491	08b
시	詩	詩	1485	03a
시	試	試	1537	03a
시	諟	諟	1511	03a
시	諰	諰	1562	03a
시	諡	諡	1709	03a
시	謚	謚	1717	03a
시	豕	豕	6047	09b
시	⿱彑豕	⿱彑豕	6076	09b
시	豺	豺	6086	09b
시	⿰⻊氏	⿰⻊氏	1364	02b
시	邿	邿	4115	06b
시	釃	釃	9765	14b

시	颸		8945	13b		신	晨	1904	03b
시	駛		6221	10a		신	呻	919	02a
시	㹴		3188	05b		신	囟	6665	10b
시	鼌		8957	13b		신	娠	8094	12b
식	埴		8989	13b		신	宸	4544	07b
식	寔		4556	07b		신	辰	5390	08a
식	式		3015	05a		신	屾	5884	09b
식	息		6671	10b		신	弞	5511	08b
식	植		3632	06a		신	愼	6679	10b
식	熄		3457	06a		신	抣	7945	12a
식	殖		2549	04b		신	㑣	2010	03b
식	湜		7166	11a		신	新	9440	14a
식	熄		6419	10a		신	晨	4289	07a
식	癋		4720	07b		신	欨	5541	08b
식	絾		8490	13a		신	汛	7388	11a
식	餝		8850	13a		신	㚶	6446	10a
식	識		1513	03a		신	燊	6549	10b
식	軾		9482	14a		신	璶	176	01a
식	鄎		4062	06b		신	牲	3863	06b
식	食		3189	05b		신	申	9753	14b
식	飾		4876	07b		신	痒	4692	07b
신	伸		5087	08a		신	弞	3299	05b
신	侁		5038	08a		신	神	25	01a
신	信		1519	03a		신	祳	60	01a
신	傃		5163	08a		신	紳	8602	13a
신	㷼		5445	08b		신	胂	2612	04b
신	卂		7661	11b		신	腎	2595	04b

신	臣	臣	1945	03b
신	茞	茞	280	01b
신	薪	薪	622	01b
신	藎	藎	304	01b
신	蜃	蜃	8856	13a
신	訊	訊	1514	03a
신	賮	賮	3932	06b
신	身	身	5226	08a
신	辛	辛	9707	14b
신	晨	晨	1778	03a
신	迅	迅	1121	02b
신	郋	郋	4102	06b
신	阠	阠	9662	14b
신	頣	頣	5632	09a
신	駪	駪	6209	10a
신	燊	燊	3564	06a
신	䰠	䰠	5792	09a
신	鷐	鷐	2450	04a
신	麎	麎	6240	10a
실	失	失	7938	12a
실	室	室	4537	07b
실	實	實	4566	07b
실	悉	悉	722	02a
실	䊝	䊝	4487	07a
실	蟋	蟋	8899	13a
심	宷	宷	721	02a
심	㝷	㝷	1976	03b

심	心	心	6670	10b
심	沁	沁	6987	11a
심	沈	沈	7281	11a
심	深	深	7007	11a
심	淰	淰	7346	11a
심	潯	潯	7177	11a
심	瀋	瀋	7365	11a
심	煁	煁	6421	10a
심	甚	甚	3026	05a
심	瞫	瞫	2167	04a
심	穾	穾	4619	07b
심	葚	葚	481	01b
심	蔩	蔩	334	01b
심	蕈	蕈	479	01b
심	襑	襑	5276	08a
심	諗	諗	1535	03a
심	諶	諶	1518	03a
심	鄩	鄩	4027	06b
심	醰	醰	9760	14b
심	鐔	鐔	9349	14a
심	鬵	鬵	1851	03b
심	鱏	鱏	7581	11b
십	什	什	5045	08a
십	十	十	1459	03a
쌍	雙	雙	2355	04a
씨	氏	氏	8326	12b

아

아	亞	亞	9676	14b	아	阿	阿	9577	14b
아	俄	俄	5120	08a	아	雅	雅	2271	04a
아	兒	兒	5432	08b	아	餓	餓	3245	05b
아	哦	哦	959	02a	아	騀	騀	6164	10a
아	啞	啞	847	02a	아	鵝	鵝	2412	04a
아	娿	娿	8114	12b	악	偓	偓	5009	08a
아	妸	妸	8129	12b	악	剭	剭	2734	04b
아	娥	娥	8126	12b	악	咢	咢	973	02a
아	嬰	嬰	8256	12b	악	喔	喔	948	02a
아	峨	峨	5859	09b	악	堊	堊	9016	13b
아	庌	庌	5900	09b	악	嶽	嶽	5820	09b
아	我	我	8360	12b	악	惡	惡	6846	10b
아	暔	暔	9677	14b	악	握	握	7835	12b
아	浅	浅	6958	11a	악	楃	楃	3656	06a
아	牙	牙	1322	02b	악	樂	樂	3745	06a
아	痾	痾	4678	07b	악	渥	渥	7291	11a
아	破	破	6008	09b	악	㟿	㟿	746	02a
아	芽	芽	491	01b	악	蝁	蝁	8877	13a
아	莪	莪	439	01b	악	蛆	蛆	8848	13a
아	蛾	蛾	8791	13a	악	觸	觸	2849	04b
아	蠹	蠹	8903	13b	악	遻	遻	1130	02b
아	衙	衙	1272	02b	악	鄂	鄂	4078	06b
아	兩	兩	4828	07b	악	頿	頿	5609	09a
아	訝	訝	1575	03a	악	鶚	鶚	2362	04a
아	誐	誐	1556	03a	안	侒	侒	5032	08a
아	錏	錏	9367	14a	안	晏	晏	8210	12b
아	鬪	鬪	7723	12a	안	安	安	4557	07b

안	岸	岸	5887	09b
안	按	按	7847	12a
안	晏	晏	4190	07a
안	案	案	3690	06a
안	洝	洝	7326	11a
안	豻	豻	6404	10a
안	眼	眼	2089	04a
안	案	案	4396	07a
안	荌	荌	360	01b
안	雁	雁	2293	04a
안	宲	宲	1825	03b
안	顔	顔	5574	09a
안	駻	駻	6128	10a
안	鴈	鴈	2413	04a
안	鷃	鷃	2468	04a
안	豣	豣	1301	02b
알	音	音	894	02a
알	堨	堨	9005	13b
알	厂	厂	5886	09b
알	嶭	嶭	5830	09b
알	戛	戛	8338	12b
알	揢	揢	7805	12a
알	揠	揠	7958	12a
알	斡	斡	9447	14a
알	歺	歺	2520	04b
알	猰	猰	6355	10a
알	盷	盷	2194	04a

알	暍	暍	2162	04a
알	乞	乞	4632	07b
알	訐	訐	1679	03a
알	謁	謁	1479	03a
알	軋	軋	9531	14a
알	遏	遏	1184	02b
알	閼	閼	7724	12a
알	頞	頞	5584	09a
알	鷃	鷃	6169	10a
알	猰	猰	5549	08b
알	蠤	蠤	1293	02b
암	暗	暗	798	02a
암	嚃	嚃	918	02a
암	媕	媕	8200	12b
암	嬐	嬐	8255	12b
암	巌	巌	5852	09b
암	暗	暗	4205	07a
암	澗	澗	7098	11a
암	猵	猵	6283	10a
암	盒	盒	3143	05a
암	嵒	嵒	6009	09b
암	礹	礹	6004	09b
암	罯	罯	4821	07b
암	裺	裺	5334	08a
암	諳	諳	1707	03a
암	闇	闇	7732	12a
암	雜	雜	2299	04a

암	饐	饐	1733	03a
암	顊	顊	5600	09a
암	巖	巖	6249	10a
암	黤	黤	6518	10a
암	黯	黯	6511	10a
암	黭	黭	6541	10a
암	黬	黬	6543	10a
암	鬣	鬣	1284	02b
압	壓	壓	9072	13b
압	姶	姶	8137	12b
압	狎	狎	6307	10a
압	壓	壓	4737	07b
압	宺	宺	4662	07b
압	鞥	鞥	1823	03b
압	鞥	鞥	1813	03b
압	鴨	鴨	2476	04a
앙	仰	仰	5039	08a
앙	卬	卬	5199	08a
앙	坱	坱	9077	13b
앙	央	央	3310	05b
앙	姎	姎	8267	12b
앙	怏	怏	6855	10b
앙	抰	抰	8015	12a
앙	昂	昂	4254	07a
앙	柳	柳	3763	06a
앙	殃	殃	2540	04b
앙	泱	泱	7263	11a
앙	盎	盎	3131	05a
앙	秧	秧	4418	07a
앙	紻	紻	8599	13a
앙	茚	茚	425	01b
앙	誝	誝	1496	03a
앙	醠	醠	9773	14b
앙	鞅	鞅	1796	03b
앙	鞅	鞅	1838	03b
앙	駚	駚	6153	10a
앙	鴦	鴦	2408	04a
애	僾	僾	4995	08a
애	厓	厓	5948	09b
애	哀	哀	935	02a
애	唉	唉	854	02a
애	埃	埃	9082	13b
애	壒	壒	9114	13b
애	娭	娭	8194	12b
애	崖	崖	5888	09b
애	忢	忢	6930	10b
애	悥	悥	6745	10b
애	愛	愛	3352	05b
애	懝	懝	6796	10b
애	挨	挨	8009	12a
애	敳	敳	2008	03b
애	欸	欸	5529	08b
애	殨	殨	2547	04b
애	毐	毐	8315	12b

애	涯		7434	11a		액	額		5583	09a
애	雅		2278	04a		액	餩		3242	05b
애	癌		4760	07b		액	驔		6368	10a
애	皚		4913	07b		앵	嚶		951	02a
애	睚		2206	04a		앵	嫈		8236	12b
애	磑		6019	09b		앵	櫻		3826	06a
애	礙		6011	09b		앵	罃		2192	04a
애	簑		2992	05a		앵	罌		3279	05b
애	艾		389	01b		앵	甖		3273	05b
애	藹		588	01b		앵	礐		1471	03a
애	譪		1530	03a		앵	鶯		2453	04a
애	閡		7731	12a		앵	鸚		2462	04a
애	靄		9666	14b		야	也		8325	12b
애	靉		7537	11b		야	冶		7479	11b
애	餲		3239	05b		야	夜		4309	07a
애	騃		6174	10a		야	婼		8250	12b
애	齷		1307	02b		야	惹		6942	10b
액	厄		5754	09a		야	枒		3511	06a
액	呃		949	02a		야	茻		426	01b
액	戹		7687	12a		야	野		9124	13b
액	掖		8053	12a		야	釾		9351	14a
액	搤		7861	12a		약	屵		5967	09b
액	液		7357	11a		약	焱		3841	06b
액	縊		8719	13a		약	弱		5691	09a
액	詻		1501	03a		약	瀹		7347	11a
액	軶		9514	14a		약	爚		6406	10a
액	阨		9617	14b		약	礿		42	01a

약	箬		2864	05a	양	洋		7047	11a
약	篛		2980	05a	양	瀁		6972	11a
약	籥		2879	05a	양	瀼		7412	11a
약	約		8526	13a	양	煬		6434	10a
약	葯		8733	13a	양	痒		4697	07b
약	爚		8486	13a	양	瘍		4696	07b
약	䐃		2699	04b	양	禓		65	01a
약	若		599	01b	양	禳		53	01a
약	蒻		333	01b	양	穰		4417	07a
약	藥		576	01b	양	襄		2945	05a
약	蒻		417	01b	양	纕		8628	13a
약	鑰		1033	02a	양	羊		2323	04a
약	躍		1347	02b	양	羕		7458	11b
약	闟		7734	12a	양	膜		2639	04b
약	鸑		1869	03b	양	蕩		372	01b
약	龠		1423	02b	양	襄		275	01b
양	勷		9185	13b	양	釀		268	01b
양	壤		8984	13b	양	蛘		8849	13a
양	孃		8290	12b	양	襄		5298	08a
양	嶱		5833	09b	양	讓		1686	03a
양	恙		6883	10b	양	鄴		4070	06b
양	揚		7918	12a	양	釀		9761	14b
양	攘		7801	12a	양	鍚		9375	14a
양	易		6043	09b	양	鑲		9237	14a
양	暘		4185	07a	양	陽		9575	14b
양	楊		3495	06a	양	颺		8942	13b
양	樣		3462	06a	양	養		3204	05b

양	饟	3215	05b		억	檍	3436	06a
양	驤	6154	10a		억	澺	7022	11a
양	鍚	6516	10a		억	肊	2606	04b
어	圉	3909	06b		언	偃	5132	08a
어	圄	6614	10b		언	傿	5092	08a
어	禳	4667	07b		언	匽	8379	12b
어	御	1257	02b		언	唁	934	02a
어	敔	2051	03b		언	奰	6639	10b
어	淤	7344	11a		언	嫣	8165	12b
어	瘀	4706	07b		언	彦	5694	09a
어	禦	56	01a		언	㲼	4261	07a
어	籞	2994	05a		언	漹	7074	11a
어	菸	555	01b		언	焉	2480	04a
어	語	1473	03a		언	琂	175	01a
어	醧	9796	14b		언	甗	8414	12b
어	鋙	9282	14a		언	暥	2161	04a
어	餘	3226	05b		언	蔫	554	01b
어	魚	7540	11b		언	蝘	8759	13a
어	鱻	7646	11b		언	褗	5333	08a
어	灙	7647	11b		언	言	1470	03a
어	齬	1314	02b		언	諺	1574	03a
억	億	5075	08a		언	鄢	4059	06b
억	喑	1490	03a		언	鄯	4075	06b
억	嶷	5826	09b		언	鰋	7590	11b
억	归	5762	09a		언	鷗	2398	04a
억	薏	6734	10b		언	齴	1283	02b
억	檍	3448	06a		얼	孽	9726	14b

얼	旨		9568	14a
얼	厲		5937	09b
얼	槷		3587	06a
얼	櫱		3785	06a
얼	瀽		7401	11a
얼	糱		4464	07a
얼	聰		7778	12a
얼	臬		3742	06a
얼	鮭		3851	06b
얼	蠥		8893	13a
얼	轕		9525	14a
얼	闑		7710	12a
얼	陧		9602	14b
얼	辥		2417	04a
엄	俺		4984	08a
엄	儼		4980	08a
엄	厂		5947	09b
엄	厰		5951	09b
엄	噞		962	02a
엄	嚴		972	02a
엄	奄		6567	10b
엄	媕		8293	12b
엄	广		5892	09b
엄	弇		1752	03a
엄	掩		7994	12a
엄	揜		7872	12a
엄	晻		4204	07a

엄	淹		6967	11a
엄	渰		7265	11a
엄	簷		2993	05a
엄	罨		4792	07b
엄	腌		2706	04b
엄	郁		4118	06b
엄	闇		7737	12a
엄	隒		9616	14b
엄	顩		5596	09a
업	業		1742	03a
업	鄴		4046	06b
에	恚		6841	10b
에	曀		4208	07a
에	殪		2531	04b
여	与		9419	14a
여	予		2500	04b
여	伃		4948	08a
여	余		718	02a
여	如		8203	12b
여	嬩		8132	12b
여	悆		6787	10b
여	懙		6760	10b
여	旟		4266	07a
여	欤		5505	08b
여	汝		6983	11a
여	澦		7285	11a
여	瀦		7076	11a

한글독음

여	璵	璵	89	01a	역	帟	帟	4896	07b
여	畬	畬	9130	13b	역	鷊	鷊	1753	03a
여	礜	礜	5985	09b	역	役	役	1966	03b
여	籹	籹	4494	07a	역	懌	懌	6945	10b
여	舁	舁	1772	03a	역	斁	斁	2024	03b
여	與	與	1774	03a	역	易	易	6103	09b
여	舺	舺	5426	08b	역	晹	晹	4187	07a
여	茹	茹	614	01b	역	棫	棫	3456	06a
여	茘	茘	648	01b	역	減	減	7118	11a
여	藜	藜	672	01b	역	疫	疫	4762	07b
여	趨	趨	1015	02a	역	瘍	瘍	4754	07b
여	轝	轝	9505	14a	역	睪	睪	6612	10b
여	輿	輿	9478	14a	역	釋	釋	4466	07a
여	娜	娜	4142	06b	역	繹	繹	8607	13a
여	礜	礜	2296	04a	역	繹	繹	8476	13a
여	雓	雓	2294	04a	역	鍼	鍼	3281	05b
여	餘	餘	3230	05b	역	罭	罭	4825	07b
여	鸒	鸒	2376	04a	역	蒿	蒿	340	01b
여	歟	歟	6253	10a	역	虉	虉	410	01b
역	亦	亦	6582	10b	역	蜮	蜮	8876	13a
역	厂	厂	5962	09b	역	譯	譯	1715	03a
역	圛	圛	3898	06b	역	殳	殳	6056	09b
역	圿	圿	8998	13b	역	逆	逆	1123	02b
역	場	場	9108	13b	역	閾	閾	7711	12a
역	屰	屰	1442	03a	역	驛	驛	6204	10a
역	嶧	嶧	5824	09b	역	駅	駅	2432	04a
역	惑	惑	7446	11b	역	賦	賦	6538	10a

연	燃	燃	5089	08a
연	剈	剈	2769	04b
연	㕫	㕫	958	02a
연	吮	吮	807	02a
연	嚥	嚥	860	02a
연	埏	埏	9107	13b
연	姸	姸	8257	12b
연	娟	娟	8311	12b
연	嬿	嬿	8079	12b
연	嬥	嬥	8154	12b
연	嬿	嬿	8128	12b
연	宴	宴	4560	07b
연	延	延	1264	02b
연	蓮	蓮	2125	04a
연	悁	悁	6839	10b
연	挻	挻	7862	12a
연	捐	捐	8044	12a
연	掾	掾	7850	12a
연	瞢	瞢	4191	07a
연	椽	椽	3623	06a
연	橪	橪	3478	06a
연	次	次	5565	08b
연	沇	沇	6993	11a
연	沿	沿	7247	11a
연	涓	涓	7105	11a
연	淵	淵	7174	11a
연	演	演	7111	11a

연	然	然	6389	10a
연	煙	煙	6456	10a
연	燕	燕	7648	11b
연	狿	狿	6333	10a
연	暊	暊	9127	13b
연	痟	痟	4685	07b
연	研	研	6017	09b
연	硯	硯	6024	09b
연	碝	碝	5983	09b
연	筵	筵	2899	05a
연	緣	緣	8616	13a
연	繎	繎	8639	13a
연	燃	燃	8513	13a
연	奭	奭	6638	10b
연	肙	肙	2720	04b
연	肰	肰	2714	04b
연	蕒	蕒	480	01b
연	蓮	蓮	431	01b
연	蘨	蘨	474	01b
연	蜎	蜎	8863	13a
연	蜵	蜵	8787	13a
연	蜵	蜵	8839	13a
연	衍	衍	7101	11a
연	逍	逍	1150	02b
연	郔	郔	4110	06b
연	鄢	鄢	4140	06b
연	鉛	鉛	9217	14a

연	鋋	𨥉	9354	14a
연	䖟	𧕄	2357	04a
연	餇	𩛹	3228	05b
연	騙	𩡿	6133	10a
연	鳶	𪂝	2443	04a
연	嚽	𩅀	3072	05a
열	涅	𣴼	7197	11a
열	熱	𤑊	6478	10a
열	暚	𣉩	2159	04a
열	突	𡱴	4622	07b
열	窫	𡫷	4623	07b
열	茢	𦫜	428	01b
열	閱	𨳿	7743	12a
열	鷾	𪇚	2394	04a
염	冄	𠕔	6044	09b
염	厭	𠪚	5972	09b
염	姌	𡜁	8166	12b
염	㜤	𡤡	8201	12b
염	厴	𠪞	8151	12b
염	懕	𢢪	6762	10b
염	染	𣲷	7389	11a
염	棪	𣐴	3433	06a
염	㡓	𡯍	3516	06a
염	灛	𤅊	7391	11a
염	炎	𤇾	6500	10a
염	焱	𤓁	6547	10b
염	燄	𤒦	6501	10a

염	猒	𤝷	3025	05a
염	琰	𤥣	115	01a
염	薟	𦵶	406	01b
염	薕	𦶹	423	01b
염	蚦	𧑓	8744	13a
염	詽	𧨐	1625	03a
염	豔	𧲧	3089	05a
염	釅	𨤃	9811	14b
염	閻	𨷲	7702	12a
염	閹	𨷐	7695	12a
염	霠	𩂲	7516	11b
염	顑	𩒾	5680	09a
염	魘	𩲋	5810	09a
염	鹽	𪉥	7679	12a
염	黶	𪑴	6512	10a
염	齱	𪗋	8951	13b
엽	僷	𠌯	4954	08a
엽	品	𠲷	1421	02b
엽	品	𡷛	5853	09b
엽	擪	𢫶	7846	12a
엽	曄	𣇵	4195	07a
엽	某	𣍢	3797	06a
엽	爗	𤑡	6474	10a
엽	皣	𤾼	3869	06b
엽	𥬔	𥯝	2878	05a
엽	葉	𦶃	496	01b
엽	厴	𠪡	5671	09a

엽	饁		3214	05b		영	苓		365	01b
영	塋		9095	13b		영	英		503	01b
영	贏		8074	12b		영	蘡		556	01b
영	嬰		8219	12b		영	嚶		466	01b
영	嶸		5861	09b		영	詠		1569	03a
영	廮		5923	09b		영	謍		1585	03a
영	撄		8020	12a		영	賏		3976	06b
영	映		4249	07a		영	贏		3945	06b
영	楧		3424	06a		영	迎		1124	02b
영	樗		3402	06a		영	郢		4074	06b
영	楹		3611	06a		영	鄭		4147	06b
영	榮		3521	06a		영	鐙		9802	14b
영	永		7457	11b		예	乂		8319	12b
영	泳		7250	11a		예	厂		8322	12b
영	穎		7025	11a		예	倪		5074	08a
영	瀛		7419	11a		예	劓		9192	13b
영	笭		3176	05b		예	叡		2519	04b
영	營		4609	07b		예	呭		851	02a
영	瑛		100	01a		예	埶		1877	03b
영	瑩		142	01a		예	瑿		9083	13b
영	癭		4703	07b		예	壖		9086	13b
영	盈		3140	05a		예	婗		8098	12b
영	禜		52	01a		예	嫛		8097	12b
영	穎		4384	07a		예	奰		4559	07b
영	籯		2925	05a		예	癘		4671	07b
영	縈		8653	13a		예	羿		8462	12b
영	纓		8598	13a		예	殹		2059	03b

음	해서	전서	번호	위치
예	曳		9756	14b
예	殹		1960	03b
예	汭		7109	11a
예	濊		7410	11a
예	薉		7120	11a
예	羯		8468	12b
예	瑿		165	01a
예	瘞		9092	13b
예	癢		6703	10b
예	睨		2121	04a
예	繄		8646	13a
예	縈		6947	10b
예	羺		2344	04a
예	羿		2247	04a
예	翳		2265	04a
예	芮		534	01b
예	薉		546	01b
예	燬		3109	05a
예	蜺		8825	13a
예	蝖		8834	13a
예	裔		5286	08a
예	覴		5452	08b
예	䑏		2820	04b
예	詍		1622	03a
예	詣		1576	03a
예	謽		1565	03a
예	睿		7468	11b
예	豫		6105	09b
예	跇		1380	02b
예	輗		9549	14a
예	擘		5770	09a
예	郳		4134	06b
예	銳		9321	14a
예	錯		9265	14a
예	霓		7528	11b
예	預		5664	09a
예	饖		3237	05b
예	鯢		7582	11b
예	鷖		2415	04a
예	麑		6248	10a
예	鱧		6513	10a
예	貎		1295	02b
오	五		9678	14b
오	伍		5044	08a
오	傲		4977	08a
오	午		9750	14b
오	吾		836	02a
오	吳		6587	10b
오	悟		9751	14b
오	嗸		915	02a
오	墺		8978	13b
오	奧		4542	07b
오	昦		6630	10b
오	娛		8193	12b

오	嫯		8295	12b
오	害		4585	07b
오	癌		4666	07b
오	獒		5837	09b
오	扞		8451	12b
오	悟		6743	10b
오	敖		2504	04b
오	敖		3848	06b
오	晤		4179	07a
오	杇		3641	06a
오	梧		3520	06a
오	歍		5517	08b
오	汙		7312	11a
오	汻		7205	11a
오	洿		7310	11a
오	浯		7051	11a
오	潡		7015	11a
오	澳		7231	11a
오	烏		2478	04a
오	裒		6430	10a
오	熬		6428	10a
오	獒		6304	10a
오	瑂		178	01a
오	聱		7786	12a
오	菩		655	01b
오	襖		5348	08a
오	誤		1616	03a

오	誤		1658	03a
오	譀		1670	03a
오	警		1590	03a
오	趍		1009	02a
오	邪		4127	06b
오	鄔		4044	06b
오	鏖		9260	14a
오	隖		9657	14b
오	隩		9621	14b
오	贅		5608	09a
오	鰲		6137	10a
오	鵝		2387	04a
오	鼇		8965	13b
옥	屋		5396	08a
옥	沃		7239	11a
옥	獄		6358	10a
옥	玉	王	81	01a
옥	鋈		9216	14a
온	媼		8101	12b
온	慍		6845	10b
온	搵		8039	12a
온	溫		6961	11a
온	熅		6458	10a
온	盈		3144	05a
온	穩		4440	07a
온	縕		8714	13a
온	蘊		553	01b

온	輼	輼	9469	14a		와	囮	囮	3915	06b
온	醞	醞	9762	14b		와	㝒	㝒	6570	10b
온	餫	餫	3223	05b		와	娃	娃	8175	12b
올	兀	兀	5431	08b		와	媧	媧	8174	12b
올	嗢	嗢	881	02a		와	洼	洼	7217	11a
올	扤	扤	8000	12a		와	窪	窪	7218	11a
올	殟	殟	2527	04b		와	瓦	瓦	8409	12b
올	疣	疣	4687	07b		와	窩	窩	4628	07b
올	刐	刐	5418	08b		와	臥	臥	5222	08a
올	阢	阢	9615	14b		와	蝸	蝸	8859	13a
옹	廱	廱	5894	09b		와	譌	譌	1656	03a
옹	攤	攤	7928	12a		와	鈋	鈋	9403	14a
옹	滃	滃	7262	11a		와	畫	畫	8955	13b
옹	灉	灉	7042	11a		완	刓	刓	2782	04b
옹	瓮	瓮	8418	12b		완	剜	剜	2797	04b
옹	癰	癰	4719	07b		완	垸	垸	9032	13b
옹	箸	箸	2870	05a		완	婠	婠	8158	12b
옹	甕	甕	3277	05b		완	婉	婉	8163	12b
옹	翁	翁	2240	04a		완	完	完	4564	07b
옹	蝹	蝹	8747	13a		완	宛	宛	4543	07b
옹	邕	邕	7449	11b		완	忨	忨	6824	10b
옹	雝	雝	2291	04a		완	掔	掔	7794	12a
옹	顒	顒	5603	09a		완	梡	梡	3793	06a
옹	饔	饔	3193	05b		완	玩	玩	149	01a
옹	鰅	鰅	7609	11b		완	琬	琬	113	01a
옹	鱅	鱅	7594	11b		완	瑗	瑗	172	01a
와	吪	吪	929	02a		완	鋺	鋺	8420	12b

완	盌	盌	3124	05a
완	睯	睯	2144	04a
완	翫	翫	8736	13a
완	翫	翫	2232	04a
완	脘	脘	2679	04b
완	莞	莞	329	01b
완	菀	菀	452	01b
완	薍	薍	421	01b
완	盌	盌	3084	05a
완	阮	阮	9632	14b
완	頑	頑	5613	09a
왈	曰	曰	3027	05a
왈	聉	聉	7777	12a
왕	尢	尢	9696	14b
왕	允	允	6595	10b
왕	圭	圭	3844	06b
왕	往	往	1228	02b
왕	致	致	2047	03b
왕	旺	旺	4219	07a
왕	枉	枉	3575	06a
왕	汪	汪	7122	11a
왕	王	王	78	01a
왜	倭	倭	4966	08a
왜	哇	哇	893	02a
왜	娃	娃	8258	12b
왜	媧	媧	8124	12b
왜	矮	矮	3302	05b

왜	緺	緺	8606	13a
왜	騧	騧	6124	10a
외	外	外	4314	07a
외	嵬	嵬	5817	09a
외	巍	巍	5818	09a
외	桅	桅	3537	06a
외	根	根	3643	06a
외	渨	渨	7261	11a
외	煨	煨	6418	10a
외	猥	猥	6289	10a
외	畏	畏	5812	09a
외	瘣	瘣	4677	07b
외	聵	聵	7776	12a
외	騩	騩	2825	04b
외	鍡	鍡	9385	14a
외	隈	隈	9622	14b
외	隗	隗	9586	14b
외	頠	頠	5618	09a
외	頯	頯	5612	09a
외	魁	魁	5647	09a
외	褽	褽	5243	08a
요	傜	傜	5121	08a
요	僥	僥	5167	08a
요	喓	喓	868	02a
요	坳	坳	9113	13b
요	垚	垚	9118	13b
요	堯	堯	9119	13b

요	天		6588	10b
요	姚		8075	12b
요	娆		8234	12b
요	媱		8170	12b
요	嬈		8284	12b
요	宧		4541	07b
요	旭		6599	10b
요	嶢		5866	09b
요	幺		2488	04b
요	繇		8444	12b
요	徼		1231	02b
요	懮		6822	10b
요	拗		8060	12a
요	搖		7911	12a
요	撓		7894	12a
요	擾		7895	12a
요	膢		4272	07a
요	皀		4210	07a
요	枖		3561	06a
요	榣		3572	06a
요	橈		3576	06a
요	澆		7356	11a
요	燿		6469	10a
요	懷		758	02a
요	珧		194	01a
요	瑤		188	01a
요	繇		4529	07b

요	祑		69	01a
요	宦		2111	04a
요	窈		4656	07b
요	窅		4653	07b
요	突		4654	07b
요	窯		4615	07b
요	繪		8704	13a
요	繇		8472	12b
요	繞		8529	13a
요	䍃		3283	05b
요	舀		4503	07a
요	芺		353	01b
요	葽		476	01b
요	蓼		262	01b
요	薨		621	01b
요	蕘		566	01b
요	蟯		8755	13a
요	要		1777	03a
요	覞		5494	08b
요	覭		5482	08b
요	晵		1539	03a
요	蹂		1375	02b
요	遙		1221	02b
요	銚		9261	14a
요	饒		3229	05b
요	鰩		7645	11b
요	鷂		2445	04a

요	鳴		2465	04a
요	歠		5525	08b
욕	欲		5514	08b
욕	浴		7375	11a
욕	溽		7196	11a
욕	狢		6324	10a
욕	縟		8594	13a
욕	蓐		698	01b
욕	辱		9747	14b
욕	鄏		4023	06b
욕	鋊		9268	14a
욕	鵒		2455	04a
용	俑		5137	08a
용	傛		4953	08a
용	傭		4994	08a
용	勇		9198	13b
용	墉		9037	13b
용	宂		4569	07b
용	容		4568	07b
용	庸		2076	03b
용	徸		7774	12a
용	慂		6933	10b
용	搈		7912	12a
용	摍		7974	12a
용	毴		5362	08a
용	涌		7155	11a
용	溶		7163	11a
용	額		8425	12b
용	甕		1986	03b
용	用		2074	03b
용	甬		4327	07a
용	箵		2934	05a
용	舂		3319	05a
용	春		4500	07a
용	茸		676	01b
용	蓉		686	01b
용	蛹		8752	13a
용	貓		6089	09b
용	通		1057	02a
용	踊		1345	02b
용	軵		9546	14a
용	鄘		4082	06b
용	醲		9775	14b
용	鎔		9238	14a
용	鏞		9339	14a
용	鞘		1826	03b
용	聳		5727	09a
용	鱅		7548	11b
용	鰫		7610	11b
용	驔		2431	04a
용	䰠		6375	10a
우	亏		3052	05a
우	俁		4972	08a
우	偶		5160	08a

우	優		5066	08a
우	又		1895	03b
우	友		1921	03b
우	右		873	02a
우	右		1896	03b
우	吁		912	02a
우	听		3055	05a
우	喁		956	02a
우	嚘		955	02a
우	嚘		886	02a
우	堣		8979	13b
우	宇		4545	07b
우	寓		4590	07b
우	迂		6605	10b
우	嵎		5825	09b
우	忧		6878	10b
우	惆		6768	10b
우	愚		6792	10b
우	愚		6901	10b
우	憂		3351	05b
우	扜		8046	12a
우	楀		3439	06a
우	櫪		3674	06a
우	沋		7084	11a
우	潤		7055	11a
우	漫		7286	11a
우	猢		1324	02b

우	牛		727	02a
우	玗		182	01a
우	瑀		156	01a
우	疣		4705	07b
우	盂		3123	05a
우	盱		2126	04a
우	祐		21	01a
우	禺		5813	09a
우	禹		9687	14b
우	竽		2973	05a
우	紆		8514	13a
우	羽		2233	04a
우	耦		2810	04b
우	肮		2650	04b
우	芋		270	01b
우	萬		320	01b
우	藕		435	01b
우	虞		3094	05a
우	衧		5272	08a
우	訏		1666	03a
우	訧		1520	03a
우	訧		1704	03a
우	謣		1655	03a
우	踽		1336	02b
우	迂		1201	02b
우	遇		1126	02b
우	邘		4031	06b

우	邮		4018	06b
우	那		4073	06b
우	郵		3996	06b
우	鄅		4112	06b
우	鄾		4067	06b
우	隅		9581	14b
우	雨		7487	11b
우	雩		7530	11b
우	霧		7532	11b
우	霛		7513	11b
우	軒		1821	03b
우	頄		5649	09a
우	髃		2563	04b
우	麀		6255	10a
우	麟		1286	02b
욱	勖		9180	13b
욱	醶		4302	07a
욱	旭		4183	07a
욱	昱		4221	07a
욱	歗		5504	08b
욱	煜		6468	10a
욱	煥		6480	10a
욱	箎		2905	05a
욱	郁		4005	06b
욱	頊		5628	09a
운	喗		790	02a
운	园		3894	06b
운	壼		6608	10b
운	夽		6574	10b
운	妘		8077	12b
운	惲		6693	10b
운	惲		6880	10b
운	抎		7906	12a
운	沄		7128	11a
운	隕		7020	11a
운	澐		7139	11a
운	磒		5994	09b
운	縜		8631	13a
운	賴		2813	04b
운	芸		394	01b
운	覞		5457	08b
운	貶		3917	06b
운	運		1137	02b
운	鄆		4029	06b
운	鄖		4081	06b
운	隕		9601	14b
운	雲		7538	11b
운	賱		7489	11b
운	韗		1788	03b
운	韻		1737	03a
운	頵		5599	09a
운	餫		3233	05b
운	齳		1292	02b
울	蔚		442	01b

울	鬱	𩰬	3185	05b
울	鬱	鬱	3832	06a
울	黦	𩏶	6524	10a
웅	熊	𤠮	6380	10a
웅	雄	雄	2304	04a
원	傆	傆	5050	08a
원	元	元	2	01a
원	冤	𡨚	6264	10a
원	黿	黿	7456	11b
원	員	員	3916	06b
원	圓	圓	3895	06b
원	園	園	3904	06b
원	垣	垣	9000	13b
원	夗	夗	4311	07a
원	婘	𡝝	8162	12b
원	媛	媛	8221	12b
원	嫄	𡜺	8127	12b
원	婉	婉	8199	12b
원	袁	袁	4868	07b
원	怨	𢚩	6842	10b
원	愿	愿	6699	10b
원	援	援	7954	12a
원	楥	楥	3711	06a
원	沅	沅	6966	11a
원	洹	洹	7041	11a
원	湲	湲	7423	11a
원	爰	爰	2507	04b

원	瑗	瑗	107	01a
원	睕	睕	9138	13b
원	芫	芫	465	01b
원	苑	苑	563	01b
원	薦	薦	511	01b
원	蒬	蒬	379	01b
원	蚖	蚖	8761	13a
원	蝯	蝯	8880	13a
원	袁	袁	5288	08a
원	詧	詧	1695	03a
원	諢	諢	1495	03a
원	猨	猨	6063	09b
원	趄	趄	1055	02a
원	輓	輓	9553	14a
원	轅	轅	9510	14a
원	遠	遠	1197	02b
원	邍	邍	1203	02b
원	邧	邧	4109	06b
원	邑	邑	4166	06b
원	院	院	9658	14b
원	鞙	鞙	1804	03b
원	䫑	䫑	5620	09a
원	願	願	5606	09a
원	顩	顩	5578	09a
원	鴛	鴛	2407	04a
원	黿	黿	8954	13b
월	刖	刖	2778	04b

월	娀		8264	12b
월	戉		8358	12b
월	抈		8001	12a
월	月		4291	07a
월	泧		7322	11a
월	狘		6352	10a
월	粤		3054	05a
월	絨		8624	13a
월	朏		7781	12a
월	越		989	02a
월	趐		1403	02b
월	跀		1341	02b
월	軏		9513	14a
월	逑		1194	02b
월	鉞		9374	14a
위	夏		6593	10b
위	位		5007	08a
위	偉		4958	08a
위	僞		5111	08a
위	危		5978	09b
위	喟		829	02a
위	媧		5975	09b
위	圍		3912	06b
위	委		8173	12b
위	威		8105	12b
위	媚		8110	12b
위	媁		8268	12b

위	寪		4550	07b
위	幃		4877	07b
위	彙		3853	06b
위	慰		6747	10b
위	德		6835	10b
위	敄		2030	03b
위	械		3663	06a
위	殙		2521	04b
위	洈		6995	11a
위	渭		6971	11a
위	湋		7147	11a
위	潙		7169	11a
위	尉		6438	10a
위	煒		6465	10a
위	熭		6492	10a
위	爲		1874	03b
위	衛		764	02a
위	痿		4731	07b
위	癟		4700	07b
위	緯		8494	13a
위	絹		8549	13a
위	蔚		4813	07b
위	矮		2341	04a
위	胃		2600	04b
위	萎		616	01b
위	葦		645	01b
위	蔿		447	01b

음	楷書	篆書	번호	위치
위	遠	𧻕	687	01b
위	衛	衞	1276	02b
위	禕	禕	5246	08a
위	禭	禭	5280	08a
위	覣	覣	5451	08b
위	諉	諉	1549	03a
위	謂	謂	1475	03a
위	虆	虆	6080	09b
위	踓	踓	1395	02b
위	蔿	蔿	1362	02b
위	透	透	1154	02b
위	違	違	1158	02b
위	鄬	鄬	4153	06b
위	闈	闈	7694	12a
위	闠	闠	7714	12a
위	隇	隇	9637	14b
위	韋	韋	3367	05b
위	韙	韙	1089	02b
위	韡	韡	4330	07a
위	鞾	鞾	3867	06b
위	䮲	䮲	8940	13b
위	餧	餧	3243	05b
위	肌	肌	2582	04b
유	乳	乳	7665	12a
유	俞	俞	5413	08b
유	儒	儒	4937	08a
유	尤	尤	3309	05b
유	歈	歈	8394	12b
유	卣	卣	3036	05a
유	羑	羑	5816	09a
유	呦	呦	954	02a
유	唯	唯	843	02a
유	圙	圙	3903	06b
유	姷	姷	8215	12b
유	婾	婾	8243	12b
유	嬬	嬬	8274	12b
유	孺	孺	9723	14b
유	宥	宥	4577	07b
유	帷	帷	4857	07b
유	㡛	㡛	4862	07b
유	幼	幼	2489	04b
유	絲	絲	2491	04b
유	幽	幽	2492	04b
유	庮	庮	5933	09b
유	庾	庾	5911	09b
유	徭	徭	1226	02b
유	怮	怮	6881	10b
유	惟	惟	6728	10b
유	悠	悠	6893	10b
유	愉	愉	6790	10b
유	揄	揄	7930	12a
유	擩	擩	7929	12a
유	攸	攸	2026	03b
유	斞	斞	9446	14a

한글독음

유	蕤	𦼝	508	01b	유	酉	酉	9757	14b
유	薷	薷	378	01b	유	醹	醹	9771	14b
유	藟	藟	355	01b	유	鍒	鍒	9405	14a
유	蜼	蜼	8882	13a	유	阽	阽	9631	14b
유	蝚	蝚	8767	13a	유	鞣	鞣	1789	03b
유	蝓	蝓	8862	13a	유	甂	甂	5802	09a
유	蛐	蛐	8865	13a	유	鮋	鮋	7570	11b
유	螙	螙	8843	13a	유	鮪	鮪	7550	11b
유	裕	裕	5310	08a	유	鞴	鞴	9159	13b
유	褕	褕	5234	08a	유	勠	勠	6519	10a
유	褎	褎	5261	08a	유	鼬	鼬	6373	10a
유	襦	襦	5294	08a	육	儥	儥	5055	08a
유	覦	覦	5480	08b	육	喅	喅	865	02a
유	覤	覤	5476	08b	육	奔	奔	1757	03a
유	諭	諭	1497	03a	육	淯	淯	6982	11a
유	諛	諛	1587	03a	육	絹	絹	8571	13a
유	猷	猷	6100	09b	육	肉	肉	2584	04b
유	貐	貐	6087	09b	육	育	育	9739	14b
유	趂	趂	1008	02a	육	菁	菁	472	01b
유	進	進	1054	02a	육	蓲	蓲	634	01b
유	踰	踰	1340	02b	육	鬻	鬻	1865	03b
유	輶	輶	9473	14a	윤	允	允	5433	08b
유	輮	輮	9499	14a	윤	尹	尹	1906	03b
유	逾	逾	1114	02b	윤	鞇	鞇	6625	10b
유	遺	遺	1173	02b	윤	潤	潤	7314	11a
유	遊	遊	1099	02b	윤	胤	胤	2635	04b
유	貐	貐	4051	06b	윤	胸	胸	2727	04b

한글	漢字	篆書	번호	위치
윤	菳		517	01b
윤	鋆		9355	14a
윤	閏		79	01a
윤	阭		9587	14b
윤	頵		5597	09a
율	嘟		909	02a
율	炅		7447	11b
율	喬		1448	03a
율	繘		8677	13a
율	聿		1932	03b
율	葎		396	01b
율	蠟		8802	13a
율	颶		8941	13b
율	驈		6122	10a
율	欥		2452	04a
융	娀		8125	12b
융	戎		8334	12b
융	融		1855	03b
융	駥		6222	10a
은	月		5228	08a
은	乚		7663	12a
은	𠃉		8368	12b
은	听		850	02a
은	嚚		1432	03a
은	垠		9060	13b
은	堚		9084	13b
은	恩		6716	10b
은	憗		6721	10b
은	慭		6873	10b
은	憖		6718	10b
은	听		9441	14a
은	檼		3620	06a
은	殷		5229	08a
은	濦		7027	11a
은	䨩		2512	04b
은	狺		6299	10a
은	狀		6356	10a
은	猌		6320	10a
은	珢		164	01a
은	虤		3112	05a
은	誾		3120	05a
은	闇		1502	03a
은	鄞		4097	06b
은	銀		9214	14a
은	隱		9620	14b
은	隱		3735	06a
은	饐		3222	05b
은	斷		1278	02b
을	乙		9693	14b
을	圪		9001	13b
을	𧆈		3110	05a
음	吟		920	02a
음	婬		8296	12b
음	崟		5841	09b

음	歆		5563	08b
음	淫		7186	11a
음	㸒		5219	08a
음	瘖		4702	07b
음	窨		4614	07b
음	蔭		525	01b
음	趛		1019	02a
음	陰		9574	14b
음	霠		7539	11b
음	音		1731	03a
읍	悒		6786	10b
읍	挹		7941	12a
읍	揖		7800	12a
읍	泣		7398	11a
읍	浥		7200	11a
읍	湆		7309	11a
읍	裛		5328	08a
읍	邑		3986	06b
응	應		6678	10b
응	膺		2605	04b
응	譍		1482	03a
응	䧹		2287	04a
의	依		5024	08a
의	倚		5023	08a
의	儀		5060	08a
의	儗		5094	08a
의	劓		2788	04b
의	𠤱		5190	08a
의	医		8380	12b
의	㕒		5950	09b
의	㘈		799	02a
의	㛄		8135	12b
의	醫		9737	14b
의	宐		4578	07b
의	忍		6849	10b
의	㤅		6874	10b
의	意		6675	10b
의	懿		6610	10b
의	扆		7689	12a
의	撎		7799	12a
의	擬		7936	12a
의	旖		4274	07a
의	椅		3445	06a
의	檥		3604	06a
의	檹		3578	06a
의	毅		1964	03b
의	狋		6298	10a
의	猗		6281	10a
의	疑		9731	14b
의	矣		3301	05b
의	義		8361	12b
의	[illegible]		522	01b
의	薏		325	01b
의	薿		507	01b

의	巓		597	01b
의	蟻		8792	13a
의	衣		5230	08a
의	誼		1553	03a
의	議		1508	03a
의	擬		1602	03a
의	豙		6067	09b
의	輢		9487	14a
의	轙		9517	14a
의	䶧		4124	06b
의	醫		9805	14b
의	陒		9626	14b
의	顗		5640	09a
의	顡		5654	09a
의	饐		3238	05b
의	敱		1847	03b
의	齮		2424	04a
의	齰		2458	04a
이	二		8968	13b
이	伊		4945	08a
이	佁		5109	08a
이	佌		5112	08a
이	俋		5027	08a
이	傷		5127	08a
이	刵		2787	04b
이	匜		8386	12b
이	灰		5567	08b
이	咦		822	02a
이	圯		9102	13b
이	夷		6581	10b
이	姨		8113	12b
이	姐		8141	12b
이	嬰		8191	12b
이	嫕		8262	12b
이	宧		4540	07b
이	尒		709	02a
이	目		9749	14b
이	屺		7788	12a
이	㳽		1930	03b
이	廙		5929	09b
이	异		1755	03a
이	弛		8454	12b
이	希		6069	09b
이	希		6078	09b
이	彛		8721	13a
이	徥		1238	02b
이	怡		6711	10b
이	憘		6714	10b
이	攺		2056	03b
이	敭		2029	03b
이	睍		4198	07a
이	杝		3653	06a
이	柂		3672	06a
이	栘		3441	06a

이	栭		3619	06a
이	橠		3820	06a
이	栺		3476	06a
이	欘		3429	06a
이	歋		5521	08b
이	殔		2534	04b
이	毦		5367	08a
이	㳿		7327	11a
이	洟		7395	11a
이	灑		6984	11a
이	爾		2082	03b
이	珥		125	01a
이	珶		163	01a
이	瓵		8415	12b
이	異		1770	03a
이	痍		4743	07b
이	眙		2197	04a
이	移		4383	07a
이	箷		2998	05a
이	羠		2336	04a
이	而		6045	09b
이	耏		5976	09b
이	耳		7754	12a
이	胹		2689	04b
이	臣		7787	12a
이	苢		341	01b
이	薏		321	01b

이	䕊		560	01b
이	蕫		255	01b
이	蓩		510	01b
이	薾		504	01b
이	蘺		291	01b
이	蚏		8818	13a
이	訑		1592	03a
이	詒		1599	03a
이	貤		3944	06b
이	貳		3949	06b
이	貽		3981	06b
이	輀		9561	14a
이	迤		1155	02b
이	迻		1135	02b
이	遟		1182	02b
이	邇		1183	02b
이	酏		9813	14b
이	隶		1938	03b
이	飴		3194	05b
이	鬻		1867	03b
이	鮞		7542	11b
이	黟		6544	10a
익	匽		8392	12b
익	嗌		789	02a
익	㚤		8122	12b
익	弋		8323	12b
익	杙		3463	06a

익	漢		7013	11a
익	益		3139	05a
익	翊		2255	04a
익	趨		1024	02a
익	酖		9784	14b
익	雉		2303	04a
익	翼		7655	11b
익	齸		1316	02b
인	人		4926	08a
인	仁		4929	08a
인	仞		4931	08a
인	儿		5430	08b
인	刃		2800	04b
인	印		5761	09a
인	咽		788	02a
인	因		3906	06b
인	垔		9066	13b
인	夤		4312	07a
인	姻		8088	12b
인	寅		9744	14b
인	忉		4837	07b
인	㐱		1259	02b
인	引		8450	12b
인	忍		6928	10b
인	戭		8350	12b
인	捆		7976	12a
인	軯		9754	14b
인	牞		3538	06a
인	歅		5550	08b
인	堙		8329	12b
인	沏		7079	11a
인	洇		7085	11a
인	湮		7258	11a
인	濥		7103	11a
인	牣		769	02a
인	禋		29	01a
인	紖		8650	13a
인	朋		2655	04b
인	腏		2728	04b
인	茵		610	01b
인	蒏		306	01b
인	黄		357	01b
인	螾		8746	13a
인	訒		1579	03a
인	軔		9498	14a
인	酳		9789	14b
인	釰		9219	14a
인	闉		7704	12a
인	鞇		1818	03b
인	靭		3383	05b
인	駰		6120	10a
일	一	一	1	01a
일	佚		5119	08a
일	佾		5177	08a

한글독음

일	噎		880	02a
일	壹		6609	10b
일	日		4170	07a
일	吷		5557	08b
일	泆		7188	11a
일	溢		7361	11a
일	衵		5302	08a
일	逸		6263	10a
일	馹		6205	10a
일	駃		6184	10a
일	鳦		2385	04a
임	任		5064	08a
임	壬		9715	14b
임	妊		8093	12b
임	羊		1441	03a
임	恁		6783	10b
임	棽		3560	06a
임	稔		4423	07a
임	紝		8491	13a
임	荏		257	01b
임	袵		5241	08a
임	賃		3968	06b
임	鄬		4158	06b
임	飪		3192	05b
입	入		3264	05b
입	廿		1466	03a
잉	仍		5025	08a

잉	俜		5084	08a
잉	卥		3035	05a
잉	孕		9718	14b
잉	扔		7977	12a
잉	朳		3474	06a
잉	芿		657	01b
잉	訒		1517	03a
잉	陾		9652	14b
자				
자	仔		5083	08a
자	刺		2794	04b
자	呰		897	02a
자	咨		840	02a
자	啙		1083	02a
자	嗞		921	02a
자	垐		9044	13b
자	姊		8107	12b
자	娑		8217	12b
자	姿		8239	12b
자	子		9717	14b
자	字		9720	14b
자	孜		2005	03b
자	孳		9727	14b
자	恣		6812	10b
자	慈		6712	10b
자	批		7865	12a
자	乎		7909	12a

자	束		4336	07a
자	柘		3517	06a
자	樕		3487	06a
자	欼		5530	08b
자	欨		2555	04b
자	滋		7198	11a
자	溠		6996	11a
자	濱		7271	11a
자	炙		6550	10b
자	兹		2498	04b
자	玼		139	01a
자	瓷		8434	12b
자	疵		4688	07b
자	痄		4757	07b
자	凷		2217	04a
자	眥		2092	04a
자	秄		4397	07a
자	秭		4436	07a
자	穧		4400	07a
자	第		2898	05a
자	紫		8581	13a
자	牸		2345	04a
자	者		2220	04a
자	兹		2712	04b
자	戠		2703	04b
자	自		2215	04a
자	芓		254	01b
자	茈		380	01b
자	兹		527	01b
자	茨		584	01b
자	莿		401	01b
자	莘		598	01b
자	蔗		348	01b
자	資		531	01b
자	藉		581	01b
자	载		8774	13a
자	蠀		8821	13a
자	觜		5464	08b
자	觜		2838	04b
자	訾		1623	03a
자	諫		1688	03a
자	訿		1595	03a
자	賞		3972	06b
자	資		3924	06b
자	赭		6559	10b
자	越		995	02a
자	趑		1042	02a
자	鄑		4104	06b
자	鑒		9291	14a
자	雌		2305	04a
자	賈		7512	11b
자	頿		5679	09a
자	餈		3198	05b
자	骴		2581	04b

자	鬻	蠶	1870	03b
자	羹	羹	7622	11b
자	鮆	鮆	2441	04a
자	鯔	鯔	2423	04a
자	鰦	鰦	2474	04a
자	薵	薵	4348	07a
자	盩	盩	3126	05a
자	齍	齍	4371	07a
자	齏	齏	5329	08a
작	仢	仢	5012	08a
작	作	作	5051	08a
작	勺	勺	9418	14a
작	妁	妁	8084	12b
작	婥	婥	8301	12b
작	怍	怍	6925	10b
작	斫	斫	9430	14a
작	昨	昨	4214	07a
작	柞	柞	3466	06a
작	汋	汋	7158	11a
작	瀺	瀺	7133	11a
작	灼	灼	6441	10a
작	焯	焯	6463	10a
작	爝	爝	6491	10a
작	爵	爵	3186	05b
작	碏	碏	6030	09b
작	秨	秨	4394	07a
작	稓	稓	4410	07a
작	踖	踖	6660	10b
작	筰	筰	2941	05a
작	䴴	䴴	8735	13a
작	繛	繛	8680	13a
작	芍	芍	445	01b
작	苲	苲	689	01b
작	趞	趞	992	02a
작	酌	酌	9786	14b
작	雀	雀	2277	04a
작	鮓	鮓	3220	05b
작	鵲	鵲	2363	04a
잔	俴	俴	4962	08a
잔	孱	孱	9736	14b
잔	栈	栈	5848	09b
잔	棧	棧	3714	06a
잔	奻	奻	2515	04b
잔	殘	殘	2548	04b
잔	殘	殘	2541	04b
잔	潺	潺	7422	11a
잔	琖	琖	209	01a
잔	虥	虥	3107	05a
잔	輚	輚	9564	14a
잔	醆	醆	9785	14b
잠	兂	兂	5438	08b
잠	建	建	4586	07b
잠	屮	屮	3266	05b
잠	岑	岑	5840	09b

잠	暫	4216	07a
잠	涔	7287	11a
잠	潛	7251	11a
잠	璹	168	01a
잠	箴	2971	05a
잠	籛	2958	05a
잠	簪	2871	05a
잠	蘸	697	01b
잠	蠶	8902	13b
잠	賺	3982	06b
잠	趲	1059	02a
잠	醋	9788	14b
잠	鐕	9318	14a
잠	霠	7511	11b
잠	鮗	7623	11b
잠	鱭	7593	11b
잡	帀	3845	06b
잡	謯	8405	12b
잡	眨	2202	04a
잡	雜	5309	08a
잡	儳	2356	04a
장	丈	1460	03a
장	匠	8383	12b
장	場	9100	13b
장	墇	9058	13b
장	壯	228	01a
장	奬	6635	10b

장	妝	8224	12b
장	嫱	8307	12b
장	將	1975	03b
장	嶂	5867	09b
장	帳	4858	07b
장	張	8445	12b
장	戕	8347	12b
장	牂	7817	12a
장	掌	7790	12a
장	斨	9429	14a
장	杖	3723	06a
장	樟	3825	06a
장	漳	6990	11a
장	爿	1875	03b
장	牂	2332	04a
장	獐	7352	11a
장	牆	3263	05b
장	牆	3330	05b
장	奘	6303	10a
장	獎	6293	10a
장	璋	114	01a
장	章	1735	03a
장	蔣	2877	05a
장	糧	4491	07a
장	腸	2602	04b
장	臧	1947	03b
장	莊	241	01b

장	萇	蕎	307	01b
장	葬	葬	703	01b
장	葦	葦	390	01b
장	蔣	蕎	470	01b
장	薔	薔	663	01b
장	藏	藏	695	01b
장	蘠	蘠	450	01b
장	裝	裝	5326	08a
장	趣	趣	1000	02a
장	遧	遧	1337	02b
장	鄣	鄣	4122	06b
장	醬	醬	9814	14b
장	長	長	6038	09b
장	障	障	9619	14b
장	駔	駔	6202	10a
장	麞	麞	6243	10a
재	再	再	2486	04b
재	哉	哉	855	02a
재	在	在	9021	13b
재	宰	宰	4574	07b
재	巛	巛	7450	11b
재	𢦏	𢦏	8351	12b
재	才	才	3840	06a
재	材	材	3595	06a
재	栽	栽	3601	06a
재	梓	梓	3446	06a
재	洅	洅	7282	11a

재	滓	滓	7345	11a
재	裁	裁	6455	10a
재	穧	穧	4398	07a
재	縡	縡	8728	13a
재	纔	纔	8588	13a
재	聲	聲	7775	12a
재	裁	裁	5231	08a
재	財	財	3921	06b
재	載	載	9521	14a
재	戴	戴	4139	06b
재	戴	戴	9810	14b
재	齜	齜	1879	03b
재	豺	豺	3345	05b
재	齋	齋	28	01a
재	齎	齎	3933	06b
재	齜	齜	1281	02b
쟁	崝	崝	5860	09b
쟁	堂	堂	1065	02a
쟁	爭	爭	2511	04b
쟁	琤	琤	153	01a
쟁	箏	箏	2985	05a
쟁	紳	紳	8652	13a
쟁	崝	崝	549	01b
쟁	諍	諍	1570	03a
쟁	錚	錚	9346	14a
쟁	鎗	鎗	9344	14a
저	伹	伹	5088	08a

한글독음

저	詆		1698	03a
저	讁		1581	03a
저	狙		6062	09b
저	豬		6048	09b
저	貯		3948	06b
저	越		1027	02a
저	趄		1043	02a
저	躇		1371	02b
저	軝		9550	14a
저	邸		3994	06b
저	郎		4009	06b
저	阺		9614	14b
저	陼		9638	14b
저	鴎		2447	04a
적	嗽		939	02a
적	嫡		8197	12b
적	宋		4561	07b
적	柚		1245	02b
적	杓		8012	12a
적	摘		7899	12a
적	擿		7888	12a
적	敵		2021	03b
적	旳		4180	07a
적	梀		3700	06a
적	樀		3631	06a
적	滴		7237	11a
적	澌		7181	11a
적	炮		6459	10a
적	狄		6338	10a
적	獡		6319	10a
적	玓		190	01a
적	磧		5991	09b
적	積		4401	07a
적	笛		2983	05a
적	籍		2875	05a
적	糴		4480	07a
적	羅		3267	05b
적	績		8693	13a
적	翟		2236	04a
적	耤		2811	04b
적	苖		371	01b
적	薂		528	01b
적	覿		5484	08b
적	覿		5493	08b
적	謫		1684	03a
적	賊		8339	12b
적	赤		6553	10b
적	越		1048	02a
적	趯		987	02a
적	踖		1335	02b
적	迪		1207	02b
적	迪		1131	02b
적	迹		1092	02b
적	邀		1198	02b

적	適	𥳉	1108	02b
적	樀	欜	4085	06b
적	鏑	鏑	9364	14a
적	靮	鞝	1845	03b
적	駒	駒	6129	10a
적	鰤	鰤	7573	11b
적	鸐	鸐	2459	04a
적	虉	虉	3340	05b
전	佃	佃	5101	08a
전	佺	佺	5010	08a
전	傳	傳	5080	08a
전	典	典	3007	05a
전	前	歬	1068	02a
전	剪	剪	2743	04b
전	叀	叀	2494	04b
전	塡	塡	9024	13b
전	奠	奠	3011	05a
전	嫥	嫥	8123	12b
전	嫥	嫥	8202	12b
전	𡥀	𡥀	9735	14b
전	專	專	1977	03b
전	甎	甎	5746	09a
전	展	展	5381	08a
전	屢	屢	5377	08a
전	珏	珏	3018	05a
전	帴	帴	4849	07b
전	幉	幉	4865	07b

전	廛	廛	5914	09b
전	悛	悛	6715	10b
전	悛	悛	6758	10b
전	怵	怵	6921	10b
전	戔	戔	8357	12b
전	戩	戩	8352	12b
전	戰	戰	8341	12b
전	揃	揃	7863	12a
전	敟	敟	2001	03b
전	旃	旃	4270	07a
전	槙	槙	3562	06b
전	殿	殿	1959	03b
전	氊	氊	5366	08a
전	湔	湔	6959	11a
전	滇	滇	6964	11a
전	澶	澶	7043	11a
전	瀍	瀍	7343	11a
전	煎	煎	6427	10a
전	牷	牷	753	02a
전	琠	琠	85	01a
전	瑑	瑑	131	01a
전	瑱	瑱	126	01a
전	田	田	9125	13b
전	甸	甸	9135	13b
전	畋	畋	2055	03b
전	癲	癲	4682	07b
전	瞻	瞻	2128	04a

한글독음

전	寶	寶	4643	07b
전	薄	薄	6648	10b
전	箋	箋	2886	05a
전	箈	箈	2942	05a
전	箭	箭	2855	05a
전	篆	篆	2872	05a
전	箄	箄	2915	05a
전	絰	絰	8700	13a
전	線	線	8580	13a
전	縛	縛	8553	13a
전	纏	纏	8528	13a
전	羴	羴	2349	04a
전	羂	羂	2239	04a
전	㾨	㾨	5747	09a
전	胹	胹	2664	04b
전	脡	脡	2687	04b
전	膊	膊	2710	04b
전	騰	騰	2702	04b
전	荃	荃	592	01b
전	荺	荺	312	01b
전	葎	葎	677	01b
전	蒲	蒲	446	01b
전	菫	菫	635	01b
전	蜓	蜓	8760	13a
전	屬	屬	8907	13b
전	蠹	蠹	8924	13b
전	衒	衒	1271	02b
전	襄	襄	5233	08a
전	詮	詮	1540	03a
전	諓	諓	1555	03a
전	諯	諯	1685	03a
전	趜	趜	1056	02a
전	趖	趖	991	02a
전	跧	跧	1348	02b
전	蹎	蹎	1381	02b
전	躔	躔	1355	02b
전	輇	輇	9548	14a
전	轉	轉	9527	14a
전	肄	肄	1202	02b
전	鈿	鈿	9413	14a
전	銓	銓	9325	14a
전	錪	錪	9255	14a
전	錢	錢	9300	14a
전	鐉	鐉	9389	14a
전	鑴	鑴	9294	14a
전	鐉	鐉	9394	14a
전	闓	闓	7735	12a
전	關	關	7725	12a
전	隌	隌	9661	14b
전	隊	隊	9651	14b
전	電	電	7492	11b
전	覎	覎	5668	09a
전	顓	顓	5627	09a
전	顚	顚	5579	09a

전	顫	𩖋	5650	09a
전	餞	𩜇	3232	05b
전	饘	饘	3199	05b
전	顫	𩖋	5675	09a
전	鬋	𩭖	5712	09a
전	轉	𨍭	7558	11b
전	鱣	鱣	7557	11b
전	鸇	𪄠	2449	04a
전	顓	顓	6539	10a
절	切	𠛜	2748	04b
절	卩	𢑚	5748	09a
절	𡭔	𡭔	706	02a
절	屵	屵	5869	09b
절	戩	戩	8343	12b
절	截	𢧵	8345	12b
절	㪿	㪿	628	01b
절	晢	晢	4177	07a
절	梲	梲	3728	06a
절	榝	榝	3431	06a
절	楶	楶	3614	06a
절	浙	𣲩	6957	11a
절	竊	竊	4490	07a
절	節	𥮊	2865	05a
절	絕	絕	8504	13a
절	絶	絶	583	01b
절	蠽	蠽	8908	13b
절	𣴎	𣴎	6041	09b

절	顩	𩖀	5635	09a
절	鷏	𪄢	2383	04a
절	齰	齰	1305	02b
점	刮	𠛐	2785	04b
점	占	占	2071	03b
점	唸	唸	916	02a
점	坫	坫	9011	13b
점	墊	墊	9040	13b
점	窆	窆	4601	07b
점	漸	𣾘	7000	11a
점	沾	𣱔	6410	10a
점	玷	玷	6504	10a
점	痁	痁	4727	07b
점	笘	笘	2966	05a
점	簟	簟	2900	05a
점	鉆	鉆	3285	05b
점	耆	耆	5356	08a
점	聸	聸	7756	12a
점	苫	苫	587	01b
점	蔪	蔪	570	01b
점	蛄	蛄	8805	13a
점	蟖	蟖	8873	13a
점	醬	𨡔	9822	14b
점	阽	阽	9642	14b
점	霑	霑	7515	11b
점	霸	霸	7529	11b
점	颭	颭	8947	13b

음	해서	전서	번호	위치
점	鮎	鮎	7589	11b
점	黏	黏	4447	07a
점	點	點	6521	10a
접	挕		7842	12a
접	接		7878	12a
접	摺		7903	12a
접	楼		3738	06a
접	聑		7784	12a
접	牒		2704	04b
접	萐		463	01b
접	蜨		8813	13a
접	鰈		7643	11b
정	丁	个	9698	14b
정	井	井	3175	05b
정	亭	亭	3305	05b
정	侹		4989	08a
정	停		5183	08a
정	偵		5188	08a
정	夆		2518	04b
정	呈	呈	872	02a
정	壬	壬	5216	08a
정	埥		9057	13b
정	姘		8181	12b
정	姃		8300	12b
정	婧		8180	12b
정	定		4555	07b
정	庭		5897	09b
정	廷		1260	02b
정	延		1261	02b
정	徎		1227	02b
정	情		6672	10b
정	挺		7961	12a
정	政		1998	03b
정	整		1995	03b
정	旌		4265	07a
정	晶	晶	4286	07a
정	打		3782	06a
정	梃		3563	06a
정	桯		3659	06a
정	根		3718	06a
정	楨		3591	06a
정	檉		3496	06a
정	正	正	1086	02b
정	汀		7316	11a
정	淨		7036	11a
정	湞		7011	11a
정	瀞		7371	11a
정	瀞		7320	11a
정	玎		152	01a
정	珽		119	01a
정	町		9126	13b
정	禎		17	01a
정	程		4434	07a
정	埩		6650	10b

정	筳	筳	2892	05a
정	精	精	4460	07a
정	紅	紅	8662	13a
정	綎	綎	8611	13a
정	綎	綎	8510	13a
정	艇	艇	5425	08b
정	芀	芀	469	01b
정	莛	莛	495	01b
정	竫	竫	3156	05a
정	裎	裎	5320	08a
정	訂	訂	1509	03a
정	貞	貞	2069	03b
정	程	程	6557	10b
정	延	延	1100	02b
정	鄭	鄭	4012	06b
정	酊	酊	9827	14b
정	醒	醒	9804	14b
정	釘	釘	9235	14a
정	鉦	鉦	9335	14a
정	鋌	鋌	9241	14a
정	錠	錠	9271	14a
정	阠	阠	9636	14b
정	阱	阱	3177	05b
정	隕	隕	9635	14b
정	霆	霆	7490	11b
정	彭	彭	5689	09a
정	靖	靖	6651	10b

정	靚	靚	5485	08b
정	靜	靜	3174	05b
정	靪	靪	1801	03b
정	鞓	鞓	1817	03b
정	頂	頂	5580	09a
정	頲	頲	5617	09a
정	顁	顁	5638	09a
정	鼎	鼎	4347	07a
제	帝	帝	3856	06b
제	儕	儕	5013	08a
제	制	制	2784	04b
제	劑	劑	2771	04b
제	庰	庰	5960	09b
제	嚌	嚌	936	02a
제	嚌	嚌	805	02a
제	堤	堤	9027	13b
제	姼	姼	8117	12b
제	娣	娣	8109	12b
제	媞	媞	8188	12b
제	嬶	嬶	6603	10b
제	帝	帝	7	01a
제	弟	弟	3384	05b
제	徲	徲	1250	02b
제	悌	悌	6944	10b
제	懑	懑	6717	10b
제	提	提	7841	12a
제	撕	撕	7870	12a

제	擠	擠	7811	12a
제	梯	梯	3717	06a
제	櫅	櫅	3473	06a
제	涕	涕	6994	11a
제	濟	濟	7059	11a
제	狾	狾	6335	10a
제	睇	睇	2195	04a
제	睼	睼	2160	04a
제	祭	祭	30	01a
제	禔	禔	24	01a
제	穄	穄	4373	07a
제	綈	綈	8555	13a
제	緹	緹	8579	13a
제	蒢	蒢	331	01b
제	蕛	蕛	467	01b
제	薺	薺	400	01b
제	⿱齊黽	⿱齊黽	8779	13a
제	褆	褆	5282	08a
제	製	製	5338	08a
제	⿰是見	⿰是見	5462	08b
제	諸	諸	1484	03a
제	趧	趧	1060	02a
제	踶	踶	1361	02b
제	蹏	蹏	1326	02b
제	躋	躋	1346	02b
제	⿺辶氐	⿺辶氐	1161	02b
제	醍	醍	9829	14b
제	鈰	鈰	9408	14a
제	銻	銻	9402	14a
제	⿰金虒	⿰金虒	9278	14a
제	除	除	9643	14b
제	隄	隄	9610	14b
제	際	際	9648	14b
제	霽	霽	7520	11b
제	鞮	鞮	1797	03b
제	⿰米隄	⿰米隄	4521	07b
제	題	題	5582	09a
제	騠	騠	6212	10a
제	⿱髟戠	⿱髟戠	5714	09a
제	鮆	鮆	7587	11b
제	鮷	鮷	7591	11b
제	鵜	鵜	2433	04a
제	齊	齊	4334	07a
제	⿱齊女	⿱齊女	8184	12b
제	齌	齌	6425	10a
제	⿱齊月	⿱齊月	2620	04b
제	⿱齊朿	⿱齊朿	4335	07a
조	佻	佻	5104	08a
조	俎	俎	9425	14a
조	傮	傮	5159	08a
조	淍	淍	7477	11b
조	助	助	9168	13b
조	⿰召卜	⿰召卜	2072	03b
조	兆	兆	2073	03b

조	瞿	罃	2306	04a		조	調	調	1546	03a
조	罩	罩	4798	07b		조	譟	譟	1650	03a
조	挑	㸦	2329	04a		조	越	趒	1061	02a
조	厗	屌	7688	12a		조	趙	趙	1029	02a
조	肇	肇	1990	03b		조	趠	趠	986	02a
조	肇	肇	8333	12b		조	退	徂	1105	02b
조	胙	胙	2659	04b		조	造	造	1113	02b
조	臊	臊	2692	04b		조	遭	遭	1127	02b
조	靮	靮	4260	07a		조	醩	醩	9793	14b
조	苵	苵	603	01b		조	釣	釣	9380	14a
조	蒩	蒩	263	01b		조	鑒	鑒	9224	14a
조	菹	菹	582	01b		조	銱	銱	9406	14a
조	蔦	蔦	393	01b		조	阻	阻	9584	14b
조	蓸	蓸	652	01b		조	阼	阼	9645	14b
조	蓲	蓲	310	01b		조	陘	陘	9641	14b
조	藻	藻	650	01b		조	雕	雕	2286	04a
조	劇	劇	9426	14a		조	髽	髽	5708	09a
조	蛁	蛁	8750	13a		조	鮡	鮡	7640	11b
조	蜩	蜩	8823	13a		조	鯈	鯈	7563	11b
조	蟊	蟊	8904	13b		조	鯛	鯛	7635	11b
조	蠱	蠱	8912	13b		조	鮹	鮹	7636	11b
조	祚	祚	5341	08a		조	鳥	鳥	2359	04a
조	褼	褼	5289	08a		조	鼂	鼂	8964	13b
조	禚	禚	5325	08a		족	族	族	4283	07a
조	覜	覜	5488	08b		족	蔟	蔟	619	01b
조	詔	詔	1526	03a		족	足	足	1325	02b
조	誂	誂	1635	03a		족	鏃	鏃	9395	14a

죈	剗	劃	2791	04b
존	存	杼	9729	14b
졸	倅	倄	5173	08a
졸	卒	夾	5336	08a
졸	拙	拙	7986	12a
졸	捽	捽	7867	12a
졸	殂	僟	2525	04b
졸	焠	焛	6394	10a
졸	猝	猝	6285	10a
졸	踤	踤	1367	02b
졸	醉	醄	1302	02b
종	从	爪	5202	08a
종	公	松	4949	08a
종	堫	塀	8995	13b
종	奙	奙	3358	05b
종	宗	宗	4602	07b
종	夒	夒	5868	09b
종	崒	崒	5831	09b
종	惚	惚	4851	07b
종	從	緲	5203	08a
종	徸	徸	1252	02b
종	悰	悰	6705	10b
종	憧	憧	6692	10b
종	憽	憽	6742	10b
종	慫	慫	6806	10b
종	椶	椶	3443	06a
종	樅	樅	3531	06a
종	腄	腄	1064	02a
종	汈	汈	7090	11a
종	淙	淙	7150	11a
종	琮	琮	110	01a
종	瘲	瘲	4691	07b
종	種	種	4359	07a
종	稯	稯	4435	07a
종	糭	糭	4495	07a
종	终	終	8950	13b
종	終	終	8546	13a
종	綜	綜	8492	13a
종	縱	縱	8625	13a
종	緟	緟	8627	13a
종	縱	縱	8511	13a
종	腫	腫	2652	04b
종	艐	艐	5419	08b
종	葼	葼	509	01b
종	螽	螽	8906	13b
종	蝩	蝩	8748	13a
종	猣	猣	6051	09b
종	賨	賨	3973	06b
종	踵	踵	1357	02b
종	豵	豵	9535	14a
종	鍾	鍾	9246	14a
종	鐘	鐘	9340	14a
종	騣	騣	6223	10a
종	鬷	鬷	1849	03b

한글독음

음	자	전	번호	위치
종	駿		6367	10a
좌	ナ		1923	03b
좌	侳		5042	08a
좌	剉		2776	04b
좌	坐		9022	13b
좌	夎		3361	05b
좌	娷		8266	12b
좌	㝔		6598	10b
좌	左		3012	05a
좌	挫		7815	12a
좌	痤		4716	07b
좌	睉		2193	04a
좌	莝		615	01b
좌	趖		1004	02a
좌	銼		9256	14a
좌	髽		5736	09a
좌	鹾		6376	10a
죄	辠		5855	09b
죄	罪		4800	07b
죄	皐		9708	14b
주	丶		3167	05a
주	主		3168	05a
주	純		5760	09a
주	侏		5099	08a
주	儔		5098	08a
주	舟		5781	09a
주	周		876	02a
주	咮		950	02a
주	咻		975	02a
주	嚋		878	02a
주	喉		942	02a
주	嘴		781	02a
주	壴		3062	05a
주	奏		6626	10b
주	妭		8152	12b
주	娃		8139	12b
주	姝		8148	12b
주	婤		8136	12b
주	宝		4603	07b
주	宙		4604	07b
주	尌		3063	05a
주	州		7452	11b
주	幬		4855	07b
주	廚		5904	09b
주	怞		6750	10b
주	晝		1937	03b
주	朱		3546	06a
주	柱		3610	06a
주	株		3548	06a
주	椆		3427	06a
주	注		7238	11a
주	湊		7256	11a
주	澍		7269	11a
주	燽		6488	10a

준	浚		7336	11a
준	準		7315	11a
준	焌		6387	10a
준	鼘		1985	03b
준	畯		9147	13b
준	皴		1984	03b
준	稕		4441	07a
준	竣		6658	10b
준	縛		8621	13a
준	僎		288	01b
준	蓴		602	01b
준	蠢		8925	13b
준	趡		1047	02a
준	蹲		1386	02b
준	逡		1160	02b
준	遵		1107	02b
준	鐫		9361	14a
준	陖		9590	14b
준	隼		2307	04a
준	餕		3251	05b
준	駿		6139	10a
준	鱒		7546	11b
준	駿		2457	04a
줄	崒		5842	09b
줄	窋		4642	07b
줄	茁		493	01b
중	中		231	01a

중	仲		4944	08a
중	似		5212	08a
중	眾		5213	08a
중	苯		351	01b
중	重		5220	08a
중	霸		7506	11b
즉	卽		3181	05b
즉	抑		7866	12a
즉	莭		382	01b
즉	鯽		7611	11b
즐	櫛		3665	06a
즐	隲		6107	10a
즙	楫		3771	06a
즙	汁		7358	11a
즙	湒		7270	11a
즙	濈		7364	11a
즙	茸		585	01b
증	增		9045	13b
증	憎		6847	10b
증	曾		710	02a
증	溲		7031	11a
증	烝		6397	10a
증	竁		6431	10a
증	甑		8413	12b
증	矰		3295	05b
증	罾		6662	10b
증	繒		8548	13a

증	罾		4799	07b
증	蒸		623	01b
증	証		1533	03a
증	譜		1636	03a
증	證		1693	03a
증	贈		3938	06b
증	鄫		4129	06b
증	甑		1852	03b
지	之		3843	06b
지	底		5953	09b
지	只		1445	03a
지	恖		5401	08b
지	地		8975	13b
지	坁		9023	13b
지	坻		9041	13b
지	墀		9017	13b
지	藝		8208	12b
지	延		1263	02b
지	志		6674	10b
지	恀		6713	10b
지	恉		6676	10b
지	抵		8014	12a
지	扺		7885	12a
지	指		7792	12a
지	持		7818	12a
지	摯		7822	12a
지	支		1927	03b
지	旨		3057	05a
지	枝		3554	06a
지	枳		3502	06a
지	楮		3613	06a
지	止		1063	02a
지	沚		7209	11a
지	洔		7222	11a
지	泜		7299	11a
지	汦		7060	11a
지	痔		7192	11a
지	洓		7267	11a
지	漬		7288	11a
지	疷		4738	07b
지	知		3300	05b
지	矯		2222	04a
지	祉		19	01a
지	祇		23	01a
지	稹		3871	06b
지	紙		8686	13a
지	羵		2342	04a
지	胑		2632	04b
지	脈		2649	04b
지	脂		2695	04b
지	至		7668	12a
지	趪		1439	03a
지	芝		243	01b
지	茊		595	01b

지	蚳		8793	13a
지	誈		1678	03a
지	誌		1725	03a
지	諈		1500	03a
지	躓		1378	02b
지	軹		9504	14a
지	摯		9538	14a
지	遲		1147	02b
지	醬		9777	14b
지	墊		9381	14a
지	阯		9611	14b
지	雉		2300	04a
지	鞁		1811	03b
지	駤		6149	10a
지	鮨		7621	11b
지	鵝		2399	04a
지	鷙		2451	04a
지	䨄		8962	13b
지	黐		1425	02b
직	樴		3550	06a
직	檄		3722	06a
직	直		8369	12b
직	稙		4358	07a
직	稷		4370	07a
직	織		8489	13a
직	職		7767	12a
진	參		1971	03b

진	參		5685	09a
진	侲		5172	08a
진	唇		911	02a
진	嗔		862	02a
진	搸		7875	12a
진	振		7923	12a
진	搢		8056	12a
진	敶		2020	03b
진	晉		4184	07a
진	槇		3411	06a
진	榛		3451	06a
진	榗		3468	06a
진	殄		2542	04b
진	津		7242	11a
진	溱		7006	11a
진	珍		148	01a
진	璡		167	01a
진	畛		9143	13b
진	疢		4749	07b
진	盡		3141	05a
진	眕		2130	04a
진	眞		5191	08a
진	眹		2204	04a
진	瞋		2155	04a
진	禛		14	01a
진	秦		4431	07a
진	稹		4362	07a

진	絧		8671	13a		진	殄		5625	09a
진	紾		8530	13a		진	駗		6193	10a
진	縉		8577	13a		진	麎		6257	10a
진	摯		2339	04a		질	㑊		5126	08a
진	聿		1934	03b		질	叱		906	02a
진	胗		2647	04b		질	嚍		832	02a
진	䐜		2715	04b		질	垤		9088	13b
진	桎		7673	12a		질	姪		8112	12b
진	臻		7670	12a		질	帙		4864	07b
진	蓁		532	01b		질	庢		5922	09b
진	甄		392	01b		질	挟		8013	12a
진	盡		3155	05a		질	挃		7998	12a
진	袗		5235	08a		질	昳		4251	07a
진	診		1702	03a		질	桎		3803	06a
진	謓		1675	03a		질	櫍		3822	06a
진	賑		3926	06b		질	趹		8330	12b
진	趁		990	02a		질	跌		4527	07b
진	跈		1370	02b		질	疾		4674	07b
진	輇		9493	14a		질	眣		2183	04a
진	輾		9537	14a		질	碩		6035	09b
진	轔		9551	14a		질	秩		4402	07a
진	辰		9746	14b		질	室		4644	07b
진	進		1112	02b		질	絰		8638	13a
진	鎭		9312	14a		질	絰		8706	13a
진	丽		7741	12a		질	銍		5352	08a
진	陳		9639	14b		질	胅		2653	04b
진	震		7493	11b		질	芙		258	01b

질	茥	茥	468	01b
질	蛭	蛭	8766	13a
질	誅	誅	1637	03a
질	艷	艷	3087	05a
질	質	質	3954	06b
질	趀	趀	1007	02a
질	跌	跌	1384	02b
질	軼	軼	9536	14a
질	迭	迭	1165	02b
질	郅	郅	4055	06b
질	銍	銍	9311	14a
질	鑕	鑕	1317	02b
짐	斟	斟	9450	14a
짐	朕	朕	5420	08b
짐	梣	梣	3701	06a
짐	鴆	鴆	2469	04a
집	亼	亼	3253	05b
집	廿	廿	1463	03a
집	卙	卙	1467	03a
집	咠	咠	857	02a
집	咠	咠	1431	03a
집	喋	喋	804	02a
집	執	執	6613	10b
집	熱	熱	6916	10b
집	憖	憖	6917	10b
집	戢	戢	8355	12b
집	緝	緝	8691	13a

집	繓	繓	8547	13a
집	藝	藝	521	01b
집	褋	褋	5244	08a
집	警	警	1596	03a
집	輯	輯	9479	14a
집	鏶	鏶	9273	14a
집	蠥	蠥	2358	04a
징	徵	徵	5217	08a
징	憕	憕	6689	10b
징	懲	懲	6931	10b
징	澂	澂	7164	11a
차				
차	且	且	9424	14a
차	伙	伙	5026	08a
차	借	借	5053	08a
차	叉	叉	1898	03b
차	嗟	嗟	898	02a
차	夢	夢	4320	07a
차	韲	韲	6619	10b
차	嵯	嵯	5858	09b
차	差	差	3013	05a
차	权	权	3553	06a
차	次	次	5558	08b
차	此	此	1082	02a
차	泚	泚	7124	11a
차	羡	羡	6413	10a
차	瑳	瑳	138	01a

차	暛		9133	13b
차	紊		8692	13a
차	置		4816	07b
차	虘		3097	05a
차	謯		1667	03a
차	諸		1594	03a
차	越		1013	02a
차	趀		1052	02a
차	蹉		1413	02b
차	遮		1185	02b
차	鄌		4100	06b
차	嵳		6146	10a
차	髿		5717	09a
차	鬖		5704	09a
차	蒼		7677	12a
차	縒		3337	05b
차	簅		1290	02b
차	齹		1289	02b
차	齰		1287	02b
착	犖		1741	03a
착	娕		8205	12b
착	捉		7860	12a
착	斮		9437	14a
착	趰		9433	14a
착	龜		6258	10a
착	浞		7290	11a
착	磋		6023	09b

착	穓		3874	06b
착	笮		2895	05a
착	籍		8029	12a
착	籭		2938	05a
착	糳		4457	07a
착	繋		4498	07a
착	縒		8519	13a
착	甃		569	01b
착	齾		5293	08a
착	䖸		2826	04b
착	辵		1091	02b
착	逪		1118	02b
착	錯		9281	14a
착	鑿		9295	14a
찬	儧		5018	08a
찬	攛		8220	12b
찬	儧		8160	12b
찬	贊		6773	10b
찬	欑		3731	06a
찬	瓚		7392	11a
찬	燦		6498	10a
찬	爨		1780	03a
찬	㺗		6294	10a
찬	璨		217	01a
찬	瓚		99	01a
찬	竄		4646	07b
찬	篹		5815	09a

찬	籑		3203	05b
찬	簪		2924	05a
찬	粲		4458	07a
찬	纂		8608	13a
찬	纘		8507	13a
찬	羼		2350	04a
찬	贊		3931	06b
찬	酇		3991	06b
찬	鑽		9323	14a
찬	欑		1810	03b
찬	顡		5663	09a
찬	餐		3212	05b
찬	饡		3208	05b
찰	刹		2799	04b
찰	察		4562	07b
찰	戳		5829	09b
찰	札		3751	06a
찰	蠿		8909	13b
찰	詧		1515	03a
참	傪		4981	08a
참	僭		5093	08a
참	儳		5118	08a
참	剗		2781	04b
참	参		4288	07a
참	噆		930	02a
참	嚵		809	02a
참	壍		9067	13b

참	嬗		8278	12b
참	慘		6866	10b
참	憯		6865	10b
참	憸		6923	10b
참	摲		7901	12a
참	攙		8055	12a
참	斬		9560	14a
참	晵		3031	05a
참	槧		3750	06a
참	毚		6259	10a
참	磛		6003	09b
참	診		1600	03a
참	譖		1681	03a
참	讖		1486	03a
참	讒		1682	03a
참	鄵		4103	06b
참	醶		9808	14b
참	鏨		9293	14a
참	鑱		9320	14a
참	驂		6160	10a
참	黲		6517	10a
창	倉		3262	05b
창	倀		5096	08a
창	倡		5115	08a
창	滄		7480	11b
창	办		2801	04b
창	㭊		3179	05b

창	匜	匜	8390	12b	채	宷	宷	4607	07b
창	唱	唱	844	02a	채	彩	彩	5692	09a
창	囱	囱	6545	10b	채	悽	悽	6794	10b
창	彰	彰	5687	09a	채	瘥	瘥	4770	07b
창	悵	悵	6860	10b	채	療	療	4681	07b
창	愴	愴	6863	10b	채	茝	茝	292	01b
창	惷	惷	6795	10b	채	菜	菜	559	01b
창	敞	敞	2009	03b	채	蔡	蔡	557	01b
창	昌	昌	4218	07a	채	蠆	蠆	8777	13a
창	昶	昶	4246	07a	채	趠	趠	1012	02a
창	槍	槍	3648	06a	채	釵	釵	9555	14a
창	氅	氅	5373	08a	채	綵	綵	4025	06b
창	滄	滄	7370	11a	채	采	采	3775	06a
창	琩	琩	117	01a	채	釵	釵	9415	14a
창	瑲	瑲	151	01a	책	冊	冊	1428	02b
창	甁	甁	8429	12b	책	嘖	嘖	914	02a
창	暢	暢	9153	13b	책	嬪	嬪	8204	12b
창	窓	窓	4627	07b	책	幘	幘	4844	07b
창	蒼	蒼	539	01b	책	敕	敕	2061	03b
창	蒢	蒢	524	01b	책	啫	啫	3028	05a
창	覩	覩	5481	08b	책	柵	柵	3652	06a
창	蹌	蹌	1344	02b	책	潴	潴	7240	11a
창	闛	闛	7693	12a	책	磔	磔	3394	05b
창	鞲	鞲	3375	05b	책	策	策	2959	05a
창	㲢	㲢	3184	05b	책	簀	簀	2897	05a
창	鶬	鶬	2435	04a	책	茦	茦	397	01b
채	債	債	5181	08a	책	蕀	蕀	617	01b

책	蚝	𧌀	8897	13a		척	𥄂	𥄂	6012	09b
책	譜	𧭍	1586	03a		척	脊	𦟝	8068	12a
책	責	𧷰	3958	06b		척	腈	𦜭	2645	04b
책	迮	𨕪	1117	02b		척	蠜	𧒂	3064	05a
책	齰	𪗵	1280	02b		척	跖	𧾷	1329	02b
처	処	𠘯	9423	14a		척	蹐	𧽷	1383	02b
처	妻	𡜟	8089	12b		척	蹢	𨄕	1365	02b
처	媸	𡠺	8240	12b		척	蹠	𨄏	1373	02b
처	悽	𢞵	6867	10b		척	陟	𨸐	9594	14b
처	淒	𣲆	7264	11a		척	隻	𨾴	2272	04a
처	緀	𦀌	8566	13a		척	𩨌	𩨌	2576	04b
처	萋	𦱴	505	01b		척	鬄	𩮝	5731	09a
처	覷	𧢲	5465	08b		천	倩	𠍲	4947	08a
처	郪	𨞳	4061	06b		천	倿	𠐿	5100	08a
처	霋	𩃅	7521	11b		천	僤	𠒃	5037	08a
척	倜	𠍯	5175	08a		천	千	𠦃	1461	03a
척	剔	𠛅	2795	04b		천	喘	𠴂	824	02a
척	墌	𡑪	8067	12a		천	天	𠀡	3	01a
척	尺	𡱔	5400	08b		천	川	𡿪	7443	11b
척	庌	𢉕	5938	09b		천	幝	𢆐	4872	07b
척	彳	𢖫	1222	02b		천	徰	𢔏	1241	02b
척	惕	𢙩	6911	10b		천	擅	𢷉	7934	12a
척	慽	𢡌	6900	10b		천	扦	𢪇	232	01a
척	戚	𢦛	8359	12b		천	栫	𣗋	3715	06a
척	拓	𢱕	7946	12a		천	梴	𣕩	3582	06a
척	滌	𣻔	7363	11a		천	櫶	𣚈	3434	06a
척	瞻	𥉘	2140	04a		천	歂	𣥄	5516	08b

천	汙		7092	11a		천	酇		4165	06b
천	泉		7453	11b		천	釧		9414	14a
천	淺		7191	11a		천	闡		7715	12a
천	濺		7180	11a		천	阡		9663	14b
천	蟲		7455	11b		천	韉		1843	03b
천	燀		6422	10a		철	剟		2762	04b
천	硟		6013	09b		철	勶		9183	13b
천	祆		75	01a		철	叕		9674	14b
천	穿		4620	07b		철	哲		837	02a
천	篅		2931	05a		철	啜		803	02a
천	綪		8578	13a		철	屮		233	01b
천	縓		8509	13a		철	徹		1989	03b
천	繟		8603	13a		철	悊		6704	10b
천	礸		3282	05b		철	惙		6888	10b
천	腨		2631	04b		철	戳		6572	10b
천	舛		3362	05b		철	掇		7949	12a
천	芊		692	01b		철	歠		5564	08b
천	茜		384	01b		철	畷		9142	13b
천	荐		580	01b		철	綴		9675	14b
천	蕆		696	01b		철	罬		4810	07b
천	薦		6228	10a		철	聯		7779	12a
천	蚩		8842	13a		철	腏		2711	04b
천	裧		7469	11b		철	輟		9540	14a
천	賤		3963	06b		철	轍		9566	14a
천	踐		1356	02b		철	鐵		9222	14a
천	踹		1119	02b		철	鞢		1824	03b
천	遷		1136	02b		철	餮		3236	05b

첨	驖		6127	10a		첨	呫		9160	13b
첨	丙		1444	03a		첩	倢		5028	08a
첨	僉		3255	05b		첩	堞		9038	13b
첨	广		5973	09b		첩	妾		1740	03a
첨	姑		8176	12b		첩	婕		8131	12b
첨	婆		8177	12b		첩	帖		4863	07b
첨	幨		4871	07b		첩	幨		4893	07b
첨	忝		6922	10b		첩	捷		8048	12a
첨	惉		6936	10b		첩	疊		4290	07a
첨	氅		8353	12b		첩	淁		7081	11a
첨	檐		3629	06a		첩	牒		4343	07a
첨	櫼		3650	06a		첩	疌		1073	02a
첨	沾		6988	11a		첩	緁		8637	13a
첨	瀸		7187	11a		첩	耴		7755	12a
첨	濡		6962	11a		첩	褻		5290	08a
첨	燂		6460	10a		첩	褋		5251	08a
첨	甛		3023	05a		첩	諜		1713	03a
첨	痁		4741	07b		첩	貼		3980	06b
첨	瞻		2149	04a		첩	墊		1363	02b
첨	籤		2969	05a		첩	輒		9488	14a
첨	甜		6502	10a		첩	鉆		9313	14a
첨	襜		5266	08a		첩	鞊		1827	03b
첨	覘		5470	08b		첩	鯜		7603	11b
첨	詹		713	02a		첩	疊		3075	05a
첨	調		1588	03a		청	清		7473	11b
첨	鐵		9270	14a		청	姓		4313	07a
첨	霑		7514	11b		청	沬		6558	10b

청	清		7165	11a	체	茜		601	01b
청	聽		7765	12a	체	蔕		515	01b
청	菁		276	01b	체	螮		8891	13a
청	蜻		8830	13a	체	禘		5278	08a
청	請		1478	03a	체	諦		1512	03a
청	青		3173	05b	체	趡		1035	02a
청	鯖		2438	04a	체	逮		1146	02b
체	叜		1915	03b	체	遞		1132	02b
체	嚔		831	02a	체	遰		1149	02b
체	毳		6075	09b	체	鈦		9316	14a
체	憏		6854	10b	체	餟		3247	05b
체	瀓		6937	10b	체	體		2577	04b
체	杕		3584	06a	체	鬄		5733	09a
체	杘		3500	06a	체	鬀		5715	09a
체	棣		3501	06a	체	鯔		2421	04a
체	涕		7399	11a	초	初		2742	04b
체	滯		7298	11a	초	剿		2777	04b
체	璏		129	01a	초	勦		9193	13b
체	寁		2496	04b	초	厫		8391	12b
체	瘈		7908	12a	초	鹵		4331	07a
체	普		6664	10b	초	哨		928	02a
체	瞕		2132	04a	초	嘺		806	02a
체	砌		6034	09b	초	弨		8441	12b
체	禘		43	01a	초	怊		6940	10b
체	橐		46	01a	초	悄		6899	10b
체	笍		2962	05a	초	招		7881	12a
체	締		8535	13a	초	操		8008	12a

초	朴		3579	06a
초	杪		3566	06a
초	梢		3480	06a
초	楚		3833	06a
초	樵		3527	06a
초	櫴		5539	08b
초	潐		7305	11a
초	濞		7348	11a
초	燋		6411	10a
초	爝		6439	10a
초	爨		6454	10a
초	礁		6036	09b
초	秒		4387	07a
초	秒		4391	07a
초	稍		4429	07a
초	綃		8480	13a
초	肖		2634	04b
초	艸		240	01b
초	芀		427	01b
초	茗		664	01b
초	茮		487	01b
초	草		679	01b
초	芽		613	01b
초	落		654	01b
초	蕉		624	01b
초	訬		1662	03a
초	譙		1687	03a
초	貂		6094	09b
초	超		982	02a
초	軺		9471	14a
초	轈		9477	14a
초	迢		1219	02b
초	酢		9812	14b
초	醋		9791	14b
초	醮		9787	14b
초	鈔		9390	14a
초	鉊		9310	14a
초	鐎		9263	14a
초	陗		9589	14b
초	醮		5670	09a
초	鞘		1842	03b
초	顦		5656	09a
초	髜		5738	09a
초	鷦		1868	03b
초	鱙		2389	04a
초	髑		4921	07b
촉	丁		1258	02b
촉	促		5139	08a
촉	孎		8198	12b
촉	厫		9432	14a
촉	橱		3675	06a
촉	歜		5534	08b
촉	燭		6443	10a
촉	瘃		4734	07b

촉	蜀	罱	8783	13a
촉	襡	襡	5292	08a
촉	觸	觸	2828	04b
촉	趣	趨	999	02a
촉	躅	躅	1366	02b
촉	髑	髑	2560	04b
촌	刌	刌	2749	04b
촌	寸	寸	1973	03b
촌	忖	忖	6939	10b
촌	邨	邨	4154	06b
총	冢	冢	5785	09a
총	叢	叢	1743	03a
총	寵	寵	4576	07b
총	廳	廳	5916	09b
총	恖	恖	6546	10b
총	漗	漗	7211	11a
총	熜	熜	6444	10a
총	璁	璁	169	01a
총	總	總	8524	13a
총	繱	繱	8583	13a
총	聰	聰	7764	12a
총	蔥	蔥	633	01b
총	藂	藂	678	01b
총	鏓	鏓	9345	14a
총	鏦	鏦	9357	14a
총	驄	驄	6121	10a
찰	窨	窨	818	02a

찰	婠	婠	8254	12b
찰	撮	撮	7868	12a
찰	窡	窡	4641	07b
찰	竂	竂	8228	12b
찰	鬖	鬖	6525	10a
채	啐	啐	910	02a
채	辥	辥	4924	07b
최	催	催	5136	08a
최	寂	寂	4598	07b
최	崔	崔	5871	09b
최	摧	摧	7813	12a
최	最	最	4787	07b
최	榱	榱	3624	06a
최	漼	漼	7173	11a
최	璀	璀	7319	11a
최	璀	璀	216	01a
최	縗	縗	8705	13a
최	朘	朘	2725	04b
최	蕞	蕞	395	01b
최	縗	縗	8751	13a
추	傶	傶	5184	08a
추	啾	啾	793	02a
추	墜	墜	9054	13b
추	墜	墜	9115	13b
추	酜	酜	8287	12b
추	嬠	嬠	8095	12b
추	帚	帚	4879	07b

추	惆		6859	10b
추	推		7808	12a
추	搥		8018	12a
추	掫		8043	12a
추	揫		7914	12a
추	摯		7904	12a
추	播		7955	12a
추	紫		1084	02a
추	椎		3726	06a
추	椒		3792	06a
추	楸		3447	06a
추	樞		3633	06a
추	殠		2536	04b
추	烌		7435	11b
추	湫		7313	11a
추	犓		757	02a
추	熬		8427	12b
추	瘳		4773	07b
추	瘖		2182	04a
추	硾		6037	09b
추	秋		4430	07a
추	箠		2965	05a
추	篅		2960	05a
추	簌		2987	05a
추	緻		8725	13a
추	緖		8668	13a
추	縋		8655	13a

추	繆		8699	13a
추	芻		611	01b
추	崔		336	01b
추	菆		680	01b
추	萩		444	01b
추	萑		644	01b
추	蒫		526	01b
추	麤		607	01b
추	蝤		8778	13a
추	腗		2851	04b
추	諏		1506	03a
추	諈		1548	03a
추	貙		6083	09b
추	趍		1028	02a
추	趙		998	02a
추	趨		979	02a
추	追		1176	02b
추	聥		4116	06b
추	鄒		4113	06b
추	酋		9830	14b
추	醜		5806	09a
추	錐		9319	14a
추	錘		9330	14a
추	錣		9409	14a
추	陬		9580	14b
추	佳		2270	04a
추	雛		2283	04a

한글	한자	전서	번호	쪽
추	龖		3381	05b
추	顀		5594	09a
추	雛		6118	10a
추	騶		6141	10a
추	騶		6203	10a
추	鬐		5728	09a
추	鯫		7597	11b
추	鰌		7584	11b
추	搥		2406	04a
추	雛		2368	04a
추	麤		6256	10a
추	厜		4514	07b
추	齱		1288	02b
추	齺		1285	02b
축	丑		9741	14b
축	畱		9690	14b
축	妯		8247	12b
축	嬫		8146	12b
축	扰		4517	07b
축	斢		9456	14a
축	柷		3749	06a
축	械		3494	06a
축	欨		5519	08b
축	歘		5518	08b
축	畜		9151	13b
축	祝		47	01a
축	竺		8972	13b
축	筑		2984	05a
축	築		3602	06a
축	縮		8521	13a
축	舳		5416	08b
축	筑		297	01b
축	蓄		681	01b
축	豕		6065	09b
축	踧		1333	02b
축	蹙		1415	02b
축	蹴		1349	02b
축	軸		9496	14a
축	逐		1177	02b
축	鄐		4035	06b
축	鼀		8956	13b
춘	杶		3453	06a
춘	橁		3454	06a
춘	萅		682	01b
춘	輇		9489	14a
출	出		3847	06b
출	怵		6910	10b
출	欨		5556	08b
출	泏		7179	11a
출	秫		4372	07a
출	絀		8574	13a
출	茁		454	01b
출	菜		488	01b
출	黜		6534	10a

충	充		5435	08b
충	忡		6898	10b
충	忠		6680	10b
충	沖		7126	11a
충	爞		6494	10a
충	痋		4747	07b
충	盅		3142	05a
충	蟲		8926	13b
충	衝		1269	02b
충	衷		5304	08a
충	轐		9476	14a
췌	悴		6894	10b
췌	惴		6884	10b
췌	揣		7884	12a
췌	萃		541	01b
췌	贅		3953	06b
췌	頞		5657	09a
취	取		4777	07b
취	取		1918	03b
취	吹		828	02a
취	吹		5501	08b
취	娶		8086	12b
취	就		3315	05b
취	憖		6748	10b
취	橇		3780	06a
취	毳		5374	08a
취	澤		7195	11a
취	炊		6423	10a
취	竈		4658	07b
취	翠		2238	04a
취	聚		5214	08a
취	脆		2707	04b
취	臎		2708	04b
취	臭		6329	10a
취	趣		981	02a
취	醉		9800	14b
취	驟		6175	10a
취	鷸		2378	04a
취	籭		1424	02b
측	仄		5969	09b
측	側		5031	08a
측	㳠		9059	13b
측	廁		5913	09b
측	惻		6870	10b
측	昃		4200	07a
측	測		7148	11a
측	畟		3357	05b
츤	櫬		3811	06a
츤	齔		1279	02b
층	層		5398	08a
층	蹭		1411	02b
치	侈		5108	08a
치	值		5154	08a
치	偫		5004	08a

치	厄		5745	09a
치	夘		5751	09a
치	鴈		6226	10a
치	哆		791	02a
치	坺		9062	13b
치	夂		3386	05b
치	寞		4605	07b
치	幟		4895	07b
치	庤		5928	09b
치	瘎		5917	09b
치	恥		6920	10b
치	擨		7999	12a
치	撠		7913	12a
치	數		2036	03b
치	屎		3732	06a
치	梔		3817	06a
치	峙		1066	02a
치	治		7053	11a
치	淄		7018	11a
치	炵		6466	10a
치	熾		6479	10a
치	瓵		8435	12b
치	畄		8404	12b
치	時		9144	13b
치	痔		4730	07b
치	癡		4774	07b
치	眵		2172	04a
치	稺		4361	07a
치	絺		8697	13a
치	緇		8587	13a
치	緻		8722	13a
치	置		4820	07b
치	嵆		2257	04a
치	脞		2670	04b
치	致		3350	05b
치	墆		7671	12a
치	茎		457	01b
치	茬		535	01b
치	菑		565	01b
치	薙		567	01b
치	蚩		8814	13a
치	袳		5285	08a
치	褫		5318	08a
치	褬		5317	08a
치	舓		2822	04b
치	觶		2842	04b
치	誃		1613	03a
치	豸		6081	09b
치	遞		1050	02a
치	輜		9467	14a
치	郗		4028	06b
치	銕		9244	14a
치	錙		9329	14a
치	陊		9606	14b

치	雉		2280	04a
치	雌		2288	04a
치	馳		6179	10a
치	鷙		6195	10a
치	魅		5795	09a
치	茦		4920	07b
치	齒		1277	02b
치	齝		1308	02b
칙	伏		5021	08a
칙	則		2744	04b
칙	敕		2014	03b
칙	湞		7080	11a
칙	趩		1026	02a
칙	飭		9202	13b
칙	鵡		2477	04a
친	窺		4563	07b
친	瀙		7016	11a
친	親		5486	08b
칠	七		9680	14b
칠	刹		2780	04b
칠	桼		3878	06b
칠	榤		3518	06a
칠	漆		6979	11a
칠	郗		4132	06b
칠	鶈		2384	04a
침	侵		5054	08a
침	疢		5439	08b

침	墋		9053	13b
침	寢		4582	07b
침	寖		7054	11a
침	癮		4664	07b
침	忱		6727	10b
침	抌		8023	12a
침	枕		3662	06a
침	砧		3534	06a
침	棽		3413	06a
침	梣		3430	06a
침	琛		210	01a
침	砧		6033	09b
침	祲		66	01a
침	綅		8632	13a
침	綝		8543	13a
침	肜		5415	08b
침	芚		448	01b
침	蔓		609	01b
침	葴		374	01b
침	艃		5477	08b
침	蹎		1416	02b
침	郴		4094	06b
침	鈂		9297	14a
침	鍼		9286	14a
침	霃		7507	11b
침	煩		5593	09a
침	駸		6170	10a

한글독음

탁	坼	墌	9076	13b
탁	擢		7956	12a
탁	豩		2046	03b
탁	敠		2049	03b
탁	柝		3593	06a
탁	椓		3781	06a
탁	㯷		3585	06a
탁	槖		3886	06b
탁	樸		3654	06a
탁	涿		7274	11a
탁	濁		7048	11a
탁	濯		7383	11a
탁	琢		145	01a
탁	擇		552	01b
탁	矅		8881	13a
탁	袥		5267	08a
탁	襗		5269	08a
탁	託		1563	03a
탁	趠		1032	02a
탁	踔		1358	02b
탁	逴		1200	02b
탁	鐲		9333	14a
탁	鐸		9337	14a
탁	魠		7586	11b
탄	僤		4974	08a
탄	吞		787	02a
탄	嘆		926	02a

탄	嘽		820	02a
탄	坦		9025	13b
탄	彈		8460	12b
탄	憚		6906	10b
탄	撣		7836	12a
탄	攤		8063	12a
탄	歎		5527	08b
탄	殫		2544	04b
탄	炭		6412	10a
탄	曈		9152	13b
탄	組		8640	13a
탄	誕		1641	03a
탄	驒		6216	10a
탈	奪		2310	04a
탈	挩		7939	12a
탈	敓		2023	03b
탈	痑		4765	07b
탈	脫		2642	04b
탈	鷤		2409	04a
탐	嗿		870	02a
탐	抌		7829	12a
탐	探		7963	12a
탐	撢		7964	12a
탐	眈		2124	04a
탐	耽		7757	12a
탐	肽		2716	04b
탐	覘		5467	08b

탐	貪	3965	06b
탐	酖	9795	14b
탑	塔	9116	13b
탑	嫦	8209	12b
탑	榻	3821	06a
탑	毾	5370	08a
탑	猲	6306	10a
탑	嗒	2256	04a
탑	䶀	1438	03a
탑	踏	1374	02b
탑	鎝	9391	14a
탑	闟	7699	12a
탑	鰨	7545	11b
탑	鞳	3076	05a
탕	宕	4599	07b
탕	帑	4887	07b
탕	儻	6801	10b
탕	湯	7324	11a
탕	蕩	6992	11a
탕	盪	205	01a
탕	盪	3146	05a
탕	碭	5982	09b
탕	簜	2933	05a
탕	蕩	2859	05a
탕	踢	1385	02b
태	兌	5434	08b
태	台	867	02a
태	娩	8155	12b
태	怠	6803	10b
태	態	6799	10b
태	戻	7686	12a
태	殆	2539	04b
태	泰	7390	11a
태	臱	6417	10a
태	笞	2968	05a
태	箈	2862	05a
태	紿	8501	13a
태	胎	2587	04b
태	落	490	01b
태	蛻	8845	13a
태	邰	4001	06b
태	隸	1939	03b
태	駄	6224	10a
태	駘	6201	10a
태	駾	6183	10a
태	鮐	7612	11b
택	宅	4536	07b
택	擇	7859	12a
택	澤	7185	11a
탱	橖	3612	06a
탱	竀	4640	07b
토	兔	6262	10a
토	吐	883	02a
토	土	8974	13b

토	討	𧧻	1706	03a
톤	啍	啍	830	02a
통	恫	恫	6868	10b
통	慟	慟	6941	10b
통	桶	桶	3743	06a
통	痛	痛	4675	07b
통	筒	筒	2978	05a
통	統	統	8497	13a
통	通	通	1133	02b
퇴	自	𠂤	9567	14a
퇴	債	債	4967	08a
퇴	崔	崔	5889	09b
퇴	磪	磪	5931	09b
퇴	復	復	1248	02b
퇴	㦦	㦦	6759	10b
퇴	槌	槌	3699	06a
퇴	積	積	5447	08b
퇴	𡪹	𡪹	6646	10b
퇴	蓷	蓷	335	01b
퇴	讄	讄	1649	03a
퇴	陮	陮	9585	14b
퇴	隤	隤	9598	14b
퇴	魋	魋	5807	09a
투	妒	妒	8232	12b
투	投	投	7887	12a
투	渝	渝	7402	11a
투	牏	牏	4346	07a

투	透	透	1217	02b
투	酳	酳	9817	14b
투	鬥	鬥	1884	03b
투	鬭	鬭	1885	03b
투	𤦡	𤦡	2395	04a
특	忒	忒	6788	10b
특	慝	慝	6784	10b
특	特	特	730	02a
특	螣	螣	8764	13a
특	貣	貣	3935	06b
틈	闖	闖	7748	12a
파				
파	辰	辰	7459	11b
파	叵	叵	3045	05a
파	坡	坡	8981	13b
파	旇	旇	6597	10b
파	巴	巴	9704	14b
파	帊	帊	4900	07b
파	祀	祀	9705	14b
파	怕	怕	6764	10b
파	把	把	7837	12a
파	播	播	7997	12a
파	杷	杷	3677	06a
파	林	林	4509	07b
파	波	波	7138	11a
파	派	派	7212	11a
파	琶	琶	8367	12b

파	酏		4914	07b
파	嶓		4911	07b
파	破		6015	09b
파	簸		3004	05a
파	罷		4819	07b
파	芭		499	01b
파	譒		1566	03a
파	豝		6052	09b
파	跛		1391	02b
파	鄱		4092	06b
파	鈀		9332	14a
파	鑼		9307	14a
파	靶		1814	03b
파	顏		5648	09a
파	駊		6165	10a
판	判		2757	04b
판	昄		4220	07a
판	版		4340	07a
판	瓣		4530	07b
판	砭		8433	12b
판	販		2107	04a
판	辦		2138	04a
판	販		3961	06b
판	辦		2756	04b
판	辦		9208	13b
판	阪		9579	14b
팔	八		707	02a
팔	捌		8062	12a
팔	汃		6949	11a
팔	馱		6110	10a
패	佩		4936	08a
패	牌		2558	04b
패	孛		3855	06b
패	怖		6848	10b
패	捭		8017	12a
패	敗		2033	03b
패	旆		4264	07a
패	沛		7064	11a
패	浿		7065	11a
패	牪		733	02a
패	狒		6318	10a
패	猈		6280	10a
패	稗		4382	07a
패	粺		4461	07a
패	紙		8540	13a
패	茷		558	01b
패	誖		1614	03a
패	貝		3918	06b
패	蹎		1377	02b
패	逗		1169	02b
패	邶		4098	06b
패	邺		4030	06b
패	霸		4294	07a
패	鮬		7604	11b

팽	彭	彭	3065	05a
팽	鬃	鬃	37	01a
팽	輣	輣	9474	14a
팽	騯	騯	6152	10a
팽	髼	髼	5734	09a
편	便	便	5063	08a
편	偏	偏	5095	08a
편	婏	婏	8271	12b
편	徧	徧	1246	02b
편	扁	扁	1430	02b
편	揙	揙	8035	12a
편	楄	楄	3795	06a
편	片	片	4339	07a
편	牖	牖	4344	07a
편	猵	猵	6350	10a
편	瘺	瘺	4735	07b
편	篇	篇	2874	05a
편	篏	篏	2935	05a
편	編	編	8659	13a
편	緶	緶	8707	13a
편	翩	翩	2253	04a
편	萹	萹	296	01b
편	蝙	蝙	8886	13a
편	褊	褊	5295	08a
편	論	論	1631	03a
편	踊	踊	1393	02b
편	鞭	鞭	1837	03b

편	顱	顱	5639	09a
편	鯿	鯿	7565	11b
폄	尋	尋	3877	06b
폄	砭	砭	6025	09b
폄	窆	窆	4659	07b
폄	貶	貶	3966	06b
평	坪	坪	8982	13b
평	姘	姘	8297	12b
평	平	平	3056	05a
평	抨	抨	8005	12a
평	枰	枰	3786	06a
평	泙	泙	7178	11a
평	怦	怦	743	02a
평	苹	苹	279	01b
평	萍	萍	7409	11a
평	洴	洴	639	01b
폐	吠	吠	943	02a
폐	變	變	8229	12b
폐	㡀	㡀	4918	07b
폐	幣	幣	4840	07b
폐	廢	廢	5932	09b
폐	敝	敝	4919	07b
폐	柿	柿	3776	06a
폐	椶	椶	3757	06a
폐	獘	獘	6331	10a
폐	癈	癈	4689	07b
폐	算	算	2907	05a

한글독음

폭	瀑		7268	11a		표	瞟		2131	04a
폭	爆		6433	10a		표	穮		4395	07a
표	僄		5114	08a		표	縹		8570	13a
표	儦		4964	08a		표	膘		2671	04b
표	剽		2774	04b		표	薸		502	01b
표	勡		9200	13b		표	麃		409	01b
표	受		2506	04b		표	裊		5236	08a
표	嘌		863	02a		표	覜		5463	08b
표	嫖		8265	12b		표	豹		6082	09b
표	幖		4867	07b		표	趡		996	02a
표	彪		3108	05a		표	鏢		9352	14a
표	慓		6781	10b		표	鑣		9377	14a
표	摽		7891	12a		표	飄		8936	13b
표	旚		4275	07a		표	飆		8935	13b
표	旚		4276	07a		표	驃		6125	10a
표	杓		3694	06a		표	驫		6220	10a
표	標		3565	06a		표	髟		5699	09a
표	橐		3889	06b		표	魒		6374	10a
표	滮		7117	11a		품	品		1420	02b
표	漂		7142	11a		품	稟		3326	05b
표	瀌		7295	11a		풍	豊		4546	07b
표	瀌		7300	11a		풍	楓		3503	06a
표	熛		6407	10a		풍	諷		1487	03a
표	舉		6452	10a		풍	豐		3088	05a
표	犥		744	02a		풍	鄷		4161	06b
표	猋		6351	10a		풍	酆		4011	06b
표	瓢		4533	07b		풍	風		8932	13b

독음	한자	번호	쪽
풍	馮	6172	10a
풍	麷	3341	05b
피	帔	4846	07b
피	彼	1230	02b
피	披	7907	12a
피	旇	4278	07a
피	柀	3449	06a
피	疲	4756	07b
피	癖	4733	07b
피	皮	1980	03b
피	綼	8622	13a
피	蚍	319	01b
피	藣	473	01b
피	被	5299	08a
피	詖	1498	03a
피	贊	3939	06b
피	避	1157	02b
피	鈹	9287	14a
피	陂	9578	14b
피	鞁	1812	03b
피	髲	5716	09a
피	鮍	7569	11b
픽	稫	6432	10a
필	佖	4961	08a
필	潷	7483	11b
필	匹	8381	12b
필	華	2481	04b
필	卽	5750	09a
필	弼	8464	12b
필	彈	8459	12b
필	必	717	02a
필	戰	2039	03b
필	樺	3484	06a
필	泌	7113	11a
필	煏	6395	10a
필	珌	128	01a
필	畢	2482	04b
필	筆	1933	03b
필	篳	2991	05a
필	縪	8544	13a
필	茇	572	01b
필	鷩	2853	04b
필	趩	1058	02a
필	邲	4037	06b
필	靴	1809	03b
필	韠	3368	05b
필	餑	3225	05b
필	駜	6150	10a
필	鮴	7632	11b
핍	乏	1087	02b
핍	妚	8182	12b
핍	愊	6698	10b
핍	逼	1212	02b
핍	駆	2425	04a

한글독음

핍	鴨		2426	04a

<table>
<tr><td colspan="5" align="center">하</td></tr>
</table>

하	丁	丁	9	01a
하	己		3040	05a
하	何		5001	08a
하	呀		968	02a
하	蝦		1458	03a
하	墟		9075	13b
하	夏		3356	05b
하	廈		5941	09b
하	癸		6077	09b
하	柯		7979	12a
하	河		6950	11a
하	瑕		144	01a
하	碬		5988	09b
하	罅		3287	05b
하	荷		433	01b
하	菏		7039	11a
하	蝦		8870	13a
하	謑		1652	03a
하	賀		3929	06b
하	椵		6563	10b
하	踃		1401	02b
하	遐		1214	02b
하	鍜		9368	14a
하	閜		7718	12a
하	霞		7533	11b
하	報		3376	05b
하	騢		6117	10a
하	鰕		7626	11b
학	叡		2516	04b
학	縠		937	02a
학	嗃		960	02a
학	嚛		817	02a
학	嶨		5836	09b
학	涸		7303	11a
학	泉		7232	11a
학	瘧		4726	07b
학	隺		4912	07b
학	确		6006	09b
학	嚻		2261	04a
학	膗		2700	04b
학	虐		3099	05a
학	蠚		8846	13a
학	斠		2831	04b
학	謔		1643	03a
학	貈		6092	09b
학	郝		4010	06b
학	驒		6207	10a
학	鶴		2402	04a
학	鷽		2377	04a
한	個		4985	08a
한	嫻		8190	12b
한	寒		4593	07b

한	恨	帳	6851	10b
한	悍	悍	6798	10b
한	憪	憪	6789	10b
한	戱	戱	8336	12b
한	扞	扞	8026	12a
한	敦	敦	2007	03b
한	旱	旱	4209	07a
한	暵	暵	4229	07a
한	欄	欄	3569	06a
한	乾	乾	5363	08a
한	汗	汗	7397	11a
한	漢	漢	6973	11a
한	瀚	瀚	7382	11a
한	灦	灦	7233	11a
한	熯	熯	6400	10a
한	狠	狠	6296	10a
한	豎	豎	2098	04a
한	罕	罕	4793	07b
한	翰	翰	2235	04a
한	鸛	鸛	643	01b
한	豻	豻	6093	09b
한	邗	邗	4123	06b
한	銲	銲	9366	14a
한	閒	閒	7700	12a
한	閑	閑	7722	12a
한	閑	閑	7729	12a
한	限	限	9583	14b

한	韓	韓	2279	04a
한	韓	韓	3382	05b
한	駻	駻	6185	10a
한	韓	韓	6135	10a
한	騿	騿	6111	10a
한	骭	骭	2573	04b
한	韓	韓	2467	04a
한	鶾	鶾	2444	04a
한	骬	骬	2226	04a
할	割	割	2766	04b
할	劼	劼	9171	13b
할	搳	搳	7900	12a
할	瓛	瓛	171	01a
할	硈	硈	5999	09b
할	犗	犗	3364	05b
할	蠚	蠚	8913	13b
할	轄	轄	9526	14a
할	闍	闍	7726	12a
할	齕	齕	1306	02b
할	齰	齰	1318	02b
함	涵	涵	7482	11b
함	含	含	814	02a
함	咸	咸	871	02a
함	函	函	4325	07a
함	弓	弓	4324	07a
함	撼	撼	7967	12a
함	柬	柬	4329	07a

함	檻		3807	06a		합	合	3254	05b
함	歙		5520	08b		합	呷	858	02a
함	湇		7283	11a		합	嗑	900	02a
함	涵		7284	11a		합	柙	3809	06a
함	獫		6288	10a		합	柏	3667	06a
함	琀		203	01a		합	榼	3697	06a
함	肣		8431	12b		합	欱	5547	08b
함	緘		8657	13b		합	溘	7432	11a
함	脂		2713	04b		합	盇	3165	05a
함	臽		4504	07a		합	盒	8857	13a
함	菡		429	01b		합	詥	1545	03a
함	虩		3105	05a		합	迨	1116	02b
함	蛤		8772	13a		합	郃	4013	06b
함	誠		1538	03a		합	閤	7698	12a
함	諴		1639	03a		합	闔	7709	12a
함	銜		9376	14a		합	陜	9593	14b
함	陷		9595	14b		합	頜	5588	09a
함	霝		7509	11b		합	鴿	2372	04b
함	頷		5619	09a		항	亢	6620	10b
함	顑		5651	09a		항	斻	6621	10b
함	顄		5589	09a		항	伉	4942	08a
함	鮖		7595	11b		항	恒	8970	13b
함	鹹		7678	12a		항	抗	8027	12a
함	黔		6372	10a		항	航	5429	08b
함	齧		1299	02b		항	桁	3739	06a
합	佮		5048	08a		항	沆	7130	11a
합	匌		5782	09a		항	港	7426	11a

한글독음

해	骸	𩩲	2574	04b
해	齰	齰	1427	02b
핵	劾	劾	9203	13b
핵	核	核	3712	06a
핵	礉	礉	6026	09b
핵	翩	翩	2245	04a
핵	覈	覈	4830	07b
행	婞	婞	8251	12b
행	夅	夅	6590	10b
행	幸	幸	6611	10b
행	杏	杏	3406	06a
행	洐	洐	7229	11a
행	絎	絎	8515	13a
행	胻	胻	2629	04b
행	荇	荇	462	01b
행	行	行	1265	02b
향	亯	亯	3316	05b
향	向	向	4539	07b
향	曏	曏	4212	07a
향	珦	珦	95	01a
향	薌	薌	694	01b
향	蠁	蠁	8749	13a
향	鄉	鄉	4168	06b
향	闂	闂	7727	12a
향	響	響	1732	03a
향	餉	餉	3216	05b
향	饗	饗	3218	05b

향	香	香	4452	07a
허	噓	噓	827	02a
허	栩	栩	3460	06a
허	歔	歔	5532	08b
허	虛	虛	5210	08a
허	許	許	1480	03a
허	鄦	鄦	4057	06b
허	魖	魖	5796	09a
허	鮱	鮱	7543	11b
헌	仚	仚	5166	08a
헌	幰	幰	4902	07b
헌	憲	憲	6688	10b
헌	獻	獻	6332	10a
헌	軒	軒	9466	14a
헐	歇	歇	5508	08b
험	獫	獫	6278	10a
험	譣	譣	1528	03a
험	險	險	9582	14b
험	驗	驗	6145	10a
혁	侐	侐	5033	08a
혁	奕	奕	6634	10b
혁	弈	弈	1763	03a
혁	挳	挳	7982	12a
혁	棫	棫	3678	06a
혁	槨	槨	3600	06a
혁	歡	歡	5552	08b
혁	洫	洫	7223	11a

혁	臧		4693	07b
혁	虩		3113	05a
혁	盡	盡	3163	05a
혁	鼞		2847	04b
혁	焃		6562	10b
혁	赫	赫	6561	10b
혁	革	革	1783	03b
혁	鬩		1892	03b
현	伭		5106	08a
현	倪		5065	08a
현	儇		4950	08a
현	呪		882	02a
현	垷		9013	13b
현	埍	埍	9090	13b
현	嫈		8270	12b
현	嬛		8171	12b
현	悁		4890	07b
현	弓		4328	07a
현	弦		8465	12b
현	弲		8439	12b
현	愨		6780	10b
현	睍		4189	07a
현	㬎		4226	07a
현	泫		7116	11a
현	炫	炫	6476	10a
현	玄	玄	2497	04b
현	旬		2146	04a

현	眩		2091	04a
현	睍		2108	04a
현	瞯		2094	04a
현	絢	絢	8564	13a
현	縣		5677	09a
현	翾		2250	04a
현	胘		2668	04b
현	茲		354	01b
현	莧		269	01b
현	虤		3119	05a
현	蜆		8806	13a
현	蠉		8841	13a
현	衒		1274	02b
현	袨		5346	08a
현	訮		1628	03a
현	誸		1644	03a
현	譞		1560	03a
현	譞		1697	03a
현	賢	賢	3927	06b
현	臀		3121	05a
현	趨		994	02a
현	趨		1005	02a
현	鉉	鉉	9267	14a
현	鋗		9264	14a
현	鞙	鞙	1830	03b
현	韅		1815	03b
현	顯		5662	09a

현	駽		6114	10a
현	閴		1893	03b
혈	𡕥		2084	04a
혈	奊		6586	10b
혈	⿱㓞女		8282	12b
혈	孑		9733	14b
혈	泬		7131	11a
혈	疦		4701	07b
혈	穴		4612	07b
혈	窩		4625	07b
혈	⿰糸穴		8635	13a
혈	絜		8711	13a
혈	⿱艹血		658	01b
혈	血		3152	05a
혈	覭		1841	03b
혈	頁		5572	09a
혈	⿰風戉		8934	13b
혐	嫌		8248	12b
혐	⿰犭兼		6287	10a
혐	⿰黃夾		9157	13b
협	俠		5036	08a
협	劦		9209	13b
협	匧		8384	12b
협	協		9212	13b
협	⿸厂夾		5968	09b
협	夾		6566	10b
협	⿰女夾		8283	12b

협	恊		9210	13b
협	⿱夾心		6904	10b
협	⿱匧心		6685	10b
협	勰		9211	13b
협	拹		7902	12a
협	挾		7831	12a
협	梜		3778	06a
협	歙		5506	08b
협	浹		7431	11a
협	⿸疒夾		4752	07b
협	祫		44	01a
협	綊		8663	13a
협	脅		2608	04b
협	莢		512	01b
협	蛺		8812	13a
협	鋏		9239	14a
협	鞈		1828	03b
협	頰		5586	09a
형	兄		5436	08b
형	刑		2789	04b
형	㓝		3178	05b
형	⿱臼丮		1446	03a
형	型		9033	13b
형	夐		2085	04a
형	娙		8159	12b
형	⿰山巠		5862	09b
형	形		5684	09a

호	好		8149	12b		호	豪		8708	13a
호	玦		8080	12b		호	縞		8557	13a
호	姱		8244	12b		호	罟		4815	07b
호	岵		5834	09b		호	胡		2667	04b
호	弧		8440	12b		호	芐		405	01b
호	怙		6740	10b		호	蒿		670	01b
호	戶		7682	12a		호	薅		699	01b
호	扈		4007	06b		호	虍		3093	05a
호	昈		4242	07a		호	虎		3102	05a
호	昦		6631	10b		호	虖		3098	05a
호	晧		4193	07a		호	號		3051	05a
호	暤		4194	07a		호	虘		3091	05a
호	枑		3756	06a		호	評		1571	03a
호	槬		3432	06a		호	謼		1572	03a
호	歑		5503	08b		호	護		1559	03a
호	浩		7129	11a		호	鄠		4068	06b
호	湖		7221	11a		호	鄗		4052	06b
호	滈		7277	11a		호	鄂		4006	06b
호	濩		7273	11a		호	鄗		4150	06b
호	灝		7360	11a		호	醐		9825	14b
호	狐		6348	10a		호	鎬		9259	14a
호	琥		111	01a		호	雇		2295	04a
호	瑚		201	01a		호	顥		5636	09a
호	璖		170	01a		호	餬		3224	05b
호	瓠		4532	07b		호	槀		6071	09b
호	祜		11	01a		호	鸌		1862	03b
호	笠		2946	05a		호	魱		5800	09a

호	鎬		7627	11b
호	黏		4448	07a
호	皛		6378	10a
혹	惑		6829	10b
혹	或		8344	12b
혹	熇		6435	10a
혹	觳		6344	10a
혹	穀		6049	09b
혹	縠		6555	10b
혹	酷		9780	14b
혼	俒		4940	08a
혼	圂		3914	06b
혼	寎		8991	13b
혼	婚		8087	12b
혼	惛		6833	10b
혼	掍		8050	12a
혼	昏		4202	07a
혼	棍		3794	06a
혼	殙		2522	04b
혼	混		7106	11a
혼	渾		7160	11a
혼	溷		7170	11a
혼	焜		6472	10a
혼	緄		8495	13a
혼	輥		9515	14a
혼	閽		7738	12a
혼	鯎		9572	14b

혼	魂		5793	09a
혼	翮		6377	10a
홀	圔		8393	12b
홀	寣		4672	07b
홀	暳		6070	09b
홀	忽		6809	10b
홀	搰		7989	12a
홀	楤		3580	06a
홀	滑		7199	11a
홀	朰		4406	07a
홀	笏		3000	05a
홀	芴		642	01b
홀	颮		8939	13b
홍	仜		4973	08a
홍	弘		8452	12b
홍	泓		7146	11a
홍	洪		7099	11a
홍	浲		7100	11a
홍	澒		7408	11a
홍	烘		6424	10a
홍	粠		4484	07a
홍	紅		8582	13a
홍	翁		2269	04a
홍	虹		8890	13a
홍	訌		1645	03a
홍	垬		2301	04a
홍	鬨		1886	03b

홍	鴻	鷺	2405	04a
화	羋	芈	3866	06b
화	匕	匕	5189	08a
화	化	㕤	5192	08a
화	和	咊	845	02a
화	䂐	𤤱	1882	03b
화	揻	㹎	8054	12a
화	䖒	䖒	5570	08b
화	茥	茥	3670	06a
화	檛	檛	3762	06a
화	火	火	6382	10a
화	畫	畫	1936	03b
화	盉	盉	3138	05a
화	禍	禍	67	01a
화	禾	禾	4353	07a
화	蠗	蠗	6654	10b
화	華	華	3868	06b
화	話	話	1547	03a
화	譁	譁	1654	03a
화	貨	貨	3922	06b
화	烗	烗	4151	06b
화	鞾	鞾	1844	03b
화	傀	傀	5803	09a
화	魤	魤	7641	11b
화	鰊	鰊	7579	11b
화	鱯	鱯	7576	11b
화	龢	龢	1426	02b

확	彏	彏	8458	12b
확	彟	彟	8446	12b
확	攫	攫	7944	12a
확	獲	獲	6340	10a
확	曤	曤	2147	04a
확	矍	矍	2352	04a
확	穫	穫	4399	07a
확	篗	篗	2891	05a
확	隻	隻	2313	04a
확	蠖	蠖	8786	13a
확	矍	矍	6090	09b
확	鑊	鑊	9252	14a
확	膗	膗	3171	05b
확	霩	霩	7522	11b
확	靃	靃	2354	04a
환	丸	丸	5974	09b
환	喚	喚	965	02a
환	嚾	嚾	1435	03a
환	圜	圜	3891	06b
환	奐	奐	1751	03a
환	峘	峘	6569	10b
환	宦	宦	4573	07b
환	宊	宊	4547	07b
환	寏	寏	4606	07b
환	幻	幻	2502	04b
환	戌	戌	5915	09b
환	患	患	6902	10b

환	懁	幪	6778	10b	환	還	還	1141	02b
환	懽	懽	6767	10b	환	酄	酄	4119	06b
환	換	換	8052	12a	환	鍰	鍰	9328	14a
환	擐	擐	7950	12a	환	闤	闤	7749	12a
환	桓	桓	3655	06a	환	馬	馬	6108	10a
환	歡	歡	5509	08b	환	驩	驩	6144	10a
환	汍	汍	7414	11a	환	鬟	鬟	5740	09a
환	渙	渙	7112	11a	환	鯇	鯇	7585	11b
환	煥	煥	6499	10a	환	鰥	鰥	7555	11b
환	環	環	108	01a	활	薆	薆	6571	10b
환	瓛	瓛	118	01a	활	姡	姡	8185	12b
환	晥	晥	2099	04a	활	活	活	7114	11a
환	曤	曤	2090	04a	활	滑	滑	7183	11a
환	紈	紈	8545	13a	활	瞂	瞂	2123	04a
환	緪	緪	8612	13a	활	袺	袺	57	01a
환	繯	繯	8531	13a	활	秳	秳	4405	07a
환	肒	肒	2651	04b	활	䌷	䌷	7464	11b
환	芄	芄	289	01b	활	貋	貋	9091	13b
환	萑	萑	2312	04a	활	闊	闊	7746	12a
환	萈	萈	6268	10a	활	羯	羯	3344	05b
환	蘾	蘾	339	01b	황	喤	喤	794	02a
환	讙	讙	1653	03a	황	夼	夼	7445	11b
환	豢	豢	6061	09b	황	帆	帆	4842	07b
환	貛	貛	6099	09b	황	恍	恍	6818	10b
환	輐	輐	6560	10b	황	惶	惶	6914	10b
환	轘	轘	9559	14a	황	晃	晃	4181	07a
환	迶	迶	1170	02b	황	橫	橫	3703	06a

색인 ❶_한글 독음 179

황	況		7125	11a
황	湟		6976	11a
황	潢		7219	11a
황	煌		6471	10a
황	瑝		155	01a
황	璜		109	01a
황	雈		3366	05b
황	皇		80	01a
황	稈		4420	07a
황	穬		4427	07a
황	篁		2876	05a
황	簧		2975	05a
황	纊		8482	13a
황	堲		2262	04a
황	肓		2594	04b
황	詨		4305	07a
황	艎		5427	08b
황	荒		547	01b
황	蝗		8822	13a
황	蟥		8803	13a
황	奞		3153	05a
황	詤		1660	03a
황	賏		3977	06b
황	遑		1211	02b
황	隍		9654	14b
황	駍		6189	10a
황	黃		9156	13b

홰	嘬		884	02a
홰	噅		902	02a
홰	㗇		6577	10b
홰	翽		2260	04a
홰	譮		1647	03a
회	劊		2747	04b
회	匯		8398	12b
회	卉		2070	03b
회	回		3896	06b
회	儈		8291	12b
회	恢		6707	10b
회	悔		6853	10b
회	懷		6729	10b
회	晦		4206	07a
회	會		3259	05b
회	檜		3530	06a
회	洄		7249	11a
회	淮		7017	11a
회	澮		6986	11a
회	濊		7066	11a
회	灰		6416	10a
회	獪		6274	10a
회	禬		54	01a
회	繪		8565	13a
회	膾		2705	04b
회	薈		536	01b
회	蛔		8754	13a

회	魄	魗	8753	13a
회	裏	裏	5263	08a
회	裹	裹	5264	08a
회	詣	詣	1620	03a
회	誨	誨	1492	03a
회	讀	讀	1646	03a
회	賄	賄	3920	06b
회	晦	晦	3261	05b
회	違	違	1093	02b
회	鄶	鄶	4108	06b
회	繪	繪	6510	10a
획	劃	劃	2768	04b
획	嫿	嫿	8157	12b
획	攫	攫	7932	12a
획	獲	獲	6330	10a
획	講	講	1629	03a
획	鞹	鞹	1839	03b
횡	儣	儣	5097	08a
횡	宏	宏	4549	07b
횡	橫	橫	3777	06a
횡	潢	潢	7244	11a
횡	谹	谹	7467	11b
효	俏	俏	5134	08a
효	哮	哮	947	02a
효	曉	曉	913	02a
효	囂	囂	1433	03a
효	孝	孝	5360	08a
효	效	效	1996	03b
효	敩	敩	2065	03b
효	曉	曉	4238	07a
효	枵	枵	3570	06a
효	梟	梟	3815	06a
효	歆	歆	5522	08b
효	殽	殽	1963	03b
효	嚻	嚻	8331	12b
효	洨	洨	7058	11a
효	爻	爻	2079	03b
효	獢	獢	6277	10a
효	皛	皛	4917	07b
효	皢	皢	4909	07b
효	筊	筊	2940	05a
효	肴	肴	2663	04b
효	膮	膮	2693	04b
효	蘍	蘍	290	01b
효	虓	虓	3111	05a
효	鐃	鐃	9242	14a
효	頦	頦	5604	09a
효	顤	顤	5607	09a
효	驍	驍	6140	10a
효	虋	虋	1856	03b
효	鴞	鴞	2379	04a
후	候	候	5056	08a
후	厚	厚	3322	05b
후	后	后	5741	09a

후	咶		5742	09a
후	喉		785	02a
후	姁		8102	12b
후	後		1249	02b
후	忕		6897	10b
후	昮		3320	05b
후	殆		2538	04b
후	煦		6399	10a
후	猴		6343	10a
후	珝		102	01a
후	珝		215	01a
후	矦		3296	05b
후	猴		2244	04a
후	詡		1554	03a
후	詬		1712	03a
후	逅		1210	02b
후	㕙		4125	06b
후	郈		4036	06b
후	鍭		9363	14a
후	酗		9803	14b
후	餱		3200	05b
후	鯸		7634	11b
후	鱟		2225	04a
훈	勳		9166	13b
훈	壎		9028	13b
훈	量		4247	07a
훈	熏		239	01b
훈	纁		8573	13a
훈	葷		274	01b
훈	薰		294	01b
훈	訓		1491	03a
훈	醺		9801	14b
훌	萃		6623	10b
훌	欻		5523	08b
훙	薨		2553	04b
원	吅		970	02a
원	咺		795	02a
원	夐		2087	04a
원	狟		6317	10a
원	暖		2100	04a
원	蘐		283	01b
원	覹		5455	08b
원	舼		2846	04b
원	艣		2816	04b
원	諼		1589	03a
원	貆		6096	09b
원	趄		1022	02a
훼	卉		629	01b
훼	喙		782	02a
훼	燬		8285	12b
훼	擊		8024	12a
훼	毀		9071	13b
훼	毇		4497	07a
훼	烜		6384	10a

한글독음

흔	忻	帆	6691	10b
흔	恩	恩	6895	10b
흔	掀	撤	7920	12a
흔	昕	昕	4239	07a
흔	欣	炭	5510	08b
흔	痕	膜	4745	07b
흔	肺	膌	2654	04b
흔	訢	訪	1541	03a
흔	釁	釁	1782	03a
흔	鞎	鞎	1806	03b
흘	仡	朴	4978	08a
흘	吃	彑	887	02a
흘	吻	吻	4174	07a
흘	曶	曶	3030	05a
흘	汔	汔	7302	11a
흘	紇	紇	8483	13a
흘	肸	肸	2637	04b
흘	訖	訖	1573	03a
흘	迄	迄	1215	02b
흘	釳	釳	9372	14a
흘	黐	黐	3335	05b
흘	齕	齕	1309	02b
흠	廞	廞	5939	09b
흠	欠	欠	5497	08b
흠	欽	欽	5498	08b
흠	歆	歆	5561	08b
흡	吸	吸	826	02a

흡	恰	恰	6943	10b
흡	歙	歙	5553	08b
흡	洽	洽	7293	11a
흡	潝	潝	7134	11a
흡	翕	翕	2249	04a
흡	鄒	鄒	4145	06b
흥	嬹	嬹	8150	12b
흥	興	興	1775	03a
희	俙	俙	5128	08a
희	僖	僖	5067	08a
희	呬	呬	823	02a
희	唏	唏	846	02a
희	唏	唏	849	02a
희	喜	喜	3059	05a
희	噫	噫	819	02a
희	姬	姬	8072	12b
희	忥	忥	6834	10b
희	憙	憙	3060	05a
희	戲	戲	8342	12b
희	晞	晞	4230	07a
희	欯	欯	5524	08b
희	歖	歖	5533	08b
희	歑	歑	5528	08b
희	熙	熙	6493	10a
희	熹	熹	6426	10a
희	犧	犧	771	02a
희	睎	睎	2165	04a

희	瞦	瞦	2095	04a
희	禧	禧	13	01a
희	稀	稀	4365	07a
희	羲	羲	3048	05a
희	莃	莃	362	01b
희	虙	虙	3090	05a
희	誒	誒	1618	03a
희	譆	譆	1619	03a
희	豨	豨	6064	09b
희	犔	犔	6059	09b
희	霼	霼	5496	08b
희	饎	饎	3202	05b
희	鯑	鯑	2228	04a
히	吚	吚	917	02a
힐	欯	欯	5500	08b
힐	肸	肸	1462	03a
힐	襭	襭	5323	08a
힐	詰	詰	1690	03a
힐	頡	頡	5634	09a
힐	黠	黠	6527	10a

완역설문해자

부수
색인

부수-총획	해서	소전	번호	권수
001 일(一)부수				
一-총01획	一		1	01a
一-총02획	丂		3037	05a
一-총02획	上		6	01a
一-총02획	丁		9698	14b
一-총02획	七		9680	14b
一-총02획	丅		9	01a
一-총02획	己		3040	05a
一-총03획	丌		3005	05a
一-총03획	三		77	01a
一-총03획	丈		1460	03a
一-총04획	丏		5672	09a
一-총04획	不		7666	12a
一-총04획	与		9419	14a
一-총04획	丑		9741	14b
一-총05획	丘		5209	08a
一-총05획	丙		9697	14b
一-총05획	丕		4	01a
一-총05획	世		1469	03a
一-총05획	且		9424	14a
一-총06획	丞		1750	03a
一-총06획	丙		1444	03a
002 곤(丨)부수				
丨-총01획	丨		230	01a
丨-총01획	丩		1454	03a
丨-총04획	丰		2806	04b
丨-총04획	丮		1876	03b
丨-총04획	丰		3859	06b
丨-총04획	中		231	01a
丨-총10획	丵		1741	03a
003 주(丶一)부수				
丶-총01획	丶		3167	05a
丶-총03획	丸		5974	09b
丶-총04획	丹		3170	05b
丶-총05획	主		3168	05a
004 별(丿)부수				
丿-총01획	丿		8318	12b
丿-총01획	乀		8321	12b
丿-총01획	乁		8324	12b
丿-총02획	乃		3034	05a
丿-총02획	乂		8319	12b
丿-총02획	厂		8322	12b
丿-총02획	𠂇		1923	03b
丿-총03획	久		3392	05b
丿-총03획	毛		3864	06b
丿-총04획	之		3843	06b
丿-총05획	乍		8371	12b
丿-총05획	乖		3856	06b
丿-총05획	乏		1087	02b
丿-총05획	乎		3049	05a
丿-총06획	冎		5228	08a
丿-총06획	自		9567	14a
丿-총06획	辰		7459	11b

부수

부수-획	해서	전서	번호	위치
ノ-총3획	纯		5760	09a
ノ-총10획	乑		3865	06b
005 을(乙)부수				
乙-총01획	乙		9693	14b
乙-총01획	乚		7663	12a
乙-총01획	乛		8368	12b
乙-총02획	九		9681	14b
乙-총03획	也		8325	12b
乙-총08획	乳		7665	12a
乙-총11획	乾		9694	14b
乙-총13획	亂		9695	14b
006 궐(丨)부수				
丨-총01획	丨		8362	12b
丨-총01획	乁		8363	12b
丨-총02획	了		9732	14b
丨-총04획	予		2500	04b
丨-총08획	事		1926	03b
007 이(二)부수				
二-총02획	二		8968	13b
二-총03획	亏		3052	05a
二-총03획	亍		1258	02b
二-총04획	五		9678	14b
二-총04획	井		3175	05b
二-총06획	亙		8971	13b
二-총07획	些		1085	02a
二-총08획	亞		9676	14b
二-총09획	亟		8969	13b

부수-획	해서	전서	번호	위치
008 두(亠)부수				
亠-총04획	亢		6620	10b
亠-총06획	交		6592	10b
亠-총06획	亦		6582	10b
亠-총06획	亥		9833	14b
亠-총08획	京		3314	05b
亠-총08획	亯		3325	05b
亠-총09획	亭		3305	05b
亠-총09획	亩		3316	05b
亠-총10획	亳		3306	05b
亠-총11획	㡭		6621	10b
亠-총13획	亶		3327	05b
亠-총17획	亹		6593	10b
009 인(人)부수				
人-총02획	人		4926	08a
人-총03획	亡		8370	12b
人-총03획	亼		3253	05b
人-총04획	介		714	02a
人-총04획	仇		5148	08a
人-총04획	今		3257	05b
人-총04획	仆		5131	08a
人-총04획	欠		7470	11b
人-총04획	什		5045	08a
人-총04획	仁		4929	08a
人-총04획	仍		5025	08a
人-총04획	从		5202	08a
人-총04획	仄		5969	09b

人-총05획	代	[전서]	5059	08a
人-총05획	仝	[전서]	3268	05b
人-총05획	令	[전서]	5749	09a
人-총05획	付	[전서]	5034	08a
人-총05획	仕	[전서]	4932	08a
人-총05획	仞	[전서]	4931	08a
人-총05획	仔	[전서]	5083	08a
人-총05획	仢	[전서]	5012	08a
人-총05획	参	[전서]	1971	03b
人-총05획	参	[전서]	5685	09a
人-총05획	企	[전서]	5166	08a
人-총05획	仜	[전서]	4973	08a
人-총05획	仡	[전서]	4978	08a
人-총06획	价	[전서]	5082	08a
人-총06획	件	[전서]	5170	08a
人-총06획	伋	[전서]	4941	08a
人-총06획	企	[전서]	4930	08a
人-총06획	伎	[전서]	5107	08a
人-총06획	仿	[전서]	4996	08a
人-총06획	伐	[전서]	5142	08a
人-총06획	伏	[전서]	5138	08a
人-총06획	化	[전서]	5151	08a
人-총06획	份	[전서]	4959	08a
人-총06획	仰	[전서]	5039	08a
人-총06획	伃	[전서]	4948	08a
人-총06획	伍	[전서]	5044	08a
人-총06획	伊	[전서]	4945	08a
人-총06획	任	[전서]	5064	08a
人-총06획	仫	[전서]	4949	08a
人-총06획	仲	[전서]	4944	08a
人-총06획	似	[전서]	5212	08a
人-총06획	伉	[전서]	4942	08a
人-총06획	休	[전서]	3799	06a
人-총07획	佝	[전서]	5113	08a
人-총07획	侒	[전서]	8235	12b
人-총07획	但	[전서]	5144	08a
人-총07획	伶	[전서]	5078	08a
人-총07획	伴	[전서]	4983	08a
人-총07획	伯	[전서]	4943	08a
人-총07획	佛	[전서]	4997	08a
人-총07획	低	[전서]	4986	08a
人-총07획	伹	[전서]	5062	08a
人-총07획	伺	[전서]	5185	08a
人-총07획	佋	[전서]	5162	08a
人-총07획	伸	[전서]	5087	08a
人-총07획	余	[전서]	718	02a
人-총07획	位	[전서]	5007	08a
人-총07획	佁	[전서]	5109	08a
人-총07획	佀	[전서]	5112	08a
人-총07획	佚	[전서]	5119	08a
人-총07획	作	[전서]	5051	08a
人-총07획	佀	[전서]	5088	08a
人-총07획	低	[전서]	5180	08a
人-총07획	佇	[전서]	5187	08a

부
수

人-총07획	佃	佃	5101	08a
人-총07획	佗	佗	5000	08a
人-총07획	佖	佖	4961	08a
人-총07획	何	何	5001	08a
人-총07획	佉	佉	5106	08a
人-총08획	佳	佳	4955	08a
人-총08획	侃	侃	7451	11b
人-총08획	供	供	5003	08a
人-총08획	侉	侉	5135	08a
人-총08획	佸	佸	5047	08a
人-총08획	侊	侊	5103	08a
人-총08획	佼	佼	4933	08a
人-총08획	佶	佶	4971	08a
人-총08획	侗	侗	4970	08a
人-총08획	來	來	3331	05b
人-총08획	例	例	5140	08a
人-총08획	侖	侖	3256	05b
人-총08획	侔	侔	5015	08a
人-총08획	佰	佰	5046	08a
人-총08획	倂	倂	5019	08a
人-총08획	使	使	5076	08a
人-총08획	佪	佪	5102	08a
人-총08획	佝	佝	4952	08a
人-총08획	侍	侍	5029	08a
人-총08획	侁	侁	5038	08a
人-총08획	侒	侒	5032	08a
人-총08획	依	依	5024	08a

人-총08획	俱	俱	5027	08a
人-총08획	佾	佾	5177	08a
人-총08획	佺	佺	5010	08a
人-총08획	佻	佻	5104	08a
人-총08획	侚	侚	5099	08a
人-총08획	欣	欣	5026	08a
人-총08획	侈	侈	5108	08a
人-총08획	侙	侙	5021	08a
人-총08획	佗	佗	5155	08a
人-총08획	佩	佩	4936	08a
人-총08획	佮	佮	5048	08a
人-총08획	侅	侅	4956	08a
人-총08획	侐	侐	5033	08a
人-총09획	係	係	5141	08a
人-총09획	徍	徍	5169	08a
人-총09획	俅	俅	4935	08a
人-총09획	侸	侸	5040	08a
人-총09획	侶	侶	5171	08a
人-총09획	俚	俚	4982	08a
人-총09획	侮	侮	5125	08a
人-총09획	保	保	4928	08a
人-총09획	俻	俻	5022	08a
人-총09획	俘	俘	5143	08a
人-총09획	傅	傅	5035	08a
人-총09획	俟	俟	4969	08a
人-총09획	徐	徐	5085	08a
人-총09획	俗	俗	5072	08a

人－총09획	信	𠌶	1519	03a
人－총09획	俎	𠊴	5163	08a
人－총09획	俄	𠊨	5120	08a
人－총09획	俑	𠊷	5137	08a
人－총09획	俁	𠊮	4972	08a
人－총09획	俞	兪	5413	08b
人－총09획	俜	𠊆	5084	08a
人－총09획	徎	𠉩	4989	08a
人－총09획	俎	俎	9425	14a
人－총09획	坐	𡉖	5042	08a
人－총09획	俊	𠊱	4938	08a
人－총09획	俍	𠉼	5172	08a
人－총09획	促	𠉾	5139	08a
人－총09획	侵	𠈹	5054	08a
人－총09획	便	𠊳	5063	08a
人－총09획	倪	𠊪	5065	08a
人－총09획	俠	𠈶	5036	08a
人－총09획	俒	𠉞	5069	08a
人－총09획	俙	𠉺	5128	08a
人－총10획	㐲	𠎐	4258	07a
人－총10획	倨	𠋷	4979	08a
人－총10획	倞	𠌶	4976	08a
人－총10획	倌	𠌇	5081	08a
人－총10획	俱	𠊩	5017	08a
人－총10획	俗	𠊴	5152	08a
人－총10획	倦	𠌶	5158	08a
人－총10획	倓	𠌶	4951	08a
人－총10획	倒	𠌶	5178	08a
人－총10획	倫	𠌶	5014	08a
人－총10획	倍	𠍰	5091	08a
人－총10획	俳	𠌶	5116	08a
人－총10획	倗	𠍟	4990	08a
人－총10획	俾	𠌶	5073	08a
人－총10획	修	𠍶	5686	09a
人－총10획	俶	𠌶	4993	08a
人－총10획	條	𠎁	6316	10a
人－총10획	俺	𠌶	4984	08a
人－총10획	倪	𠊪	5074	08a
人－총10획	倭	𠌶	4966	08a
人－총10획	倚	𠋻	5023	08a
人－총10획	傷	𠍺	5127	08a
人－총10획	倅	𠍾	5173	08a
人－총10획	借	𠊲	5053	08a
人－총10획	倉	倉	3262	05b
人－총10획	倀	𠌶	5096	08a
人－총10획	倡	𠌶	5115	08a
人－총10획	個	𠌶	5175	08a
人－총10획	倩	𠌶	4947	08a
人－총10획	倰	𠍬	5100	08a
人－총10획	健	𠌶	5028	08a
人－총10획	值	𠌶	5154	08a
人－총10획	倬	𠌶	4988	08a
人－총10획	脩	𠍞	5134	08a
人－총10획	催	𠌶	5153	08a

人-총11획	假	假	5052	08a
人-총11획	御	俗	5122	08a
人-총11획	健	腱	4975	08a
人-총11획	偊	腭	5077	08a
人-총11획	偎	隈	5090	08a
人-총11획	価	個	5071	08a
人-총11획	偋	偋	5086	08a
人-총11획	偰	偰	4946	08a
人-총11획	偲	偲	4987	08a
人-총11획	偓	偓	5009	08a
人-총11획	偃	偃	5132	08a
人-총11획	偶	偶	5160	08a
人-총11획	偉	偉	4958	08a
人-총11획	偢	偢	4962	08a
人-총11획	停	停	5183	08a
人-총11획	偵	偵	5188	08a
人-총11획	偆	偆	5068	08a
人-총11획	側	側	5031	08a
人-총11획	偫	偫	5004	08a
人-총11획	偶	偶	5043	08a
人-총11획	偏	偏	5095	08a
人-총11획	偕	偕	5016	08a
人-총11획	偉	偉	4940	08a
人-총11획	俟	俟	5056	08a
人-총12획	傑	傑	4939	08a
人-총12획	傔	傔	5174	08a
人-총12획	傀	傀	4957	08a

人-총12획	傍	傍	5061	08a
人-총12획	傅	傅	5020	08a
人-총12획	備	備	5006	08a
人-총12획	傞	傞	5123	08a
人-총12획	偏	偏	4991	08a
人-총12획	傜	傜	5110	08a
人-총12획	傛	傛	4953	08a
人-총12획	傆	傆	5050	08a
人-총12획	傒	傒	5126	08a
人-총13획	傾	傾	5030	08a
人-총13획	傴	傴	5145	08a
人-총13획	僅	僅	5058	08a
人-총13획	僂	僂	5146	08a
人-총13획	僇	僇	5147	08a
人-총13획	傷	傷	5133	08a
人-총13획	僊	僊	5164	08a
人-총13획	傃	傃	4998	08a
人-총13획	傿	傿	5092	08a
人-총13획	傲	傲	4977	08a
人-총13획	傝	傝	5121	08a
人-총13획	傭	傭	4994	08a
人-총13획	傳	傳	5080	08a
人-총13획	僐	僐	5159	08a
人-총13획	傪	傪	4981	08a
人-총13획	債	債	5181	08a
人-총13획	僉	僉	3255	05b
人-총13획	催	催	5136	08a

人-총13획	僄	僄	5114	08a	人-총15획	儆	儆	4992	08a
人-총13획	乹	乹	3866	06b	人-총15획	儋	儋	5002	08a
人-총14획	僑	僑	4968	08a	人-총15획	僻	僻	5105	08a
人-총14획	僟	僟	4999	08a	人-총15획	優	優	4995	08a
人-총14획	僽	僽	5124	08a	人-총15획	億	億	5075	08a
人-총14획	僅	僅	4927	08a	人-총15획	僕	僕	4954	08a
人-총14획	僚	僚	4960	08a	人-총15획	儀	儀	5060	08a
人-총14획	僕	僕	1746	03a	人-총15획	僵	僵	5037	08a
人-총14획	僰	僰	5165	08a	人-총15획	儈	儈	5179	08a
人-총14획	債	債	5129	08a	人-총15획	儇	儇	4950	08a
人-총14획	像	像	5157	08a	人-총16획	儓	儓	5168	08a
人-총14획	僎	僎	4934	08a	人-총16획	儐	儐	5008	08a
人-총14획	僖	僖	5117	08a	人-총16획	儒	儒	4937	08a
人-총14획	僧	僧	5186	08a	人-총16획	儗	儗	5094	08a
人-총14획	然	然	5089	08a	人-총16획	儕	儕	5013	08a
人-총14획	僥	僥	5167	08a	人-총16획	儔	儔	5098	08a
人-총14획	僞	僞	5111	08a	人-총17획	儳	儳	4963	08a
人-총14획	傅	傅	5156	08a	人-총17획	儡	儡	5149	08a
人-총14획	僭	僭	5093	08a	人-총17획	償	償	5057	08a
人-총14획	儌	儌	5184	08a	人-총17획	優	優	5066	08a
人-총14획	僤	僤	4974	08a	人-총17획	儥	儥	5055	08a
人-총14획	債	債	4967	08a	人-총17획	儮	儮	4964	08a
人-총14획	僩	僩	4985	08a	人-총18획	馵	馵	4259	07a
人-총14획	僖	僖	5067	08a	人-총18획	儲	儲	5005	08a
人-총15획	價	價	5182	08a	人-총19획	儵	儵	6537	10a
人-총15획	僵	僵	5130	08a	人-총19획	儷	儷	5118	08a
人-총15획	儉	儉	5070	08a	人-총19획	儻	儻	5097	08a

부수-획수	해서	소전	번호	위치
人-총20획	儦		5011	08a
人-총21획	儺		4965	08a
人-총21획	儷		5079	08a
人-총21획	儹		5018	08a
人-총22획	儻		5176	08a
人-총22획	儼		4980	08a
人-총23획	儾		5041	08a

010 인(儿)부수

부수-획수	해서	소전	번호	위치
儿-총02획	儿		5430	08b
儿-총03획	兀		5431	08b
儿-총04획	元		2	01a
儿-총04획	允		5433	08b
儿-총04획	先		5438	08b
儿-총05획	充		5435	08b
儿-총05획	兄		5436	08b
儿-총06획	兆		5442	08b
儿-총06획	光		6477	10a
儿-총06획	先		5444	08b
儿-총06획	兇		4506	07a
儿-총07획	克		4351	07a
儿-총07획	兌		5434	08b
儿-총08획	兒		5432	08b
儿-총08획	兓		5439	08b
儿-총08획	兔		6262	10a
儿-총11획	兜		5443	08b
儿-총12획	兟		5445	08b
儿-총18획	競		5437	08b

부수-획수	해서	소전	번호	위치
儿-총24획	毚		6266	10a

011 입(入)부수

부수-획수	해서	소전	번호	위치
入-총02획	入		3264	05b
入-총04획	內		3265	05b
入-총04획	从		3269	05b
入-총07획	网		4788	07b
入-총08획	兩		4789	07b

012 팔(八)부수

부수-획수	해서	소전	번호	위치
八-총02획	八		707	02a
八-총04획	公		716	02a
八-총04획	六		9679	14b
八-총04획	分		715	02a
八-총04획	今		3046	05a
八-총06획	共		1768	03a
八-총07획	兵		1761	03a
八-총08획	具		1764	03a
八-총08획	典		3007	05a
八-총09획	㒸		712	02a
八-총10획	兼		4443	07a
八-총14획	㒼		1747	03a
八-총16획	冀		5208	08a

013 경(冂)부수

부수-획수	해서	소전	번호	위치
冂-총02획	冂		3307	05b
冂-총03획	冄		4779	07b
冂-총04획	冉		4783	07b
冂-총04획	丹		6044	09b
冂-총05획	冊		1428	02b

冂-총06획	冎	𠕎	2556	04b
冂-총06획	再	𠕪	2486	04b
冂-총09획	冒	𩇩	4786	07b
冂-총10획	冓	𩇞	2485	04b
冂-총11획	㒲	𦳱	4790	07b
冂-총11획	冕	𩇢	4784	07b
冂-총14획	㮶	𩇬	2558	04b
014 멱(冖)부수				
冖-총02획	冖	𠔿	4775	07b
冖-총04획	冘	𠕋	3309	05b
冖-총09획	冠	𠕞	4776	07b
冖-총09획	冔	𠕖	3183	05b
冖-총10획	冥	𠕠	4284	07a
冖-총10획	冢	𠕘	4782	07b
冖-총10획	冤	𠕡	6264	10a
冖-총10획	冡	𠕗	5785	09a
冖-총10획	冣	𠕝	4777	07b
冖-총12획	冦	𠕤	4778	07b
015 빙(冫)부수				
冫-총05획	冬	𡙕	7478	11b
冫-총06획	冰	𣲴	7471	11b
冫-총07획	冷	𢓜	7481	11b
冫-총07획	冹	𢐜	7484	11b
冫-총07획	冶	𨳡	7479	11b
冫-총10획	凍	𣲽	7474	11b
冫-총10획	凋	𣲼	7477	11b
冫-총10획	淸	𤃗	7473	11b

冫-총10획	涵	𣻥	7482	11b
冫-총12획	溗	𣻭	7485	11b
冫-총12획	滕	𦞝	7475	11b
冫-총12획	滄	𣻪	7480	11b
冫-총13획	渾	𣻢	7483	11b
冫-총14획	漸	𣻵	7476	11b
冫-총18획	瀨	𣼕	7486	11b
016 궤(几)부수				
几-총02획	几	𠘧	9420	14a
几-총02획	几	𠘨	1970	03b
几-총03획	凡	𠘦	8973	13b
几-총05획	尻	𠘬	9422	14a
几-총05획	処	𠘮	9423	14a
几-총08획	凭	𠘳	9421	14a
017 감(凵)부수				
凵-총02획	凵	𠙴	969	02a
凵-총02획	凵	𠙶	3148	05a
凵-총04획	凶	𠙺	4505	07a
凵-총05획	凷	𠚆	8993	13b
凵-총05획	出	𡳾	3847	06b
018 도(刀)부수				
刀-총02획	刀	𠚣	2732	04b
刀-총03획	刃	𠚩	2800	04b
刀-총04획	分	𠔿	708	02a
刀-총04획	切	𠛂	2748	04b
刀-총04획	刅	𠚫	2801	04b
刀-총05획	刊	𠚴	2761	04b

부수-획수	해서	소전	번호	위치	부수-획수	해서	소전	번호	위치
刀-총05획	刟		2751	04b	刀-총08획	制		2784	04b
刀-총05획	刋		2749	04b	刀-총08획	刹		2799	04b
刀-총06획	刔		2803	04b	刀-총08획	刕		3179	05b
刀-총06획	列		2760	04b	刀-총09획	到		2790	04b
刀-총06획	刎		2796	04b	刀-총09획	刺		3884	06b
刀-총06획	刑		2782	04b	刀-총09획	削		2735	04b
刀-총06획	刖		2778	04b	刀-총09획	剈		2769	04b
刀-총06획	刑		2789	04b	刀-총09획	前		1068	02a
刀-총06획	荆		3178	05b	刀-총09획	剄		2776	04b
刀-총07획	刣		2736	04b	刀-총09획	則		2744	04b
刀-총07획	利		2740	04b	刀-총10획	剛		2745	04b
刀-총07획	刜		2779	04b	刀-총10획	契		2804	04b
刀-총07획	删		2763	04b	刀-총10획	剔		2739	04b
刀-총07획	刮		2785	04b	刀-총10획	剞		2738	04b
刀-총07획	初		2742	04b	刀-총10획	剝		2765	04b
刀-총07획	判		2757	04b	刀-총10획	剖		2755	04b
刀-총08획	刻		2753	04b	刀-총10획	剗		2741	04b
刀-총08획	刭		2759	04b	刀-총10획	剜		2797	04b
刀-총08획	刮		2773	04b	刀-총10획	剔		2795	04b
刀-총08획	券		2793	04b	刀-총10획	剟		2762	04b
刀-총08획	刲		2775	04b	刀-총11획	剒		2746	04b
刀-총08획	到		7669	12a	刀-총11획	副		2754	04b
刀-총08획	刵		2557	04b	刀-총11획	剮		2734	04b
刀-총08획	制		2733	04b	刀-총11획	剪		2743	04b
刀-총08획	刷		2772	04b	刀-총11획	劇		2758	04b
刀-총08획	刵		2787	04b	刀-총12획	剴		2737	04b
刀-총08획	刺		2794	04b	刀-총12획	劂		2788	04b

刀-총12획	割	劂	2766	04b
刀-총13획	勝	勝	2767	04b
刀-총13획	剺	勣	2780	04b
刀-총13획	剽	劈	2774	04b
刀-총14획	剺	劀	2770	04b
刀-총14획	罰	劚	2786	04b
刀-총14획	剸	劚	2791	04b
刀-총14획	劃	劃	2768	04b
刀-총15획	劌	劌	2752	04b
刀-총15획	劇	劇	2798	04b
刀-총15획	劈	劈	2764	04b
刀-총15획	剺	勳	2777	04b
刀-총15획	劊	劊	2747	04b
刀-총16획	劍	劍	2802	04b
刀-총16획	劑	劑	2771	04b
刀-총18획	劈	劈	2750	04b
刀-총19획	劖	劖	2781	04b
019 력(力)부수				
力-총02획	力	力	9165	13b
力-총05획	加	加	9196	13b
力-총05획	功	功	9167	13b
力-총06획	劣	劣	9188	13b
力-총06획	劦	劦	9209	13b
力-총07획	劫	劫	9201	13b
力-총07획	劬	劬	9205	13b
力-총07획	劭	劭	9179	13b
力-총07획	助	助	9168	13b
力-총08획	券	券	9194	13b
力-총08획	劼	劼	9171	13b
力-총08획	劾	劾	9203	13b
力-총09획	勁	勁	9177	13b
力-총09획	劫	劫	9191	13b
力-총09획	勉	勉	9178	13b
力-총09획	勃	勃	9199	13b
力-총09획	勇	勇	9198	13b
力-총10획	勍	勍	9176	13b
力-총10획	勑	勑	9170	13b
力-총11획	勘	勘	9207	13b
力-총11획	動	動	9186	13b
力-총11획	勒	勒	1829	03b
力-총11획	務	務	9172	13b
力-총11획	勖	勖	9180	13b
力-총12획	勞	勞	9189	13b
力-총12획	勝	勝	9182	13b
力-총13획	勥	勥	9173	13b
力-총13획	勤	勤	9195	13b
力-총13획	勁	勁	9184	13b
力-총13획	募	募	9204	13b
力-총13획	勢	勢	9206	13b
力-총13획	勦	勦	9193	13b
力-총13획	勛	勛	9200	13b
力-총13획	勢	勢	9197	13b
力-총14획	勵	勵	9175	13b
力-총14획	勤	勤	9185	13b

부수-획	楷書	篆書	번호	위치
力-총14획	勤		9192	13b
力-총15획	勰		9190	13b
力-총15획	勘		9174	13b
力-총16획	勷		9183	13b
力-총16획	勳		9166	13b
力-총17획	勵		9187	13b
力-총20획	勸		9181	13b
力-총25획	勱		9169	13b
020 포(勹)부수				
勹-총02획	勹		5771	09a
勹-총03획	勺		9418	14a
勹-총04획	勼		5777	09a
勹-총04획	匀		5776	09a
勹-총04획	勾		5779	09a
勹-총04획	勿		6042	09b
勹-총05획	匃		8374	12b
勹-총05획	包		5786	09a
勹-총06획	匈		5780	09a
勹-총08획	匊		5775	09a
勹-총08획	匋		3272	05b
勹-총08획	匍		5781	09a
勹-총08획	匌		5782	09a
勹-총09획	匍		5773	09a
勹-총10획	罘		3047	05a
勹-총11획	匐		5774	09a
勹-총11획	匏		5788	09a
勹-총14획	餉		5783	09a
勹-총14획	復		5784	09a
勹-총16획	匔		5772	09a
021 비(匕)부수				
匕-총02획	匕		5193	08a
匕-총02획	匕		5189	08a
匕-총04획	匑		5195	08a
匕-총04획	化		5192	08a
匕-총05획	北		5207	08a
匕-총09획	匙		5190	08a
匕-총11획	匘		5198	08a
匕-총11획	匙		5194	08a
022 방(匚)부수				
匚-총02획	匚		8382	12b
匚-총05획	匜		8386	12b
匚-총06획	匡		8385	12b
匚-총06획	匠		8383	12b
匚-총07획	匣		8397	12b
匚-총09획	匼		8391	12b
匚-총09획	匽		8384	12b
匚-총10획	匪		8389	12b
匚-총10획	匰		8393	12b
匚-총11획	匭		8394	12b
匚-총12획	匳		8390	12b
匚-총13획	匴		8392	12b
匚-총13획	匯		8398	12b
匚-총14획	匱		8395	12b
匚-총14획	匰		8400	12b

匚-총16획	匵	匵	8387	12b
匚-총17획	匶	匶	8396	12b
匚-총26획	匷	匷	8388	12b

023 혜(匚)부수

匚-총02획	匸	乚	8375	12b
匚-총04획	匹	匹	8381	12b
匚-총07획	匜	匜	8378	12b
匚-총07획	医	医	8380	12b
匚-총09획	匽	匽	8379	12b
匚-총11획	區	區	8376	12b
匚-총11획	匼	匼	8377	12b

024 십(十)부수

十-총02획	十	十	1459	03a
十-총03획	卂	卂	7661	11b
十-총03획	千	千	1461	03a
十-총04획	协	协	1465	03a
十-총04획	卅	卅	1468	03a
十-총04획	升	升	9458	14a
十-총04획	午	午	9750	14b
十-총05획	半	半	724	02a
十-총05획	卉	卉	629	01b
十-총07획	華	華	2481	04b
十-총08획	卑	卑	1924	03b
十-총08획	卒	卒	5336	08a
十-총08획	卓	卓	5200	08a
十-총08획	協	協	9212	13b
十-총09획	南	南	3857	06b

十-총11획	尌	尌	1463	03a
十-총11획	尋	尋	1467	03a
十-총11획	率	率	8067	12a
十-총11획	桒	桒	6623	10b
十-총12획	博	博	1464	03a

025 복(卜)부수

卜-총02획	卜	卜	2066	03b
卜-총05획	卟	卟	2068	03b
卜-총05획	占	占	2071	03b
卜-총07획	卲	卲	2072	03b
卜-총08획	卦	卦	2067	03b
卜-총08획	卤	卤	3035	05a
卜-총08획	卅	卅	2073	03b
卜-총09획	鹵	鹵	4331	07a
卜-총09획	卨	卨	2070	03b
卜-총10획	圅	圅	3036	05a

026 절(卩)부수

卩-총02획	卩	卩	5748	09a
卩-총04획	印	印	5199	08a
卩-총05획	卯	卯	5766	09a
卩-총05획	卯	卯	9745	14b
卩-총05획	厄	厄	5745	09a
卩-총06획	夗	夗	5759	09a
卩-총06획	危	危	5978	09b
卩-총06획	印	印	5761	09a
卩-총06획	卲	卲	5750	09a
卩-총07획	卵	卵	8966	13b

卩－총07획	卯	𡖊	5752	09a		厂－총10획	厞	𠪋	5971	09b
卩－총07획	卲	𨰌	5753	09a		厂－총10획	厓	𠪐	5949	09b
卩－총08획	卷	𩰬	5756	09a		厂－총10획	厡	𠪳	5962	09b
卩－총08획	卸	𨸲	5758	09a		厂－총10획	厝	𥨒	5965	09b
卩－총08획	夗	𠨑	5751	09a		厂－총11획	斄	𣏹	2048	03b
卩－총08획	㔢	𡖧	3162	05a		厂－총12획	厥	𠪵	5954	09b
卩－총09획	卻	𨻤	5757	09a		厂－총12획	麻	𪎮	5957	09b
卩－총09획	即	𩚩	3181	05b		厂－총14획	厬	𠪰	5952	09b
卩－총12획	卿	𡖱	5767	09a		厂－총14획	厲	𠪱	5958	09b
卩－총13획	厀	𨱓	5755	09a		厂－총14획	厰	𠪲	5951	09b
027 엄(厂)부수						厂－총14획	厭	𠪷	5972	09b
厂－총02획	厂	𠂆	5947	09b		厂－총15획	廎	𠪹	5956	09b
厂－총04획	厄	𠪌	5754	09a		厂－총15획	厲	𠪸	5955	09b
厂－총04획	厃	𠂊	5973	09b		厂－총15획	厴	𠪺	5970	09b
厂－총05획	屵	𡴁	5967	09b		厂－총15획	厱	𠪻	5950	09b
厂－총07획	厑	𠩤	1883	03b		厂－총29획	麤	𪋻	7456	11b
厂－총07획	応	𠪧	5961	09b		**028 사(厶)부수**					
厂－총07획	厎	𠪒	5953	09b		厶－총02획	厶	𠫔	5814	09a
厂－총07획	居	𠪏	5959	09b		厶－총03획	去	𠫖	9738	14b
厂－총08획	厓	𠪎	5948	09b		厶－총04획	厷	𠫓	1897	03b
厂－총09획	厖	𠪡	5966	09b		厶－총05획	去	𠫘	3149	05a
厂－총09획	厞	𠪝	5964	09b		厶－총06획	厸	𠫚	9668	14b
厂－총09획	厌	𥄒	5567	08b		厶－총08획	重	𠚖	2494	04b
厂－총09획	厗	𠪟	5960	09b		厶－총08획	參	𠫺	4288	07a
厂－총09획	厌	𠪤	5968	09b		厶－총11획	厽	𠫜	5816	09a
厂－총09획	厚	𠪈	3322	05b		厶－총15획	𡠜	𡠝	6267	10a
厂－총10획	厽	𠪨	5963	09b		**029 우(又)부수**					

부수-총획	한자	번호	쪽
又-총02획	又	1895	03b
又-총03획	叉	1898	03b
又-총04획	収	1748	03a
又-총04획	及	1910	03b
又-총04획	反	1912	03b
又-총04획	双	1765	03a
又-총04획	㕝	1913	03b
又-총04획	友	1921	03b
又-총04획	叉	1899	03b
又-총05획	发	1914	03b
又-총06획	叒	3841	06b
又-총06획	受	2506	04b
又-총07획	叟	1917	03b
又-총08획	㪢	1909	03b
又-총08획	受	2509	04b
又-총08획	叔	1916	03b
又-총08획	叕	9674	14b
又-총08획	取	1918	03b
又-총09획	叚	1920	03b
又-총09획	叛	726	02a
又-총09획	叜	1901	03b
又-총11획	叙	2514	04b
又-총11획	晨	1904	03b
又-총11획	敊	2518	04b
又-총12획	敊	1915	03b
又-총13획	叜	1908	03b
又-총13획	叡	1907	03b
又-총14획	叡	2516	04b
又-총16획	叡	2519	04b
又-총18획	叢	1743	03a

030 구(口)부수

부수-총획	한자	번호	쪽
口-총03획	口	779	02a
口-총05획	可	3041	05a
口-총05획	古	1457	03a
口-총05획	咎	903	02a
口-총05획	句	1450	03a
口-총05획	叫	923	02a
口-총05획	史	1925	03b
口-총05획	司	5743	09a
口-총05획	召	841	02a
口-총05획	㕣	958	02a
口-총05획	右	873	02a
口-총05획	右	1896	03b
口-총05획	只	1445	03a
口-총05획	叱	906	02a
口-총05획	台	867	02a
口-총05획	叵	3045	05a
口-총05획	号	3050	05a
口-총06획	各	932	02a
口-총06획	吉	875	02a
口-총06획	同	4780	07b
口-총06획	吏	5	01a
口-총06획	名	835	02a
口-총06획	吁	912	02a

부수

분류	해서	전서	번호	위치
口-총06획	听	听	3055	05a
口-총06획	吒	吒	908	02a
口-총06획	吐	吐	883	02a
口-총06획	合	合	3254	05b
口-총06획	向	向	4539	07b
口-총06획	后	后	5741	09a
口-총06획	吅	吅	970	02a
口-총06획	吃	吃	887	02a
口-총06획	叱	叱	917	02a
口-총07획	昏	昏	941	02a
口-총07획	启	启	869	02a
口-총07획	告	告	777	02a
口-총07획	君	君	838	02a
口-총07획	肉	肉	1447	03a
口-총07획	呎	呎	895	02a
口-총07획	呂	呂	4610	07b
口-총07획	吝	吝	931	02a
口-총07획	吻	吻	783	02a
口-총07획	否	否	933	02a
口-총07획	否	否	7667	12a
口-총07획	吮	吮	807	02a
口-총07획	吾	吾	836	02a
口-총07획	吳	吳	6587	10b
口-총07획	呲	呲	929	02a
口-총07획	听	听	850	02a
口-총07획	吟	吟	920	02a
口-총07획	呈	呈	872	02a
口-총07획	吹	吹	828	02a
口-총07획	吷	吷	5501	08b
口-총07획	吞	吞	787	02a
口-총07획	吠	吠	943	02a
口-총07획	呀	呀	968	02a
口-총07획	含	含	814	02a
口-총07획	吸	吸	826	02a
口-총08획	呱	呱	792	02a
口-총08획	咎	咎	5150	08a
口-총08획	呧	呧	905	02a
口-총08획	咄	咄	853	02a
口-총08획	命	命	839	02a
口-총08획	味	味	816	02a
口-총08획	音	音	3169	05a
口-총08획	咈	咈	885	02a
口-총08획	呻	呻	919	02a
口-총08획	呢	呢	949	02a
口-총08획	咇	咇	851	02a
口-총08획	呦	呦	954	02a
口-총08획	咠	咠	897	02a
口-총08획	咀	咀	802	02a
口-총08획	呧	呧	896	02a
口-총08획	周	周	876	02a
口-총08획	咆	咆	944	02a
口-총08획	呷	呷	858	02a
口-총08획	咍	咍	966	02a
口-총08획	呼	呼	825	02a

口-총08획	和	[전]	845	02a
口-총08획	呬	[전]	823	02a
口-총09획	咼	[전]	938	02a
口-총09획	咷	[전]	797	02a
口-총09획	咢	[전]	973	02a
口-총09획	咅	[전]	894	02a
口-총09획	哀	[전]	935	02a
口-총09획	哇	[전]	893	02a
口-총09획	咦	[전]	822	02a
口-총09획	咽	[전]	788	02a
口-총09획	咨	[전]	840	02a
口-총09획	哉	[전]	855	02a
口-총09획	味	[전]	950	02a
口-총09획	咫	[전]	5401	08b
口-총09획	咠	[전]	857	02a
口-총09획	哆	[전]	791	02a
口-총09획	品	[전]	1420	02b
口-총09획	咸	[전]	871	02a
口-총09획	咳	[전]	800	02a
口-총09획	咈	[전]	5742	09a
口-총09획	咺	[전]	795	02a
口-총09획	咥	[전]	846	02a
口-총10획	哿	[전]	3043	05a
口-총10획	哥	[전]	3044	05a
口-총10획	袼	[전]	2807	04b
口-총10획	晝	[전]	9623	14b
口-총10획	唊	[전]	899	02a
口-총10획	哽	[전]	890	02a
口-총10획	哭	[전]	976	02a
口-총10획	唌	[전]	925	02a
口-총10획	唐	[전]	877	02a
口-총10획	唬	[전]	922	02a
口-총10획	哦	[전]	959	02a
口-총10획	唉	[전]	854	02a
口-총10획	唁	[전]	934	02a
口-총10획	員	[전]	3916	06b
口-총10획	唇	[전]	911	02a
口-총10획	哲	[전]	837	02a
口-총10획	哨	[전]	928	02a
口-총10획	哺	[전]	815	02a
口-총10획	哯	[전]	882	02a
口-총10획	哮	[전]	947	02a
口-총10획	唏	[전]	849	02a
口-총11획	咲	[전]	796	02a
口-총11획	唵	[전]	833	02a
口-총11획	啗	[전]	811	02a
口-총11획	啖	[전]	889	02a
口-총11획	唳	[전]	963	02a
口-총11획	問	[전]	842	02a
口-총11획	啡	[전]	861	02a
口-총11획	啚	[전]	3328	05b
口-총11획	商	[전]	1449	03a
口-총11획	售	[전]	961	02a
口-총11획	啞	[전]	847	02a

口-총11획	唔		9751	14b
口-총11획	唯		843	02a
口-총11획	啚		1083	02a
口-총11획	啾		939	02a
口-총11획	唸		916	02a
口-총11획	啁		892	02a
口-총11획	唱		844	02a
口-총11획	啜		803	02a
口-총11획	啐		910	02a
口-총11획	唾		821	02a
口-총11획	啄		952	02a
口-총11획	啍		830	02a
口-총11획	唬		953	02a
口-총12획	喝		927	02a
口-총12획	喈		946	02a
口-총12획	喬		6589	10b
口-총12획	喫		964	02a
口-총12획	單		974	02a
口-총12획	喪		977	02a
口-총12획	啻		874	02a
口-총12획	喔		948	02a
口-총12획	喑		798	02a
口-총12획	啇		1490	03a
口-총12획	喦		1421	02b
口-총12획	嵒		5853	09b
口-총12획	喎		956	02a
口-총12획	喱		790	02a
口-총12획	喟		829	02a
口-총12획	過		5975	09b
口-총12획	啞		865	02a
口-총12획	㸚		975	02a
口-총12획	品		1431	03a
口-총12획	喘		824	02a
口-총12획	啾		793	02a
口-총12획	哳		1446	03a
口-총12획	喚		965	02a
口-총12획	喤		794	02a
口-총12획	喉		785	02a
口-총12획	喙		782	02a
口-총12획	喜		3059	05a
口-총13획	嗛		801	02a
口-총13획	嗜		888	02a
口-총13획	嗻		813	02a
口-총13획	嗙		901	02a
口-총13획	嗣		1429	02b
口-총13획	嗇		3329	05b
口-총13획	杲		1422	02b
口-총13획	嗢		881	02a
口-총13획	嗂		868	02a
口-총13획	嗌		789	02a
口-총13획	嗞		921	02a
口-총13획	嗁		936	02a
口-총13획	嗔		862	02a
口-총13획	殼		937	02a

부수	한자	전서	번호	위치
口-총13획	嗝		960	02a
口-총13획	嗑		900	02a
口-총13획	嘩		945	02a
口-총14획	嘉		3066	05a
口-총14획	嘅		924	02a
口-총14획	嘹		891	02a
口-총14획	㗊		1434	03a
口-총14획	嘆		940	02a
口-총14획	嘗		3058	05a
口-총14획	嗶		808	02a
口-총14획	嗷		915	02a
口-총14획	嚋		878	02a
口-총14획	嗾		942	02a
口-총14획	嘘		898	02a
口-총14획	蒙		4320	07a
口-총14획	嘖		914	02a
口-총14획	嘆		926	02a
口-총14획	嗿		870	02a
口-총14획	嘌		863	02a
口-총14획	䫌		1458	03a
口-총14획	噓		827	02a
口-총14획	嘈		859	02a
口-총14획	嘷		864	02a
口-총15획	嘰		812	02a
口-총15획	嘾		879	02a
口-총15획	嘮		904	02a
口-총15획	嘖		907	02a
口-총15획	嘯		866	02a
口-총15획	噡		860	02a
口-총15획	嘵		909	02a
口-총15획	噎		880	02a
口-총15획	嘲		967	02a
口-총15획	噂		856	02a
口-총15획	噍		804	02a
口-총15획	噆		930	02a
口-총15획	噍		806	02a
口-총15획	嚚		9690	14b
口-총15획	嘽		820	02a
口-총15획	嘵		913	02a
口-총16획	噱		848	02a
口-총16획	嗽		780	02a
口-총16획	噤		834	02a
口-총16획	器		1436	03a
口-총16획	噬		810	02a
口-총16획	喩		962	02a
口-총16획	嚄		955	02a
口-총16획	噚		781	02a
口-총16획	窨		818	02a
口-총16획	噲		786	02a
口-총16획	喊		884	02a
口-총16획	噸		902	02a
口-총16획	噫		819	02a
口-총17획	嶷		799	02a
口-총17획	嚌		805	02a

부수

口-총18획	嚆		852	02a
口-총18획	嚘		886	02a
口-총18획	嚚		1432	03a
口-총18획	嚔		832	02a
口-총18획	嚜		831	02a
口-총18획	嚛		817	02a
口-총19획	嚨		784	02a
口-총19획	嚚		3061	05a
口-총20획	嚳		778	02a
口-총20획	嚶		951	02a
口-총20획	嚴		972	02a
口-총20획	嚽		809	02a
口-총21획	囂		1433	03a
口-총22획	囊		3887	06b
口-총23획	嚱		918	02a
口-총24획	囍		1435	03a

031 위(囗)부수

囗-총03획	囗		3890	06b
囗-총05획	囜		3907	06b
囗-총05획	四		9671	14b
囗-총05획	囚		3910	06b
囗-총06획	囟		6665	10b
囗-총06획	因		3906	06b
囗-총06획	回		3896	06b
囗-총07획	囧		4306	07a
囗-총07획	困		3913	06b
囗-총07획	囮		3915	06b

囗-총07획	囦		3894	06b
囗-총07획	囟		6545	10b
囗-총08획	固		3911	06b
囗-총08획	困		3901	06b
囗-총08획	囹		3908	06b
囗-총09획	囿		3903	06b
囗-총10획	圓		3893	06b
囗-총10획	圄		3909	06b
囗-총10획	圃		3905	06b
囗-총10획	畜		4325	07a
囗-총10획	圂		3914	06b
囗-총11획	國		3899	06b
囗-총11획	圈		3902	06b
囗-총11획	圉		6614	10b
囗-총12획	圍		3912	06b
囗-총13획	嗇		3900	06b
囗-총13획	圓		3895	06b
囗-총13획	園		3904	06b
囗-총14획	團		3892	06b
囗-총14획	圖		3897	06b
囗-총16획	圜		3898	06b
囗-총16획	圓		3891	06b

032 토(土)부수

土-총03획	土		8974	13b
土-총04획	壬		5216	08a
土-총05획	圣		9049	13b
土-총06획	青		4781	07b

土-총06획	圭	圭	9101	13b
土-총06획	圯	圯	9065	13b
土-총06획	圪	圪	9001	13b
土-총06획	圮	圮	9102	13b
土-총06획	在	在	9021	13b
土-총06획	地	地	8975	13b
土-총07획	坎	坎	9039	13b
土-총07획	坙	坙	7444	11b
土-총07획	均	均	8983	13b
土-총07획	坊	坊	9117	13b
土-총07획	坏	坏	9087	13b
土-총07획	坋	坋	9080	13b
土-총07획	坒	坒	9026	13b
土-총07획	坄	坄	8998	13b
土-총07획	坐	坐	9022	13b
土-총07획	坻	坻	9023	13b
土-총08획	坷	坷	9074	13b
土-총08획	坤	坤	8976	13b
土-총08획	坴	坴	8990	13b
土-총08획	坶	坶	8980	13b
土-총08획	坺	坺	8997	13b
土-총08획	坿	坿	9047	13b
土-총08획	坌	坌	9019	13b
土-총08획	垂	垂	9103	13b
土-총08획	块	块	9077	13b
土-총08획	坳	坳	9113	13b
土-총08획	坦	坦	9089	13b
土-총08획	坫	坫	9011	13b
土-총08획	坻	坻	9041	13b
土-총08획	坼	坼	9076	13b
土-총08획	坦	坦	9025	13b
土-총08획	坡	坡	8981	13b
土-총08획	坪	坪	8982	13b
土-총09획	垍	垍	9050	13b
土-총09획	垎	垎	9043	13b
土-총09획	垢	垢	9085	13b
土-총09획	垲	垲	9064	13b
土-총09획	壘	壘	9670	14b
土-총09획	垚	垚	9118	13b
土-총09획	垣	垣	9000	13b
土-총09획	垠	垠	9060	13b
土-총09획	重	重	9066	13b
土-총09획	垩	垩	9044	13b
土-총09획	垗	垗	9094	13b
土-총09획	垤	垤	9088	13b
土-총09획	垎	垎	9062	13b
土-총09획	垛	垛	9010	13b
土-총09획	垓	垓	8977	13b
土-총09획	型	型	9033	13b
土-총10획	埂	埂	9068	13b
土-총10획	垳	垳	9006	13b
土-총10획	城	城	9036	13b
土-총10획	埃	埃	9082	13b
土-총10획	埏	埏	9107	13b

부수

부수-획수	자	篆	번호	위치
土-총10획	垸		9032	13b
土-총10획	埕		9084	13b
土-총10획	塄		9053	13b
土-총10획	垷		9013	13b
土-총10획	埍		9090	13b
土-총11획	堅		1943	03b
土-총11획	桼		4319	07a
土-총11획	堀		9008	13b
土-총11획	堀		9104	13b
土-총11획	菫		9120	13b
土-총11획	基		8999	13b
土-총11획	堂		9009	13b
土-총11획	培		9056	13b
土-총11획	堋		9093	13b
土-총11획	埤		9046	13b
土-총11획	棐		9081	13b
土-총11획	埽		9020	13b
土-총11획	埱		9051	13b
土-총11획	埴		8989	13b
土-총11획	坒		9016	13b
土-총11획	場		9108	13b
土-총11획	埩		9057	13b
土-총11획	埻		9034	13b
土-총11획	執		6613	10b
土-총11획	堊		9054	13b
土-총11획	埵		9052	13b
土-총12획	堪		9007	13b

부수-획수	자	篆	번호	위치
土-총12획	堵		9002	13b
土-총12획	堀		8994	13b
土-총12획	報		6616	10b
土-총12획	堨		9005	13b
土-총12획	埶		1877	03b
土-총12획	堯		9119	13b
土-총12획	堛		8979	13b
土-총12획	場		9100	13b
土-총12획	堤		9027	13b
土-총12획	堎		8995	13b
土-총12획	堲		9059	13b
土-총12획	壺		8991	13b
土-총13획	塙		8985	13b
土-총13획	塏		9070	13b
土-총13획	塘		9112	13b
土-총13획	塗		9105	13b
土-총13획	塗		7386	11a
土-총13획	塗		9012	13b
土-총13획	塤		9106	13b
土-총13획	塞		9048	13b
土-총13획	垟		8988	13b
土-총13획	塍		8996	13b
土-총13획	塒		9035	13b
土-총13획	塋		9095	13b
土-총13획	塡		9024	13b
土-총13획	塔		9116	13b
土-총14획	境		9109	13b

土-총14획	墐	墐	9014	13b
土-총14획	墈	墈	9015	13b
土-총14획	壞	壞	9079	13b
土-총14획	塺	塺	9078	13b
土-총14획	墓	墓	9096	13b
土-총14획	塾	塾	9110	13b
土-총14획	堅	堅	9083	13b
土-총14획	墉	墉	9037	13b
土-총14획	墇	墇	9058	13b
土-총14획	塾	塾	9040	13b
土-총14획	墀	墀	9017	13b
土-총14획	塹	塹	9067	13b
土-총14획	塿	塿	9075	13b
土-총15획	厞	厞	2214	04a
土-총15획	墧	墧	9004	13b
土-총15획	墨	墨	9031	13b
土-총15획	墣	墣	8992	13b
土-총15획	墳	墳	9097	13b
土-총15획	墠	墠	9061	13b
土-총15획	墰	墰	9086	13b
土-총15획	增	增	9045	13b
土-총15획	墜	墜	9115	13b
土-총16획	細	細	9111	13b
土-총16획	墼	墼	9018	13b
土-총16획	墩	墩	8986	13b
土-총16획	壇	壇	9099	13b
土-총16획	壁	壁	9003	13b

土-총16획	墺	墺	8978	13b
土-총16획	墲	墲	9038	13b
土-총17획	墻	墻	9055	13b
土-총17획	壐	壐	9030	13b
土-총17획	壓	壓	9072	13b
土-총17획	壔	壔	9114	13b
土-총17획	壖	壖	9042	13b
土-총17획	壎	壎	9028	13b
土-총18획	壙	壙	9069	13b
土-총18획	壘	壘	9063	13b
土-총19획	壞	壞	9073	13b
土-총19획	壚	壚	8987	13b
土-총19획	壛	壛	9098	13b
土-총20획	壤	壤	8984	13b
033 사(士)부수				
土-총03획	士	士	226	01a
土-총04획	壬	壬	9715	14b
土-총07획	壯	壯	228	01a
土-총09획	奭	奭	6585	10b
土-총09획	壴	壴	3062	05a
土-총12획	壻	壻	227	01a
土-총12획	壺	壺	6608	10b
土-총12획	壹	壹	6609	10b
土-총12획	壺	壺	6607	10b
土-총14획	壽	壽	5358	08a
土-총15획	壿	壿	229	01a
034 치(夊)부수				

夂-총03획	夂	3386	05b
夂-총03획	夵	3391	05b
夂-총04획	夃	3390	05b
夂-총06획	夆	3389	05b
夂-총07획	夅	3388	05b
夂-총07획	夆	3387	05b
夂-총08획	夏	2084	04a
夂-총13획	㚆	3151	05a

035 쇠(夊)부수

夊-총03획	夊	3346	05b
夊-총07획	㲦	3347	05b
夊-총08획	㚤	3349	05b
夊-총08획	㚵	3355	05b
夊-총09획	㚭	3358	05b
夊-총10획	㚰	3361	05b
夊-총10획	夏	3356	05b
夊-총11획	夏	3348	05b
夊-총14획	復	2085	04a
夊-총18획	夒	3359	05b
夊-총20획	夔	3360	05b

036 석(夕)부수

夕-총03획	夕	4308	07a
夕-총05획	外	4314	07a
夕-총05획	夗	4311	07a
夕-총06획	多	4317	07a
夕-총07획	夙	4315	07a
夕-총08획	夜	4309	07a
夕-총08획	姓	4313	07a
夕-총14획	夥	4318	07a
夕-총14획	夢	4316	07a
夕-총14획	夢	4310	07a
夕-총14획	夤	4312	07a

037 대(大)부수

大-총03획	大	6564	10b
大-총03획	绊	6633	10b
大-총04획	矢	6584	10b
大-총04획	夫	6641	10b
大-총04획	夭	6588	10b
大-총04획	天	3	01a
大-총05획	夲	6622	10b
大-총05획	失	7938	12a
大-총05획	央	3310	05b
大-총05획	夯	6628	10b
大-총06획	夸	6568	10b
大-총06획	夷	6581	10b
大-총07획	夰	6576	10b
大-총07획	夾	6583	10b
大-총07획	奄	6579	10b
大-총07획	奍	6574	10b
大-총07획	夾	6566	10b
大-총08획	臭	6636	10b
大-총08획	奇	3042	05a
大-총08획	㚰	6643	10b

大-총08획	奉	牽	1749	03a
大-총08획	帚	帚	6578	10b
大-총08획	奄	電	6567	10b
大-총08획	奆	序	6570	10b
大-총08획	奁	壺	6575	10b
大-총08획	帝	帝	6573	10b
大-총08획	奆	夼	6577	10b
大-총09획	契	嫠	6580	10b
大-총09획	奎	奎	6565	10b
大-총09획	奔	喬	6591	10b
大-총09획	奏	崙	6626	10b
大-총09획	奕	棗	6634	10b
大-총09획	奂	奂	1751	03a
大-총09획	査	壹	6569	10b
大-총10획	奘	牂	6635	10b
大-총10획	奚	奚	6637	10b
大-총10획	臾	臾	6586	10b
大-총11획	奞	奞	2309	04a
大-총12획	奢	奢	6618	10b
大-총12획	奥	閜	4542	07b
大-총12획	鼻	鼻	6630	10b
大-총12획	奠	奠	3011	05a
大-총12획	夏	夏	2087	04a
大-총14획	鞠	鞠	7869	12a
大-총14획	奪	奪	2310	04a
大-총15획	奭	奭	2230	04a
大-총16획	奮	奮	2311	04a

大-총16획	奰	奰	6639	10b
大-총16획	奫	奫	6571	10b
大-총22획	奱	奱	1767	03a
大-총24획	奲	奲	6640	10b
大-총24획	奬	奬	6619	10b

038 녀(女)부수

女-총03획	女	虎	8069	12b
女-총05획	奴	胖	8121	12b
女-총06획	奸	梓	8298	12b
女-총06획	妆	梓	8140	12b
女-총06획	改	搜	8138	12b
女-총06획	奻	鬱	8305	12b
女-총06획	妄	妄	8242	12b
女-총06획	妑	儚	5977	09b
女-총06획	妃	妃	8091	12b
女-총06획	如	帅	8203	12b
女-총06획	妷	帙	8122	12b
女-총06획	妁	妁	8084	12b
女-총06획	妊	斜	8082	12b
女-총06획	好	將	8149	12b
女-총07획	妎	膳	8260	12b
女-총07획	姈	帥	8178	12b
女-총07획	妓	帔	8218	12b
女-총07획	妨	将	8241	12b
女-총07획	妣	帅	8106	12b
女-총07획	晏	晏	8210	12b
女-총07획	姆	帹	8166	12b

부수-획수	해서	전서	번호	쪽
女-총07획	妘		8077	12b
女-총07획	妊		8093	12b
女-총07획	妝		8224	12b
女-총07획	姅		8181	12b
女-총07획	妓		8152	12b
女-총07획	妒		8232	12b
女-총07획	妗		8231	12b
女-총07획	玟		8080	12b
女-총08획	姑		8104	12b
女-총08획	姐		8308	12b
女-총08획	妹		8108	12b
女-총08획	姘		8299	12b
女-총08획	妭		8118	12b
女-총08획	姍		8286	12b
女-총08획	姓		8070	12b
女-총08획	始		8142	12b
女-총08획	娶		8114	12b
女-총08획	姷		8129	12b
女-총08획	妷		8267	12b
女-총08획	妟		8162	12b
女-총08획	娀		8264	12b
女-총08획	委		8173	12b
女-총08획	姊		8107	12b
女-총08획	姐		8103	12b
女-총08획	妵		8139	12b
女-총08획	妑		8220	12b
女-총08획	妻		8089	12b
女-총08획	姑		8176	12b
女-총08획	姜		1740	03a
女-총08획	妯		8247	12b
女-총08획	妭		8182	12b
女-총08획	姁		8102	12b
女-총09획	姦		8306	12b
女-총09획	姜		8071	12b
女-총09획	姣		8153	12b
女-총09획	姤		8313	12b
女-총09획	姼		8172	12b
女-총09획	姡		8073	12b
女-총09획	娂		8164	12b
女-총09획	姺		8078	12b
女-총09획	姰		8216	12b
女-총09획	姶		8137	12b
女-총09획	姸		8257	12b
女-총09획	姼		8175	12b
女-총09획	娃		8258	12b
女-총09획	姚		8075	12b
女-총09획	威		8105	12b
女-총09획	姷		8215	12b
女-총09획	娍		8125	12b
女-총09획	娞		8135	12b
女-총09획	姨		8113	12b
女-총09획	姌		8141	12b
女-총09획	姻		8088	12b
女-총09획	娎		8217	12b

부수·획	한자	전서	번호	위치		부수·획	한자	전서	번호	위치
女-총09획	姿		8239	12b		女-총10획	娙		8159	12b
女-총09획	姼		8117	12b		女-총11획	娿		8192	12b
女-총09획	姝		8148	12b		女-총11획	婣		8238	12b
女-총09획	姪		8112	12b		女-총11획	娸		8081	12b
女-총09획	娖		8246	12b		女-총11획	婪		8279	12b
女-총09획	姘		8297	12b		女-총11획	婊		8223	12b
女-총09획	娈		8244	12b		女-총11획	妻		8281	12b
女-총09획	姑		8185	12b		女-총11획	娩		6265	10a
女-총09획	姬		8072	12b		女-총11획	婦		8090	12b
女-총10획	娒		8115	12b		女-총11획	婢		8120	12b
女-총10획	娌		8196	12b		女-총11획	斐		8289	12b
女-총10획	姞		8275	12b		女-총11획	婬		8302	12b
女-총10획	娉		8222	12b		女-총11획	嬰		8256	12b
女-총10획	娑		8214	12b		女-총11획	婋		8293	12b
女-총10획	娟		8245	12b		女-총11획	婗		8098	12b
女-총10획	娠		8094	12b		女-총11획	媒		8174	12b
女-총10획	娥		8126	12b		女-총11획	婠		8158	12b
女-총10획	娭		8194	12b		女-총11획	婉		8163	12b
女-총10획	娟		8311	12b		女-총11획	媄		8234	12b
女-총10획	娛		8193	12b		女-총11획	婬		8296	12b
女-총10획	娗		8300	12b		女-총11획	婥		8301	12b
女-총10획	娣		8109	12b		女-총11획	婧		8180	12b
女-총10획	娷		8266	12b		女-총11획	婤		8136	12b
女-총10획	娇		8205	12b		女-총11획	婆		8177	12b
女-총10획	娧		8155	12b		女-총11획	婕		8131	12b
女-총10획	娿		8282	12b		女-총11획	婼		8254	12b
女-총10획	娸		8283	12b		女-총11획	娶		8086	12b

女-총11획	婚		8209	12b
女-총11획	婞		8251	12b
女-총11획	嫉		8270	12b
女-총11획	婚		8087	12b
女-총11획	娷		8269	12b
女-총12획	嫋		8303	12b
女-총12획	媜		8292	12b
女-총12획	媅		8195	12b
女-총12획	媒		8083	12b
女-총12획	媚		8233	12b
女-총12획	媌		8156	12b
女-총12획	婺		8189	12b
女-총12획	媚		8143	12b
女-총12획	媄		8145	12b
女-총12획	婘		8273	12b
女-총12획	媟		8226	12b
女-총12획	媌		8249	12b
女-총12획	媛		8111	12b
女-총12획	媁		8200	12b
女-총12획	婼		8250	12b
女-총12획	嫐		8201	12b
女-총12획	媧		8124	12b
女-총12획	媛		8221	12b
女-총12획	媚		8110	12b
女-총12획	媔		8268	12b
女-총12획	媮		8243	12b
女-총12획	嬰		8191	12b
女-총12획	媊		8123	12b
女-총12획	媞		8188	12b
女-총12획	酨		8287	12b
女-총12획	媥		8271	12b
女-총13획	嫁		8085	12b
女-총13획	媿		8304	12b
女-총13획	媾		8116	12b
女-총13획	嫋		8167	12b
女-총13획	娭		8169	12b
女-총13획	嫛		8213	12b
女-총13획	媲		8092	12b
女-총13획	嫛		8236	12b
女-총13획	媼		8101	12b
女-총13획	媱		8170	12b
女-총13획	嫄		8127	12b
女-총13획	媿		8199	12b
女-총13획	媘		8262	12b
女-총13획	嫡		8095	12b
女-총13획	媘		8146	12b
女-총13획	嫌		8248	12b
女-총13획	媛		8119	12b
女-총14획	嫗		8100	12b
女-총14획	嫛		8187	12b
女-총14획	嫪		8237	12b
女-총14획	嫯		8312	12b
女-총14획	嫚		8272	12b
女-총14획	嫠		8288	12b

女-총14획	嬔	𡡐	8183	12b
女-총14획	嬒	𤔩	8255	12b
女-총14획	嫣	𤕝	8165	12b
女-총14획	嫛	𡮇	8097	12b
女-총14획	嫢	𤕴	8295	12b
女-총14획	嫡	𤖲	8197	12b
女-총14획	嫥	𤔥	8202	12b
女-총14획	嫠	𤒩	8208	12b
女-총14획	嫁	𤕬	8278	12b
女-총14획	嫧	𤖌	8204	12b
女-총14획	嫗	𤕘	8240	12b
女-총14획	嫖	𤕳	8265	12b
女-총15획	嬉	𤖘	8212	12b
女-총15획	嬌	𤖍	8309	12b
女-총15획	嫣	𤓗	8076	12b
女-총15획	嫭	𤕼	8277	12b
女-총15획	嬀	𤕜	8161	12b
女-총15획	嬓	𤖬	8134	12b
女-총15획	嫵	𤕚	8144	12b
女-총15획	嫘	𤕺	8263	12b
女-총15획	嫛	𤔬	8252	12b
女-총15획	嬃	𤖒	8253	12b
女-총15획	嫴	𤕨	8310	12b
女-총15획	頵	𩑆	8130	12b
女-총15획	嬈	𤕫	8079	12b
女-총15획	嬈	𤕟	8284	12b
女-총15획	嬌	𤖎	8147	12b

女-총15획	嫺	𤕞	8190	12b
女-총15획	嬬	𤕛	8157	12b
女-총16획	嫠	𤕲	8230	12b
女-총16획	嬥	𤖔	8096	12b
女-총16획	嬗	𤖨	8211	12b
女-총16획	嬐	𤕾	8206	12b
女-총16획	嬴	𤔤	8074	12b
女-총16획	嬙	𤖩	8307	12b
女-총16획	嬖	𤔨	8229	12b
女-총16획	嬛	𤕶	8171	12b
女-총16획	嬒	𤖉	8291	12b
女-총16획	嬰	𤒪	8285	12b
女-총17획	孀	𤖡	8276	12b
女-총17획	孄	𤖗	8294	12b
女-총17획	嬪	𤖦	8207	12b
女-총17획	嬥	𤕧	8132	12b
女-총17획	壓	𨴬	8151	12b
女-총17획	嬰	𤒫	8219	12b
女-총17획	嬬	𤖇	8274	12b
女-총17획	嬥	𤕣	8186	12b
女-총18획	嬻	𤖧	8227	12b
女-총18획	孅	𤖛	8154	12b
女-총19획	孈	𤖚	8280	12b
女-총19획	孊	𤖑	8128	12b
女-총19획	孋	𤖙	8150	12b
女-총20획	孀	𤖪	8179	12b
女-총20획	孋	𡦂	8133	12b

女-총20획	孅	8168	12b
女-총20획	孃	8290	12b
女-총21획	孀	8261	12b
女-총22획	孌	8225	12b
女-총22획	孆	8160	12b
女-총24획	嬻	8198	12b

039 자(子)부수

子-총03획	子	9717	14b
子-총03획	子	9734	14b
子-총03획	子	9733	14b
子-총04획	孔	7664	12a
子-총05획	孕	9718	14b
子-총06획	字	9720	14b
子-총06획	存	9729	14b
子-총07획	孛	9730	14b
子-총07획	孚	1873	03b
子-총07획	孜	2005	03b
子-총07획	孛	3855	06b
子-총07획	孝	5360	08a
子-총08획	季	9724	14b
子-총08획	孤	9728	14b
子-총08획	孟	9725	14b
子-총09획	孨	9735	14b
子-총10획	㜒	9719	14b
子-총10획	孫	8470	12b
子-총12획	孳	9727	14b
子-총12획	孱	9736	14b

子-총13획	㝅	9721	14b
子-총13획	舂	9737	14b
子-총17획	孺	9723	14b
子-총19획	孼	9726	14b
子-총20획	孾	6227	10a
子-총22획	孿	9722	14b

040 면(宀)부수

宀-총03획	宀	4534	07b
宀-총05획	宄	4597	07b
宀-총05획	宂	4569	07b
宀-총05획	宁	9672	14b
宀-총05획	它	8948	13b
宀-총06획	㝉	4592	07b
宀-총06획	守	4575	07b
宀-총06획	安	4557	07b
宀-총06획	宇	4545	07b
宀-총06획	宅	4536	07b
宀-총07획	宏	4548	07b
宀-총07획	㝏	4583	07b
宀-총07획	宋	4600	07b
宀-총07획	完	4564	07b
宀-총08획	官	9569	14a
宀-총08획	宓	4558	07b
宀-총08획	宛	4543	07b
宀-총08획	宜	4578	07b
宀-총08획	定	4555	07b
宀-총08획	宗	4602	07b

부수-획수	글자	전서	번호	쪽
宀-총08획	宝		4603	07b
宀-총08획	宙		4604	07b
宀-총08획	宕		4599	07b
宀-총08획	宗		4567	07b
宀-총08획	宖		4549	07b
宀-총09획	客		4588	07b
宀-총09획	宣		4538	07b
宀-총09획	室		4537	07b
宀-총09획	宦		4541	07b
宀-총09획	宥		4577	07b
宀-총09획	宧		4540	07b
宀-총09획	宋		4561	07b
宀-총09획	宨		4573	07b
宀-총10획	家		4535	07b
宀-총10획	宭		4572	07b
宀-총10획	宮		4608	07b
宀-총10획	宷		4552	07b
宀-총10획	宬		4553	07b
宀-총10획	宵		4580	07b
宀-총10획	宸		4544	07b
宀-총10획	宋		721	02a
宀-총10획	宴		4560	07b
宀-총10획	宭		4585	07b
宀-총10획	容		4568	07b
宀-총10획	宰		4574	07b
宀-총10획	害		4594	07b
宀-총11획	寇		2035	03b
宀-총11획	寄		4589	07b
宀-총11획	密		5844	09b
宀-총11획	宿		4581	07b
宀-총11획	寅		9744	14b
宀-총11획	寃		4586	07b
宀-총11획	寀		4607	07b
宀-총12획	盜		4554	07b
宀-총12획	寐		4665	07b
宀-총12획	寎		4670	07b
宀-총12획	富		4565	07b
宀-총12획	寔		4556	07b
宀-총12획	寏		4559	07b
宀-총12획	寓		4590	07b
宀-총12획	寑		4582	07b
宀-총12획	寒		4593	07b
宀-총12획	寞		4547	07b
宀-총13획	寐		4668	07b
宀-총13획	索		4595	07b
宀-총13획	寘		4605	07b
宀-총13획	寖		7054	11a
宀-총14획	寠		4551	07b
宀-총14획	寡		4587	07b
宀-총14획	寠		4591	07b
宀-총14획	寧		3039	05a
宀-총14획	實		4566	07b
宀-총14획	寤		4666	07b
宀-총14획	寱		4601	07b

宀−총14획	察	察	4562	07b		寸−총11획	尋	尋	3877	06b
宀−총14획	寤	寤	4672	07b		寸−총12획	尌	尌	3063	05a
宀−총15획	寬	寬	4584	07b		寸−총14획	對	對	1744	03a
宀−총15획	寫	寫	4579	07b		寸−총16획	導	導	1979	03b
宀−총15획	寪	寪	4550	07b		寸−총18획	磚	磚	5746	09a

宀−총15획	寂	寂	4598	07b		小−총03획	小	川	704	02a
宀−총16획	寰	寰	4606	07b		小−총04획	少	少	705	02a
宀−총17획	寱	寱	4570	07b		小−총04획	尐	尐	706	02a
宀−총17획	寴	寴	4671	07b		小−총05획	尒	尒	709	02a
宀−총19획	寶	寶	4596	07b		小−총06획	未	未	4516	07b
宀−총19획	寴	寴	3019	05a		小−총08획	尚	尚	711	02a
宀−총19획	寵	寵	4576	07b		小−총10획	尞	尞	4916	07b
宀−총19획	窺	窺	4563	07b		小−총12획	尟	尟	6388	10a
宀−총20획	寶	寶	4571	07b		小−총13획	尠	尠	1090	02b

宀−총21획	寷	寷	4663	07b		尢−총03획	尢	尢	9696	14b
宀−총21획	寷	寷	4667	07b		尢−총04획	尣	尣	6595	10b
宀−총21획	寷	寷	4546	07b		尢−총06획	尥	尥	6602	10b
宀−총22획	寷	寷	4669	07b		尢−총06획	尪	尪	6605	10b
宀−총26획	寷	寷	4664	07b		尢−총07획	尬	尬	6601	10b

						尢−총07획	尨	尨	6272	10a
寸−총03획	寸	寸	1973	03b		尢−총08획	尰	尰	6598	10b
寸−총06획	寺	寺	1974	03b		尢−총08획	尵	尵	6597	10b
寸−총07획	寽	寽	2513	04b		尢−총09획	尳	尳	6599	10b
寸−총09획	封	封	9029	13b		尢−총12획	就	就	3315	05b
寸−총10획	專	專	1978	03b		尢−총13획	尷	尷	6600	10b
寸−총11획	將	將	1975	03b						
寸−총11획	專	專	1977	03b						

尢-총13획	尵	櫕	6596	10b
尢-총16획	尷	櫺	6603	10b
尢-총22획	尷	櫺	6606	10b
尢-총25획	尷	櫺	6604	10b

044 시(尸)부수

尸-총03획	尸	尸	5376	08a
尸-총04획	尹	尹	1906	03b
尸-총04획	尺	尺	5400	08b
尸-총05획	尻	尻	5383	08a
尸-총05획	尼	尼	5386	08a
尸-총06획	戾	戾	5389	08a
尸-총07획	局	局	957	02a
尸-총07획	尿	尿	5405	08b
尸-총07획	尾	尾	5402	08b
尸-총08획	居	居	5378	08a
尸-총08획	屆	屆	5388	08a
尸-총08획	屈	屈	5382	08a
尸-총08획	屈	屈	5404	08b
尸-총08획	屍	屍	5384	08a
尸-총08획	屎	屎	3353	05b
尸-총09획	眉	眉	5385	08a
尸-총09획	屏	屏	5397	08a
尸-총09획	屑	屑	5380	08a
尸-총09획	屍	屍	5393	08a
尸-총09획	屋	屋	5396	08a
尸-총09획	屑	屑	5379	08a
尸-총10획	展	展	5411	08b

尸-총10획	屐	屐	5211	08a
尸-총10획	犀	犀	5391	08a
尸-총10획	屚	屚	5409	08b
尸-총10획	屒	屒	5390	08a
尸-총10획	展	展	5381	08a
尸-총11획	扇	扇	7518	11b
尸-총11획	屝	屝	5392	08a
尸-총12획	屠	屠	5394	08a
尸-총12획	屢	屢	5395	08a
尸-총12획	屆	屆	5387	08a
尸-총14획	屢	屢	5399	08a
尸-총15획	履	履	5406	08b
尸-총15획	屦	屦	5377	08a
尸-총15획	層	層	5398	08a
尸-총17획	屨	屨	5407	08b
尸-총18획	屬	屬	5410	08b
尸-총21획	屬	屬	5403	08b
尸-총22획	屭	屭	5408	08b

045 철(屮)부수

屮-총03획	中	屮	233	01b
屮-총04획	屯	屯	234	01b
屮-총06획	芈	芈	1442	03a
屮-총07획	岁	岁	238	01b
屮-총07획	岁	岁	237	01b
屮-총07획	圭	圭	3844	06b
屮-총09획	岢	岢	9568	14a
屮-총10획	毒	毒	6590	10b

艸-총12획	鞥	6625	10b

046 산(山)부수

山-총03획	山	5819	09b
山-총05획	帆	5828	09b
山-총05획	屵	5886	09b
山-총05획	尖	3266	05b
山-총05획	屺	5869	09b
山-총06획	屺	5835	09b
山-총06획	屾	5884	09b
山-총07획	岌	5874	09b
山-총07획	岑	5840	09b
山-총08획	岡	5839	09b
山-총08획	岱	5821	09b
山-총08획	岪	5864	09b
山-총08획	岫	5845	09b
山-총08획	岸	5887	09b
山-총08획	岨	5838	09b
山-총08획	岵	5834	09b
山-총09획	峋	5873	09b
山-총10획	峼	5856	09b
山-총10획	峱	5823	09b
山-총10획	峯	5851	09b
山-총10획	峨	5859	09b
山-총10획	峚	5862	09b
山-총11획	崑	5881	09b
山-총11획	崞	5832	09b
山-총11획	崛	5849	09b
山-총11획	崙	5882	09b
山-총11획	嵋	5863	09b
山-총11획	崇	5870	09b
山-총11획	崖	5888	09b
山-총11획	崟	5841	09b
山-총11획	崗	5867	09b
山-총11획	崝	5860	09b
山-총11획	崒	5842	09b
山-총11획	崔	5871	09b
山-총12획	嵌	5876	09b
山-총12획	嵐	5879	09b
山-총12획	嵈	5865	09b
山-총12획	崵	5833	09b
山-총12획	嵎	5825	09b
山-총12획	嵏	5868	09b
山-총12획	崧	5883	09b
山-총13획	嵤	5885	09b
山-총13획	嶃	5890	09b
山-총13획	嵩	5880	09b
山-총13획	嵬	5817	09a
山-총13획	崚	5846	09b
山-총13획	嵯	5858	09b
山-총13획	嶊	5889	09b
山-총14획	嶌	5822	09b
山-총14획	嶅	5837	09b
山-총14획	崋	5831	09b
山-총15획	嶠	5875	09b

山-총15획	嶜	(전)	5854	09b
山-총15획	嶙	(전)	5872	09b
山-총15획	嶔	(전)	5827	09b
山-총15획	嶒	(전)	5891	09b
山-총15획	嶢	(전)	5866	09b
山-총15획	嶘	(전)	5848	09b
山-총15획	嶞	(전)	5847	09b
山-총16획	嶧	(전)	5824	09b
山-총16획	嶨	(전)	5855	09b
山-총16획	嶮	(전)	5857	09b
山-총16획	嶼	(전)	5836	09b
山-총17획	嶺	(전)	5878	09b
山-총17획	嶼	(전)	5877	09b
山-총17획	嶽	(전)	5820	09b
山-총17획	嶷	(전)	5826	09b
山-총17획	嶸	(전)	5861	09b
山-총18획	巀	(전)	5829	09b
山-총18획	巂	(전)	2275	04a
山-총19획	巃	(전)	5830	09b
山-총21획	巍	(전)	5818	09a
山-총22획	巉	(전)	5850	09b
山-총22획	巒	(전)	5843	09b
山-총23획	巖	(전)	5852	09b

047 천(川)부수

巛-총01획	〈	(전)	7440	11b
巛-총02획	巜	(전)	7441	11b
巛-총03획	川	(전)	7443	11b

巛-총04획	巛	(전)	7450	11b
巛-총06획	巟	(전)	7448	11b
巛-총06획	州	(전)	7452	11b
巛-총06획	巟	(전)	7445	11b
巛-총07획	巡	(전)	1096	02b
巛-총07획	巠	(전)	7447	11b
巛-총11획	巢	(전)	3876	06b
巛-총11획	巤	(전)	7446	11b
巛-총15획	巤	(전)	6666	10b

048 공(工)부수

工-총03획	工	(전)	3014	05a
工-총05획	巨	(전)	3017	05a
工-총05획	巧	(전)	3016	05a
工-총05획	左	(전)	3012	05a
工-총07획	巩	(전)	1880	03b
工-총07획	巫	(전)	3020	05a
工-총10획	差	(전)	3013	05a
工-총12획	巭	(전)	3018	05a

049 기(己)부수

己-총03획	己	(전)	9701	14b
己-총03획	巳	(전)	9748	14b
己-총04획	巴	(전)	9704	14b
己-총05획	㠯	(전)	9749	14b
己-총09획	巹	(전)	9702	14b
己-총10획	巸	(전)	7788	12a
己-총11획	巺	(전)	9703	14b
己-총12획	巽	(전)	3010	05a

050 건(巾)부수				
巾-총03획	巾		4832	07b
巾-총04획	市		4903	07b
巾-총04획	市		3845	06b
巾-총05획	帅		4860	07b
巾-총05획	市		3308	05b
巾-총05획	布		4888	07b
巾-총06획	帆		4837	07b
巾-총07획	帔		4884	07b
巾-총07획	帒		4833	07b
巾-총07획	帊		4900	07b
巾-총07획	帋		4918	07b
巾-총08획	帗		4899	07b
巾-총08획	帛		4905	07b
巾-총08획	帔		4836	07b
巾-총08획	帑		4868	07b
巾-총08획	帙		4864	07b
巾-총08획	帖		4863	07b
巾-총08획	帚		4879	07b
巾-총08획	帤		4887	07b
巾-총08획	帔		4846	07b
巾-총09획	帣		4878	07b
巾-총09획	帠		4839	07b
巾-총09획	帥		4834	07b
巾-총09획	帡		4845	07b
巾-총09획	帟		4896	07b
巾-총09획	帝		7	01a
巾-총09획	帨		4842	07b
巾-총10획	帢		4904	07b
巾-총10획	帬		4848	07b
巾-총10획	師		3846	06b
巾-총10획	席		4880	07b
巾-총10획	帨		4893	07b
巾-총11획	帶		4843	07b
巾-총11획	常		4847	07b
巾-총11획	帷		4857	07b
巾-총11획	帳		4858	07b
巾-총11획	帴		4849	07b
巾-총11획	嵫		4890	07b
巾-총12획	幃		4850	07b
巾-총12획	帺		4870	07b
巾-총12획	幐		4891	07b
巾-총12획	幄		4877	07b
巾-총12획	愉		4862	07b
巾-총12획	帾		4865	07b
巾-총12획	惚		4851	07b
巾-총12획	幅		4883	07b
巾-총12획	祀		9705	14b
巾-총12획	幅		4841	07b
巾-총13획	嫁		4889	07b
巾-총13획	嗛		4856	07b
巾-총13획	幀		4853	07b
巾-총13획	嵿		4873	07b
巾-총13획	幣		4838	07b

巾-총14획	幗	幗	4897	07b
巾-총14획	幕	幕	4859	07b
巾-총14획	幔	幔	4854	07b
巾-총14획	幖	幖	4861	07b
巾-총14획	㙯	㙯	4835	07b
巾-총14획	緐	緐	1930	03b
巾-총14획	幘	幘	4844	07b
巾-총14획	幜	幜	4867	07b
巾-총14획	徽	徽	4866	07b
巾-총15획	幢	幢	4894	07b
巾-총15획	幠	幠	4875	07b
巾-총15획	幡	幡	4869	07b
巾-총15획	幞	幞	4901	07b
巾-총15획	幝	幝	4872	07b
巾-총15획	幟	幟	4895	07b
巾-총15획	幣	幣	4840	07b
巾-총16획	幦	幦	4892	07b
巾-총16획	幩	幩	4885	07b
巾-총16획	幧	幧	4898	07b
巾-총17획	幪	幪	4852	07b
巾-총17획	幬	幬	4855	07b
巾-총18획	幭	幭	4874	07b
巾-총19획	幰	幰	4882	07b
巾-총19획	幮	幮	4902	07b
巾-총20획	㠸	㠸	4871	07b
巾-총21획	㡆	㡆	4886	07b
051 간(干)부수				

干-총03획	干	干	1440	03a
干-총05획	羊	羊	1441	03a
干-총05획	平	平	3056	05a
干-총06획	开	开	9417	14a
干-총08획	并	并	5204	08a
干-총08획	幸	幸	6611	10b
干-총13획	榦	榦	3883	06b
052 요(幺)부수				
幺-총03획	幺	幺	2488	04b
幺-총04획	幻	幻	2502	04b
幺-총05획	幼	幼	2489	04b
幺-총06획	丝	丝	2491	04b
幺-총09획	幽	幽	2492	04b
幺-총10획	幾	幾	8739	13a
幺-총12획	幾	幾	2493	04b
053 엄(广)부수				
广-총03획	广	广	5892	09b
广-총07획	庇	庇	5899	09b
广-총07획	庇	庇	5926	09b
广-총07획	序	序	5907	09b
广-총07획	庌	庌	5900	09b
广-총07획	庂	庂	5915	09b
广-총08획	庚	庚	9706	14b
广-총08획	庋	庋	5924	09b
广-총08획	府	府	5893	09b
广-총08획	底	底	5921	09b
广-총08획	庖	庖	5936	09b

广—총08획	庖	庖	5903	09b		广—총14획	廑	廑	5934	09b
广—총09획	度	度	1922	03b		广—총14획	廖	廖	5946	09b
广—총09획	庠	庠	5895	09b		广—총14획	廙	廙	5930	09b
广—총09획	庢	庢	5922	09b		广—총14획	廎	廎	5916	09b
广—총09획	庤	庤	5938	09b		广—총15획	廣	廣	5909	09b
广—총09획	庤	庤	5928	09b		广—총15획	庽	庽	5898	09b
广—총10획	庫	庫	5905	09b		广—총15획	廟	廟	5935	09b
广—총10획	庱	庱	5944	09b		广—총15획	廡	廡	5901	09b
广—총10획	庮	庮	5933	09b		广—총15획	廩	廩	5929	09b
广—총10획	庭	庭	5897	09b		广—총15획	廛	廛	5914	09b
广—총11획	庆	庆	5945	09b		广—총15획	廚	廚	5904	09b
广—총11획	庰	庰	5912	09b		广—총15획	廢	廢	5932	09b
广—총11획	庳	庳	5925	09b		广—총15획	廞	廞	5939	09b
广—총11획	庶	庶	5927	09b		广—총16획	廥	廥	5910	09b
广—총11획	庸	庸	2076	03b		广—총16획	廦	廦	5902	09b
广—총11획	庱	庱	5917	09b		广—총16획	廦	廦	5908	09b
广—총11획	庇	庇	5919	09b		广—총18획	廫	廫	5940	09b
广—총11획	庵	庵	5931	09b		广—총19획	廬	廬	5896	09b
广—총12획	廂	廂	5943	09b		广—총20획	廮	廮	5923	09b
广—총12획	庽	庽	5937	09b		广—총21획	廱	廱	5894	09b
广—총12획	庚	庚	5911	09b		**054 인(廴)부수**				
广—총12획	廁	廁	5913	09b		廴—총03획	廴	廴	1259	02b
广—총13획	廊	廊	5942	09b		廴—총07획	延	延	1264	02b
广—총13획	廉	廉	5918	09b		廴—총07획	廷	廷	1260	02b
广—총13획	廌	廌	6226	10a		廴—총07획	延	延	1263	02b
广—총13획	廈	廈	5941	09b		廴—총08획	延	延	1261	02b
广—총14획	廄	廄	5906	09b		廴—총09획	建	建	1262	02b

辶—총12획	逳	逳	2125	04a

055 공(廾)부수

廾—총04획	廿	廿	1466	03a
廾—총06획	异	昦	1755	03a
廾—총07획	弇	窎	1759	03a
廾—총07획	弄	弄	1756	03a
廾—총08획	弅	斧	1757	03a
廾—총09획	畀	畀	1754	03a
廾—총09획	弇	弇	1752	03a
廾—총09획	弈	弈	1763	03a
廾—총10획	弉	弉	1758	03a
廾—총12획	弌	弌	3853	06b
廾—총12획	弇	弇	9831	14b
廾—총14획	弆	弆	3085	05a
廾—총16획	興	興	1773	03a
廾—총16획	弄	弄	1753	03a

056 익(弋)부수

弋—총03획	弋	弋	8323	12b
弋—총06획	式	式	3015	05a
弋—총13획	弑	弑	1969	03b

057 궁(弓)부수

弓—총03획	弓	弓	8436	12b
弓—총03획	弖	弖	4324	07a
弓—총04획	引	引	8450	12b
弓—총04획	弗	弗	5161	08a
弓—총04획	弓	弓	4328	07a
弓—총05획	弗	弗	8320	12b

弓—총05획	弘	弘	8452	12b
弓—총06획	弜	弜	8463	12b
弓—총06획	弙	弙	8451	12b
弓—총06획	弛	弛	8454	12b
弓—총07획	弞	弞	5511	08b
弓—총07획	弟	弟	3384	05b
弓—총08획	弩	弩	8456	12b
弓—총08획	弢	弢	8455	12b
弓—총08획	弨	弨	8441	12b
弓—총08획	弦	弦	8465	12b
弓—총08획	弧	弧	8440	12b
弓—총09획	弭	弭	8438	12b
弓—총09획	弳	弳	8462	12b
弓—총10획	弱	弱	5691	09a
弓—총10획	弲	弲	8439	12b
弓—총11획	強	強	8781	13a
弓—총11획	弴	弴	8437	12b
弓—총11획	弸	弸	8447	12b
弓—총11획	張	張	8445	12b
弓—총12획	弼	弼	8464	12b
弓—총13획	彀	彀	8457	12b
弓—총14획	彄	彄	8443	12b
弓—총14획	彈	彈	8459	12b
弓—총15획	彈	彈	8460	12b
弓—총15획	彉	彉	8458	12b
弓—총16획	彊	彊	8448	12b
弓—총21획	彎	彎	8442	12b

부수

弓-총21획	彏	彏	8444	12b
弓-총22획	彎	彎	8449	12b
弓-총23획	彠	彠	8446	12b

058 계(彐)부수

彐-총03획	彐	彐	6074	09b
彐-총06획	彑	彑	5762	09a
彐-총07획	彔	彔	6077	09b
彐-총08획	彔	彔	4352	07a
彐-총08획	彖	彖	6069	09b
彐-총08획	彖	彖	6078	09b
彐-총11획	彗	彗	1919	03b
彐-총12획	彘	彘	6075	09b
彐-총12획	彚	彚	6070	09b
彐-총15획	彝	彝	6072	09b
彐-총16획	彞	彞	6073	09b
彐-총18획	彛	彛	8721	13a

059 삼(彡)부수

彡-총03획	彡	彡	5683	09a
彡-총07획	彤	彤	3172	05b
彡-총07획	彣	彣	5693	09a
彡-총07획	形	形	5684	09a
彡-총09획	彦	彦	5694	09a
彡-총11획	彣	彣	5690	09a
彡-총11획	彫	彫	5688	09a
彡-총11획	彩	彩	5692	09a
彡-총11획	彪	彪	3108	05a
彡-총12획	彭	彭	3065	05a

彡-총14획	彰	彰	5687	09a
彡-총15획	彲	彲	1976	03b

060 척(彳)부수

彳-총03획	彳	彳	1222	02b
彳-총07획	彶	彶	1233	02b
彳-총07획	彴	彴	1255	02b
彳-총07획	役	役	1966	03b
彳-총08획	往	往	1228	02b
彳-총08획	彿	彿	1245	02b
彳-총08획	彼	彼	1230	02b
彳-총09획	待	待	1244	02b
彳-총09획	律	律	1256	02b
彳-총09획	徆	徆	1238	02b
彳-총09획	後	後	1249	02b
彳-총09획	很	很	1251	02b
彳-총10획	徑	徑	1224	02b
彳-총10획	徎	徎	1240	02b
彳-총10획	徐	徐	1237	02b
彳-총10획	徎	徎	1227	02b
彳-총10획	復	復	1248	02b
彳-총11획	徛	徛	1254	02b
彳-총11획	得	得	1253	02b
彳-총11획	御	御	1257	02b
彳-총11획	從	從	5203	08a
彳-총11획	徙	徙	1241	02b
彳-총12획	假	假	1247	02b
彳-총12획	復	復	1225	02b

彳-총12획	循	循	1232	02b
彳-총12획	徥	徥	1236	02b
彳-총12획	徠	徠	1226	02b
彳-총12획	徸	徸	1252	02b
彳-총12획	徧	徧	1246	02b
彳-총13획	微	微	1235	02b
彳-총13획	徬	徬	1242	02b
彳-총13획	徲	徲	7774	12a
彳-총13획	徯	徯	1243	02b
彳-총14획	徸	徸	1250	02b
彳-총15획	德	德	1223	02b
彳-총15획	徵	徵	5217	08a
彳-총15획	徹	徹	1989	03b
彳-총16획	徼	徼	1231	02b
彳-총17획	德	德	1239	02b
彳-총17획	徽	徽	8648	13a
彳-총21획	衢	衢	1229	02b
彳-총25획	衢	衢	1234	02b
061 심(心)부수				
心-총04획	心	心	6670	10b
心-총05획	必	必	717	02a
心-총06획	忏	忏	6766	10b
心-총06획	忢	忢	6930	10b
心-총06획	忍	忍	6849	10b
心-총06획	忖	忖	6939	10b
心-총06획	忏	忏	6897	10b
心-총07획	忼	忼	6695	10b

心-총07획	忬	忬	6882	10b
心-총07획	忮	忮	6797	10b
心-총07획	忌	忌	6837	10b
心-총07획	忘	忘	6810	10b
心-총07획	忼	忼	6824	10b
心-총07획	忧	忧	6878	10b
心-총07획	忍	忍	6928	10b
心-총07획	志	志	6674	10b
心-총07획	忮	忮	6713	10b
心-총07획	忡	忡	6898	10b
心-총07획	忧	忧	6727	10b
心-총07획	快	快	6683	10b
心-총07획	忒	忒	6788	10b
心-총07획	怖	怖	6848	10b
心-총07획	忻	忻	6691	10b
心-총08획	忿	忿	6808	10b
心-총08획	怪	怪	6800	10b
心-총08획	念	念	6686	10b
心-총08획	恢	恢	6831	10b
心-총08획	怩	怩	6935	10b
心-총08획	怛	怛	6864	10b
心-총08획	忞	忞	6752	10b
心-총08획	恨	恨	6830	10b
心-총08획	怲	怲	6886	10b
心-총08획	忿	忿	6838	10b
心-총08획	怫	怫	6807	10b
心-총08획	性	性	6673	10b

부수-획수	자	전서	번호	쪽
心-총08획	快		6855	10b
心-총08획	忢		6745	10b
心-총08획	恊		6881	10b
心-총08획	怡		6711	10b
心-총08획	怍		6925	10b
心-총08획	怚		6785	10b
心-총08획	怞		6750	10b
心-총08획	悉		6922	10b
心-총08획	怊		6940	10b
心-총08획	怵		6910	10b
心-총08획	忠		6680	10b
心-총08획	怕		6764	10b
心-총08획	怙		6740	10b
心-총08획	忽		6809	10b
心-총08획	悅		6818	10b
心-총08획	忥		6834	10b
心-총09획	恭		6912	10b
心-총09획	悾		6903	10b
心-총09획	恔		6702	10b
心-총09획	恑		6819	10b
心-총09획	急		6775	10b
心-총09획	恬		6706	10b
心-총09획	怒		6843	10b
心-총09획	怸		6687	10b
心-총09획	思		6668	10b
心-총09획	悝		6755	10b
心-총09획	思		6774	10b
心-총09획	恂		6726	10b
心-총09획	恃		6741	10b
心-총09획	怨		6842	10b
心-총09획	悛		6715	10b
心-총09획	恉		6676	10b
心-총09획	怠		6803	10b
心-총09획	恫		6868	10b
心-총09획	怹		6784	10b
心-총09획	恨		6851	10b
心-총09획	恒		8970	13b
心-총09획	恢		6913	10b
心-총09획	恊		9210	13b
心-총09획	恢		6707	10b
心-총09획	恤		6765	10b
心-총09획	恰		6943	10b
心-총10획	慽		6720	10b
心-총10획	悃		6697	10b
心-총10획	恭		6708	10b
心-총10획	恐		6908	10b
心-총10획	悪		6924	10b
心-총10획	悍		6815	10b
心-총10획	恕		6710	10b
心-총10획	息		6671	10b
心-총10획	羞		6883	10b
心-총10획	恚		6841	10b
心-총10획	悁		6839	10b
心-총10획	悟		6743	10b

心一총10획	恩	圂	6716	10b		心一총11획	情	愲	6672	10b
心一총10획	悒	幨	6786	10b		心一총11획	悰	愉	6705	10b
心一총10획	恚	甚	6783	10b		心一총11획	悵	幨	6860	10b
心一총10획	恣	祝	6812	10b		心一총11획	悷	幜	6794	10b
心一총10획	悛	幠	6758	10b		心一총11획	悽	幟	6867	10b
心一총10획	悌	僿	6944	10b		心一총11획	惕	愓	6911	10b
心一총10획	悄	帴	6899	10b		心一총11획	悊	甚	6704	10b
心一총10획	恥	皏	6920	10b		心一총11획	惙	惙	6888	10b
心一총10획	悑	幋	6915	10b		心一총11획	恩	悤	6546	10b
心一총10획	悍	幈	6798	10b		心一총11획	惆	幬	6859	10b
心一총10획	悭	幓	6779	10b		心一총11획	悴	慎	6894	10b
心一총10획	悔	懺	6853	10b		心一총11획	悰	嘯	6759	10b
心一총11획	悟	幖	6892	10b		心一총11획	恋	夑	6904	10b
心一총11획	悸	幨	6821	10b		心一총11획	惛	帽	6833	10b
心一총11획	惎	慧	6817	10b		心一총11획	患	患	6902	10b
心一총11획	惏	幃	6887	10b		心一총12획	㥄	幣	6770	10b
心一총11획	悼	幬	6907	10b		心一총12획	愒	幨	6772	10b
心一총11획	惇	幬	6694	10b		心一총12획	意	意	6735	10b
心一총11획	惀	愉	6730	10b		心一총12획	愁	秋	6879	10b
心一총11획	惏	幱	6825	10b		心一총12획	愜	悝	6777	10b
心一총11획	悱	幤	6934	10b		心一총12획	甚	甚	6919	10b
心一총11획	惜	幯	6871	10b		心一총12획	愍	慇	6769	10b
心一총11획	悉	悉	722	02a		心一총12획	惪	惪	6677	10b
心一총11획	念	念	6787	10b		心一총12획	愐	幗	6754	10b
心一총11획	惟	幃	6728	10b		心一총12획	媒	幜	6751	10b
心一총11획	悠	愲	6893	10b		心一총12획	愓	幬	6929	10b
心一총11획	悢	幬	6921	10b		心一총12획	悶	閊	6858	10b

心－총12획	惕	惕	6813	10b
心－총12획	悲	悲	6869	10b
心－총12획	惰	惰	6746	10b
心－총12획	愃	愃	6723	10b
心－총12획	惢	惢	6946	10b
心－총12획	惇	惇	6732	10b
心－총12획	惡	惡	6846	10b
心－총12획	愚	愚	6768	10b
心－총12획	惲	惲	6693	10b
心－총12획	愉	愉	6790	10b
心－총12획	悳	悳	6874	10b
心－총12획	惶	惶	6692	10b
心－총12획	惢	惢	6936	10b
心－총12획	愂	愂	6854	10b
心－총12획	惴	惴	6884	10b
心－총12획	惻	惻	6870	10b
心－총12획	愊	愊	6698	10b
心－총12획	慈	慈	6780	10b
心－총12획	惠	惠	2495	04b
心－총12획	惑	惑	6829	10b
心－총12획	惶	惶	6914	10b
心－총12획	像	像	6850	10b
心－총13획	窓	窓	6737	10b
心－총13획	感	感	6877	10b
心－총13획	愷	愷	3078	05a
心－총13획	愷	愷	6684	10b
心－총13획	愫	愫	6861	10b

心－총13획	慾	慾	6827	10b
心－총13획	慊	慊	6828	10b
心－총13획	惱	惱	6891	10b
心－총13획	慆	慆	6761	10b
心－총13획	愍	愍	6872	10b
心－총13획	想	想	6731	10b
心－총13획	愮	愮	6876	10b
心－총13획	慅	慅	6738	10b
心－총13획	愁	愁	6890	10b
心－총13획	愼	愼	6679	10b
心－총13획	愛	愛	3352	05b
心－총13획	惹	惹	6942	10b
心－총13획	慍	慍	6845	10b
心－총13획	愚	愚	6792	10b
心－총13획	惥	惥	6901	10b
心－총13획	愖	愖	6880	10b
心－총13획	意	意	6675	10b
心－총13획	慌	慌	6714	10b
心－총13획	慈	慈	6712	10b
心－총13획	惷	惷	6832	10b
心－총13획	愴	愴	6863	10b
心－총13획	慇	慇	6685	10b
心－총13획	慉	慉	6733	10b
心－총14획	愨	愨	6681	10b
心－총14획	慨	慨	6696	10b
心－총14획	憀	憀	6736	10b
心－총14획	慢	慢	6802	10b

心—총14획	憫		6811	10b
心—총14획	慔		6753	10b
心—총14획	憜		6918	10b
心—총14획	惕		6889	10b
心—총14획	慈		6724	10b
心—총14획	慴		6909	10b
心—총14획	慵		6933	10b
心—총14획	愿		6699	10b
心—총14획	慰		6721	10b
心—총14획	慇		6873	10b
心—총14획	憎		6742	10b
心—총14획	慫		6806	10b
心—총14획	慘		6866	10b
心—총14획	慼		6900	10b
心—총14획	態		6799	10b
心—총14획	慟		6941	10b
心—총14획	慓		6781	10b
心—총14획	恩		6895	10b
心—총15획	慶		6722	10b
心—총15획	憬		6932	10b
心—총15획	憤		6836	10b
心—총15획	憧		6814	10b
心—총15획	慮		6669	10b
心—총15획	憐		6926	10b
心—총15획	憓		6927	10b
心—총15획	憭		6701	10b
心—총15획	慹		6896	10b

心—총15획	慕		6757	10b
心—총15획	憮		6744	10b
心—총15획	憤		6857	10b
心—총15획	憂		3351	05b
心—총15획	慰		6747	10b
心—총15획	慭		6717	10b
心—총15획	憎		6847	10b
心—총15획	熱		6916	10b
心—총15획	憕		6689	10b
心—총15획	憯		6865	10b
心—총15획	慙		6923	10b
心—총15획	悫		6795	10b
心—총15획	憜		6805	10b
心—총15획	憚		6906	10b
心—총15획	憀		6801	10b
心—총15획	憫		6789	10b
心—총15획	慧		6700	10b
心—총15획	憍		6816	10b
心—총16획	憺		6763	10b
心—총16획	憨		6844	10b
心—총16획	憸		6771	10b
心—총16획	慇		6885	10b
心—총16획	蕙		6734	10b
心—총16획	懌		6945	10b
心—총16획	憿		6822	10b
心—총16획	憃		6718	10b
心—총16획	懆		6862	10b

부
수

心一총16획	憑	𢝖	6773	10b
心一총16획	憼	𢣻	6748	10b
心一총16획	懈	𢡖	6804	10b
心一총16획	憲	𢘖	6688	10b
心一총16획	懁	𢙖	6778	10b
心一총16획	憙	𢝖	3060	05a
心一총17획	懇	𢝖	6938	10b
心一총17획	憋	𢝖	6709	10b
心一총17획	懦	𢝖	6782	10b
心一총17획	憭	𢝖	6826	10b
心一총17획	懋	𢝖	6756	10b
心一총17획	憸	𢝖	6796	10b
心一총17획	壓	𢝖	6762	10b
心一총17획	應	𢝖	6678	10b
心一총17획	憼	𢝖	6917	10b
心一총18획	懖	𢝖	6823	10b
心一총18획	懟	𢝖	6852	10b
心一총18획	懣	𢝖	6856	10b
心一총18획	懱	𢝖	6791	10b
心一총18획	辯	𢝖	6776	10b
心一총18획	懲	𢝖	6760	10b
心一총18획	懣	𢝖	6937	10b
心一총18획	勰	𢝖	9211	13b
心一총19획	應	𢝖	6719	10b
心一총19획	憼	𢝖	6840	10b
心一총19획	德	𢝖	6835	10b
心一총19획	懲	𢝖	6931	10b

心一총19획	懷	𢝖	6729	10b
心一총20획	懇	𢝖	6682	10b
心一총21획	懼	𢝖	6739	10b
心一총21획	懾	𢝖	6905	10b
心一총21획	懽	𢝖	6767	10b
心一총21획	懾	𢝖	6820	10b
心一총22획	褰	𢝖	6725	10b
心一총22획	懿	𢝖	6610	10b
心一총23획	戁	𢝖	6690	10b
心一총28획	戀	𢝖	6793	10b
062 과(戈)부수				
戈一총04획	戈	𢦏	8332	12b
戈一총05획	戌	𢦏	9699	14b
戈一총05획	戊	𢦏	8358	12b
戈一총06획	成	𢦏	8340	12b
戈一총06획	戌	𢦏	9832	14b
戈一총07획	戒	𢦏	1760	03a
戈一총07획	成	𢦏	9700	14b
戈一총07획	我	𢦏	8360	12b
戈一총07획	戔	𢦏	8351	12b
戈一총08획	戓	𢦏	8346	12b
戈一총08획	戕	𢦏	8347	12b
戈一총08획	戜	𢦏	8357	12b
戈一총08획	戗	𢦏	8353	12b
戈一총08획	或	𢦏	8344	12b
戈一총08획	戜	𢦏	1882	03b
戈一총09획	戰	𢦏	8334	12b

戈―총11획	戛	𢧄	8338	12b
戈―총11획	戟	𢧜	8343	12b
戈―총11획	戚	𢨺	8359	12b
戈―총11획	戝	𢧎	8336	12b
戈―총13획	戡	𢧬	8349	12b
戈―총13획	戣	𢧼	8335	12b
戈―총13획	戢	𢧩	8356	12b
戈―총13획	戠	𢧴	8355	12b
戈―총13획	載	𢦏	6572	10b
戈―총14획	戧	𢨊	8337	12b
戈―총14획	戩	𢧻	8352	12b
戈―총15획	戮	𢧲	8348	12b
戈―총15획	戭	𢨉	8350	12b
戈―총15획	戳	𢨄	8345	12b
戈―총16획	戰	𢧌	8341	12b
戈―총17획	戱	𢨢	4302	07a
戈―총17획	戲	𢨝	8342	12b
戈―총18획	戴	𢨖	1771	03a
063 호(戶)부수				
戶―총04획	戶	戶	7682	12a
戶―총05획	戹	𢨷	7687	12a
戶―총07획	戾	𢨿	7686	12a
戶―총08획	戻	𢩀	6322	10a
戶―총08획	房	𢩃	7685	12a
戶―총08획	所	𢩌	9435	14a
戶―총09획	扂	𢩁	7690	12a
戶―총09획	扃	𢩂	7691	12a
戶―총09획	扁	𢩋	1430	02b

戶―총10획	扇	𢩆	7684	12a
戶―총10획	扆	𢩅	7689	12a
戶―총11획	扈	𢩊	4007	06b
戶―총12획	扉	𢩇	7683	12a
064 수(手)부수				
手―총03획	才	𢆶	3840	06a
手―총04획	手	𢪳	7789	12a
手―총05획	扐	𢪦	7983	12a
手―총05획	扔	𢪛	7977	12a
手―총05획	打	𢫷	8066	12a
手―총06획	扛	𢫧	7924	12a
手―총06획	扣	𢫠	8049	12a
手―총06획	扠	𢫕	7945	12a
手―총06획	扤	𢫞	8000	12a
手―총06획	扦	𢪸	8046	12a
手―총06획	扚	𢫟	8012	12a
手―총06획	扞	𢫢	8026	12a
手―총07획	扴	𢬇	7890	12a
手―총07획	抉	𢬆	7893	12a
手―총07획	扱	𢬝	8007	12a
手―총07획	技	𢬊	7984	12a
手―총07획	抪	𢫥	7879	12a
手―총07획	扶	𢬀	7816	12a
手―총07획	扮	𢫶	7925	12a
手―총07획	抒	𢬃	7942	12a
手―총07획	抍	𢬄	7922	12a
手―총07획	抍	𢫪	8001	12a
手―총07획	抵	𢬈	8014	12a

手—총07획	扰	𣎉	8023	12a
手—총07획	抻	𢬶	7829	12a
手—총07획	投	𢀳	7887	12a
手—총07획	把	𢪒	7837	12a
手—총07획	抗	𢫎	8027	12a
手—총08획	拑	𢿩	7820	12a
手—총08획	拘	𢪘	1451	03a
手—총08획	拈	𢪘	7843	12a
手—총08획	拉	𢩥	7814	12a
手—총08획	拇	𢫔	7791	12a
手—총08획	拔	𢺵	7957	12a
手—총08획	拚	𢫼	7933	12a
手—총08획	拊	𢪍	7852	12a
手—총08획	拂	𢭃	8021	12a
手—총08획	扯	𢬪	8034	12a
手—총08획	承	𢎩	7874	12a
手—총08획	抉	𢬏	8015	12a
手—총08획	拗	𢯭	8060	12a
手—총08획	拜	𢷎	7817	12a
手—총08획	抵	𢪿	7812	12a
手—총08획	拒	𢮡	7943	12a
手—총08획	拙	𢭴	7986	12a
手—총08획	择	𢮧	7885	12a
手—총08획	抶	𢭵	8013	12a
手—총08획	拓	𢮃	7946	12a
手—총08획	招	𢪺	7881	12a
手—총08획	拕	𢬃	8032	12a
手—총08획	抨	𢭔	8005	12a
手—총08획	拊	𢭖	7830	12a

手—총08획	抛	𢮬	8064	12a
手—총08획	披	𢫤	7907	12a
手—총08획	拘	𢩪	7979	12a
手—총09획	挌	𢯥	8041	12a
手—총09획	拱	𢪙	7802	12a
手—총09획	括	𢶍	7978	12a
手—총09획	挂	𢫅	8031	12a
手—총09획	拮	𢭘	7991	12a
手—총09획	拏	𢮑	7839	12a
手—총09획	挑	𢫰	7892	12a
手—총09획	挏	𢪟	7880	12a
手—총09획	拍	𢪝	7851	12a
手—총09획	拾	𢭶	7948	12a
手—총09획	按	𢫀	7847	12a
手—총09획	捆	𢮰	7976	12a
手—총09획	挑	𢫶	7865	12a
手—총09획	指	𢫝	7792	12a
手—총09획	持	𢪹	7818	12a
手—총09획	拒	𢮡	7875	12a
手—총09획	挃	𢭉	7998	12a
手—총09획	拹	𢮌	7902	12a
手—총10획	挈	𢅅	7807	12a
手—총10획	拳	𢀒	8042	12a
手—총10획	捄	𢭩	7990	12a
手—총10획	捐	𢮂	7896	12a
手—총10획	拳	𢁣	7793	12a
手—총10획	挐	𢀥	8038	12a
手—총10획	捈	𢭡	8033	12a
手—총10획	捋	𢭝	7854	12a

부수/획수	한자	전서	번호	쪽
手−총10획	搽		7916	12a
手−총10획	捊		7871	12a
手−총10획	挈		7819	12a
手−총10획	捎		7927	12a
手−총10획	挨		8009	12a
手−총10획	挺		7862	12a
手−총10획	捐		8044	12a
手−총10획	捏		7941	12a
手−총10획	挐		7909	12a
手−총10획	挪		7842	12a
手−총10획	挺		7961	12a
手−총10획	挫		7815	12a
手−총10획	捘		7809	12a
手−총10획	振		7923	12a
手−총10획	捉		7860	12a
手−총10획	挩		7939	12a
手−총10획	捌		8062	12a
手−총10획	捕		8028	12a
手−총10획	挀		7982	12a
手−총10획	挾		7831	12a
手−총11획	据		7897	12a
手−총11획	掐		8058	12a
手−총11획	控		7848	12a
手−총11획	掘		7993	12a
手−총11획	捲		8006	12a
手−총11획	捦		7825	12a
手−총11획	掎		7969	12a
手−총11획	捻		8059	12a
手−총11획	捼		7965	12a
手−총11획	揸		7987	12a
手−총11획	掉		7910	12a
手−총11획	掠		8057	12a
手−총11획	掄		7858	12a
手−총11획	捘		8004	12a
手−총11획	捫		7832	12a
手−총11획	掊		7883	12a
手−총11획	排		7810	12a
手−총11획	培		7853	12a
手−총11획	掤		8045	12a
手−총11획	捨		7845	12a
手−총11획	授		7873	12a
手−총11획	掆		7805	12a
手−총11획	掕		8053	12a
手−총11획	掩		7994	12a
手−총11획	接		7878	12a
手−총11획	措		7856	12a
手−총11획	捽		7867	12a
手−총11획	掇		7949	12a
手−총11획	捷		8048	12a
手−총11획	推		7808	12a
手−총11획	捶		8018	12a
手−총11획	撒		8043	12a
手−총11획	探		7963	12a
手−총11획	掉		8017	12a
手−총11획	掍		8050	12a
手−총11획	掀		7920	12a
手−총12획	揭		7921	12a
手−총12획	擎		7915	12a

手-총12획	揆	撥	7935	12a
手-총12획	㧚	櫃	7951	12a
手-총12획	探	牆	8016	12a
手-총12획	插	牆	7857	12a
手-총12획	揹	楊	7996	12a
手-총12획	揲	撲	7821	12a
手-총12획	挼	牆	8051	12a
手-총12획	揗	牆	7849	12a
手-총12획	握	牆	7835	12a
手-총12획	揠	牆	7958	12a
手-총12획	揚	楊	7918	12a
手-총12획	揈	牆	7872	12a
手-총12획	掾	緣	7850	12a
手-총12획	援	牆	7954	12a
手-총12획	揄	牆	7930	12a
手-총12획	揖	牆	7800	12a
手-총12획	掌	牆	7790	12a
手-총12획	揃	牆	7863	12a
手-총12획	提	牆	7841	12a
手-총12획	揶	牆	7866	12a
手-총12획	揹	牆	7914	12a
手-총12획	揣	牆	7884	12a
手-총12획	揫	牆	7999	12a
手-총12획	揙	牆	8035	12a
手-총12획	揻	牆	7967	12a
手-총12획	換	牆	8052	12a
手-총12획	揮	牆	7970	12a
手-총13획	推	牆	8019	12a
手-총13획	搋	牆	7953	12a
手-총13획	搞	牆	7838	12a
手-총13획	揎	牆	7992	12a
手-총13획	搦	牆	7968	12a
手-총13획	搯	牆	7806	12a
手-총13획	搣	牆	7864	12a
手-총13획	搏	牆	7826	12a
手-총13획	搒	牆	8040	12a
手-총13획	搄	牆	7972	12a
手-총13획	摯	牆	7796	12a
手-총13획	搔	牆	7889	12a
手-총13획	損	牆	7937	12a
手-총13획	搕	牆	7861	12a
手-총13획	搵	牆	8039	12a
手-총13획	掔	牆	7794	12a
手-총13획	搖	牆	7911	12a
手-총13획	搈	牆	7912	12a
手-총13획	揩	牆	7974	12a
手-총13획	搢	牆	8056	12a
手-총13획	搫	牆	7904	12a
手-총13획	搗	牆	7900	12a
手-총13획	搰	牆	7989	12a
手-총14획	摡	牆	7995	12a
手-총14획	摼	牆	8022	12a
手-총14획	摜	牆	7886	12a
手-총14획	摳	牆	7797	12a
手-총14획	摎	牆	8002	12a
手-총14획	摬	牆	7876	12a
手-총14획	搏	牆	7988	12a
手-총14획	摗	牆	7905	12a

手—총14획	摘	牆	7844	12a
手—총14획	擎	簡	7931	12a
手—총14획	摔	攟	7804	12a
手—총14획	摵	繊	8061	12a
手—총14획	搯	牅	7952	12a
手—총14획	撓	攪	8020	12a
手—총14획	撝	牌	8065	12a
手—총14획	摘	牖	7899	12a
手—총14획	摺	牆	7903	12a
手—총14획	撒	樂	7870	12a
手—총14획	撕	犂	7901	12a
手—총14획	操	牒	8008	12a
手—총14획	摧	攟	7813	12a
手—총14획	標	標	7891	12a
手—총14획	抓	紡	8054	12a
手—총15획	撲	牖	7962	12a
手—총15획	橋	牖	7926	12a
手—총15획	撅	牆	8036	12a
手—총15획	擊	犖	7966	12a
手—총15획	撚	牖	8030	12a
手—총15획	撞	牆	7975	12a
手—총15획	撩	牆	7855	12a
手—총15획	摩	摩	7971	12a
手—총15획	摹	摹	7985	12a
手—총15획	撫	牖	7882	12a
手—총15획	撲	牆	8010	12a
手—총15획	撥	牆	7940	12a
手—총15획	撓	牆	7894	12a
手—총15획	擅	牆	7799	12a

手—총15획	摯	牎	7822	12a
手—총15획	撮	牎	7868	12a
手—총15획	播	牎	7955	12a
手—총15획	撦	牎	7913	12a
手—총15획	揮	揮	7836	12a
手—총15획	撑	牎	7964	12a
手—총15획	播	播	7997	12a
手—총15획	撒	牎	7981	12a
手—총16획	擖	牎	7898	12a
手—총16획	據	牎	7827	12a
手—총16획	撿	牎	7803	12a
手—총16획	撻	牎	8003	12a
手—총16획	操	牒	7823	12a
手—총16획	擅	牎	7934	12a
手—총16획	擇	擇	7859	12a
手—총16획	擐	牎	7950	12a
手—총17획	擊	繋	8025	12a
手—총17획	擎	擎	8011	12a
手—총17획	擣	牎	7959	12a
手—총17획	擥	擥	7833	12a
手—총17획	擘	擘	7980	12a
手—총17획	擩	牎	7929	12a
手—총17획	擬	牎	7936	12a
手—총17획	擠	牎	7811	12a
手—총17획	擢	擢	7956	12a
手—총17획	擭	牎	7932	12a
手—총17획	擧	擧	8024	12a
手—총18획	舉	擧	7919	12a
手—총18획	擻	牎	7834	12a

手-총18획	摩	𡪡	7846	12a
手-총18획	擿	𤛮	7888	12a
手-총19획	攘	𢹢	7798	12a
手-총19획	攃	𢶇	7947	12a
手-총19획	攄	𢵕	8037	12a
手-총20획	撒	𢽉	7795	12a
手-총20획	攘	𢺝	7801	12a
手-총20획	擾	𢶛	7895	12a
手-총20획	攪	𢽳	8055	12a
手-총21획	攣	𤕠	7917	12a
手-총21획	攉	𢹚	7824	12a
手-총21획	攝	𤍻	7828	12a
手-총21획	攤	𤍻	7928	12a
手-총21획	攜	𢹈	7840	12a
手-총22획	攤	𤎡	8063	12a
手-총23획	攪	𤏬	7973	12a
手-총23획	攩	𢺹	7877	12a
手-총23획	攣	𤕠	7960	12a
手-총23획	攫	𤏮	7944	12a
065 지(支)부수				
支-총04획	支	𣁟	1927	03b
支-총06획	攱	𦊣	5196	08a
支-총10획	敧	𢾷	5979	09b
支-총12획	鼓	𣁡	1928	03b
066 복(攴)부수				
攴-총04획	攴	𣀏	1987	03b
攴-총06획	攷	𣃆	2042	03b
攴-총06획	收	𢿜	2040	03b

攴-총07획	改	𢻫	2011	03b
攴-총07획	攻	𢼄	2044	03b
攴-총07획	攱	𢼊	2027	03b
攴-총07획	攽	𢻺	1999	03b
攴-총07획	攸	𢽭	2026	03b
攴-총07획	政	𢼀	2056	03b
攴-총08획	敊	𤕸	2006	03b
攴-총08획	放	𤕼	2503	04b
攴-총08획	政	𢽜	1998	03b
攴-총09획	故	𢼝	1997	03b
攴-총09획	敏	𢽦	2043	03b
攴-총09획	敄	𢾀	1993	03b
攴-총09획	敃	𢽡	1992	03b
攴-총09획	敀	𢽁	1994	03b
攴-총10획	敁	𢾊	2019	03b
攴-총10획	敉	𥼋	2028	03b
攴-총10획	散	𣀔	5049	08a
攴-총10획	致	𢾑	2047	03b
攴-총10획	救	𢾺	2061	03b
攴-총10획	敊	𣀉	4517	07b
攴-총10획	效	𢽶	1996	03b
攴-총11획	啟	𡄽	1988	03b
攴-총11획	教	𤕝	2064	03b
攴-총11획	救	𢾺	2022	03b
攴-총11획	敏	𢾇	1991	03b
攴-총11획	敘	𢾗	2057	03b
攴-총11획	做	𢽾	2010	03b
攴-총11획	敬	𢼶	2051	03b
攴-총11획	敖	𢾍	2504	04b

攵-총11획	敖	𣀕	3848	06b
攵-총11획	救	𣀉	2014	03b
攵-총11획	敘	𣀎	2023	03b
攵-총11획	敗	𣀅	2033	03b
攵-총11획	敦	𣀃	2007	03b
攵-총12획	敤	𣀓	2052	03b
攵-총12획	㪍	𣀜	2038	03b
攵-총12획	敦	𣀒	2031	03b
攵-총12획	敱	𣀙	2058	03b
攵-총12획	椒	𣀨	4511	07b
攵-총12획	㪝	𣀘	2059	03b
攵-총12획	敥	𣀇	2029	03b
攵-총12획	敜	𣀛	2001	03b
攵-총12획	敞	𣀑	2009	03b
攵-총12획	致	𣀏	2046	03b
攵-총12획	㪟	𣀚	4919	07b
攵-총13획	敬	𣀤	5790	09a
攵-총13획	敠	𣀖	2505	04b
攵-총13획	敫	𣀗	5537	08b
攵-총13획	敝	𣀔	2037	03b
攵-총13획	敳	𣀞	2050	03b
攵-총13획	敭	𣀍	2030	03b
攵-총14획	敲	𣀠	2045	03b
攵-총14획	敷	𣀢	2000	03b
攵-총14획	數	𣀣	2008	03b
攵-총14획	鼓	𣀡	2036	03b
攵-총15획	敹	𣀥	2017	03b
攵-총15획	數	𣀦	2003	03b
攵-총15획	敵	𣀧	2021	03b

攵-총15획	敶	𣀩	2020	03b
攵-총15획	戰	𣀪	2039	03b
攵-총16획	敽	𣀫	2018	03b
攵-총16획	敿	𣀬	2063	03b
攵-총16획	斂	𣀭	2034	03b
攵-총16획	㪚	𣀮	2709	04b
攵-총16획	整	𣀯	1995	03b
攵-총17획	斀	𣀰	2032	03b
攵-총17획	斁	𣀱	2016	03b
攵-총17획	斁	𣀲	2024	03b
攵-총17획	斃	𣀳	2049	03b
攵-총18획	斄	𣀴	2062	03b
攵-총18획	斅	𣀵	2054	03b
攵-총19획	斆	𣀶	776	02a
攵-총20획	斅	𣀷	2065	03b
攵-총23획	斅	𣀸	2002	03b

067 문(文)부수

文-총04획	文	𣂁	5695	09a
文-총12획	斐	𣂂	5696	09a
文-총15획	斖	𣂃	5698	09a

068 두(斗)부수

斗-총04획	斗	𣂒	9442	14a
斗-총09획	𣂤	𣂤	9453	14a
斗-총10획	料	𣂦	9445	14a
斗-총11획	斛	𣂨	9443	14a
斗-총11획	斜	𣂩	9451	14a
斗-총12획	斝	𣂬	9444	14a
斗-총12획	斞	𣂭	9457	14a

斗-총13획	斝		9446	14a
斗-총13획	斟		9450	14a
斗-총14획	斠		9449	14a
斗-총14획	斜		9454	14a
斗-총14획	斡		9447	14a
斗-총17획	斞		9452	14a
斗-총17획	斢		9456	14a
斗-총23획	斣		9455	14a

069 근(斤)부수

斤-총04획	斤		9427	14a
斤-총08획	斧		9428	14a
斤-총08획	所		9441	14a
斤-총08획	斨		9429	14a
斤-총09획	斫		9431	14a
斤-총09획	斫		9430	14a
斤-총10획	斷		628	01b
斤-총11획	斲		9439	14a
斤-총11획	斬		9560	14a
斤-총12획	斯		9436	14a
斤-총12획	斮		9437	14a
斤-총13획	新		9440	14a
斤-총14획	斸		9433	14a
斤-총20획	斷		9438	14a
斤-총25획	斸		9432	14a

070 방(方)부수

方-총04획	方		5428	08b
方-총06획	㫃		4261	07a
方-총07획	於		232	01a

方-총08획	斻		5429	08b
方-총09획	施		4273	07a
方-총10획	旂		4267	07a
方-총10획	旅		4282	07a
方-총10획	旄		4280	07a
方-총10획	旁		8	01a
方-총10획	旆		4270	07a
方-총10획	施		4264	07a
方-총11획	旋		4279	07a
方-총11획	旌		4265	07a
方-총11획	族		4283	07a
方-총11획	旊		4278	07a
方-총12획	旐		4262	07a
方-총13획	旒		4271	07a
方-총14획	旗		4263	07a
方-총14획	旖		4274	07a
方-총15획	旛		4272	07a
方-총17획	旚		4275	07a
方-총18획	旙		4281	07a
方-총18획	旟		4276	07a
方-총19획	旜		4269	07a
方-총19획	旝		4268	07a
方-총20획	旗		4266	07a

071 무(无)부수

无-총04획	旡		5569	08b
无-총11획	既		3182	05b
无-총12획	㷭		5571	08b
无-총13획	㿪		5570	08b

日-총12획	啻	㫖	4186	07a
日-총12획	朁	朁	4199	07a
日-총12획	普	普	4237	07a
日-총12획	晬	晬	4248	07a
日-총12획	晻	晻	4204	07a
日-총12획	暘	暘	4187	07a
日-총12획	晒	晒	4219	07a
日-총12획	晶	晶	4286	07a
日-총13획	暇	暇	4215	07a
日-총13획	暍	暍	4223	07a
日-총13획	睹	睹	4176	07a
日-총13획	暑	暑	4224	07a
日-총13획	暗	暗	4205	07a
日-총13획	暘	暘	4185	07a
日-총13획	睆	睆	4198	07a
日-총13획	暈	暈	4247	07a
日-총13획	暉	暉	4196	07a
日-총14획	暨	暨	4257	07a
日-총14획	暜	暜	4207	07a
日-총14획	暮	暮	9677	14b
日-총14획	㬐	㬐	4226	07a
日-총14획	暤	暤	4194	07a
日-총15획	暱	暱	4232	07a
日-총15획	暬	暬	4233	07a
日-총15획	暫	暫	4216	07a
日-총15획	暵	暵	4229	07a
日-총16획	曇	曇	4252	07a
日-총16획	曈	曈	4240	07a
日-총16획	曆	曆	4253	07a

日-총16획	暿	暿	4208	07a
日-총16획	曉	曉	4238	07a
日-총17획	曡	曡	4287	07a
日-총17획	曙	曙	4195	07a
日-총17획	暴	暴	6624	10b
日-총17획	曍	曍	4212	07a
日-총18획	曙	曙	4250	07a
日-총18획	曓	曓	4227	07a
日-총18획	曓	曓	8614	13a
日-총19획	曠	曠	4182	07a
日-총19획	曟	曟	4289	07a
日-총19획	曡	曡	4290	07a
日-총20획	曨	曨	4241	07a
日-총20획	曤	曤	4191	07a
日-총21획	曩	曩	4213	07a
日-총23획	曬	曬	4225	07a
日-총23획	曫	曫	4203	07a
日-총23획	曬	曬	4228	07a
073 왈(曰)부수				
曰-총04획	曰	曰	3027	05a
曰-총06획	曲	曲	8401	12b
曰-총06획	曳	曳	9756	14b
曰-총06획	曵	曵	9755	14b
曰-총07획	更	更	2013	03b
曰-총08획	曶	曶	3030	05a
曰-총09획	曷	曷	3029	05a
曰-총10획	書	書	1935	03b
曰-총11획	曼	曼	1903	03b
曰-총11획	曹	曹	3033	05a

日-총12획	曾		710	02a
日-총12획	替		3031	05a
日-총12획	最		4787	07b
日-총13획	會		3259	05b
日-총14획	朅		3150	05a
日-총14획	暐		9754	14b
日-총21획	釁		3260	05b

074 월(月)부수

月-총04획	月		4291	07a
月-총06획	有		4301	07a
月-총08획	服		5423	08b
月-총09획	胸		2680	04b
月-총09획	朏		4293	07a
月-총10획	朔		4292	07a
月-총10획	朓		2658	04b
月-총10획	朓		4296	07a
月-총10획	朕		5420	08b
月-총11획	朗		4295	07a
月-총11획	望		8372	12b
月-총11획	朤		4304	07a
月-총12획	期		4298	07a
月-총14획	朢		5218	08a
月-총18획	朦		4299	07a
月-총20획	朧		4300	07a

075 목(木)부수

木-총04획	木		3396	06a
木-총04획	朩		4507	07b
木-총05획	末		3549	06a
木-총05획	未		9752	14b
木-총05획	宋		3852	06b
木-총05획	本		3544	06a
木-총05획	札		3751	06a
木-총06획	机		3533	06a
木-총06획	朹		3574	06a
木-총06획	朸		3594	06a
木-총06획	朴		3555	06a
木-총06획	朶		3474	06a
木-총06획	束		4336	07a
木-총06획	朾		3782	06a
木-총06획	朱		3546	06a
木-총06획	朵		3567	06a
木-총07획	杠		3658	06a
木-총07획	杚		3684	06a
木-총07획	杞		3510	06a
木-총07획	杜		3416	06a
木-총07획	李		3408	06a
木-총07획	杂		3639	06a
木-총07획	束		3881	06b
木-총07획	杇		3641	06a
木-총07획	杝		3653	06a
木-총07획	杙		3463	06a
木-총07획	杒		3538	06a
木-총07획	杖		3723	06a
木-총07획	材		3595	06a
木-총07획	权		3553	06a
木-총07획	杕		3584	06a
木-총07획	朴		3579	06a

木一총07획	屎	屎	3732	06a
木一총07획	杓	杓	3694	06a
木一총07획	杏	杏	3406	06a
木一총08획	极	极	3758	06a
木一총08획	枅	枅	3617	06a
木一총08획	杲	杲	3598	06a
木一총08획	果	果	3551	06a
木一총08획	枏	枏	3404	06a
木一총08획	東	東	3828	06a
木一총08획	枓	枓	3693	06a
木一총08획	林	林	3830	06a
木一총08획	枚	枚	3557	06a
木一총08획	杳	杳	3599	06a
木一총08획	枋	枋	3488	06a
木一총08획	枎	枎	3577	06a
木一총08획	枌	枌	3525	06a
木一총08획	枇	枇	3464	06a
木一총08획	析	析	3791	06a
木一총08획	松	松	3528	06a
木一총08획	殳	殳	1950	03b
木一총08획	杆	杆	3802	06a
木一총08획	柳	柳	3763	06a
木一총08획	枒	枒	3511	06a
木一총08획	枉	枉	3575	06a
木一총08획	枖	枖	3561	06a
木一총08획	柔	柔	3461	06a
木一총08획	杵	杵	3682	06a
木一총08획	杼	杼	3709	06a
木一총08획	枝	枝	3554	06a
木一총08획	杪	杪	3566	06a
木一총08획	杶	杶	3453	06a
木一총08획	枕	枕	3662	06a
木一총08획	杷	杷	3677	06a
木一총08획	枺	枺	4509	07b
木一총08획	柿	柿	3776	06a
木一총08획	栢	栢	3756	06a
木一총08획	茉	茉	3670	06a
木一총09획	枷	枷	3681	06a
木一총09획	柯	柯	3727	06a
木一총09획	朿	朿	3882	06b
木一총09획	柜	柜	3505	06a
木一총09획	桔	桔	3759	06a
木一총09획	栻	栻	3452	06a
木一총09획	枯	枯	3588	06a
木一총09획	柧	柧	3783	06a
木一총09획	枸	枸	3486	06a
木一총09획	柩	柩	8399	12b
木一총09획	奈	奈	3407	06a
木一총09획	栀	栀	3479	06a
木一총09획	柚	柚	3789	06a
木一총09획	柆	柆	3787	06a
木一총09획	柃	柃	3679	06a
木一총09획	枰	枰	3467	06a
木一총09획	某	某	3541	06a
木一총09획	柀	柀	3724	06a
木一총09획	柏	柏	3532	06a
木一총09획	柄	柄	3729	06a
木一총09획	柎	柎	3746	06a

木-총09획	柫	梻	3680	06a	木-총10획	桀	桀	3393	05b

部首-획수	글자	전서	번호	위치
木-총09획	柫		3680	06a
木-총09획	柲		3730	06a
木-총09획	柤		3647	06a
木-총09획	相		3671	06a
木-총09획	栖		3686	06a
木-총09획	柖		3571	06a
木-총09획	柿		3403	06a
木-총09획	柴		3596	06a
木-총09획	臬		4508	07b
木-총09획	染		7389	11a
木-총09획	枼		3797	06a
木-총09획	柍		3424	06a
木-총09획	柚		3399	06a
木-총09획	柔		3592	06a
木-총09획	柏		3672	06a
木-총09획	柘		3517	06a
木-총09획	柞		3466	06a
木-총09획	柢		3545	06a
木-총09획	柱		3610	06a
木-총09획	枳		3502	06a
木-총09획	柵		3652	06a
木-총09획	柷		3749	06a
木-총09획	枯		3534	06a
木-총09획	柝		3593	06a
木-총09획	枰		3786	06a
木-총09획	枹		3747	06a
木-총09획	柀		3449	06a
木-총09획	柙		3809	06a
木-총09획	枵		3570	06a
木-총10획	桀		3393	05b
木-총10획	格		3586	06a
木-총10획	栔		2805	04b
木-총10획	桂		3414	06a
木-총10획	栖		3421	06a
木-총10획	栝		3740	06a
木-총10획	桃		3779	06a
木-총10획	校		3773	06a
木-총10획	桊		3719	06a
木-총10획	根		3547	06a
木-총10획	桔		3465	06a
木-총10획	桃		3409	06a
木-총10획	桐		3522	06a
木-총10획	栵		3618	06a
木-총10획	栟		3442	06a
木-총10획	桑		3842	06b
木-총10획	栚		3827	06a
木-총10획	案		3690	06a
木-총10획	桅		3537	06a
木-총10획	栜		3441	06a
木-총10획	栭		3619	06a
木-총10획	桌		3560	06a
木-총10획	栽		3601	06a
木-총10획	栲		3700	06a
木-총10획	株		3548	06a
木-총10획	桎		3803	06a
木-총10획	栞		3701	06a
木-총10획	栟		3715	06a
木-총10획	移		3500	06a

부수-획수	해서	소전	번호	위치
木-총10획	柬	柬	4329	07a
木-총10획	栝	栝	3667	06a
木-총10획	桻	桻	3739	06a
木-총10획	核	核	3712	06a
木-총10획	栩	栩	3460	06a
木-총10획	桓	桓	3655	06a
木-총11획	桷	桷	3622	06a
木-총11획	梗	梗	3526	06a
木-총11획	樫	樫	3660	06a
木-총11획	械	械	3801	06a
木-총11획	梏	梏	3804	06a
木-총11획	梱	梱	3645	06a
木-총11획	梧	梧	3736	06a
木-총11획	棣	棣	3514	06a
木-총11획	桓	桓	3081	05a
木-총11획	椇	椇	3568	06a
木-총11획	梁	梁	3768	06a
木-총11획	梠	梠	3626	06a
木-총11획	桺	桺	3482	06a
木-총11획	梀	梀	3535	06a
木-총11획	柳	柳	3497	06a
木-총11획	梅	梅	3405	06a
木-총11획	栖	栖	3687	06a
木-총11획	梵	梵	3839	06a
木-총11획	桴	桴	3607	06a
木-총11획	棼	棼	3492	06a
木-총11획	梭	梭	3483	06a
木-총11획	梳	梳	3666	06a
木-총11획	棟	棟	3640	06a
木-총11획	椁	椁	3402	06a
木-총11획	梧	梧	3520	06a
木-총11획	梡	梡	3793	06a
木-총11획	桜	桜	3455	06a
木-총11획	梓	梓	3446	06a
木-총11획	梲	梲	3728	06a
木-총11획	梃	梃	3563	06a
木-총11획	桯	桯	3659	06a
木-총11획	梯	梯	3717	06a
木-총11획	條	條	3556	06a
木-총11획	業	業	3411	06a
木-총11획	梴	梴	3582	06a
木-총11획	梢	梢	3480	06a
木-총11획	栀	栀	3817	06a
木-총11획	桼	桼	3878	06b
木-총11획	棖	棖	3413	06a
木-총11획	梣	梣	3430	06a
木-총11획	桶	桶	3743	06a
木-총11획	桱	桱	3757	06a
木-총11획	椴	椴	3678	06a
木-총11획	梜	梜	3778	06a
木-총11획	梟	梟	3815	06a
木-총12획	棊	棊	3558	06a
木-총12획	椌	椌	3748	06a
木-총12획	椐	椐	3458	06a
木-총12획	榮	榮	3754	06a
木-총12획	楷	楷	3426	06a
木-총12획	椢	椢	3764	06a
木-총12획	暴	暴	3704	06a

木-총12획	椁		3813	06a
木-총12획	棺		3810	06a
木-총12획	棘		4338	07a
木-총12획	棄		2484	04b
木-총12획	棊		3737	06a
木-총12획	棠		3415	06a
木-총12획	棟		3608	06a
木-총12획	椋		3435	06a
木-총12획	棆		3422	06a
木-총12획	棱		3784	06a
木-총12획	棃		3401	06a
木-총12획	棽		3834	06a
木-총12획	椌		2080	03b
木-총12획	棓		3725	06a
木-총12획	棼		3837	06a
木-총12획	棚		3713	06a
木-총12획	椑		3696	06a
木-총12획	棐		3816	06a
木-총12획	森		3838	06a
木-총12획	棨		3395	05b
木-총12획	植		3632	06a
木-총12획	椷		3456	06a
木-총12획	棪		3433	06a
木-총12획	椅		3445	06a
木-총12획	棧		3714	06a
木-총12획	椊		3431	06a
木-총12획	椓		3738	06a
木-총12획	椺		3718	06a
木-총12획	棗		4337	07a
木-총12획	椆		3427	06a
木-총12획	棣		3501	06a
木-총12획	紫		1084	02a
木-총12획	椎		3726	06a
木-총12획	椒		3792	06a
木-총12획	椓		3781	06a
木-총12획	椈		3580	06a
木-총13획	椵		3470	06a
木-총13획	楬		3814	06a
木-총13획	械		3692	06a
木-총13획	楗		3649	06a
木-총13획	楷		3472	06a
木-총13획	楔		3425	06a
木-총13획	極		3609	06a
木-총13획	椳		3800	06a
木-총13획	楖		3485	06a
木-총13획	楝		3515	06a
木-총13획	桌		4332	07a
木-총13획	楣		3644	06a
木-총13획	楘		3755	06a
木-총13획	楸		3410	06a
木-총13획	楸		3835	06a
木-총13획	楣		3625	06a
木-총13획	椶		3710	06a
木-총13획	楅		3796	06a
木-총13획	楈		3423	06a
木-총13획	楔		3651	06a
木-총13획	楷		3685	06a
木-총13획	椶		3769	06a

木-총13획	橡		3469	06a
木-총13획	楯		3637	06a
木-총13획	楃		3656	06a
木-총13획	楊		3495	06a
木-총13획	業		1742	03a
木-총13획	椽		3623	06a
木-총13획	楹		3611	06a
木-총13획	楻		3643	06a
木-총13획	楍		3439	06a
木-총13획	楥		3711	06a
木-총13획	械		3663	06a
木-총13획	楢		3420	06a
木-총13획	榆		3524	06a
木-총13획	楔		3536	06a
木-총13획	椸		3820	06a
木-총13획	楮		3508	06a
木-총13획	榕		3614	06a
木-총13획	楨		3591	06a
木-총13획	梭		3443	06a
木-총13획	楫		3771	06a
木-총13획	楚		3833	06a
木-총13획	楸		3447	06a
木-총13획	椯		3720	06a
木-총13획	楄		3795	06a
木-총13획	楓		3503	06a
木-총13획	楷		3412	06a
木-총13획	楇		3762	06a
木-총13획	楦		3419	06a
木-총13획	楎		3673	06a

木-총14획	榷		3766	06a
木-총14획	榦		3603	06a
木-총14획	槏		3634	06a
木-총14획	槀		3589	06a
木-총14획	榖		3507	06a
木-총14획	槐		3506	06a
木-총14획	構		3605	06a
木-총14획	榰		3668	06a
木-총14획	榙		3540	06a
木-총14획	槁		3760	06a
木-총14획	槃		3688	06a
木-총14획	榜		3733	06a
木-총14획	榑		3597	06a
木-총14획	槌		3627	06a
木-총14획	榥		3689	06a
木-총14획	槎		3788	06a
木-총14획	榭		3818	06a
木-총14획	樂		3819	06a
木-총14획	槭		3493	06a
木-총14획	楣		3646	06a
木-총14획	榦		3498	06a
木-총14획	朕		3708	06a
木-총14획	槵		3457	06a
木-총14획	榮		3521	06a
木-총14획	榣		3572	06a
木-총14획	槇		3562	06a
木-총14획	楮		3613	06a

木-총14획	櫻	櫻	3550	06a
木-총14획	榛	榛	3451	06a
木-총14획	楷	楷	3468	06a
木-총14획	槍	槍	3648	06a
木-총14획	榱	榱	3624	06a
木-총14획	槖	槖	3585	06a
木-총14획	榻	榻	3821	06a
木-총14획	槌	槌	3699	06a
木-총14획	榼	榼	3697	06a
木-총14획	榔	榔	3600	06a
木-총14획	榾	榾	3794	06a
木-총15획	槃	槃	3683	06a
木-총15획	槕	槕	3824	06a
木-총15획	槶	槶	3716	06a
木-총15획	樛	樛	3573	06a
木-총15획	槤	槤	3702	06a
木-총15획	樓	樓	3635	06a
木-총15획	橢	橢	3529	06a
木-총15획	槾	槾	3642	06a
木-총15획	模	模	3606	06a
木-총15획	樊	樊	1766	03a
木-총15획	樀	樀	3400	06a
木-총15획	槮	槮	3581	06a
木-총15획	樂	樂	3774	06a
木-총15획	楸	楸	3428	06a
木-총15획	榴	榴	3417	06a
木-총15획	樂	樂	3745	06a

木-총15획	樣	樣	3462	06a
木-총15획	槷	槷	3587	06a
木-총15획	樵	樵	3487	06a
木-총15획	椿	椿	3825	06a
木-총15획	樟	樟	3438	06a
木-총15획	樗	樗	3490	06a
木-총15획	樀	樀	3631	06a
木-총15획	槽	槽	3741	06a
木-총15획	樅	樅	3531	06a
木-총15획	槧	槧	3750	06a
木-총15획	樞	樞	3633	06a
木-총15획	樾	樾	3494	06a
木-총15획	樘	樘	3612	06a
木-총15획	標	標	3565	06a
木-총15획	樺	樺	3484	06a
木-총15획	槽	槽	3812	06a
木-총15획	槼	槼	3432	06a
木-총15획	橫	橫	3777	06a
木-총16획	橋	橋	3767	06a
木-총16획	橐	橐	3669	06a
木-총16획	橜	橜	3721	06a
木-총16획	槽	槽	3459	06a
木-총16획	橘	橘	3397	06a
木-총16획	機	機	3707	06a
木-총16획	橝	橝	3630	06a
木-총16획	橦	橦	3657	06a
木-총16획	橙	橙	3398	06a

부수

木-총16획	橑	檺	3621	06a
木-총16획	樧	檜	3552	06a
木-총16획	樸	檏	3590	06a
木-총16획	橎	檔	3523	06a
木-총16획	橃	檆	3770	06a
木-총16획	橨	檔	3437	06a
木-총16획	撕	檞	3806	06a
木-총16획	樿	檉	3418	06a
木-총16획	樹	檕	3543	06a
木-총16획	橚	檔	3583	06a
木-총16획	橦	檔	3448	06a
木-총16획	燃	檓	3478	06a
木-총16획	橈	檺	3576	06a
木-총16획	槾	檍	3476	06a
木-총16획	棘	棘	3829	06a
木-총16획	橃	檥	3722	06a
木-총16획	樵	檿	3527	06a
木-총16획	橘	檣	3454	06a
木-총16획	橢	檹	3698	06a
木-총16획	橐	橐	3886	06b
木-총16획	麭	麭	3880	06b
木-총16획	橺	檲	3569	06a
木-총16획	橞	檴	3471	06a
木-총17획	櫃	櫃	3444	06a
木-총17획	橿	橿	3489	06a
木-총17획	檢	檢	3752	06a
木-총17획	檄	檄	3753	06a

木-총17획	橄	檵	3734	06a
木-총17획	繫	繫	3705	06a
木-총17획	檀	檀	3512	06a
木-총17획	檗	檗	3491	06a
木-총17획	樹	檴	3450	06a
木-총17획	環	檪	3691	06a
木-총17획	操	檖	3761	06a
木-총17획	檍	檍	3436	06a
木-총17획	檥	檥	3604	06a
木-총17획	檉	檉	3496	06a
木-총17획	檻	檻	3434	06a
木-총17획	檐	檐	3629	06a
木-총17획	橋	檎	3780	06a
木-총17획	槲	槲	3518	06a
木-총17획	櫜	櫜	3889	06b
木-총17획	檜	檜	3530	06a
木-총18획	鎣	鎣	4510	07b
木-총18획	檻	檻	3509	06a
木-총18획	櫚	檣	3706	06a
木-총18획	櫟	檸	3539	06a
木-총18획	檮	檮	3790	06a
木-총18획	櫂	櫂	3823	06a
木-총18획	橋	檹	3628	06a
木-총18획	樽	檽	3615	06a
木-총18획	樸	檾	3477	06a
木-총18획	櫜	櫜	3885	06b
木-총18획	麘	麘	3516	06a

木一총18획	檮	櫏	3620	06a
木一총18획	橋	橋	3578	06a
木一총18획	櫅	桷	3473	06a
木一총18획	檻	檻	3807	06a
木一총19획	櫜	櫜	3888	06b
木一총19획	櫝	櫝	3664	06a
木一총19획	櫟	櫟	3513	06a
木一총19획	櫓	櫓	3744	06a
木一총19획	櫚	櫚	3695	06a
木一총19획	櫐	櫐	3831	06a
木一총19획	櫌	櫌	3674	06a
木一총19획	櫡	櫡	3676	06a
木一총19획	櫛	櫛	3665	06a
木一총19획	櫍	櫍	3822	06a
木一총19획	櫎	櫎	3703	06a
木一총20획	櫪	櫪	3805	06a
木一총20획	櫞	櫞	3481	06a
木一총20획	櫨	櫨	3616	06a
木一총20획	櫜	櫜	3636	06a
木一총20획	櫳	櫳	3808	06a
木一총20획	櫬	櫬	3475	06a
木一총20획	櫰	櫰	3811	06a
木一총20획	櫱	櫱	3654	06a
木一총21획	櫺	櫺	3638	06a
木一총21획	櫻	櫻	3519	06a
木一총21획	櫻	櫻	3826	06a
木一총21획	櫲	櫲	3542	06a

木一총21획	櫼	櫼	3650	06a
木一총22획	權	權	3504	06a
木一총22획	櫜	櫜	3559	06a
木一총22획	欄	欄	3429	06a
木一총23획	欒	欒	3499	06a
木一총23획	欑	欑	3731	06a
木一총24획	欐	欐	3785	06a
木一총25획	欗	欗	3772	06a
木一총25획	欖	欖	3765	06a
木一총25획	欄	欄	3675	06a

076 흠(欠)부수				
欠一총04획	欠	欠	5497	08b
欠一총06획	次	次	5558	08b
欠一총07획	欫	欫	5513	08b
欠一총08획	吹	吹	5557	08b
欠一총08획	欥	欥	5520	08b
欠一총08획	欣	欣	5510	08b
欠一총08획	蚊	蚊	5524	08b
欠一총09획	欬	欬	5502	08b
欠一총09획	妷	妷	5555	08b
欠一총09획	欨	欨	5556	08b
欠一총10획	欧	欧	5550	08b
欠一총10획	欯	欯	5530	08b
欠一총10획	欰	欰	5519	08b
欠一총10획	飮	飮	5547	08b
欠一총10획	欮	欮	5551	08b
欠一총10획	欶	欶	5500	08b

欠-총11획	欷	5544	08b
欠-총11획	欣	5541	08b
欠-총11획	欸	5529	08b
欠-총11획	欲	5514	08b
欠-총11획	欯	5533	08b
欠-총12획	欿	5546	08b
欠-총12획	款	5512	08b
欠-총12획	欻	5554	08b
欠-총12획	欺	5560	08b
欠-총12획	欹	5504	08b
欠-총12획	欥	2555	04b
欠-총12획	欯	5523	08b
欠-총12획	欽	5498	08b
欠-총13획	歃	5545	08b
欠-총13획	歁	5543	08b
欠-총13획	歆	5562	08b
欠-총13획	歉	5516	08b
欠-총13획	歇	5508	08b
欠-총13획	歈	5561	08b
欠-총14획	歌	5515	08b
欠-총14획	歎	5548	08b
欠-총14획	歊	5517	08b
欠-총14획	歍	5525	08b
欠-총14획	歐	5535	08b
欠-총14획	歋	5521	08b
欠-총14획	歃	5506	08b
欠-총14획	歅	5522	08b
欠-총15획	歟	5559	08b
欠-총15획	歐	5531	08b
欠-총15획	歙	5563	08b
欠-총15획	歎	5527	08b
欠-총15획	歗	5503	08b
欠-총16획	歔	5526	08b
欠-총16획	歖	5532	08b
欠-총16획	歛	5553	08b
欠-총16획	歝	5528	08b
欠-총17획	歜	5507	08b
欠-총17획	歞	5538	08b
欠-총17획	歌	5534	08b
欠-총17획	歟	5552	08b
欠-총18획	歠	5505	08b
欠-총19획	歡	5540	08b
欠-총19획	止	5564	08b
欠-총22획	歟	5539	08b
欠-총22획	歔	5518	08b
欠-총22획	歡	5509	08b
欠-총23획	歠	5499	08b
欠-총25획	歟	5542	08b

077 지(止)부수

止-총04획	止	1063	02a
止-총03획	少	1075	02a
止-총05획	正	1086	02b
止-총06획	此	1082	02a
止-총07획	步	1080	02a

止－총08획	武	8354	12b
止－총09획	距	1067	02a
止－총10획	峙	1066	02a
止－총12획	峴	1070	02a
止－총12획	堂	1065	02a
止－총13획	歲	1081	02a
止－총13획	崋	1064	02a
止－총14획	澀	1076	02a
止－총16획	歷	1069	02a
止－총17획	壁	1071	02a
止－총18획	歸	1072	02a

078 알(歺)부수

歹－총05획	歹	2520	04b
歹－총06획	死	2552	04b
歹－총06획	歾	2538	04b
歹－총07획	奴	2515	04b
歹－총08획	歾	2524	04b
歹－총09획	姑	2550	04b
歹－총09획	殃	2540	04b
歹－총09획	殂	2529	04b
歹－총09획	殄	2542	04b
歹－총09획	殆	2539	04b
歹－총10획	殊	2526	04b
歹－총10획	殉	2548	04b
歹－총12획	殞	2551	04b
歹－총12획	殖	2549	04b
歹－총12획	殘	2521	04b
歹－총12획	殊	2534	04b
歹－총12획	殘	2541	04b
歹－총12획	殣	2525	04b
歹－총13획	殗	2530	04b
歹－총13획	殙	2522	04b
歹－총14획	殨	2547	04b
歹－총14획	殟	2527	04b
歹－총14획	殤	2536	04b
歹－총15획	殪	2535	04b
歹－총15획	殤	2532	04b
歹－총15획	殤	2528	04b
歹－총16획	殰	2537	04b
歹－총16획	殰	2531	04b
歹－총16획	殫	2544	04b
歹－총17획	殬	2545	04b
歹－총18획	殯	2533	04b
歹－총19획	殰	2523	04b
歹－총21획	殲	2543	04b
歹－총23획	殰	2546	04b

079 수(殳)부수

殳－총04획	殳	1948	03b
殳－총08획	殀	1953	03b
殳－총09획	段	1961	03b
殳－총10획	殼	1952	03b
殳－총10획	殺	1967	03b
殳－총10획	殷	5229	08a
殳－총11획	毀	1954	03b

부수-총획	해서	전서	번호	쪽
殳-총11획	殺		1968	03b
殳-총11획	殿		1960	03b
殳-총12획	殷		1965	03b
殳-총12획	殽		1963	03b
殳-총13획	殿		1959	03b
殳-총13획	毀		9071	13b
殳-총14획	㲉		1958	03b
殳-총14획	㲉		1951	03b
殳-총14획	㲉		1962	03b
殳-총15획	毆		1957	03b
殳-총15획	毅		1964	03b
殳-총16획	𣪊		8967	13b
殳-총16획	㲉		4497	07a
殳-총18획	㲉		1955	03b
080 모(毋)부수				
毋-총04획	毋		8314	12b
毋-총04획	毌		4321	07a
毋-총05획	母		8099	12b
毋-총07획	每		235	01b
毋-총07획	毐		8315	12b
毋-총08획	毒		236	01b
081 비(比)부수				
比-총04획	比		5205	08a
比-총09획	毖		5206	08a
比-총09획	毚		6258	10a
比-총10획	毗		6667	10b
比-총14획	臮		6261	10a

부수-총획	해서	전서	번호	쪽
比-총17획	毚		6260	10a
比-총17획	毚		6259	10a
082 모(毛)부수				
毛-총04획	毛		5361	08a
毛-총10획	毪		5364	08a
毛-총10획	毨		5367	08a
毛-총11획	毬		5372	08a
毛-총12획	毳		5374	08a
毛-총13획	毹		5369	08a
毛-총14획	毻		5362	08a
毛-총14획	毦		5370	08a
毛-총14획	毼		5363	08a
毛-총15획	氂		775	02a
毛-총15획	毿		5365	08a
毛-총16획	氄		5371	08a
毛-총16획	氅		5373	08a
毛-총17획	氈		5366	08a
毛-총22획	氍		5368	08a
083 씨(氏)부수				
氏-총04획	氏		8326	12b
氏-총05획	民		8316	12b
氏-총05획	氐		8328	12b
氏-총06획	氒		8327	12b
氏-총08획	氓		8317	12b
氏-총10획	䢺		8330	12b
氏-총14획	墅		8329	12b
氏-총18획	氎		8331	12b

084 기(气)부수				
气-총04획	气	彡	224	01a
气-총08획	氛	氛	225	01a
气-총10획	氣	氣	4483	07a

085 수(水)부수				
水-총04획	水	川	6948	11a
水-총05획	氿	氿	7206	11a
水-총05획	氾	氾	7145	11a
水-총05획	永	氷	7457	11b
水-총05획	汀	汀	7316	11a
水-총05획	汁	汁	7358	11a
水-총05획	氿	氿	6949	11a
水-총06획	江	江	6955	11a
水-총06획	休	休	7259	11a
水-총06획	汏	汏	7331	11a
水-총06획	汎	汎	7127	11a
水-총06획	氾	氾	7213	11a
水-총06획	汕	汕	7234	11a
水-총06획	浮	浮	7254	11a
水-총06획	汛	汛	7388	11a
水-총06획	汝	汝	6983	11a
水-총06획	汗	汗	7312	11a
水-총06획	泅	泅	7079	11a
水-총06획	汋	汋	7158	11a
水-총06획	汲	汲	7090	11a
水-총06획	汗	汗	7092	11a
水-총06획	汗	汗	7397	11a

水-총06획	汝	汝	7414	11a
水-총06획	汔	汔	7302	11a
水-총07획	決	決	7235	11a
水-총07획	汨	汨	7005	11a
水-총07획	汩	汩	7411	11a
水-총07획	汲	汲	7378	11a
水-총07획	沂	沂	7046	11a
水-총07획	沮	沮	7317	11a
水-총07획	沔	沔	6975	11a
水-총07획	沐	沐	7373	11a
水-총07획	沒	沒	7260	11a
水-총07획	汶	汶	7052	11a
水-총07획	汳	汳	7030	11a
水-총07획	汾	汾	6985	11a
水-총07획	沙	沙	7201	11a
水-총07획	沁	沁	6987	11a
水-총07획	沈	沈	7281	11a
水-총07획	次	次	5565	08b
水-총07획	沆	沆	6993	11a
水-총07획	汭	汭	7109	11a
水-총07획	汧	汧	7205	11a
水-총07획	汪	汪	7122	11a
水-총07획	沈	沈	7084	11a
水-총07획	沄	沄	7128	11a
水-총07획	沅	沅	6966	11a
水-총07획	沚	沚	7209	11a
水-총07획	汥	汥	7222	11a

부
수

水-총07획	泜		7299	11a
水-총07획	沖		7126	11a
水-총07획	沛		7064	11a
水-총07획	沆		7130	11a
水-총08획	泔		7341	11a
水-총08획	沽		7063	11a
水-총08획	泒		7069	11a
水-총08획	泥		7072	11a
水-총08획	沓		3032	05a
水-총08획	渗		7190	11a
水-총08획	泠		7001	11a
水-총08획	泐		7297	11a
水-총08획	沫		6960	11a
水-총08획	沬		7374	11a
水-총08획	泯		7415	11a
水-총08획	泮		7406	11a
水-총08획	泛		7253	11a
水-총08획	泲		7245	11a
水-총08획	沸		7210	11a
水-총08획	泗		7040	11a
水-총08획	泄		7029	11a
水-총08획	沼		7220	11a
水-총08획	沂		7248	11a
水-총08획	沭		7045	11a
水-총08획	決		7263	11a
水-총08획	沿		7247	11a
水-총08획	泳		7250	11a
水-총08획	泧		7322	11a
水-총08획	泑		6951	11a
水-총08획	油		7009	11a
水-총08획	泣		7398	11a
水-총08획	洗		7188	11a
水-총08획	沮		6963	11a
水-총08획	沛		6994	11a
水-총08획	注		7238	11a
水-총08획	泜		7060	11a
水-총08획	泄		7124	11a
水-총08획	沾		6988	11a
水-총08획	㳄		7435	11b
水-총08획	泚		7179	11a
水-총08획	治		7053	11a
水-총08획	沱		6956	11a
水-총08획	波		7138	11a
水-총08획	泙		7178	11a
水-총08획	泡		7038	11a
水-총08획	泌		7113	11a
水-총08획	河		6950	11a
水-총08획	泫		7116	11a
水-총08획	沈		7131	11a
水-총08획	洞		7369	11a
水-총08획	泓		7146	11a
水-총08획	況		7125	11a
水-총09획	汧		6977	11a
水-총09획	洎		7323	11a

水-총09획	洭		6997	11a	水-총09획	津		7242	11a
水-총09획	洗		7137	11a	水-총09획	泉		7453	11b
水-총09획	洞		7152	11a	水-총09획	派		7212	11a
水-총09획	洛		6981	11a	水-총09획	洐		7229	11a
水-총09획	洌		7161	11a	水-총09획	洫		7223	11a
水-총09획	洺		7421	11a	水-총09획	洪		7099	11a
水-총09획	洦		7091	11a	水-총09획	洚		7100	11a
水-총09획	洫		7093	11a	水-총09획	活		7114	11a
水-총09획	洇		7023	11a	水-총09획	洄		7249	11a
水-총09획	洗		7377	11a	水-총09획	洨		7058	11a
水-총09획	洒		7362	11a	水-총09획	洶		7154	11a
水-총09획	洙		7044	11a	水-총09획	洽		7293	11a
水-총09획	洵		7077	11a	水-총10획	涇		6970	11a
水-총09획	洝		7326	11a	水-총10획	涒		7355	11a
水-총09획	洋		7047	11a	水-총10획	涂		6965	11a
水-총09획	洿		7310	11a	水-총10획	浪		6974	11a
水-총09획	洼		7217	11a	水-총10획	浣		7311	11a
水-총09획	洹		7041	11a	水-총10획	瀧		7088	11b
水-총09획	洍		6995	11a	水-총10획	浮		7143	11a
水-총09획	洧		7026	11a	水-총10획	浹		7204	11a
水-총09획	泚		7327	11a	水-총10획	淀		7172	11a
水-총09획	洟		7395	11a	水-총10획	涚		7328	11a
水-총09획	洇		7085	11a	水-총10획	消		7304	11a
水-총09획	洅		7282	11a	水-총10획	涷		7384	11a
水-총09획	洮		6969	11a	水-총10획	浅		6958	11a
水-총09획	洔		7192	11a	水-총10획	涓		7105	11a
水-총09획	洓		7267	11a	水-총10획	涅		7197	11a

水-총10획	浯	𣷓	7051	11a
水-총10획	浴	𣷏	7375	11a
水-총10획	涌	𣸖	7155	11a
水-총10획	浥	𣳆	7200	11a
水-총10획	涔	𣹓	7287	11a
水-총10획	浙	𣲽	6957	11a
水-총10획	浚	𣹐	7336	11a
水-총10획	泿	𣳇	7290	11a
水-총10획	沭	𣳁	6558	10b
水-총10획	涕	𣹫	7399	11a
水-총10획	泰	𠂤	7390	11a
水-총10획	浿	𣳓	7065	11a
水-총10획	浦	𣳷	7208	11a
水-총10획	海	𣴴	7096	11a
水-총10획	浹	𣹲	7431	11a
水-총10획	浩	𣳆	7129	11a
水-총11획	淦	𣸮	7252	11a
水-총11획	涾	𣹓	7082	11a
水-총11획	涳	𣺓	7157	11a
水-총11획	淉	𣸟	7086	11a
水-총11획	涫	𣸉	7329	11a
水-총11획	淈	𣸗	7171	11a
水-총11획	淇	𣸩	6991	11a
水-총11획	淖	𣸥	7194	11a
水-총11획	淡	𣺳	7354	11a
水-총11획	湝	𣸤	7330	11a
水-총11획	涷	𣹇	6952	11a

水-총11획	淶	𣸵	7071	11a
水-총11획	涼	𣺇	7353	11a
水-총11획	淪	𣸓	7141	11a
水-총11획	淩	𣸺	7032	11a
水-총11획	淋	𣸻	7380	11a
水-총11획	涪	𣸍	6953	11a
水-총11획	淠	𣸷	7021	11a
水-총11획	溯	𣺤	7243	11a
水-총11획	涻	𣸠	7078	11a
水-총11획	淅	𣸱	7333	11a
水-총11획	淑	𣸖	7162	11a
水-총11획	淳	𣸣	7379	11a
水-총11획	淬	𣹏	7372	11a
水-총11획	深	𣹇	7007	11a
水-총11획	淰	𣹲	7346	11a
水-총11획	涯	𣸅	7434	11a
水-총11획	液	𣺭	7357	11a
水-총11획	淤	𣸬	7344	11a
水-총11획	淹	𣸴	6967	11a
水-총11획	減	𣸋	7118	11a
水-총11획	淵	𣺙	7174	11a
水-총11획	淒	𣸵	7239	11a
水-총11획	淣	𣸳	7089	11a
水-총11획	淯	𣸞	6982	11a
水-총11획	淫	𣸏	7186	11a
水-총11획	淨	𣺆	7036	11a
水-총11획	淖	𣸹	7102	11a

水-총11획	淙	𣾾	7150	11a		水-총12획	湆	𣽤	7156	11a
水-총11획	渚	𣼤	7240	11a		水-총12획	湎	𣾷	7351	11a
水-총11획	淒	𣿖	7264	11a		水-총12획	淼	𣺖	7429	11a
水-총11획	淺	𣼾	7191	11a		水-총12획	湄	𣾲	7228	11a
水-총11획	淁	𣼃	7081	11a		水-총12획	湏	𣾣	7366	11a
水-총11획	清	𣼇	7165	11a		水-총12획	湘	𣾩	7004	11a
水-총11획	渞	𣼜	7080	11a		水-총12획	渻	𣾨	7350	11a
水-총11획	涿	𣽷	7274	11a		水-총12획	渫	𣿷	7381	11a
水-총11획	淲	𣾱	7117	11a		水-총12획	湞	𣾴	7193	11a
水-총11획	涸	𣾀	7303	11a		水-총12획	浚	𣽼	7335	11a
水-총11획	淊	𣼩	7283	11a		水-총12획	湜	𣾌	7166	11a
水-총11획	混	𣼼	7106	11a		水-총12획	渥	𣿅	7291	11a
水-총11획	淊	𣼒	7199	11a		水-총12획	湨	𣽏	7265	11a
水-총11획	淮	𣼅	7017	11a		水-총12획	渨	𣿆	7261	11a
水-총12획	渴	𣿘	7306	11a		水-총12획	潤	𣿤	7055	11a
水-총12획	減	𣿋	7403	11a		水-총12획	湲	𣽠	7423	11a
水-총12획	湝	𣾄	7115	11a		水-총12획	渭	𣿔	6971	11a
水-총12획	渠	𣽛	7226	11a		水-총12획	漳	𣾘	7147	11a
水-총12획	溪	𣿤	7214	11a		水-총12획	游	𣽝	4277	07a
水-총12획	澳	𣿲	7325	11a		水-총12획	湆	𣾿	7309	11a
水-총12획	湳	𣾪	7073	11a		水-총12획	湮	𣾽	7258	11a
水-총12획	漆	𣿇	7276	11a		水-총12획	滋	𣿦	7198	11a
水-총12획	湍	𣾮	7149	11a		水-총12획	渚	𣽎	7057	11a
水-총12획	湛	𣾙	7257	11a		水-총12획	湔	𣾑	6959	11a
水-총12획	渡	𣽖	7246	11a		水-총12획	湞	𣾚	7011	11a
水-총12획	渾	𣿠	7394	11a		水-총12획	湊	𣽞	7256	11a
水-총12획	湅	𣿘	7400	11a		水-총12획	湨	𣾬	7270	11a

水-총12획	湫	𤃶	7313	11a
水-총12획	測	𣲂	7148	11a
水-총12획	湼	𤀢	7075	11a
水-총12획	湯	𤑷	7324	11a
水-총12획	渝	𤄃	7402	11a
水-총12획	港	𤁪	7426	11a
水-총12획	湖	𤃝	7221	11a
水-총12획	渾	𤃩	7160	11a
水-총12획	渙	𤁪	7112	11a
水-총12획	湟	𤂅	6976	11a
水-총13획	滆	𣶏	7359	11a
水-총13획	潅	𤂮	7292	11a
水-총13획	溝	𤃀	7224	11a
水-총13획	溺	𣹬	6968	11a
水-총13획	滔	𣺐	7104	11a
水-총13획	溓	𤃲	7296	11a
水-총13획	漱	𤂖	7436	11b
水-총13획	溧	𤁇	7003	11a
水-총13획	滅	𤁇	7404	11a
水-총13획	溟	𣷶	7266	11a
水-총13획	溦	𤁍	7279	11a
水-총13획	滂	𤄵	7121	11a
水-총13획	溥	𤃣	7097	11a
水-총13획	源	𣳊	7056	11a
水-총13획	潰	𤄛	7087	11a
水-총13획	溼	𤂾	7308	11a
水-총13획	潯	𤃬	7285	11a
水-총13획	溫	𤁵	6961	11a
水-총13획	滃	𤂤	7262	11a
水-총13획	溮	𣶃	7196	11a
水-총13획	溶	𤁷	7163	11a
水-총13획	湏	𣶒	7020	11a
水-총13획	溢	𤁲	7361	11a
水-총13획	滏	𤂣	6996	11a
水-총13획	滓	𤂝	7345	11a
水-총13획	滌	𤃲	7420	11a
水-총13획	滇	𤃄	6964	11a
水-총13획	準	𤂅	7315	11a
水-총13획	溱	𤀽	7006	11a
水-총13획	滄	𤃄	7370	11a
水-총13획	滀	𤃽	7018	11a
水-총13획	涵	𤁵	7284	11a
水-총13획	溢	𤁲	7432	11a
水-총13획	滈	𤃙	7277	11a
水-총13획	溷	𤂤	7170	11a
水-총13획	滑	𣷏	7183	11a
水-총14획	漮	𤄱	7307	11a
水-총14획	漑	𤄴	7049	11a
水-총14획	漮	𤄱	7334	11a
水-총14획	潦	𤄮	7035	11a
水-총14획	滼	𤄲	7070	11a
水-총14획	漚	𤁵	7289	11a
水-총14획	溥	𤃣	7413	11a
水-총14획	瀧	𤄱	7338	11a

水-총14획	濮		7278	11a
水-총14획	漏		7407	11a
水-총14획	滲		7123	11a
水-총14획	漠		7095	11a
水-총14획	滿		7182	11a
水-총14획	滬		7068	11a
水-총14획	漄		6980	11a
水-총14획	滲		7168	11a
水-총14획	潡		7425	11a
水-총14획	滑		7342	11a
水-총14획	漱		7368	11a
水-총14획	湒		7207	11a
水-총14획	漾		6972	11a
水-총14획	馮		7074	11a
水-총14획	演		7111	11a
水-총14획	潊		7015	11a
水-총14획	漥		7218	11a
水-총14획	漳		6990	11a
水-총14획	滴		7237	11a
水-총14획	漸		7000	11a
水-총14획	漕		7405	11a
水-총14획	漬		7288	11a
水-총14획	滌		7363	11a
水-총14획	滯		7298	11a
水-총14획	漼		7173	11a
水-총14획	漆		6979	11a
水-총14획	漂		7142	11a
水-총14획	漢		6973	11a
水-총14획	滎		7216	11a
水-총15획	澗		7230	11a
水-총15획	潔		7430	11a
水-총15획	漦		7349	11a
水-총15획	潰		7189	11a
水-총15획	潒		7083	11a
水-총15획	潭		7008	11a
水-총15획	潼		6954	11a
水-총15획	滕		7135	11a
水-총15획	潦		6978	11a
水-총15획	潞		6989	11a
水-총15획	潦		7272	11a
水-총15획	潘		7012	11a
水-총15획	潣		7010	11a
水-총15획	潕		7014	11a
水-총15획	潤		7167	11a
水-총15획	潘		7339	11a
水-총15획	潚		7385	11a
水-총15획	潰		7203	11a
水-총15획	潛		7396	11a
水-총15획	潒		7107	11a
水-총15획	槱		7437	11b
水-총15획	潩		7433	11a
水-총15획	瀟		7110	11a
水-총15획	鼇		7108	11a
水-총15획	澌		7301	11a

水-총15획	潯		7177	11a	水-총16획	澬		7241	11a
水-총15획	潁		7025	11a	水-총16획	潻		7393	11a
水-총15획	澆		7356	11a	水-총16획	澺		7022	11a
水-총15획	澐		7139	11a	水-총16획	濊		7410	11a
水-총15획	潤		7169	11a	水-총16획	澳		7231	11a
水-총15획	潤		7314	11a	水-총16획	濆		7271	11a
水-총15획	潠		6984	11a	水-총16획	澶		7043	11a
水-총15획	潺		7422	11a	水-총16획	澱		7343	11a
水-총15획	潛		7251	11a	水-총16획	澡		7376	11a
水-총15획	澍		7269	11a	水-총16획	澂		7364	11a
水-총15획	潧		7031	11a	水-총16획	澕		7319	11a
水-총15획	澂		7164	11a	水-총16획	濁		7048	11a
水-총15획	潐		7305	11a	水-총16획	蕩		6992	11a
水-총15획	漐		7211	11a	水-총16획	澤		7185	11a
水-총15획	潓		6998	11a	水-총16획	澥		7094	11a
水-총15획	潩		7408	11a	水-총16획	澮		6986	11a
水-총15획	潢		7219	11a	水-총17획	濘		7215	11a
水-총15획	潚		7136	11a	水-총17획	瀾		7175	11a
水-총15획	潝		7134	11a	水-총17획	濤		7424	11a
水-총16획	潄		5536	08b	水-총17획	濫		7144	11a
水-총16획	激		7151	11a	水-총17획	濛		7280	11a
水-총16획	澖		7028	11a	水-총17획	濮		7033	11a
水-총16획	濃		7294	11a	水-총17획	澤		7002	11a
水-총16획	澹		7176	11a	水-총17획	濞		7132	11a
氵-총16획	漱		2004	03b	水-총17획	濔		7367	11a
水-총16획	澧		7019	11a	水-총17획	濕		7037	11a
水-총16획	澮		7184	11a	水-총17획	濰		7050	11a

水-총17획	濡		7061	11a
水-총17획	濕		7027	11a
水-총17획	濱		7103	11a
水-총17획	濟		7059	11a
水-총17획	澤		7195	11a
水-총17획	濯		7383	11a
水-총17획	㵰		7232	11a
水-총17획	濩		7273	11a
水-총18획	瀆		7225	11a
水-총18획	濼		7034	11a
水-총18획	瀏		7119	11a
水-총18획	瀎		7321	11a
水-총18획	瀋		7365	11a
水-총18획	濹		7286	11a
水-총18획	瀒		7181	11a
水-총18획	瀪		7371	11a
水-총18획	瀑		7268	11a
水-총18획	瀍		7295	11a
水-총18획	瀅		7300	11a
水-총19획	瀝		7337	11a
水-총19획	瀘		7417	11a
水-총19획	瀧		7275	11a
水-총19획	瀨		7202	11a
水-총19획	瀕		7438	11b
水-총19획	瀟		7418	11a
水-총19획	潤		7391	11a
水-총19획	瀛		7419	11a
水-총19획	瀦		7427	11a
水-총19획	瀞		7320	11a
水-총19획	瀬		7016	11a
水-총19획	瀣		7416	11a
水-총19획	滾		7066	11a
水-총19획	瀤		7244	11a
水-총20획	瀾		7159	11a
水-총20획	瀾		7140	11a
水-총20획	瀿		7227	11a
水-총20획	瀼		7318	11a
水-총20획	瀾		7098	11a
水-총20획	瀹		7347	11a
水-총20획	瀕		7412	11a
水-총20획	瀲		7120	11a
水-총20획	瀵		7013	11a
水-총20획	瀰		7180	11a
水-총20획	瀲		7187	11a
水-총20획	瀦		7348	11a
水-총20획	瀚		7382	11a
水-총21획	灂		7332	11a
水-총21획	灌		6999	11a
水-총21획	濯		7024	11a
水-총21획	灈		7062	11a
水-총21획	灓		7454	11b
水-총21획	灕		7153	11a
水-총21획	灝		6229	10a
水-총21획	灘		7042	11a

水－총21획	潚		7133	11a
水－총21획	灟		6962	11a
水－총22획	灑		7387	11a
水－총22획	瓚		7392	11a
水－총23획	灓		7236	11a
水－총23획	灡		7401	11a
水－총23획	灉		7076	11a
水－총24획	灡		7340	11a
水－총24획	灂		7067	11a
水－총24획	灛		7428	11a
水－총24획	灝		7360	11a
水－총25획	灣		7233	11a
水－총27획	灥		7455	11b
086 화(火)부수				
火－총04획	火		6382	10a
火－총06획	灰		6416	10a
火－총07획	灸		6440	10a
火－총07획	灺		6445	10a
火－총07획	灼		6441	10a
火－총07획	夭		6410	10a
火－총08획	炅		6483	10a
火－총08획	炎		6500	10a
火－총08획	炙		6550	10b
火－총08획	炊		6423	10a
火－총08획	炕		6484	10a
火－총09획	炟		6383	10a
火－총09획	炫		6415	10a
火－총09획	炳		6462	10a
火－총09획	炥		6401	10a
火－총09획	炪		6394	10a
火－총09획	炭		6412	10a
火－총09획	炱		6417	10a
火－총09획	炮		6429	10a
火－총09획	炫		6476	10a
火－총09획	炯		6473	10a
火－총10획	烓		6420	10a
火－총10획	烄		6409	10a
火－총10획	烙		6496	10a
火－총10획	烈		6393	10a
火－총10획	娍		6486	10a
火－총10획	烖		6446	10a
火－총10획	烏		2478	04a
火－총10획	裛		6430	10a
火－총10획	栽		6455	10a
火－총10획	烝		6397	10a
火－총10획	烆		6466	10a
火－총10획	烘		6424	10a
火－총11획	焆		6457	10a
火－총11획	焙		6487	10a
火－총11획	烰		6398	10a
火－총11획	舄		6102	09b
火－총11획	焉		2480	04a
火－총11획	焇		6459	10a
火－총11획	焌		6387	10a

火-총11획	羨	羨	6413	10a	火-총13획	點	黏	6504	10a
火-총11획	焞	焞	6384	10a	火-총13획	照	照	6464	10a
火-총12획	敠	敠	6414	10a	火-총13획	煥	煥	6499	10a
火-총12획	焞	焞	6461	10a	火-총13획	煌	煌	6471	10a
火-총12획	閔	閔	6403	10a	火-총13획	煦	煦	6399	10a
火-총12획	無	無	8373	12b	火-총13획	煇	煇	6470	10a
火-총12획	焠	焠	6447	10a	火-총13획	熙	熙	6493	10a
火-총12획	然	然	6389	10a	火-총14획	熇	熇	6408	10a
火-총12획	焱	焱	6547	10b	火-총14획	爁	爁	6450	10a
火-총12획	尉	尉	6438	10a	火-총14획	煽	煽	6495	10a
火-총12획	焯	焯	6463	10a	火-총14획	熄	熄	6419	10a
火-총12획	焜	焜	6472	10a	火-총14획	奔	奔	3176	05b
火-총13획	熒	熒	7662	11b	火-총14획	熊	熊	6380	10a
火-총13획	煖	煖	6481	10a	火-총14획	燚	燚	6548	10b
火-총13획	煥	煥	6482	10a	火-총14획	熦	熦	6435	10a
火-총13획	煉	煉	6442	10a	火-총14획	熏	熏	239	01b
火-총13획	冥	冥	2321	04a	火-총15획	熲	熲	6405	10a
火-총13획	煩	煩	5653	09a	火-총15획	熮	熮	6402	10a
火-총13획	煁	煁	6421	10a	火-총15획	熯	熯	6490	10a
火-총13획	煬	煬	6434	10a	火-총15획	熠	熠	6467	10a
火-총13획	煙	煙	6456	10a	火-총15획	熱	熱	6478	10a
火-총13획	熅	熅	6458	10a	火-총15획	熬	熬	6428	10a
火-총13획	煨	煨	6418	10a	火-총15획	熭	熭	6492	10a
火-총13획	煜	煜	6468	10a	火-총15획	榮	榮	3798	06a
火-총13획	煒	煒	6465	10a	火-총15획	熸	熸	6453	10a
火-총13획	煣	煣	6448	10a	火-총15획	熜	熜	6444	10a
火-총13획	煎	煎	6427	10a	火-총15획	熛	熛	6407	10a

火-총15획	煇	𤊶	6395	10a
火-총15획	熯	熯	6400	10a
火-총16획	燎	燎	6451	10a
火-총16획	䁈	䁈	6503	10a
火-총16획	燔	燔	6391	10a
火-총16획	燓	燓	6449	10a
火-총16획	燅	燅	6505	10a
火-총16획	燒	燒	6392	10a
火-총16획	燊	燊	6549	10b
火-총16획	㷿	㷿	6404	10a
火-총16획	燕	燕	7648	11b
火-총16획	燄	燄	6501	10a
火-총16획	㷉	㷉	6431	10a
火-총16획	燀	燀	6422	10a
火-총16획	燂	燂	6460	10a
火-총16획	燋	燋	6411	10a
火-총16획	熾	熾	6479	10a
火-총16획	熹	熹	6426	10a
火-총17획	燮	燮	1902	03b
火-총17획	燮	燮	6506	10a
火-총17획	營	營	4609	07b
火-총17획	燠	燠	6480	10a
火-총17획	燥	燥	6485	10a
火-총17획	燦	燦	6498	10a
火-총17획	燭	燭	6443	10a
火-총17획	燬	燬	6385	10a
火-총18획	燹	燹	6386	10a

火-총18획	燿	燿	6469	10a
火-총18획	燽	燽	6488	10a
火-총18획	舉	舉	6452	10a
火-총18획	穚	穚	6432	10a
火-총19획	爍	爍	6497	10a
火-총19획	爇	爇	6390	10a
火-총19획	爆	爆	6433	10a
火-총20획	爒	爒	6552	10b
火-총20획	蟠	蟠	6551	10b
火-총20획	爕	爕	6396	10a
火-총20획	爛	爛	6475	10a
火-총20획	爆	爆	6474	10a
火-총20획	爐	爐	6439	10a
火-총21획	爓	爓	6406	10a
火-총22획	爟	爟	6489	10a
火-총22획	爡	爡	6491	10a
火-총22획	爐	爐	6494	10a
火-총23획	爤	爤	6437	10a
火-총25획	爛	爛	6436	10a
火-총28획	爨	爨	6454	10a
火-총29획	爨	爨	1780	03a
087 조(爪)부수				
爪-총04획	爪	爪	1872	03b
爪-총04획	爫	爫	1875	03b
爪-총08획	㸚	㸚	5219	08a
爪-총08획	爭	爭	2511	04b
爪-총09획	受	受	2510	04b

부수-획	자		번호	코드
爪-총09획	爱		2507	04b
爪-총09획	再		2487	04b
爪-총10획	雪		2512	04b
爪-총12획	寽		2508	04b
爪-총12획	爲		1874	03b
爪-총16획	畾		8403	12b
爪-총18획	爵		3186	05b

088 부(父)부수

부수-획	자		번호	코드
父-총04획	父		1900	03b

089 효(爻)부수

부수-획	자		번호	코드
爻-총04획	交		2079	03b
爻-총08획	爻爻		2081	03b
爻-총09획	延		1419	02b
爻-총11획	爽		2083	03b
爻-총14획	爾		2082	03b
爻-총15획	毇		971	02a

090 장(爿)부수

부수-획	자		번호	코드
爿-총08획	牀		3661	06a
爿-총10획	牂		2332	04a
爿-총12획	牆		7352	11a
爿-총14획	牄		3263	05b
爿-총17획	牆		3330	05b

091 편(片)부수

부수-획	자		번호	코드
片-총04획	片		4339	07a
片-총08획	版		4340	07a
片-총13획	牕		4341	07a
片-총13획	牒		4343	07a
片-총13획	牏		4346	07a
片-총13획	牖		4344	07a
片-총15획	牖		4345	07a
片-총19획	牘		4342	07a

092 아(牙)부수

부수-획	자		번호	코드
牙-총04획	牙		1322	02b
牙-총12획	猗		1323	02b
牙-총13획	猰		1324	02b

093 우(牛)부수

부수-획	자		번호	코드
牛-총04획	牛		727	02a
牛-총06획	牟		750	02a
牛-총06획	牝		731	02a
牛-총07획	牢		756	02a
牛-총07획	牡		728	02a
牛-총07획	牣		769	02a
牛-총08획	牦		767	02a
牛-총08획	牧		2060	03b
牛-총08획	物		770	02a
牛-총08획	牺		733	02a
牛-총09획	牪		748	02a
牛-총09획	牲		735	02a
牛-총09획	牷		752	02a
牛-총09획	牴		763	02a
牛-총09획	牱		743	02a
牛-총10획	牶		753	02a
牛-총10획	特		730	02a
牛-총11획	牽		754	02a

牛-총11획	牼	牼	766	02a
牛-총11획	牿	牿	755	02a
牛-총11획	牶	牷	740	02a
牛-총11획	牂	牂	742	02a
牛-총11획	牠	牠	737	02a
牛-총12획	犅	犅	729	02a
牛-총12획	犂	犂	765	02a
牛-총12획	㹮	㹮	738	02a
牛-총12획	犇	犇	761	02a
牛-총12획	犀	犀	768	02a
牛-총12획	犉	犉	745	02a
牛-총13획	犍	犍	772	02a
牛-총14획	犒	犒	736	02a
牛-총14획	犖	犖	741	02a
牛-총14획	犐	犐	746	02a
牛-총14획	犓	犓	757	02a
牛-총15획	犛	犛	774	02a
牛-총15획	犕	犕	759	02a
牛-총15획	犗	犗	751	02a
牛-총15획	犘	犘	734	02a
牛-총16획	犝	犝	773	02a
牛-총17획	犟	犟	747	02a
牛-총17획	犠	犠	771	02a
牛-총18획	犡	犡	762	02a
牛-총19획	犢	犢	732	02a
牛-총19획	犧	犧	739	02a
牛-총19획	犂	犂	760	02a

牛-총19획	㹀	㹀	744	02a
牛-총20획	犨	犨	764	02a
牛-총20획	犫	犫	749	02a
牛-총23획	㹭	㹭	758	02a
094 견(犬)부수				
犬-총04획	犬	犬	6269	10a
犬-총05획	犮	犮	6321	10a
犬-총05획	犯	犯	6309	10a
犬-총07획	犺	犺	6312	10a
犬-총07획	狂	狂	6336	10a
犬-총07획	狃	狃	6308	10a
犬-총07획	犴	犴	6333	10a
犬-총07획	犷	犷	6299	10a
犬-총07획	狄	狄	6338	10a
犬-총07획	狒	狒	6318	10a
犬-총08획	狜	狜	6313	10a
犬-총08획	狗	狗	6270	10a
犬-총08획	狛	狛	6346	10a
犬-총08획	狀	狀	6302	10a
犬-총08획	狎	狎	6307	10a
犬-총08획	狐	狐	6352	10a
犬-총08획	狀	狀	6356	10a
犬-총08획	狖	狖	6298	10a
犬-총08획	狙	狙	6342	10a
犬-총08획	狂	狂	6279	10a
犬-총08획	狐	狐	6348	10a
犬-총09획	臭	臭	6282	10a

犬-총09획	狡	橙	6273	10a
犬-총09획	狲	獬	6295	10a
犬-총09획	狩	橌	6328	10a
犬-총09획	猛	稻	6306	10a
犬-총09획	狠	棍	6296	10a
犬-총09획	狟	桓	6317	10a
犬-총10획	狷	楫	6354	10a
犬-총10획	狼	槪	6345	10a
犬-총10획	狻	樺	6339	10a
犬-총10획	狳	稐	6324	10a
犬-총10획	狾	橌	6335	10a
犬-총11획	猛	稆	6311	10a
犬-총11획	猜	稱	6310	10a
犬-총11획	雅	椎	2278	04a
犬-총11획	猗	椅	6281	10a
犬-총11획	奘	庴	6303	10a
犬-총11획	猖	楊	6319	10a
犬-총11획	猝	椊	6285	10a
犬-총11획	狻	橌	6294	10a
犬-총11획	猈	橌	6280	10a
犬-총12획	獨	橌	6276	10a
犬-총12획	猩	稈	6286	10a
犬-총12획	猤	椮	6355	10a
犬-총12획	猫	稲	6283	10a
犬-총12획	猒	獸	3025	05a
犬-총12획	猥	褠	6289	10a
犬-총12획	猶	稒	6341	10a
犬-총12획	猋	秋	6320	10a
犬-총12획	猴	猴	6293	10a
犬-총12획	猵	橌	6350	10a

犬-총12획	猋	焱	6351	10a
犬-총12획	猴	橌	6343	10a
犬-총12획	猬	樺	6353	10a
犬-총13획	猻	樺	6271	10a
犬-총13획	獂	橌	6287	10a
犬-총14획	獏	橌	6291	10a
犬-총14획	獌	橌	6347	10a
犬-총14획	獊	橌	6292	10a
犬-총14획	獄	橌	6357	10a
犬-총14획	獄	獄	6358	10a
犬-총14획	穀	橌	6344	10a
犬-총15획	獘	橌	6334	10a
犬-총15획	獠	橌	6327	10a
犬-총15획	獜	橌	6314	10a
犬-총15획	播	播	6297	10a
犬-총15획	獢	橌	6300	10a
犬-총15획	獒	獒	6304	10a
犬-총15획	獙	橌	6288	10a
犬-총15획	獝	橋	6277	10a
犬-총16획	獧	橌	6315	10a
犬-총16획	獛	橌	6275	10a
犬-총16획	獨	橌	6323	10a
犬-총16획	獎	獎	6331	10a
犬-총16획	獫	橌	6278	10a
犬-총16획	獮	橌	6274	10a
犬-총17획	獳	橋	6305	10a
犬-총17획	獲	橌	6330	10a
犬-총18획	獷	橌	6301	10a
犬-총18획	獵	橌	6326	10a
犬-총19획	獺	橌	6349	10a
犬-총19획	獸	獸	9691	14b
犬-총20획	獻	獻	6332	10a

부수·획수	해서	전서	번호	코드
犬-총21획	獶		6290	10a
犬-총21획	玃		6325	10a
犬-총23획	玃		6340	10a

095 현(玄)부수

부수·획수	해서	전서	번호	코드
玄-총05획	玄		2497	04b
玄-총09획	玅		8467	12b
玄-총10획	玆		2498	04b
玄-총11획	旒		2499	04b
玄-총11획	率		8740	13a
玄-총14획	竭		8468	12b

096 옥(玉)부수

부수·획수	해서	전서	번호	코드
玉-총04획	王		78	01a
玉-총05획	玉		81	01a
玉-총06획	玖		181	01a
玉-총06획	玎		152	01a
玉-총07획	玕		199	01a
玉-총07획	玒		92	01a
玉-총07획	玖		162	01a
玉-총07획	玘		214	01a
玉-총07획	玗		182	01a
玉-총07획	玓		190	01a
玉-총08획	玨		221	01a
玉-총08획	玲		158	01a
玉-총08획	玠		116	01a
玉-총08획	玦		123	01a
玉-총08획	玢		183	01a
玉-총08획	玟		195	01a
玉-총08획	玤		157	01a
玉-총08획	玭		192	01a
玉-총08획	玩		149	01a
玉-총09획	珈		207	01a
玉-총09획	珂		213	01a
玉-총09획	珣		174	01a
玉-총09획	玲		150	01a
玉-총09획	珉		187	01a
玉-총09획	珊		200	01a
玉-총09획	玼		139	01a
玉-총09획	珇		132	01a
玉-총09획	珍		148	01a
玉-총09획	玭		128	01a
玉-총10획	珙		220	01a
玉-총10획	珧		193	01a
玉-총10획	班		222	01a
玉-총10획	珣		97	01a
玉-총10획	瑰		165	01a
玉-총10획	珧		194	01a
玉-총10획	珢		164	01a
玉-총10획	珥		125	01a
玉-총10획	珠		189	01a
玉-총10획	珦		95	01a
玉-총10획	珩		122	01a
玉-총10획	珛		102	01a
玉-총10획	珝		215	01a
玉-총11획	豐		8402	12b
玉-총11획	球		104	01a
玉-총11획	琅		198	01a
玉-총11획	珸		202	01a
玉-총11획	理		147	01a
玉-총11획	琄		175	01a
玉-총11획	珺		163	01a
玉-총11획	珽		119	01a
玉-총11획	玲		203	01a
玉-총12획	琚		160	01a
玉-총12획	琨		186	01a

부수

玉-총16획	璜	璜	109	01a
玉-총17획	璩	璩	208	01a
玉-총17획	璥	璥	84	01a
玉-총17획	璬	璬	121	01a
玉-총17획	璫	璫	211	01a
玉-총17획	璲	璲	140	01a
玉-총17획	璪	璪	134	01a
玉-총17획	璨	璨	217	01a
玉-총17획	瓃	瓃	205	01a
玉-총17획	璐	璐	170	01a
玉-총17획	環	環	108	01a
玉-총18획	璪	璪	133	01a
玉-총18획	璧	璧	87	01a
玉-총18획	璧	璧	106	01a
玉-총18획	璿	璿	103	01a
玉-총18획	璹	璹	136	01a
玉-총18획	瓊	瓊	176	01a
玉-총18획	璵	璵	89	01a
玉-총18획	瓅	瓅	171	01a
玉-총19획	瓊	瓊	94	01a
玉-총19획	瓅	瓅	191	01a
玉-총19획	瓀	瓀	137	01a
玉-총19획	璺	璺	204	01a
玉-총20획	瓏	瓏	112	01a
玉-총21획	瓔	瓔	173	01a
玉-총22획	瓘	瓘	83	01a
玉-총22획	靈	靈	206	01a
玉-총22획	瓕	瓕	8453	12b
玉-총22획	瓔	瓔	86	01a
玉-총23획	瓚	瓚	99	01a
玉-총24획	瓛	瓛	118	01a

097 과(瓜)부수

瓜-총05획	瓜	瓜	4525	07b
瓜-총10획	瓝	瓝	4531	07b
瓜-총10획	瓞	瓞	4527	07b
瓜-총11획	瓟	瓟	4526	07b
瓜-총11획	瓠	瓠	4532	07b
瓜-총15획	瓥	瓥	4528	07b
瓜-총16획	瓡	瓡	4529	07b
瓜-총16획	瓢	瓢	4533	07b
瓜-총19획	瓣	瓣	4530	07b

098 와(瓦)부수

瓦-총05획	瓦	瓦	8409	12b
瓦-총08획	瓨	瓨	8419	12b
瓦-총09획	瓴	瓴	8410	12b
瓦-총09획	瓮	瓮	8418	12b
瓦-총09획	瓯	瓯	8433	12b
瓦-총09획	瓵	瓵	8431	12b
瓦-총10획	瓶	瓶	8421	12b
瓦-총10획	瓷	瓷	8420	12b
瓦-총10획	瓵	瓵	8415	12b
瓦-총11획	瓷	瓷	8434	12b
瓦-총12획	甀	甀	8435	12b
瓦-총13획	甃	甃	8416	12b
瓦-총13획	瓿	瓿	8424	12b
瓦-총13획	甄	甄	8422	12b
瓦-총13획	瓶	瓶	8432	12b
瓦-총14획	甄	甄	8411	12b
瓦-총14획	甍	甍	8430	12b
瓦-총14획	甂	甂	8423	12b
瓦-총14획	甕	甕	1985	03b
瓦-총14획	甍	甍	8427	12b
瓦-총15획	甔	甔	8428	12b
瓦-총15획	甌	甌	8425	12b

瓦-총16획	甌		8417	12b
瓦-총16획	甍		8412	12b
瓦-총16획	甎		8429	12b
瓦-총17획	甑		8413	12b
瓦-총18획	甓		8426	12b
瓦-총21획	甖		8414	12b
瓦-총21획	甗		1986	03b

099 감(甘)부수

甘-총05획	甘		3022	05a
甘-총09획	甚		3026	05a
甘-총11획	甜		3023	05a
甘-총16획	麿		3024	05a

100 생(生)부수

生-총05획	生		3858	06b
生-총10획	甡		3863	06b
生-총11획	産		3860	06b
生-총12획	甥		9164	13b
生-총12획	甦		3862	06b
生-총17획	甡		3366	05b

101 용(用)부수

用-총05획	用		2074	03b
用-총07획	甫		2075	03b
用-총07획	甬		4327	07a
用-총11획	甯		2077	03b
用-총12획	甯		2078	03b

102 전(田)부수

田-총05획	田		9125	13b
田-총05획	甲		9692	14b
田-총05획	申		9753	14b
田-총06획	由		5811	09a
田-총07획	男		9162	13b
田-총07획	甹		3038	05a
田-총07획	甹		4326	07a
田-총07획	甸		9135	13b
田-총07획	町		9126	13b
田-총08획	畀		9148	13b
田-총08획	界		3009	05a
田-총08획	畄		8404	12b
田-총09획	畎		9141	13b
田-총09획	畍		9140	13b
田-총09획	畏		5812	09a
田-총09획	畋		2055	03b
田-총10획	畠		9154	13b
田-총10획	畔		9139	13b
田-총10획	富		3323	05b
田-총10획	畛		9143	13b
田-총10획	畜		9151	13b
田-총10획	畟		3357	05b
田-총11획	略		9145	13b
田-총11획	畤		9144	13b
田-총11획	畢		2482	04b
田-총11획	畦		9137	13b
田-총12획	留		9150	13b
田-총12획	畯		9134	13b
田-총12획	番		720	02a
田-총12획	畬		9130	13b
田-총12획	異		1770	03a
田-총12획	畷		9147	13b
田-총12획	畫		1936	03b
田-총13획	畺		9155	13b
田-총13획	畸		9132	13b
田-총13획	當		9146	13b
田-총13획	畲		8406	12b
田-총13획	畹		9138	13b

부수

田-총13획	甐	甐	9673	14b
田-총13획	畷	畷	9142	13b
田-총14획	廇	廇	8408	12b
田-총14획	疄	疄	9127	13b
田-총14획	暛	暛	9131	13b
田-총14획	暘	暘	9153	13b
田-총15획	畿	畿	9136	13b
田-총15획	嗟	嗟	9133	13b
田-총16획	疁	疁	9129	13b
田-총16획	甂	甂	8407	12b
田-총16획	疀	疀	8405	12b
田-총17획	疄	疄	9149	13b
田-총17획	疃	疃	9152	13b
田-총19획	疇	疇	9128	13b
103 소(疋)부수				
疋-총05획	疋	疋	1417	02b
疋-총08획	疌	疌	1073	02a
疋-총09획	疌	疌	1074	02a
疋-총11획	疏	疏	9740	14b
疋-총12획	疎	疎	1418	02b
疋-총14획	疑	疑	9731	14b
疋-총14획	疐	疐	2496	04b
104 녁(疒)부수				
疒-총05획	疒	疒	4673	07b
疒-총07획	疔	疔	4684	07b
疒-총07획	疕	疕	4695	07b
疒-총07획	疫	疫	4705	07b
疒-총08획	疝	疝	4707	07b
疒-총08획	疛	疛	4708	07b
疒-총09획	疥	疥	4722	07b
疒-총09획	疲	疲	4759	07b
疒-총09획	疫	疫	4762	07b

疒-총09획	疧	疧	4758	07b
疒-총09획	疢	疢	4749	07b
疒-총09획	痒	痒	4741	07b
疒-총09획	疾	疾	4701	07b
疒-총10획	痂	痂	4723	07b
疒-총10획	痁	痁	4767	07b
疒-총10획	痀	痀	4711	07b
疒-총10획	疽	疽	4751	07b
疒-총10획	病	病	4676	07b
疒-총10획	疳	疳	4710	07b
疒-총10획	痎	痎	4755	07b
疒-총10획	疴	疴	4678	07b
疒-총10획	疵	疵	4687	07b
疒-총10획	疵	疵	4688	07b
疒-총10획	痈	痈	4757	07b
疒-총10획	疸	疸	4717	07b
疒-총10획	痁	痁	4727	07b
疒-총10획	痄	痄	4738	07b
疒-총10획	疾	疾	4674	07b
疒-총10획	疲	疲	4756	07b
疒-총11획	痒	痒	4697	07b
疒-총11획	痏	痏	4739	07b
疒-총11획	痍	痍	4743	07b
疒-총11획	痀	痀	4747	07b
疒-총11획	痔	痔	4730	07b
疒-총11획	痎	痎	4764	07b
疒-총11획	痍	痍	4728	07b
疒-총11획	痕	痕	4745	07b
疒-총12획	痙	痙	4746	07b
疒-총12획	痡	痡	4679	07b
疒-총12획	痞	痞	4753	07b
疒-총12획	痟	痟	4694	07b

부수

구분	자	번호	위치
疒-총29획	癵	4709	07b
105 발(癶)부수			
癶-총05획	癶	1077	02a
癶-총09획	癸	9716	14b
癶-총09획	發	1079	02a
癶-총12획	登	1078	02a
癶-총12획	發	8461	12b
106 백(白)부수			
白-총05획	白	4907	07b
白-총06획	百	2223	04a
白-총06획	皀	2217	04a
白-총07획	皀	3180	05b
白-총07획	皃	5440	08b
白-총09획	皆	2218	04a
白-총09획	皅	4914	07b
白-총09획	皇	80	01a
白-총10획	皋	6627	10b
白-총11획	皎	4908	07b
白-총12획	皕	2229	04a
白-총13획	皙	4910	07b
白-총15획	皚	4913	07b
白-총15획	普	6664	10b
白-총15획	皞	4912	07b
白-총15획	皛	4917	07b
白-총17획	皠	3869	06b
白-총17획	皤	4911	07b
白-총17획	皢	4909	07b
白-총18획	皦	4915	07b
白-총19획	皭	2221	04a
107 피(皮)부수			
皮-총05획	皮	1980	03b
皮-총08획	皯	1982	03b
皮-총10획	皰	1981	03b
皮-총12획	皴	1984	03b
皮-총14획	皸	1983	03b
108 명(皿)부수			
皿-총05획	皿	3122	05a
皿-총08획	盂	3123	05a
皿-총09획	盆	3132	05a
皿-총09획	盈	3140	05a
皿-총09획	盇	3130	05a
皿-총09획	盅	3142	05a
皿-총09획	益	3165	05a
皿-총10획	盋	3136	05a
皿-총10획	盌	3147	05a
皿-총10획	盍	3131	05a
皿-총10획	盎	3144	05a
皿-총10획	盤	3124	05a
皿-총10획	益	3139	05a
皿-총10획	盋	3133	05a
皿-총10획	盄	3138	05a
皿-총11획	盒	3127	05a
皿-총12획	盜	5568	08b
皿-총12획	盝	4307	07a
皿-총12획	盛	3125	05a
皿-총14획	監	5223	08a
皿-총14획	盡	3141	05a
皿-총16획	盥	3129	05a
皿-총16획	盟	3145	05a
皿-총16획	盧	3128	05a
皿-총16획	盦	3143	05a
皿-총17획	盨	3134	05a
皿-총17획	盭	6615	10b
皿-총17획	盪	3146	05a

皿-총18획	鹽	盦	7680	12a
皿-총19획	灩	盦	3135	05a
皿-총20획	鬱	盦	8466	12b

109 목(目)부수

目-총05획	目	目	2088	04a
目-총07획	旬	旬	2146	04a
目-총08획	盯	盯	2106	04a
目-총08획	盲	盲	2188	04a
目-총08획	盱	盱	2126	04a
目-총08획	直	直	8369	12b
目-총09획	看	看	2166	04a
目-총09획	眏	眏	2174	04a
目-총09획	盽	盽	2118	04a
目-총09획	鼎	鼎	5676	09a
目-총09획	首	首	2319	04a
目-총09획	眒	眒	2129	04a
目-총09획	眄	眄	2186	04a
目-총09획	眊	眊	2112	04a
目-총09획	眇	眇	2185	04a
目-총09획	眉	眉	2210	04a
目-총09획	盼	盼	2105	04a
目-총09획	相	相	2154	04a
目-총09획	省	省	2211	04a
目-총09획	眠	眠	2120	04a
目-총09획	眅	眅	2194	04a
目-총09획	眈	眈	2124	04a
目-총09획	眅	眅	2107	04a
目-총09획	盷	盷	2199	04a
目-총10획	眀	眀	2207	04a
目-총10획	眾	眾	2134	04a
目-총10획	眛	眛	2136	04a
目-총10획	眜	眜	2176	04a
目-총10획	眺	眺	2116	04a
目-총10획	督	督	2200	04a
目-총10획	眚	眚	2170	04a
目-총10획	智	智	2144	04a
目-총10획	眙	眙	2197	04a
目-총10획	眥	眥	2092	04a
目-총10획	眨	眨	2202	04a
目-총10획	眝	眝	2198	04a
目-총10획	眐	眐	2130	04a
目-총10획	眞	眞	5191	08a
目-총10획	眹	眹	2183	04a
目-총10획	眩	眩	2091	04a
目-총10획	眓	眓	2123	04a
目-총11획	眷	眷	2163	04a
目-총11획	眮	眮	2115	04a
目-총11획	略	略	2187	04a
目-총11획	眽	眽	2139	04a
目-총11획	眸	眸	2205	04a
目-총11획	眯	眯	2178	04a
目-총11획	眼	眼	2089	04a
目-총11획	眺	眺	2179	04a
目-총11획	眾	眾	5213	08a
目-총11획	眹	眹	2204	04a
目-총11획	睃	睃	2172	04a
目-총11획	眭	眭	2203	04a
目-총12획	睛	睛	2158	04a
皿-총12획	䀲	䀲	2208	04a
目-총12획	眼	眼	2175	04a
目-총12획	睌	睌	2119	04a
目-총12획	睞	睞	2093	04a
目-총12획	睇	睇	2195	04a

부수-획수	글자	전서	번호	위치
目-총12획	睏	睏	2193	04a
目-총12획	督	督	2182	04a
目-총12획	睍	睍	2108	04a
目-총12획	睅	睅	2099	04a
目-총12획	睎	睎	2165	04a
目-총13획	睘	睘	2127	04a
目-총13획	睯	睯	2153	04a
目-총13획	睔	睔	2104	04a
目-총13획	奭	奭	2209	04a
目-총13획	督	督	2164	04a
目-총13획	睞	睞	2180	04a
目-총13획	睩	睩	2181	04a
目-총13획	睦	睦	2148	04a
目-총13획	眥	眥	2097	04a
目-총13획	睗	睗	2157	04a
目-총13획	睒	睒	2114	04a
目-총13획	睡	睡	2168	04a
目-총13획	睟	睟	2141	04a
目-총13획	睚	睚	2206	04a
目-총13획	睪	睪	6612	10b
目-총13획	睨	睨	2121	04a
目-총13획	督	督	2098	04a
目-총13획	睢	睢	2145	04a
目-총14획	賊	賊	2189	04a
目-총14획	睴	睴	2102	04a
目-총14획	睽	睽	2135	04a
目-총14획	睹	睹	2133	04a
目-총14획	睸	睸	2122	04a
目-총14획	督	督	2150	04a
目-총14획	厳	厳	2213	04a
目-총14획	睃	睃	2191	04a
目-총14획	睯	睯	2162	04a
目-총14획	睼	睼	2160	04a
目-총14획	暖	暖	2100	04a
目-총15획	奡	奡	6629	10b
目-총15획	瞞	瞞	2101	04a
目-총15획	瞑	瞑	2169	04a
目-총15획	瞀	瞀	2137	04a
目-총15획	瞥	瞥	2192	04a
目-총15획	瞹	瞹	2161	04a
目-총15획	暗	暗	2159	04a
目-총15획	瞋	瞋	2155	04a
目-총15획	瞻	瞻	2140	04a
目-총16획	瞢	瞢	2320	04a
目-총16획	瞞	瞞	2196	04a
目-총16획	瞗	瞗	2156	04a
目-총16획	瞭	瞭	2132	04a
目-총16획	瞟	瞟	2131	04a
目-총17획	瞷	瞷	2177	04a
目-총17획	羃	羃	3385	05b
目-총17획	瞵	瞵	2110	04a
目-총17획	瞶	瞶	2151	04a
目-총17획	瞴	瞴	2117	04a
目-총17획	瞽	瞽	2171	04a
目-총17획	瞯	瞯	2142	04a
目-총17획	瞬	瞬	2167	04a
目-총17획	瞎	瞎	2095	04a
目-총18획	瞼	瞼	2201	04a
目-총18획	瞽	瞽	2190	04a
目-총18획	瞿	瞿	2351	04a
目-총18획	瞽	瞽	2173	04a
目-총18획	曈	曈	2128	04a
目-총18획	瞻	瞻	2149	04a
目-총19획	矓	矓	2152	04a

目-총19획	瞻	瞻	2096	04a
目-총19획	矇	矇	2184	04a
目-총19획	矉	矉	2143	04a
目-총19획	辯	辯	2138	04a
目-총19획	曚	曚	2147	04a
目-총20획	矍	矍	2352	04a
目-총20획	矊	矊	2090	04a
目-총21획	矐	矐	2094	04a
目-총23획	矔	矔	2109	04a
目-총24획	矕	矕	2103	04a
目-총25획	矘	矘	2113	04a
110 모(矛)부수				
矛-총05획	矛	矛	9459	14a
矛-총09획	矜	矜	9463	14a
矛-총09획	矝	矝	9464	14a
矛-총12획	稂	稂	9460	14a
矛-총12획	喬	喬	1448	03a
矛-총13획	矠	矠	9462	14a
矛-총15획	稿	稿	9461	14a
111 시(矢)부수				
矢-총05획	矢	矢	3292	05b
矢-총07획	矣	矣	3301	05b
矢-총08획	矤	矤	3299	05b
矢-총08획	知	知	3300	05b
矢-총09획	矦	矦	3296	05b
矢-총12획	短	短	3298	05b
矢-총13획	矮	矮	3302	05b
矢-총14획	矯	矯	3297	05b
矢-총15획	矱	矱	3332	05b
矢-총16획	矯	矯	2222	04a
矢-총17획	矯	矯	3294	05b
矢-총17획	矰	矰	3295	05b

112 석(石)부수				
石-총05획	石	石	5980	09b
石-총09획	砅	砅	7255	11a
石-총09획	研	研	6017	09b
石-총09획	砌	砌	6034	09b
石-총10획	砮	砮	5984	09b
石-총10획	砢	砢	6027	09b
石-총10획	砧	砧	6033	09b
石-총10획	破	破	6015	09b
石-총10획	砭	砭	6025	09b
石-총11획	碧	碧	5990	09b
石-총11획	硈	硈	5999	09b
石-총12획	硝	硝	5996	09b
石-총12획	硠	硠	5997	09b
石-총12획	硪	硪	6008	09b
石-총12획	硯	硯	6024	09b
石-총12획	晳	晳	6012	09b
石-총12획	確	確	6006	09b
石-총13획	磬	磬	6001	09b
石-총13획	碴	碴	6021	09b
石-총13획	碓	碓	6020	09b
石-총13획	碌	碌	6032	09b
石-총13획	碑	碑	5992	09b
石-총13획	碔	碔	5995	09b
石-총13획	碎	碎	6014	09b
石-총13획	碏	碏	6030	09b
石-총13획	碇	碇	6013	09b
石-총13획	硾	硾	6037	09b
石-총14획	碣	碣	5986	09b
石-총14획	碟	碟	5993	09b
石-총14획	碧	碧	185	01a
石-총14획	碩	碩	5601	09a

부수-총획	해서	번호	쪽	부수-총획	해서	번호	쪽
石-총14획	礜	6009	09b	示-총05획	示	10	01a
石-총14획	磺	5983	09b	示-총08획	祁	4045	06b
石-총14획	碭	5982	09b	示-총08획	祀	31	01a
石-총14획	碬	5988	09b	示-총08획	社	64	01a
石-총15획	磕	6000	09b	示-총08획	衸	42	01a
石-총15획	磏	5987	09b	示-총09획	祇	26	01a
石-총15획	磊	6028	09b	示-총09획	祈	50	01a
石-총15획	磑	6019	09b	示-총09획	役	1949	03b
石-총15획	碩	5994	09b	示-총09획	祂	40	01a
石-총15획	磔	3394	05b	示-총09획	祉	19	01a
石-총15획	碻	6026	09b	示-총09획	祆	75	01a
石-총16획	磬	6010	09b	示-총10획	祓	49	01a
石-총16획	磧	5991	09b	示-총10획	祔	35	01a
石-총16획	磛	6003	09b	示-총10획	祕	27	01a
石-총17획	礦	5981	09b	示-총10획	祠	41	01a
石-총17획	磽	6007	09b	示-총10획	祢	70	01a
石-총17획	礰	6031	09b	示-총10획	祐	39	01a
石-총17획	磿	6002	09b	示-총10획	祟	68	01a
石-총17획	磻	6022	09b	示-총10획	祡	32	01a
石-총18획	礜	5998	09b	示-총10획	神	25	01a
石-총18획	磬	6005	09b	示-총10획	祐	21	01a
石-총18획	礎	6036	09b	示-총10획	祖	36	01a
石-총19획	礙	6011	09b	示-총10획	祚	76	01a
石-총19획	礜	5985	09b	示-총10획	祇	23	01a
石-총20획	礦	6029	09b	示-총10획	祝	47	01a
石-총20획	礫	5989	09b	示-총10획	祜	11	01a
石-총20획	磺	6035	09b	示-총11획	祪	34	01a
石-총20획	礠	6023	09b	示-총11획	祥	18	01a
石-총21획	礧	6016	09b	示-총11획	祭	30	01a
石-총24획	礭	6018	09b	示-총11획	桃	74	01a
石-총25획	礦	6004	09b	示-총11획	祫	44	01a
113 시(示)부수				示-총11획	祜	57	01a

示—총12획	禖		61	01a
示—총12획	祰		38	01a
示—총12획	祳		60	01a
示—총12획	祲		66	01a
示—총13획	裸		45	01a
示—총13획	禁		71	01a
示—총13획	祺		22	01a
示—총13획	禂		63	01a
示—총13획	祿		15	01a
示—총13획	祑		69	01a
示—총14획	禒		58	01a
示—총14획	福		20	01a
示—총14획	禗		59	01a
示—총14획	禓		65	01a
示—총14획	禋		29	01a
示—총14획	禎		17	01a
示—총14획	禔		24	01a
示—총14획	禘		43	01a
示—총14획	禍		67	01a
示—총15획	禡		62	01a
示—총15획	禠		16	01a
示—총15획	禜		52	01a
示—총15획	禛		14	01a
示—총16획	禦		56	01a
示—총17획	禪		72	01a
示—총17획	禧		48	01a
示—총17획	禪		55	01a
示—총17획	纍		46	01a
示—총17획	鬃		37	01a
示—총17획	禧		13	01a
示—총18획	禮		12	01a
示—총18획	禬		54	01a

示—총19획	禰		73	01a
示—총19획	禱		51	01a
示—총22획	禳		53	01a
示—총24획	禷		33	01a
114 유(内)부수				
内—총05획	内		9683	14b
内—총09획	禺		5813	09a
内—총09획	禹		9687	14b
内—총11획	离		9685	14b
内—총12획	禼		9689	14b
内—총13획	禽		9684	14b
内—총25획	㘞		9688	14b
115 화(禾)부수				
禾—총05획	禾		4353	07a
禾—총05획	禾		3870	06b
禾—총07획	秃		5446	08b
禾—총07획	私		4368	07a
禾—총07획	秀		4354	07a
禾—총08획	季		4421	07a
禾—총08획	秉		1911	03b
禾—총08획	秄		4397	07a
禾—총08획	秊		4387	07a
禾—총08획	秏		4437	07a
禾—총08획	秔		4406	07a
禾—총09획	秔		4378	07a
禾—총09획	科		4433	07a
禾—총09획	秏		4379	07a
禾—총09획	秕		4414	07a
禾—총09획	采		4386	07a
禾—총09획	秒		4391	07a
禾—총09획	秋		4430	07a
禾—총10획	秬		4381	07a

부수

부수-획수	자	자번호	위치		부수-획수	자	자번호	위치
禾-총10획	秝	4442	07a		禾-총13획	稗	4382	07a
禾-총10획	秘	4393	07a		禾-총13획	稟	3326	05b
禾-총10획	䄷	4438	07a		禾-총14획	稿	4390	07a
禾-총10획	秧	4418	07a		禾-총14획	稭	4411	07a
禾-총10획	秫	4436	07a		禾-총14획	穀	4422	07a
禾-총10획	秨	4394	07a		禾-총14획	稪	4376	07a
禾-총10획	租	4424	07a		禾-총14획	種	4359	07a
禾-총10획	秦	4431	07a		禾-총14획	稷	4435	07a
禾-총10획	秩	4402	07a		禾-총14획	穧	3871	06b
禾-총10획	秜	4372	07a		禾-총14획	稱	4432	07a
禾-총11획	梨	4416	07a		禾-총14획	稬	4389	07a
禾-총11획	寀	4396	07a		禾-총14획	稉	4420	07a
禾-총11획	移	4383	07a		禾-총15획	稼	4355	07a
禾-총11획	秳	4405	07a		禾-총15획	稽	3873	06b
禾-총12획	稈	4412	07a		禾-총15획	稾	4413	07a
禾-총12획	稍	4415	07a		禾-총15획	稻	4374	07a
禾-총12획	䅑	3872	06b		禾-총15획	穅	4377	07a
禾-총12획	稌	4375	07a		禾-총15획	穷	4419	07a
禾-총12획	稃	4407	07a		禾-총15획	穄	4410	07a
禾-총12획	稅	4425	07a		禾-총15획	稷	4370	07a
禾-총12획	程	4434	07a		禾-총15획	積	4362	07a
禾-총12획	稍	4429	07a		禾-총15획	穉	4361	07a
禾-총12획	稀	4365	07a		禾-총15획	穇	4427	07a
禾-총13획	稞	4404	07a		禾-총16획	穅	4409	07a
禾-총13획	稇	4403	07a		禾-총16획	概	4364	07a
禾-총13획	稘	4439	07a		禾-총16획	穆	4367	07a
禾-총13획	稴	4385	07a		禾-총16획	穌	4428	07a
禾-총13획	稑	4360	07a		禾-총16획	穎	4384	07a
禾-총13획	稔	4423	07a		禾-총16획	積	4401	07a
禾-총13획	稠	4363	07a		禾-총16획	穋	4373	07a
禾-총13획	稕	4441	07a		禾-총17획	穧	3875	06b
禾-총13획	稙	4358	07a		禾-총17획	穖	4392	07a

禾-총17획	穜	穜	4357	07a
禾-총17획	穙	穙	3874	06b
禾-총18획	穄	穄	4408	07a
禾-총18획	糵	糵	4426	07a
禾-총18획	穟	穟	4388	07a
禾-총18획	穧	穧	4400	07a
禾-총19획	穩	穩	4440	07a
禾-총19획	穭	穭	4398	07a
禾-총19획	積	積	5447	08b
禾-총19획	穫	穫	4399	07a
禾-총20획	穰	穰	4380	07a
禾-총20획	穮	穮	4366	07a
禾-총20획	穧	穧	4356	07a
禾-총20획	穱	穱	4395	07a
禾-총22획	穰	穰	4369	07a
禾-총22획	穰	穰	4417	07a
116 혈(穴)부수				
穴-총05획	穴	穴	4612	07b
穴-총06획	穵	穵	4632	07b
穴-총07획	究	究	4651	07b
穴-총08획	空	空	4630	07b
穴-총08획	穹	穹	4650	07b
穴-총08획	穸	穸	4613	07b
穴-총08획	穼	穼	4661	07b
穴-총09획	突	突	4645	07b
穴-총09획	穾	穾	4660	07b
穴-총09획	突	突	4622	07b
穴-총09획	穿	穿	4620	07b
穴-총10획	窂	窂	4635	07b
穴-총10획	突	突	4619	07b
穴-총10획	窅	窅	4662	07b
穴-총10획	窊	窊	4628	07b

穴-총10획	宧	宧	2111	04a
穴-총10획	窈	窈	4656	07b
穴-총10획	窋	窋	4642	07b
穴-총10획	窎	窎	4659	07b
穴-총11획	窒	窒	4618	07b
穴-총11획	窐	窐	4653	07b
穴-총11획	窔	窔	4654	07b
穴-총11획	窕	窕	4649	07b
穴-총11획	窑	窑	4644	07b
穴-총12획	窟	窟	4631	07b
穴-총12획	窖	窖	4636	07b
穴-총12획	窗	窗	4648	07b
穴-총12획	窳	窳	4623	07b
穴-총13획	窠	窠	4626	07b
穴-총13획	窞	窞	4634	07b
穴-총13획	窣	窣	4647	07b
穴-총13획	窢	窢	4641	07b
穴-총14획	窬	窬	4637	07b
穴-총14획	窨	窨	4614	07b
穴-총15획	窰	窰	4615	07b
穴-총15획	窳	窳	4633	07b
穴-총15획	寶	寶	4643	07b
穴-총15획	篠	篠	4657	07b
穴-총16획	窺	窺	4639	07b
穴-총16획	寫	寫	4638	07b
穴-총16획	窻	窻	4627	07b
穴-총16획	竂	竂	8228	12b
穴-총17획	竂	竂	4621	07b
穴-총17획	覆	覆	4616	07b
穴-총17획	竈	竈	4658	07b
穴-총17획	竀	竀	4640	07b
穴-총17획	竇	竇	4625	07b

부수·획수	해서	전서	번호	위치
穴-총18획	竅		4629	07b
穴-총18획	竄		4646	07b
穴-총19획	窿		4652	07b
穴-총19획	竆		3999	06b
穴-총20획	竇		4624	07b
穴-총21획	竈		4617	07b
穴-총26획	竊		4490	07a

117 입(立)부수

부수·획수	해서	전서	번호	위치
立-총05획	立		6644	10b
立-총06획	辛		1738	03a
立-총10획	竘		6653	10b
立-총10획	竝		6663	10b
立-총11획	竟		1736	03a
立-총11획	章		1735	03a
立-총12획	童		1739	03a
立-총12획	竢		6652	10b
立-총12획	竦		6649	10b
立-총12획	竣		6658	10b
立-총13획	隷		6645	10b
立-총13획	躲		6659	10b
立-총13획	竱		6661	10b
立-총13획	竵		6660	10b
立-총13획	竫		6650	10b
立-총13획	竨		6646	10b
立-총14획	竭		6655	10b
立-총14획	端		6647	10b
立-총16획	竷		6648	10b
立-총17획	竲		6662	10b
立-총18획	贏		6657	10b
立-총18획	竰		6654	10b
立-총20획	竸		3354	05b
立-총20획	競		1729	03a

부수·획수	해서	전서	번호	위치
立-총24획	贛		3940	06b

118 죽(竹)부수

부수·획수	해서	전서	번호	위치
竹-총06획	竹		2854	05a
竹-총08획	竺		8972	13b
竹-총09획	竿		2937	05a
竹-총09획	竽		2973	05a
竹-총10획	笄		2889	05a
竹-총10획	笔		2930	05a
竹-총10획	笑		2997	05a
竹-총10획	芮		2962	05a
竹-총10획	笁		2882	05a
竹-총10획	笪		2946	05a
竹-총10획	笏		3000	05a
竹-총11획	笧		2730	04b
竹-총11획	笱		1452	03a
竹-총11획	笰		2936	05a
竹-총11획	笪		2967	05a
竹-총11획	笭		2957	05a
竹-총11획	笠		2954	05a
竹-총11획	筤		2868	05a
竹-총11획	笵		2885	05a
竹-총11획	符		2887	05a
竹-총11획	笨		2869	05a
竹-총11획	笥		2911	05a
竹-총11획	笙		2974	05a
竹-총11획	第		2898	05a
竹-총11획	笛		2983	05a
竹-총11획	笤		2966	05a
竹-총11획	笮		2895	05a
竹-총11획	答		2968	05a
竹-총12획	筆		2922	05a
竹-총12획	筋		2729	04b

부수	해서	전서	번호	코드		부수	해서	전서	번호	코드
竹-총12획	笆		2890	05a		竹-총14획	箚		2863	05a
竹-총12획	等		2884	05a		竹-총14획	箪		2914	05a
竹-총12획	茖		2921	05a		竹-총14획	箣		2926	05a
竹-총12획	筍		2861	05a		竹-총14획	算		2996	05a
竹-총12획	策		2959	05a		竹-총14획	箜		2943	05a
竹-총12획	筞		2965	05a		竹-총14획	箏		2985	05a
竹-총12획	筑		2984	05a		竹-총14획	箋		2886	05a
竹-총12획	築		2961	05a		竹-총14획	箔		2942	05a
竹-총12획	筒		2978	05a		竹-총14획	箠		2960	05a
竹-총12획	筆		1933	03b		竹-총14획	算		2907	05a
竹-총12획	筊		2940	05a		竹-총15획	管		3318	05b
竹-총13획	筦		2910	05a		竹-총15획	箴		2982	05a
竹-총13획	筧		2893	05a		竹-총15획	範		9524	14a
竹-총13획	筠		2999	05a		竹-총15획	箱		2955	05a
竹-총13획	茶		2866	05a		竹-총15획	劄		2972	05a
竹-총13획	筤		2918	05a		竹-총15획	箯		2976	05a
竹-총13획	筋		2731	04b		竹-총15획	箬		2864	05a
竹-총13획	筝		2894	05a		竹-총15획	篎		2980	05a
竹-총13획	筹		2995	05a		竹-총15획	箂		2878	05a
竹-총13획	筮		2888	05a		竹-총15획	箴		2971	05a
竹-총13획	筱		2858	05a		竹-총15획	箸		2916	05a
竹-총13획	筵		2899	05a		竹-총15획	箭		2855	05a
竹-총13획	筲		2934	05a		竹-총15획	篆		2872	05a
竹-총13획	筰		2941	05a		竹-총15획	節		2865	05a
竹-총13획	筳		2892	05a		竹-총15획	篇		2931	05a
竹-총14획	箇		2939	05a		竹-총15획	篊		2987	05a
竹-총14획	箝		2951	05a		竹-총15획	篡		2933	05a
竹-총14획	箛		2986	05a		竹-총15획	篈		2862	05a
竹-총14획	管		2981	05a		竹-총15획	篇		2874	05a
竹-총14획	箘		2856	05a		竹-총15획	篌		2935	05a
竹-총14획	箕		3003	05a		竹-총15획	篁		2876	05a
竹-총14획	箙		2964	05a		竹-총16획	篙		3002	05a

부수-획수	해서	전서	번호	출처
竹-총16획	簀		2920	05a
竹-총16획	篤		6167	10a
竹-총16획	筐		2956	05a
竹-총16획	篦		3001	05a
竹-총16획	箾		2909	05a
竹-총16획	篈		2870	05a
竹-총16획	劖		2958	05a
竹-총16획	簃		2902	05a
竹-총16획	築		3602	06a
竹-총17획	簋		2927	05a
竹-총17획	筅		2949	05a
竹-총17획	簏		2932	05a
竹-총17획	簍		2917	05a
竹-총17획	節		2883	05a
竹-총17획	筵		2913	05a
竹-총17획	篽		2994	05a
竹-총17획	簃		2998	05a
竹-총17획	篸		2871	05a
竹-총17획	將		2877	05a
竹-총17획	簿		2915	05a
竹-총17획	簒		6749	10b
竹-총17획	䈉		8029	12a
竹-총17획	篹		5815	09a
竹-총17획	簀		2897	05a
竹-총17획	筆		2991	05a
竹-총18획	簡		2881	05a
竹-총18획	簡		6875	10b
竹-총18획	簞		2912	05a
竹-총18획	簦		2953	05a
竹-총18획	簬		2857	05a
竹-총18획	簝		2947	05a
竹-총18획	簿		2990	05a
竹-총18획	簹		2928	05a
竹-총18획	簫		2977	05a
竹-총18획	箱		2908	05a
竹-총18획	簟		2900	05a
竹-총18획	簜		2859	05a
竹-총18획	簣		2975	05a
竹-총19획	簾		2948	05a
竹-총19획	簋		2970	05a
竹-총19획	簾		2896	05a
竹-총19획	薇		2860	05a
竹-총19획	簺		2989	05a
竹-총19획	簽		2992	05a
竹-총19획	奠		2905	05a
竹-총19획	簸		3004	05a
竹-총20획	籃		2919	05a
竹-총20획	簥		2867	05a
竹-총20획	簂		2952	05a
竹-총20획	籍		2875	05a
竹-총20획	籌		2988	05a
竹-총20획	簹		2891	05a
竹-총21획	劙		2880	05a
竹-총21획	籓		2904	05a
竹-총21획	籔		2906	05a
竹-총21획	籀		2873	05a
竹-총21획	養		3203	05b
竹-총22획	鞠		4472	07a
竹-총22획	籚		2950	05a
竹-총22획	籠		2944	05a
竹-총22획	籟		2979	05a
竹-총23획	邌		2901	05a

부수·획수	楷書	篆書	번호	위치
竹-총23획	籍		6617	10b
竹-총23획	蘭		2963	05a
竹-총23획	簽		2923	05a
竹-총23획	籲		2879	05a
竹-총23획	籝		2945	05a
竹-총23획	籤		2969	05a
竹-총25획	籭		2929	05a
竹-총25획	籬		2903	05a
竹-총25획	籫		2924	05a
竹-총26획	籧		2993	05a
竹-총26획	籯		2925	05a
竹-총30획	籬		2938	05a
竹-총32획	籲		5661	09a

119 미(米)부수

부수·획수	楷書	篆書	번호	위치
米-총06획	米		4455	07a
米-총09획	籹		4494	07a
米-총09획	粄		4484	07a
米-총10획	粗		4479	07a
米-총10획	粉		4485	07a
米-총11획	粔		4493	07a
米-총11획	粒		4465	07a
米-총11획	粂		4471	07a
米-총11획	粕		4492	07a
米-총11획	粜		4463	07a
米-총11획	粗		4462	07a
米-총12획	梟		4476	07a
米-총12획	粦		6507	10a
米-총13획	粱		4456	07a
米-총13획	粵		3054	05a
米-총13획	粲		4458	07a
米-총14획	粿		4486	07a
米-총14획	粼		7442	11b
米-총14획	粹		4482	07a
米-총14획	粮		4491	07a
米-총14획	精		4460	07a
米-총14획	粺		4461	07a
米-총15획	糂		4467	07a
米-총15획	糈		4477	07a
米-총15획	粿		4333	07a
米-총15획	糉		4495	07a
米-총16획	糗		4475	07a
米-총16획	糖		4496	07a
米-총16획	糜		4488	07a
米-총17획	糜		4469	07a
米-총17획	糒		4474	07a
米-총17획	糝		4487	07a
米-총17획	糟		4473	07a
米-총18획	糟		4470	07a
米-총18획	糧		4478	07a
米-총18획	糍		4457	07a
米-총19획	糨		4459	07a
米-총19획	糵		4468	07a
米-총19획	糯		4466	07a
米-총20획	糶		4480	07a

米–총21획	糤	糤	4481	07a
米–총22획	糱	糱	4464	07a
米–총22획	糲	糲	3267	05b
米–총25획	糶	糶	4489	07a
米–총25획	糴	糴	3850	06b
米–총26획	糷	糷	4498	07a

120 멱(糸)부수

糸–총06획	糸	糸	8473	13a
糸–총07획	系	系	8469	12b
糸–총08획	糾	糾	1456	03a
糸–총08획	终	终	8950	13b
糸–총09획	紀	紀	8498	13a
糸–총09획	紃	紃	8626	13a
糸–총09획	約	約	8526	13a
糸–총09획	紆	紆	8514	13a
糸–총09획	紉	紉	8650	13a
糸–총09획	紂	紂	8667	13a
糸–총09획	紅	紅	8582	13a
糸–총09획	紈	紈	8545	13a
糸–총09획	紇	紇	8483	13a
糸–총10획	紘	紘	8596	13a
糸–총10획	紒	紒	8615	13a
糸–총10획	級	級	8523	13a
糸–총10획	納	納	8502	13a
糸–총10획	紐	紐	8609	13a
糸–총10획	統	統	8597	13a
糸–총10획	紊	紊	8522	13a
糸–총10획	紡	紡	8503	13a
糸–총10획	紕	紕	8591	13a
糸–총10획	紛	紛	8666	13a
糸–총10획	紕	紕	8717	13a
糸–총10획	索	索	3854	06b
糸–총10획	紓	紓	8512	13a
糸–총10획	素	素	8731	13a
糸–총10획	純	純	8479	13a
糸–총10획	紝	紝	8491	13a
糸–총10획	紙	紙	8686	13a
糸–총10획	紖	紖	8671	13a
糸–총10획	絮	絮	8708	13a
糸–총11획	紺	紺	8584	13a
糸–총11획	絅	絅	8539	13a
糸–총11획	絢	絢	8654	13a
糸–총11획	絜	絜	8688	13a
糸–총11획	絆	絆	8669	13a
糸–총11획	絍	絍	8695	13a
糸–총11획	紼	紼	8715	13a
糸–총11획	継	継	8674	13a
糸–총11획	細	細	8517	13a
糸–총11획	紹	紹	8508	13a
糸–총11획	紳	紳	8602	13a
糸–총11획	絉	絉	8599	13a
糸–총11획	絨	絨	8624	13a
糸–총11획	紫	紫	8581	13a
糸–총11획	紙	紙	8484	13a

糸―총11획	絋	絋	8701	13a
糸―총11획	紐	紐	8662	13a
糸―총11획	組	組	8605	13a
糸―총11획	終	終	8546	13a
糸―총11획	紬	紬	8559	13a
糸―총11획	紗	紗	8530	13a
糸―총11획	紩	紩	8638	13a
糸―총11획	紬	紬	8574	13a
糸―총11획	組	組	8640	13a
糸―총11획	紿	紿	8501	13a
糸―총11획	紴	紴	8622	13a
糸―총11획	紑	紑	8635	13b
糸―총12획	絳	絳	8575	13a
糸―총12획	絹	絹	8679	13a
糸―총12획	結	結	8533	13a
糸―총12획	綺	綺	8618	13a
糸―총12획	絓	絓	8485	13a
糸―총12획	絞	絞	6594	10b
糸―총12획	絭	絭	8656	13a
糸―총12획	給	給	8542	13a
糸―총12획	絡	絡	8684	13a
糸―총12획	累	累	9669	14b
糸―총12획	絉	絉	8567	13a
糸―총12획	絣	絣	8716	13a
糸―총12획	絨	絨	8661	13a
糸―총12획	絲	絲	8737	13a
糸―총12획	絮	絮	8683	13a
糸―총12획	結	結	8642	13a
糸―총12획	絾	絾	8490	13a
糸―총12획	絟	絟	8700	13a
糸―총12획	絕	絕	8504	13a
糸―총12획	絒	絒	8550	13a
糸―총12획	絑	絑	8572	13a
糸―총12획	經	經	8706	13a
糸―총12획	絭	絭	8692	13a
糸―총12획	統	統	8497	13a
糸―총12획	紙	紙	8540	13a
糸―총12획	絢	絢	8564	13a
糸―총12획	絜	絜	8711	13a
糸―총12획	組	組	8612	13a
糸―총12획	縱	縱	8482	13a
糸―총13획	絡	絡	8698	13a
糸―총13획	絹	絹	8568	13a
糸―총13획	經	經	8488	13a
糸―총13획	綆	綆	8678	13a
糸―총13획	綠	綠	8538	13a
糸―총13획	縣	縣	8664	13a
糸―총13획	縶	縶	8649	13a
糸―총13획	練	練	8727	13a
糸―총13획	綏	綏	8720	13a
糸―총13획	綃	綃	8733	13a
糸―총13획	綃	綃	8571	13a
糸―총13획	綎	綎	8611	13a
糸―총13획	綈	綈	8555	13a

糸-총13획	絛	牒	8623	13a
糸-총13획	綃	綃	8480	13a
糸-총13획	絺	絲	8697	13a
糸-총13획	綬	綬	8632	13a
糸-총13획	綊	綊	8663	13a
糸-총14획	綱	綱	8630	13a
糸-총14획	縈	縈	8560	13a
糸-총14획	緄	緄	8601	13a
糸-총14획	綰	綰	8576	13a
糸-총14획	暴	暴	8525	13a
糸-총14획	綣	綣	8730	13a
糸-총14획	綺	綺	8551	13a
糸-총14획	綍	綍	8585	13a
糸-총14획	緊	緊	1942	03b
糸-총14획	綟	綟	8592	13a
糸-총14획	綿	綿	8710	13a
糸-총14획	綟	綟	8590	13a
糸-총14획	綠	綠	8569	13a
糸-총14획	綹	綹	8493	13a
糸-총14획	綸	綸	8610	13a
糸-총14획	綾	綾	8561	13a
糸-총14획	緒	緒	8682	13a
糸-총14획	綌	綌	8687	13a
糸-총14획	緋	緋	8724	13a
糸-총14획	緒	緒	8477	13a
糸-총14획	緆	緆	8703	13a
糸-총14획	綫	綫	8634	13a
糸-총14획	綏	綏	8604	13a
糸-총14획	綾	綾	8600	13a
糸-총14획	維	維	8660	13a
糸-총14획	綪	綪	8652	13a
糸-총14획	綜	綜	8492	13a
糸-총14획	縱	縱	8625	13a
糸-총14획	綢	綢	8713	13a
糸-총14획	縷	縷	8566	13a
糸-총14획	綪	綪	8578	13a
糸-총14획	綴	綴	9675	14b
糸-총14획	緁	緁	8637	13a
糸-총14획	緅	緅	8725	13a
糸-총14획	緇	緇	8587	13a
糸-총14획	綝	綝	8543	13a
糸-총14획	緯	緯	8515	13a
糸-총15획	緒	緒	8481	13a
糸-총15획	緱	緱	8645	13a
糸-총15획	緬	緬	8676	13a
糸-총15획	練	練	8556	13a
糸-총15획	縣	縣	8471	12b
糸-총15획	緬	緬	8478	13a
糸-총15획	緢	緢	8518	13a
糸-총15획	緤	緤	8620	13a
糸-총15획	緳	緳	8709	13a
糸-총15획	緗	緗	8723	13a
糸-총15획	總	總	8702	13a
糸-총15획	緣	緣	8616	13a

부수·획	한자	전서	번호	면
糸-총15획	緓	(전서)	8639	13a
糸-총15획	縞	(전서)	8606	13a
糸-총15획	繪	(전서)	8704	13a
糸-총15획	緯	(전서)	8494	13a
糸-총15획	緝	(전서)	8549	13a
糸-총15획	緼	(전서)	8510	13a
糸-총15획	緹	(전서)	8579	13a
糸-총15획	緷	(전서)	8627	13a
糸-총15획	絹	(전서)	8691	13a
糸-총15획	締	(전서)	8535	13a
糸-총15획	緧	(전서)	8668	13a
糸-총15획	緻	(전서)	8722	13a
糸-총15획	編	(전서)	8659	13a
糸-총15획	緱	(전서)	8707	13a
糸-총15획	緘	(전서)	8657	13a
糸-총15획	緟	(전서)	8495	13a
糸-총16획	縑	(전서)	8554	13a
糸-총16획	縠	(전서)	8552	13a
糸-총16획	絹	(전서)	8534	13a
糸-총16획	縘	(전서)	8589	13a
糸-총16획	縢	(전서)	8658	13a
糸-총16획	縯	(전서)	8690	13a
糸-총16획	縛	(전서)	8536	13a
糸-총16획	縊	(전서)	8719	13a
糸-총16획	縋	(전서)	8607	13a
糸-총16획	縈	(전서)	8653	13a
糸-총16획	縕	(전서)	8714	13a
糸-총16획	縟	(전서)	8594	13a
糸-총16획	縝	(전서)	8631	13a
糸-총16획	縡	(전서)	8728	13a
糸-총16획	縓	(전서)	8580	13a
糸-총16획	縉	(전서)	8577	13a
糸-총16획	縒	(전서)	8519	13a
糸-총16획	縹	(전서)	8705	13a
糸-총16획	縬	(전서)	8655	13a
糸-총16획	綯	(전서)	8699	13a
糸-총16획	縣	(전서)	5677	09a
糸-총16획	縞	(전서)	8557	13a
糸-총17획	繈	(전서)	8499	13a
糸-총17획	縷	(전서)	8633	13a
糸-총17획	績	(전서)	8644	13a
糸-총17획	縵	(전서)	8562	13a
糸-총17획	繆	(전서)	8712	13a
糸-총17획	縻	(전서)	8673	13a
糸-총17획	縫	(전서)	8636	13a
糸-총17획	繃	(전서)	8537	13a
糸-총17획	總	(전서)	8647	13a
糸-총17획	縱	(전서)	8672	13a
糸-총17획	繕	(전서)	8696	13a
糸-총17획	繀	(전서)	8475	13a
糸-총17획	維	(전서)	8487	13a
糸-총17획	繁	(전서)	8646	13a
糸-총17획	績	(전서)	8693	13a
糸-총17획	縳	(전서)	8553	13a

糸-총17획	縱	8511	13a
糸-총17획	總	8524	13a
糸-총17획	縮	8521	13a
糸-총17획	縹	8570	13a
糸-총17획	繂	8544	13a
糸-총18획	繑	8619	13a
糸-총18획	續	8496	13a
糸-총18획	繚	8527	13a
糸-총18획	縲	8675	13a
糸-총18획	繙	8520	13a
糸-총18획	織	8726	13a
糸-총18획	繕	8641	13a
糸-총18획	繐	8613	13a
糸-총18획	繡	8563	13a
糸-총18획	纇	8670	13a
糸-총18획	燃	8513	13a
糸-총18획	繁	6947	10b
糸-총18획	繇	8472	12b
糸-총18획	繞	8529	13a
糸-총18획	繘	8677	13a
糸-총18획	韓	8735	13a
糸-총18획	縛	8621	13a
糸-총18획	繒	8548	13a
糸-총18획	織	8489	13a
糸-총18획	縴	8547	13a
糸-총18획	緓	8509	13a
糸-총18획	繟	8603	13a
糸-총19획	繮	8665	13a
糸-총19획	繭	8474	13a
糸-총19획	繫	8689	13a
糸-총19획	纅	8732	13a
糸-총19획	繁	8681	13a
糸-총19획	繩	8651	13a
糸-총19획	繹	8476	13a
糸-총19획	纇	8736	13a
糸-총19획	繁	8680	13a
糸-총19획	繰	8586	13a
糸-총19획	繯	8531	13a
糸-총19획	繪	8565	13a
糸-총20획	纅	8729	13a
糸-총20획	繼	8505	13a
糸-총20획	纀	8617	13a
糸-총20획	繻	8593	13a
糸-총20획	纂	8608	13a
糸-총20획	纁	8573	13a
糸-총21획	纊	8685	13a
糸-총21획	纇	8500	13a
糸-총21획	纍	8643	13a
糸-총21획	纆	8734	13a
糸-총21획	續	8506	13a
糸-총21획	纅	8486	13a
糸-총21획	纏	8528	13a
糸-총21획	纉	8583	13a
糸-총22획	纕	8694	13a

糸-총23획	纜	纜	8718	13a
糸-총23획	纖	纖	8516	13a
糸-총23획	纕	纕	8628	13a
糸-총23획	纓	纓	8598	13a
糸-총23획	纘	纘	8588	13a
糸-총24획	繼	繼	8629	13a
糸-총25획	纛	纛	8541	13a
糸-총25획	纚	纚	8595	13a
糸-총25획	纒	纒	8558	13a
糸-총25획	纘	纘	8507	13a
121 부(缶)부수				
缶-총06획	缶	缶	3270	05b
缶-총09획	缸	缸	3280	05b
缶-총10획	缺	缺	3286	05b
缶-총10획	䍃	䍃	3283	05b
缶-총11획	缹	缹	3278	05b
缶-총11획	缻	缻	3285	05b
缶-총12획	缾	缾	3276	05b
缶-총12획	缿	缿	3290	05b
缶-총14획	罃	罃	3275	05b
缶-총14획	罆	罆	3281	05b
缶-총16획	罄	罄	3271	05b
缶-총16획	罂	罂	3274	05b
缶-총16획	罃	罃	3279	05b
缶-총17획	罌	罌	3288	05b
缶-총17획	罅	罅	3287	05b
缶-총19획	罋	罋	3289	05b
缶-총20획	罌	罌	3273	05b
缶-총23획	罐	罐	3284	05b
缶-총23획	罐	罐	3282	05b
缶-총24획	罐	罐	3291	05b
缶-총24획	罍	罍	3277	05b
122 망(网)부수				
网-총05획	网	网	4791	07b
网-총09획	罕	罕	4793	07b
网-총10획	眾	眾	4802	07b
网-총10획	罟	罟	4803	07b
网-총10획	罠	罠	4808	07b
网-총10획	罘	罘	4805	07b
网-총10획	罝	罝	4816	07b
网-총10획	罞	罞	4812	07b
网-총10획	罥	罥	4815	07b
网-총11획	罧	罧	4797	07b
网-총12획	罨	罨	4814	07b
网-총13획	罬	罬	4795	07b
网-총13획	罧	罧	4807	07b
网-총13획	罨	罨	4792	07b
网-총13획	罭	罭	4825	07b
网-총13획	罹	罹	2306	04a
网-총13획	罩	罩	4798	07b
网-총13획	罪	罪	4800	07b
网-총13획	罳	罳	4810	07b
网-총13획	置	置	4820	07b
网-총14획	署	署	4818	07b

부수-총획	자	전서	번호	위치
网-총14획	罳		4826	07b
网-총14획	罨		4821	07b
网-총15획	罵		4823	07b
网-총15획	罷		4819	07b
网-총16획	麗		4806	07b
网-총16획	罹		4827	07b
网-총16획	罻		4813	07b
网-총17획	罽		4801	07b
网-총17획	罿		4811	07b
网-총17획	翼		4796	07b
网-총17획	罾		4799	07b
网-총18획	罍		4804	07b
网-총19획	羅		4824	07b
网-총19획	羅		4809	07b
网-총19획	舞		4817	07b
网-총19획	羆		6381	10a
网-총24획	纙		4794	07b

123 양(羊)부수

부수-총획	자	전서	번호	위치
羊-총06획	羊	羊	2323	04a
羊-총08획	羌		2347	04a
羊-총08획	芈		2324	04a
羊-총09획	牽		2328	04a
羊-총09획	美		2346	04a
羊-총09획	羑		2348	04a
羊-총10획	羔		2325	04a
羊-총10획	羖		2334	04a
羊-총10획	羒		2331	04a
羊-총11획	羞		9743	14b
羊-총11획	羣		2345	04a
羊-총11획	羚		2326	04a
羊-총11획	羝		2330	04a
羊-총12획	羨		7458	11b
羊-총12획	羢		2336	04a
羊-총12획	羦		2329	04a
羊-총13획	羥		2338	04a
羊-총13획	羣		2343	04a
羊-총13획	羨		5566	08b
羊-총13획	義		8361	12b
羊-총14획	羭		2341	04a
羊-총15획	羯		2335	04a
羊-총15획	羱		2327	04a
羊-총15획	羳		3317	05b
羊-총15획	羶		2344	04a
羊-총15획	羭		2333	04a
羊-총16획	羲		3048	05a
羊-총17획	羳		2342	04a
羊-총17획	羴		2339	04a
羊-총18획	羳		2337	04a
羊-총18획	羴		2349	04a
羊-총19획	羸		2340	04a
羊-총21획	羶		1878	03b
羊-총21획	羼		2350	04a

124 우(羽)부수

부수-총획	자	전서	번호	위치
羽-총06획	羽	羽	2233	04a

羽-총09획	翁	𦒴	2269	04a	羽-총15획	翬	𦒴	2251	04a
羽-총10획	翇	𦒴	2241	04a	羽-총16획	翱	𦒴	2258	04a
羽-총10획	翁	𦒴	2240	04a	羽-총16획	翯	𦒴	2261	04a
羽-총10획	翀	𦒴	2257	04a	羽-총16획	翰	𦒴	2235	04a
羽-총10획	翈	𦒴	2256	04a	羽-총16획	翮	𦒴	2245	04a
羽-총10획	翌	𦒴	2262	04a	羽-총17획	翳	𦒴	2265	04a
羽-총11획	翎	𦒴	2246	04a	羽-총18획	翹	𦒴	2243	04a
羽-총11획	翊	𦒴	2268	04a	羽-총18획	翻	𦒴	2267	04a
羽-총11획	翏	𦒴	2252	04a	羽-총19획	翻	𦒴	2250	04a
羽-총11획	翠	𦒴	2263	04a	羽-총19획	翽	𦒴	2260	04a
羽-총11획	習	𦒴	2231	04a	羽-총20획	翿	𦒴	2264	04a
羽-총11획	翊	𦒴	2255	04a	**125 로(老)부수**				
羽-총12획	翔	𦒴	2259	04a	老-총06획	老	𦒴	5351	08a
羽-총12획	翚	𦒴	2247	04a	老-총06획	考	𦒴	5359	08a
羽-총12획	翕	𦒴	2249	04a	老-총08획	孝	𦒴	5357	08a
羽-총13획	翜	𦒴	2254	04a	老-총09획	耇	𦒴	5355	08a
羽-총14획	翡	𦒴	2237	04a	老-총09획	者	𦒴	2220	04a
羽-총14획	翟	𦒴	2266	04a	老-총09획	耆	𦒴	5356	08a
羽-총14획	翟	𦒴	2236	04a	老-총10획	耊	𦒴	5354	08a
羽-총14획	翠	𦒴	2238	04a	老-총10획	耋	𦒴	5352	08a
羽-총15획	翰	𦒴	2242	04a	**126 이(而)부수**				
羽-총15획	翟	𦒴	2234	04a	而-총06획	而	𦒴	6045	09b
羽-총15획	翫	𦒴	2232	04a	而-총09획	耏	𦒴	6046	09b
羽-총15획	翯	𦒴	2248	04a	而-총09획	耑	𦒴	4518	07b
羽-총15획	翦	𦒴	2239	04a	而-총09획	奭	𦒴	6638	10b
羽-총15획	翩	𦒴	2253	04a	而-총09획	耍	𦒴	5976	09b
羽-총15획	翭	𦒴	2244	04a	而-총15획	耑	𦒴	5747	09a

부
수

127 뢰(耒)부수				
耒-총06획	耒	耒	2808	04b
耒-총10획	耕	耕	2809	04b
耒-총12획	䎫	䎫	2812	04b
耒-총13획	耡	耡	2814	04b
耒-총14획	耤	耤	2811	04b
耒-총15획	耦	耦	2810	04b
耒-총16획	[illegible]	[illegible]	2813	04b
128 이(耳)부수				
耳-총06획	耳	耳	7754	12a
耳-총07획	耴	耴	7755	12a
耳-총10획	耿	耿	7760	12a
耳-총10획	耹	耹	7783	12a
耳-총10획	聑	聑	7758	12a
耳-총10획	[illegible]	[illegible]	2015	03b
耳-총10획	[illegible]	[illegible]	7781	12a
耳-총10획	耽	耽	7757	12a
耳-총11획	聆	聆	7766	12a
耳-총11획	聊	聊	7762	12a
耳-총11획	聉	聉	7777	12a
耳-총11획	[illegible]	[illegible]	7756	12a
耳-총11획	联	联	7779	12a
耳-총12획	聒	聒	7768	12a
耳-총12획	[illegible]	[illegible]	7784	12a
耳-총13획	聘	聘	7772	12a
耳-총13획	聖	聖	7763	12a
耳-총14획	聝	聝	7780	12a
耳-총14획	聞	聞	7771	12a
耳-총14획	聚	聚	5214	08a
耳-총15획	聥	聥	7769	12a
耳-총16획	[illegible]	[illegible]	7775	12a
耳-총17획	聯	聯	7761	12a
耳-총17획	[illegible]	[illegible]	7782	12a
耳-총17획	聲	聲	7770	12a
耳-총17획	聱	聱	7786	12a
耳-총17획	聰	聰	7764	12a
耳-총18획	聶	聶	7785	12a
耳-총18획	聵	聵	7776	12a
耳-총18획	職	職	7767	12a
耳-총19획	聸	聸	7759	12a
耳-총22획	聾	聾	7773	12a
耳-총22획	聽	聽	7765	12a
耳-총23획	[illegible]	[illegible]	7778	12a
129 율(聿)부수				
聿-총05획	聿	聿	1929	03b
聿-총06획	聿	聿	1932	03b
聿-총09획	[illegible]	[illegible]	1934	03b
聿-총10획	肁	肁	7688	12a
聿-총12획	肅	肅	1931	03b
聿-총14획	肇	肇	1990	03b
聿-총14획	肈	肈	8333	12b
130 육(肉)부수				
肉-총05획	肊	肊	2606	04b
肉-총06획	肌	肌	2684	04b

肉-총06획	冃		2722	04b
肉-총06획	肌		2588	04b
肉-총06획	肋		2611	04b
肉-총06획	肉		2584	04b
肉-총06획	肎		2637	04b
肉-총07획	肝		2598	04b
肉-총07획	冐		2720	04b
肉-총07획	肘		2619	04b
肉-총07획	肖		2634	04b
肉-총07획	肫		2651	04b
肉-총07획	肓		2594	04b
肉-총08획	胅		2624	04b
肉-총08획	股		2626	04b
肉-총08획	肭		4297	07a
肉-총08획	胆		9742	14b
肉-총08획	肪		2604	04b
肉-총08획	胚		2586	04b
肉-총08획	肥		2723	04b
肉-총08획	肶		2590	04b
肉-총08획	肰		2714	04b
肉-총08획	肮		2650	04b
肉-총08획	育		9739	14b
肉-총08획	朋		2655	04b
肉-총08획	肬		2716	04b
肉-총08획	肺		2596	04b
肉-총08획	肴		2663	04b
肉-총08획	胖		1462	03a
肉-총09획	胅		2616	04b
肉-총09획	肩		2614	04b
肉-총09획	胖		725	02a
肉-총09획	背		2607	04b
肉-총09획	胏		2666	04b
肉-총09획	胥		2682	04b
肉-총09획	胜		2691	04b
肉-총09획	胂		2612	04b
肉-총09획	胃		2600	04b
肉-총09획	胤		2635	04b
肉-총09획	胆		2719	04b
肉-총09획	胙		2659	04b
肉-총09획	胄		2636	04b
肉-총09획	胄		4785	07b
肉-총09획	胝		2632	04b
肉-총09획	胝		2649	04b
肉-총09획	胗		2647	04b
肉-총09획	胅		2653	04b
肉-총09획	胎		2587	04b
肉-총09획	胞		5787	09a
肉-총09획	胘		2668	04b
肉-총09획	胡		2667	04b
肉-총10획	胳		2615	04b
肉-총10획	胯		2625	04b
肉-총10획	能		6379	10a
肉-총10획	胸		2727	04b
肉-총10획	脃		2689	04b

肉-총10획	脂	脂	2695	04b
肉-총10획	脊	脊	8068	12a
肉-총10획	脆	脆	2707	04b
肉-총10획	脛	脛	2670	04b
肉-총10획	胲	胲	2633	04b
肉-총10획	胻	胻	2629	04b
肉-총10획	脅	脅	2608	04b
肉-총11획	脞	脞	2628	04b
肉-총11획	脉	脉	2643	04b
肉-총11획	脰	脰	2593	04b
肉-총11획	脝	脝	2610	04b
肉-총11획	脢	脢	2613	04b
肉-총11획	脩	脩	2675	04b
肉-총11획	脣	脣	2592	04b
肉-총11획	脘	脘	2679	04b
肉-총11획	脂	脂	5666	09a
肉-총11획	脳	脳	2728	04b
肉-총11획	脔	脔	2712	04b
肉-총11획	脧	脧	2725	04b
肉-총11획	脫	脫	2642	04b
肉-총11획	脬	脬	2601	04b
肉-총11획	脯	脯	2674	04b
肉-총11획	脎	脎	2654	04b
肉-총12획	腔	腔	2726	04b
肉-총12획	腒	腒	2683	04b
肉-총12획	脻	脻	2724	04b
肉-총12획	腑	腑	2677	04b
肉-총12획	腊	腊	2688	04b
肉-총12획	脾	脾	2597	04b
肉-총12획	腓	腓	2630	04b
肉-총12획	脽	脽	2623	04b
肉-총12획	腄	腄	2648	04b
肉-총12획	臮	臮	2646	04b
肉-총12획	腎	腎	2595	04b
肉-총12획	腌	腌	2706	04b
肉-총12획	胾	胾	2703	04b
肉-총12획	腆	腆	2664	04b
肉-총12획	脡	脡	2687	04b
肉-총12획	腏	腏	2711	04b
肉-총12획	胎	胎	2713	04b
肉-총13획	腳	腳	2627	04b
肉-총13획	腤	腤	2640	04b
肉-총13획	腯	腯	2665	04b
肉-총13획	勝	勝	4881	07b
肉-총13획	臂	臂	2672	04b
肉-총13획	腜	腜	2585	04b
肉-총13획	腹	腹	2621	04b
肉-총13획	腰	腰	2686	04b
肉-총13획	腥	腥	2694	04b
肉-총13획	腴	腴	2622	04b
肉-총13획	腬	腬	2662	04b
肉-총13획	腸	腸	2602	04b
肉-총13획	腜	腜	2704	04b
肉-총13획	腫	腫	2652	04b

自-총10획	臬	臬	3742	06a
自-총10획	臭	臭	6329	10a
自-총12획	臮	臮	5215	08a
自-총15획	臱	臱	2216	04a
自-총15획	鼻	鼻	3851	06b
自-총15획	皛	皛	3319	05b
133 지(至)부수				
至-총06획	至	至	7668	12a
至-총10획	致	致	3350	05b
至-총12획	銍	銍	7673	12a
至-총14획	臺	臺	7672	12a
至-총16획	臻	臻	7670	12a
至-총16획	壄	壄	7671	12a
134 구(臼)부수				
臼-총06획	臼	臼	4499	07a
臼-총07획	臼	臼	1776	03a
臼-총08획	臽	臽	4504	07a
臼-총09획	舀	舀	4502	07a
臼-총10획	舁	舁	1772	03a
臼-총10획	舀	舀	4503	07a
臼-총11획	舂	舂	4500	07a
臼-총12획	舄	舄	4501	07a
臼-총12획	舃	舃	2479	04a
臼-총13획	舅	舅	9163	13b
臼-총14획	與	與	1774	03a
臼-총16획	興	興	1775	03a
臼-총18획	舋	舋	1781	03a

臼-총18획	舊	舊	2315	04a
135 설(舌)부수				
舌-총06획	舌	舌	1437	03a
舌-총08획	舍	舍	3258	05b
舌-총12획	舒	舒	2501	04b
舌-총14획	舓	舓	1439	03a
舌-총14획	甜	甜	6502	10a
舌-총14획	舐	舐	1438	03a
136 천(舛)부수				
舛-총06획	舛	舛	3362	05b
舛-총12획	舜	舜	3365	05b
舛-총13획	舝	舝	3364	05b
舛-총14획	舞	舞	3363	05b
137 주(舟)부수				
舟-총06획	舟	舟	5412	08b
舟-총08획	舠	舠	5418	08b
舟-총09획	彤	彤	5415	08b
舟-총10획	般	般	5422	08b
舟-총10획	舫	舫	5421	08b
舟-총11획	舸	舸	5424	08b
舟-총11획	船	船	5414	08b
舟-총11획	舳	舳	5416	08b
舟-총13획	艅	艅	5426	08b
舟-총13획	艇	艇	5425	08b
舟-총15획	艘	艘	5419	08b
舟-총15획	艎	艎	5427	08b
舟-총16획	艏	艏	4260	07a

부수

艸-총08획	芫	𦬬	448	01b		艸-총09획	苴	𦬞	606	01b
艸-총08획	芴	𦭾	642	01b		艸-총09획	苗	𦭖	371	01b
艸-총09획	茄	𦭜	432	01b		艸-총09획	苦	𦬆	587	01b
艸-총09획	苟	𦬒	544	01b		艸-총09획	茁	𦬈	493	01b
艸-총09획	苷	𦬟	302	01b		艸-총09획	芺	𦬍	258	01b
艸-총09획	苣	𦬝	620	01b		艸-총09획	芙	𦬣	468	01b
艸-총09획	苦	𦬱	323	01b		艸-총09획	苕	𦭎	664	01b
艸-총09획	苂	𦭁	471	01b		艸-총09획	蔓	𦳓	609	01b
艸-총09획	苟	𦭏	636	01b		艸-총09획	苹	𦬽	279	01b
艸-총09획	苟	𦬐	5789	09a		艸-총09획	苞	𦬨	388	01b
艸-총09획	芩	𦭆	662	01b		艸-총09획	苏	𦭅	572	01b
艸-총09획	苺	𦭫	300	01b		艸-총10획	苔	𦮜	301	01b
艸-총09획	茅	𦭨	326	01b		艸-총10획	菰	𦮡	683	01b
艸-총09획	苗	𦭖	543	01b		艸-총10획	菌	𦮝	618	01b
艸-총09획	萉	𦭕	667	01b		艸-총10획	苦	𦮞	398	01b
艸-총09획	茂	𦭉	523	01b		艸-총10획	菠	𦮧	318	01b
艸-총09획	菱	𦭡	518	01b		艸-총10획	葵	𦮥	612	01b
艸-총09획	芝	𦬘	561	01b		艸-총10획	莟	𦮨	414	01b
艸-총09획	范	𦭴	656	01b		艸-총10획	堇	𦮫	337	01b
艸-총09획	茀	𦭵	571	01b		艸-총10획	荅	𦮬	247	01b
艸-총09획	耘	𦭺	419	01b		艸-총10획	菓	𦮠	568	01b
艸-총09획	若	𦬝	599	01b		艸-총10획	茗	𦮶	693	01b
艸-총09획	苓	𦭻	365	01b		艸-총10획	茾	𦮥	358	01b
艸-총09획	英	𦭊	503	01b		艸-총10획	茱	𦮭	486	01b
艸-총09획	苑	𦬺	563	01b		艸-총10획	荀	𦮙	688	01b
艸-총09획	苢	𦬞	341	01b		艸-총10획	茝	𦮛	280	01b
艸-총09획	茈	𦭟	380	01b		艸-총10획	姜	𦮔	360	01b

艹-총10획	茹		614	01b
艹-총10획	荔		648	01b
艹-총10획	苅		428	01b
艹-총10획	茸		676	01b
艹-총10획	菁		472	01b
艹-총10획	荑		321	01b
艹-총10획	茻		560	01b
艹-총10획	茵		610	01b
艹-총10획	荏		257	01b
艹-총10획	茲		527	01b
艹-총10획	茨		584	01b
艹-총10획	荸		549	01b
艹-총10획	荃		592	01b
艹-총10획	苴		292	01b
艹-총10획	菓		397	01b
艹-총10획	茜		384	01b
艹-총10획	荐		580	01b
艹-총10획	茶		487	01b
艹-총10획	草		679	01b
艹-총10획	芻		611	01b
艹-총10획	筑		297	01b
艹-총10획	茎		457	01b
艹-총10획	茬		535	01b
艹-총10획	茷		558	01b
艹-총10획	荙		516	01b
艹-총10획	茲		354	01b
艹-총10획	苗		658	01b
艹-총10획	荒		547	01b
艹-총11획	菖		271	01b
艹-총11획	莖		494	01b
艹-총11획	蔽		376	01b
艹-총11획	菩		338	01b
艹-총11획	莨		475	01b
艹-총11획	茶		668	01b
艹-총11획	菫		309	01b
艹-총11획	莫		701	01b
艹-총11획	芔		700	01b
艹-총11획	菌		453	01b
艹-총11획	菣		356	01b
艹-총11획	莎		638	01b
艹-총11획	菁		533	01b
艹-총11획	茜		9806	14b
艹-총11획	菫		605	01b
艹-총11획	菡		625	01b
艹-총11획	莪		439	01b
艹-총11획	菲		426	01b
艹-총11획	菷		372	01b
艹-총11획	菩		655	01b
艹-총11획	莞		329	01b
艹-총11획	猫		250	01b
艹-총11획	莠		252	01b
艹-총11획	菂		517	01b
艹-총11획	菥		522	01b
艹-총11획	慈		306	01b

부수-획수	해서	전서	번호	위치
艸-총11획	葃		689	01b
艸-총11획	莊		241	01b
艸-총11획	莛		495	01b
艸-총11획	莜		603	01b
艸-총11획	莝		615	01b
艸-총11획	菣		569	01b
艸-총11획	茡		613	01b
艸-총11획	菉		488	01b
艸-총11획	莆		245	01b
艸-총11획	蓖		319	01b
艸-총11획	荷		433	01b
艸-총11획	荅		462	01b
艸-총11획	莧		269	01b
艸-총11획	菷		362	01b
艸-총12획	蔜		438	01b
艸-총12획	菌		345	01b
艸-총12획	蒩		589	01b
艸-총12획	菅		327	01b
艸-총12획	菊		273	01b
艸-총12획	营		284	01b
艸-총12획	舜		1455	03a
艸-총12획	菌		478	01b
艸-총12획	蒫		267	01b
艸-총12획	釜		407	01b
艸-총12획	其		248	01b
艸-총12획	萊		647	01b
艸-총12획	菉		651	01b
艸-총12획	菻		441	01b
艸-총12획	蒴		422	01b
艸-총12획	萄		659	01b
艸-총12획	蒯		684	01b
艸-총12획	莀		317	01b
艸-총12획	葸		387	01b
艸-총12획	莽		702	01b
艸-총12획	萌		492	01b
艸-총12획	菋		456	01b
艸-총12획	菩		324	01b
艸-총12획	葮		278	01b
艸-총12획	美		1745	03a
艸-총12획	葊		506	01b
艸-총12획	葩		253	01b
艸-총12획	葟		604	01b
艸-총12획	菲		641	01b
艸-총12획	蓮		244	01b
艸-총12획	葯		555	01b
艸-총12획	菀		452	01b
艸-총12획	萎		616	01b
艸-총12획	蒚		653	01b
艸-총12획	莿		401	01b
艸-총12획	萇		307	01b
艸-총12획	葅		591	01b
艸-총12획	蔽		528	01b
艸-총12획	葰		463	01b
艸-총12획	蒸		595	01b

艸—총12획	菜	𦱧	559	01b
艸—총12획	萋	𦰝	505	01b
艸—총12획	菁	𦼪	276	01b
艸—총12획	䓞	𦵩	654	01b
艸—총12획	崔	𡶤	336	01b
艸—총12획	蒇	𦽉	680	01b
艸—총12획	菩	𦿉	682	01b
艸—총12획	萃	𦳈	541	01b
艸—총12획	菑	𦿘	565	01b
艸—총12획	菪	𦾶	490	01b
艸—총12획	萍	𤃷	7409	11a
艸—총12획	菏	𤃝	7039	11a
艸—총12획	莢	𦳈	512	01b
艸—총12획	荆	𦻻	489	01b
艸—총12획	華	𦻿	3868	06b
艸—총12획	崔	𥤑	2312	04a
艸—총12획	覓	𧠰	6268	10a
艸—총13획	葭	𦵡	646	01b
艸—총13획	蘮	𦻼	287	01b
艸—총13획	葛	𦿃	459	01b
艸—총13획	蓋	𦸠	586	01b
艸—총13획	葵	𦾷	260	01b
艸—총13획	落	𦿛	550	01b
艸—총13획	蒚	𦽏	540	01b
艸—총13획	蓈	𦽺	251	01b
艸—총13획	萬	𧾋	9686	14b
艸—총13획	葂	𦵬	537	01b

艸—총13획	葺	𦿖	666	01b
艸—총13획	葆	𦿣	674	01b
艸—총13획	葍	𦾷	369	01b
艸—총13획	葑	𦾅	399	01b
艸—총13획	葍	𦼆	352	01b
艸—총13획	葮	𦼶	627	01b
艸—총13획	遂	𧀔	305	01b
艸—총13획	葚	𦿊	481	01b
艸—총13획	葝	𦾏	480	01b
艸—총13획	葉	𦿁	496	01b
艸—총13획	蔞	𦿑	476	01b
艸—총13획	萬	𦿜	320	01b
艸—총13획	葦	𦿇	645	01b
艸—총13획	萸	𦼫	485	01b
艸—총13획	葎	𦾌	396	01b
艸—총13획	葬	𦽲	703	01b
艸—총13획	葥	𦼁	312	01b
艸—총13획	薄	𦼺	677	01b
艸—총13획	葵	𦾵	509	01b
艸—총13획	葰	𦽚	288	01b
艸—총13획	葥	𦼎	382	01b
艸—총13획	茸	𦵤	585	01b
艸—총13획	萩	𦾲	444	01b
艸—총13획	葳	𦽕	374	01b
艸—총13획	葩	𦼇	499	01b
艸—총13획	蔦	𦽸	296	01b
艸—총13획	葏	𦾸	639	01b

艸-총13획	菫	菫	274	01b	艸-총14획	蓀	蓀	331	01b
艸-총14획	蒹	蒹	420	01b	艸-총14획	萡	萡	263	01b
艸-총14획	蓾	蓾	497	01b	艸-총14획	菹	菹	582	01b
艸-총14획	蔂	蔂	461	01b	艸-총14획	蒸	蒸	623	01b
艸-총14획	蒟	蒟	482	01b	艸-총14획	蓁	蓁	532	01b
艸-총14획	萱	萱	259	01b	艸-총14획	蒼	蒼	539	01b
艸-총14획	蒲	蒲	520	01b	艸-총14획	菽	菽	617	01b
艸-총14획	蓏	蓏	242	01b	艸-총14획	蓶	蓶	644	01b
艸-총14획	蓝	蓝	548	01b	艸-총14획	蓄	蓄	681	01b
艸-총14획	莫	莫	455	01b	艸-총14획	蒲	蒲	332	01b
艸-총14획	蒙	蒙	649	01b	艸-총14획	菌	菌	429	01b
艸-총14획	蒜	蒜	631	01b	艸-총14획	蒿	蒿	670	01b
艸-총14획	蓆	蓆	578	01b	艸-총14획	蒦	蒦	2313	04a
艸-총14획	蓀	蓀	690	01b	艸-총14획	蒬	蒬	339	01b
艸-총14획	蒐	蒐	383	01b	艸-총15획	藍	藍	344	01b
艸-총14획	蔆	蔆	404	01b	艸-총15획	蕫	蕫	640	01b
艸-총14획	蓍	蓍	437	01b	艸-총15획	蔜	蔜	530	01b
艸-총14획	蒔	蒔	542	01b	艸-총15획	蔓	蔓	377	01b
艸-총14획	蒻	蒻	333	01b	艸-총15획	蔆	蔆	411	01b
艸-총14획	蒿	蒿	340	01b	艸-총15획	蔓	蔓	460	01b
艸-총14획	蔂	蔂	698	01b	艸-총15획	蔑	蔑	2322	04a
艸-총14획	蓉	蓉	686	01b	艸-총15획	蕠	蕠	314	01b
艸-총14획	蔗	蔗	511	01b	艸-총15획	薯	薯	5353	08a
艸-총14획	蓶	蓶	634	01b	艸-총15획	蔌	蔌	665	01b
艸-총14획	蓄	蓄	325	01b	艸-총15획	蔤	蔤	434	01b
艸-총14획	蓁	蓁	598	01b	艸-총15획	蓬	蓬	671	01b
艸-총14획	蒲	蒲	446	01b	艸-총15획	蔧	蔧	573	01b

부
수

艸—총16획	蕘	蕘	508	01b	艸—총17획	薍	薍	421	01b
艸—총16획	蕇	蕇	635	01b	艸—총17획	薋	薋	531	01b
艸—총16획	蕋	蕋	583	01b	艸—총17획	薔	薔	663	01b
艸—총16획	蕛	蕛	467	01b	艸—총17획	薦	薦	6228	10a
艸—총16획	蕁	蕁	602	01b	艸—총17획	薙	薙	567	01b
艸—총16획	蕩	蕩	524	01b	艸—총17획	薛	薛	413	01b
艸—총16획	蕆	蕆	696	01b	艸—총17획	薌	薌	694	01b
艸—총16획	蕉	蕉	624	01b	艸—총17획	薅	薅	699	01b
艸—총16획	蔌	蔌	395	01b	艸—총17획	薈	薈	536	01b
艸—총16획	蔽	蔽	551	01b	艸—총17획	薨	薨	2553	04b
艸—총17획	蕠	蕠	264	01b	艸—총18획	蕐	蕐	346	01b
艸—총17획	蕣	蕣	298	01b	艸—총18획	藅	藅	343	01b
艸—총17획	薊	薊	308	01b	艸—총18획	蕢	蕢	367	01b
艸—총17획	薧	薧	2554	04b	艸—총18획	蔽	蔽	529	01b
艸—총17획	薝	薝	477	01b	艸—총18획	蕒	蕒	361	01b
艸—총17획	薔	薔	375	01b	艸—총18획	藍	藍	282	01b
艸—총17획	薁	薁	373	01b	艸—총18획	蕳	蕳	430	01b
艸—총17획	薇	薇	265	01b	艸—총18획	藨	藨	626	01b
艸—총17획	薄	薄	562	01b	艸—총18획	藚	藚	381	01b
艸—총17획	蕡	蕡	424	01b	艸—총18획	蕧	蕧	281	01b
艸—총17획	薜	薜	386	01b	艸—총18획	藎	藎	304	01b
艸—총17획	薕	薕	385	01b	艸—총18획	藛	藛	687	01b
艸—총17획	薛	薛	322	01b	艸—총18획	蕵	蕵	507	01b
艸—총17획	薪	薪	622	01b	艸—총18획	藺	藺	504	01b
艸—총17획	薆	薆	406	01b	艸—총18획	藉	藉	581	01b
艸—총17획	薕	薕	423	01b	艸—총18획	藏	藏	695	01b
艸—총17획	薉	薉	546	01b	艸—총18획	薺	薺	400	01b

艸-총18획	蘁		310	01b	艸-총20획	藷		458	01b
艸-총18획	藻		650	01b	艸-총20획	蘀		552	01b
艸-총18획	薽		392	01b	艸-총20획	蕙		283	01b
艸-총18획	薰		294	01b	艸-총21획	蘧		272	01b
艸-총19획	蘛		464	01b	艸-총21획	蘜		449	01b
艸-총19획	藭		285	01b	艸-총21획	蘽		673	01b
艸-총19획	蘍		349	01b	艸-총21획	蘭		286	01b
艸-총19획	藩		590	01b	艸-총21획	蘫		594	01b
艸-총19획	蘠		350	01b	艸-총21획	蘪		293	01b
艸-총19획	蘧		418	01b	艸-총21획	蘮		417	01b
艸-총19획	蕒		661	01b	艸-총21획	蘘		275	01b
艸-총19획	藪		564	01b	艸-총21획	蘦		466	01b
艸-총19획	藥		576	01b	艸-총21획	蘠		450	01b
艸-총19획	藜		672	01b	艸-총22획	蘺		410	01b
艸-총19획	薵		378	01b	艸-총22획	蘴		678	01b
艸-총19획	蘆		409	01b	艸-총22획	蘸		501	01b
艸-총19획	蘢		473	01b	艸-총23획	蘩		403	01b
艸-총20획	薑		261	01b	艸-총23획	蘿		440	01b
艸-총20획	蘜		416	01b	艸-총23획	藁		3440	06a
艸-총20획	蘄		328	01b	艸-총23획	蘿		577	01b
艸-총20획	蘆		277	01b	艸-총23획	蘽		474	01b
艸-총20획	蘢		436	01b	艸-총23획	蔄		355	01b
艸-총20획	蘽		596	01b	艸-총23획	蘺		291	01b
艸-총20획	蘭		330	01b	艸-총23획	蘸		697	01b
艸-총20획	蘇		256	01b	艸-총24획	蘱		643	01b
艸-총20획	蘨		566	01b	艸-총25획	蘱		597	01b
艸-총20획	蘠		347	01b	艸-총25획	蘽		290	01b

艸−총26획	虋	蕿	249	01b
艸−총27획	蘽	蕠	316	01b
艸−총28획	蘱	蕠	366	01b
艸−총28획	釀	蕠	268	01b
艸−총29획	虉	蕠	246	01b
艸−총35획	虉	蕠	607	01b

141 호(虍)부수

虍−총06획	虍	冇	3093	05a
虍−총08획	虎	壽	3102	05a
虍−총09획	虐	壽	3099	05a
虍−총10획	虔	賓	3096	05a
虍−총10획	虓	扄	3115	05a
虍−총10획	烷	精	3109	05a
虍−총10획	虓	棳	3111	05a
虍−총11획	處	扄	3095	05a
虍−총11획	虓	沴	3110	05a
虍−총11획	虘	冨	3097	05a
虍−총11획	虖	扄	3098	05a
虍−총12획	虜	萹	4323	07a
虍−총12획	虝	乿	3104	05a
虍−총12획	虠	榑	3112	05a
虍−총12획	虛	窳	5210	08a
虍−총13획	虞	買	3094	05a
虍−총13획	虢	沴	3105	05a
虍−총13획	號	牂	3051	05a
虍−총13획	虘	冨	3090	05a
虍−총15획	虤	牂	3114	05a

虍−총15획	虩	牂	3117	05a
虍−총16획	麌	牂	3118	05a
虍−총16획	虦	牂	3107	05a
虍−총16획	虨	牂	3119	05a
虍−총17획	彪	牂	3100	05a
虍−총17획	虧	窳	3053	05a
虍−총18획	虩	冨	3101	05a
虍−총18획	麌	牂	9426	14a
虍−총18획	虦	牂	3113	05a
虍−총18획	號	牂	3091	05a
虍−총20획	譬	牂	3120	05a
虍−총21획	虪	牂	3103	05a
虍−총23획	虇	牂	3092	05a
虍−총26획	虩	牂	3116	05a
虍−총26획	虩	牂	3106	05a

142 충(虫)부수

虫−총06획	虫	冇	8741	13a
虫−총08획	虬	冇	8853	13a
虫−총09획	虱	冇	8897	13a
虫−총09획	虫	冇	8842	13a
虫−총09획	虹	虹	8890	13a
虫−총09획	虺	冇	8757	13a
虫−총10획	蚗	冇	8827	13a
虫−총10획	蚳	冇	8776	13a
虫−총10획	蚚	冇	8782	13a
虫−총10획	蚑	冇	8840	13a
虫−총10획	蚅	冇	8828	13a

虫-총10획	蚌	𦀗	8860	13a
虫-총10획	蚨	𧈼	8868	13a
虫-총10획	蚒	𧈙	8744	13a
虫-총10획	蚖	𧈟	8761	13a
虫-총10획	蚘	𧈊	8818	13a
虫-총10획	蚩	𧌅	8814	13a
虫-총11획	蛄	𧉍	8789	13a
虫-총11획	蚼	𧈐	8883	13a
虫-총11획	蚰	𧉩	8769	13a
虫-총11획	蛉	𧉍	8831	13a
虫-총11획	蛁	𧉍	8805	13a
虫-총11획	蛁	𧉘	8750	13a
虫-총11획	蚳	𧈐	8793	13a
虫-총12획	蛐	𧋐	8901	13b
虫-총12획	蛋	𧌅	8884	13a
虫-총12획	蛟	𧋍	8851	13a
虫-총12획	蛝	𧋍	8875	13a
虫-총12획	晝	𢍰	8775	13a
虫-총12획	蛞	𧋍	8768	13a
虫-총12획	蜊	𧋍	8829	13a
虫-총12획	蛧	𧋍	8878	13a
虫-총12획	蛢	𧋍	8801	13a
虫-총12획	蛑	𧋍	8877	13a
虫-총12획	蛘	𧋍	8849	13a
虫-총12획	載	𢍰	8774	13a
虫-총12획	蛭	𧋍	8766	13a
虫-총12획	蛗	𧌅	8846	13a

虫-총12획	㲋	𠂤	8857	13a
虫-총12획	蛸	𧌅	8754	13a
虫-총13획	蜑	𧌅	8894	13a
虫-총13획	蜋	𧍍	8799	13a
虫-총13획	蜍	𧌝	8837	13a
虫-총13획	蜎	𧌍	8800	13a
虫-총13획	蜃	𧌅	8856	13a
虫-총13획	蛾	𧍍	8791	13a
虫-총13획	蜎	𧍍	8863	13a
虫-총13획	蛹	𧍍	8752	13a
虫-총13획	蜓	𧍍	8760	13a
虫-총13획	蜀	𧌅	8783	13a
虫-총13획	蜕	𧍍	8845	13a
虫-총13획	蜆	𧍍	8806	13a
虫-총13획	蛺	𧍍	8812	13a
虫-총13획	蜓	𧍍	8771	13a
虫-총14획	蝌	𧎍	8869	13a
虫-총14획	蝀	𧎍	8892	13a
虫-총14획	蜡	𧎍	8838	13a
虫-총14획	蜽	𧎍	8879	13a
虫-총14획	蜦	𧎍	8854	13a
虫-총14획	蜢	𧎍	8898	13a
虫-총14획	蟹	𧎅	8807	13a
虫-총14획	蜥	𧎍	8758	13a
虫-총14획	蜙	𧎍	8819	13a
虫-총14획	蜑	𧌅	8848	13a
虫-총14획	蜮	𧎍	8876	13a

虫-총14획	蜺	蜺	8825	13a	虫-총15획	螽	螽	8906	13b
虫-총14획	蝻	蝻	8834	13a	虫-총15획	蕫	蕫	8777	13a
虫-총14획	蜼	蜼	8882	13a	虫-총15획	蝤	蝤	8778	13a
虫-총14획	蜨	蜨	8813	13a	虫-총15획	蝙	蝙	8886	13a
虫-총14획	蜩	蜩	8823	13a	虫-총15획	蝦	蝦	8870	13a
虫-총14획	蜻	蜻	8830	13a	虫-총15획	蝗	蝗	8822	13a
虫-총14획	蜭	蜭	8772	13a	虫-총16획	螣	螣	8743	13a
虫-총15획	蝌	蝌	8808	13a	虫-총16획	螈	螈	8833	13a
虫-총15획	蝎	蝎	8780	13a	虫-총16획	螊	螊	8855	13a
虫-총15획	蝨	蝨	8919	13b	虫-총16획	螟	螟	8763	13a
虫-총15획	蝒	蝒	8796	13a	虫-총16획	螫	螫	8815	13a
虫-총15획	螯	螯	8816	13a	虫-총16획	螈	螈	8785	13a
虫-총15획	蝮	蝮	8742	13a	虫-총16획	螝	螝	8844	13a
虫-총15획	蝠	蝠	8887	13a	虫-총16획	螉	螉	8747	13a
虫-총15획	蝐	蝐	8820	13a	虫-총16획	融	融	1855	03b
虫-총15획	蝤	蝤	8836	13a	虫-총16획	螠	螠	8792	13a
虫-총15획	蝏	蝏	8795	13a	虫-총16획	螽	螽	8904	13b
虫-총15획	蟲	蟲	8905	13b	虫-총16획	螇	螇	8826	13a
虫-총15획	蟄	蟄	8804	13a	虫-총16획	螁	螁	8753	13a
虫-총15획	蝹	蝹	8759	13a	虫-총17획	蟲	蟲	8917	13b
虫-총15획	蝝	蝝	8787	13a	虫-총17획	蟪	蟪	8745	13a
虫-총15획	蝯	蝯	8839	13a	虫-총17획	螳	螳	8900	13a
虫-총15획	蝸	蝸	8859	13a	虫-총17획	蟉	蟉	8866	13a
虫-총15획	蝯	蝯	8880	13a	虫-총17획	蟆	蟆	8788	13a
虫-총15획	蝚	蝚	8767	13a	虫-총17획	蟎	蟎	8852	13a
虫-총15획	蝓	蝓	8862	13a	虫-총17획	蟎	蟎	8871	13a
虫-총15획	蟉	蟉	8865	13a	虫-총17획	螶	螶	8910	13b

부수-획수	해서	전서	번호	위치
虫-총23획	蠕		8811	13a
虫-총23획	蠭		8915	13b
虫-총23획	蠹		8912	13b
虫-총24획	蠸		8762	13a
虫-총24획	蠿		8911	13b
虫-총24획	蠹		8920	13b
虫-총24획	蠚		8902	13b
虫-총24획	蠨		8872	13a
虫-총25획	蠻		8888	13a
虫-총25획	蠶		8924	13b
虫-총25획	蠰		8913	13b
虫-총26획	蠿		8930	13b
虫-총27획	蠹		8916	13b
虫-총27획	蠽		8908	13b
虫-총28획	蠹		8929	13b
虫-총28획	蠹		8928	13b
虫-총28획	蠸		8909	13b
虫-총29획	蠹		8923	13b

143 혈(血)부수

부수-획수	해서	전서	번호	위치
血-총06획	血		3152	05a
血-총08획	衁		3156	05a
血-총09획	衄		3153	05a
血-총10획	衄		3157	05a
血-총10획	衃		3154	05a
血-총12획	衈		7460	11b
血-총14획	衉		3164	05a
血-총14획	監		3159	05a
血-총15획	盡		3155	05a
血-총18획	衊		3161	05a
血-총18획	蕰		3160	05a
血-총19획	衋		3158	05a
血-총21획	衊		3166	05a
血-총24획	衋		3163	05a

144 행(行)부수

부수-획수	해서	전서	번호	위치
行-총06획	行		1265	02b
行-총09획	衍		1273	02b
行-총09획	衒		7101	11a
行-총11획	術		1266	02b
行-총12획	街		1267	02b
行-총12획	衕		1270	02b
行-총13획	衙		1272	02b
行-총13획	衖		1274	02b
行-총14획	衡		1271	02b
行-총16획	衛		1276	02b
行-총16획	衡		2832	04b
行-총17획	衞		1275	02b
行-총18획	衝		1269	02b
行-총24획	衢		1268	02b

145 의(衣)부수

부수-획수	해서	전서	번호	위치
衣-총06획	衣		5230	08a
衣-총08획	衫		5347	08a
衣-총08획	衬		5272	08a
衣-총09획	衹		5312	08a
衣-총09획	衿		5268	08a

부수-획수	한자	전서	번호	페이지
衣-총09획	袂		5262	08a
衣-총09획	袚		5247	08a
衣-총09획	衯		5287	08a
衣-총09획	袓		5302	08a
衣-총09획	衽		5241	08a
衣-총10획	袪		5260	08a
衣-총10획	袞		5232	08a
衣-총10획	衾		5300	08a
衣-총10획	袓		5315	08a
衣-총10획	被		5339	08a
衣-총10획	袢		5308	08a
衣-총10획	衰		5322	08a
衣-총10획	袑		5275	08a
衣-총10획	袤		5335	08a
衣-총10획	袁		5288	08a
衣-총10획	袛		5255	08a
衣-총10획	袓		5306	08a
衣-총10획	袥		5341	08a
衣-총10획	袗		5235	08a
衣-총10획	衷		5304	08a
衣-총10획	袘		5270	08a
衣-총10획	袍		5249	08a
衣-총10획	表		5236	08a
衣-총10획	被		5299	08a
衣-총10획	袨		5346	08a
衣-총11획	袷		5296	08a
衣-총11획	袺		5324	08a
衣-총11획	袈		5314	08a
衣-총11획	裊		5252	08a
衣-총11획	袾		5305	08a
衣-총11획	袏		5267	08a
衣-총11획	袁		5265	08a
衣-총12획	裂		5313	08a
衣-총12획	補		5316	08a
衣-총12획	裞		5342	08a
衣-총12획	裋		5330	08a
衣-총12획	裕		5310	08a
衣-총12획	裁		5231	08a
衣-총12획	裎		5320	08a
衣-총12획	袳		5285	08a
衣-총13획	裾		5271	08a
衣-총13획	裒		5349	08a
衣-총13획	裏		5237	08a
衣-총13획	裨		5307	08a
衣-총13획	褐		5321	08a
衣-총13획	裺		5334	08a
衣-총13획	裔		5286	08a
衣-총13획	裹		5328	08a
衣-총13획	裝		5326	08a
衣-총13획	裯		5256	08a
衣-총14획	褐		5332	08a
衣-총14획	裹		5327	08a
衣-총14획	褕		5245	08a
衣-총14획	褧		5284	08a

衣-총14획	襄	襄	5291	08a
衣-총14획	複	襧	5281	08a
衣-총14획	綖	縋	5344	08a
衣-총14획	褪	襐	5333	08a
衣-총14획	褌	褌	5246	08a
衣-총14획	褕	褕	5234	08a
衣-총14획	褚	褚	5337	08a
衣-총14획	褆	褆	5282	08a
衣-총14획	製	製	5338	08a
衣-총14획	褋	褋	5244	08a
衣-총14획	褊	褊	5295	08a
衣-총15획	褍	褍	5279	08a
衣-총15획	褥	褥	5259	08a
衣-총15획	褒	褒	5261	08a
衣-총15획	褫	褫	5318	08a
衣-총15획	褡	褡	5258	08a
衣-총16획	褪	褪	5238	08a
衣-총16획	襃	襃	5273	08a
衣-총16획	褧	褧	5254	08a
衣-총16획	裹	裹	5345	08a
衣-총16획	褸	褸	5242	08a
衣-총16획	褧	褧	5243	08a
衣-총16획	褧	褧	5343	08a
衣-총16획	褢	褢	5263	08a
衣-총16획	褢	褢	5264	08a
衣-총17획	褔	褔	5331	08a
衣-총17획	襍	襍	5239	08a

衣-총17획	襌	襌	5297	08a
衣-총17획	襐	襐	5301	08a
衣-총17획	褻	褻	5303	08a
衣-총17획	襓	襓	5276	08a
衣-총17획	襄	襄	5298	08a
衣-총17획	褵	褵	5289	08a
衣-총17획	褿	褿	5325	08a
衣-총17획	褺	褺	5290	08a
衣-총17획	褎	褎	5277	08a
衣-총18획	襘	襘	5253	08a
衣-총18획	襛	襛	5283	08a
衣-총18획	襚	襚	5340	08a
衣-총18획	襖	襖	5348	08a
衣-총18획	襴	襴	5280	08a
衣-총18획	襄	襄	5233	08a
衣-총18획	襜	襜	5266	08a
衣-총18획	襓	襓	5278	08a
衣-총18획	襡	襡	5292	08a
衣-총18획	襏	襏	5317	08a
衣-총18획	襗	襗	5269	08a
衣-총19획	羸	羸	5319	08a
衣-총19획	襤	襤	5257	08a
衣-총19획	襞	襞	5311	08a
衣-총19획	襦	襦	5294	08a
衣-총19획	襵	襵	5251	08a
衣-총20획	襦	襦	5240	08a
衣-총20획	襲	襲	5293	08a

衣—총20획	襠		5323	08a
衣—총21획	襱		5274	08a
衣—총22획	襲		5248	08a
衣—총24획	襴		5250	08a

146 아(襾)부수

襾—총06획	襾		4828	07b
襾—총06획	西		7674	12a
襾—총09획	要		1777	03a
襾—총11획	覂		4829	07b
襾—총12획	覃		7675	12a
襾—총18획	覆		4831	07b
襾—총19획	覈		4830	07b

147 견(見)부수

見—총07획	見		5448	08b
見—총10획	尋		5459	08b
見—총10획	覓		5478	08b
見—총10획	覺		5441	08b
見—총11획	規		6642	10b
見—총11획	覘		5489	08b
見—총12획	覎		5475	08b
見—총12획	覘		5490	08b
見—총12획	視		5449	08b
見—총12획	覜		5491	08b
見—총12획	覗		5464	08b
見—총12획	覘		5470	08b
見—총13획	覷		7461	11b
見—총13획	覯		5488	08b
見—총14획	覡		3021	05a
見—총14획	覞		5456	08b
見—총14획	覤		5494	08b
見—총15획	覬		5461	08b
見—총15획	覦		5454	08b
見—총15획	覩		5472	08b
見—총15획	覥		5452	08b
見—총15획	覷		5451	08b
見—총16획	覦		5480	08b
見—총16획	覬		5462	08b
見—총16획	親		5486	08b
見—총16획	覦		5477	08b
見—총16획	覯		5467	08b
見—총16획	覬		5455	08b
見—총17획	覯		5468	08b
見—총17획	覬		5479	08b
見—총17획	覷		5492	08b
見—총17획	覬		5466	08b
見—총17획	覬		5457	08b
見—총17획	覷		5476	08b
見—총18획	觀		5487	08b
見—총18획	覿		5481	08b
見—총18획	覻		5465	08b
見—총18획	覼		5463	08b
見—총19획	覲		5453	08b
見—총19획	觀		5484	08b
見—총20획	覺		5483	08b

見–총20획	矙	5471	08b
見–총21획	覽	5460	08b
見–총21획	觀	5473	08b
見–총22획	覿	5495	08b
見–총22획	覷	5474	08b
見–총22획	覿	5493	08b
見–총24획	覾	5482	08b
見–총25획	觀	5458	08b
見–총25획	覺	5469	08b
見–총26획	觀	5450	08b

148 각(角)부수

角–총07획	角	2815	04b
角–총09획	觓	2824	04b
角–총11획	舩	2830	04b
角–총11획	觔	2826	04b
角–총12획	觚	2845	04b
角–총12획	觛	2843	04b
角–총12획	觡	2849	04b
角–총12획	觜	2838	04b
角–총13획	觡	2837	04b
角–총13획	觢	2819	04b
角–총13획	觟	2835	04b
角–총13획	觷	2821	04b
角–총13획	觤	2836	04b
角–총13획	解	2839	04b
角–총13획	觠	2846	04b
角–총15획	觭	2823	04b

角–총15획	觬	2820	04b
角–총16획	觰	2834	04b
角–총16획	觶	2833	04b
角–총16획	觼	2818	04b
角–총16획	觸	2825	04b
角–총16획	觾	2851	04b
角–총17획	觳	2852	04b
角–총17획	鮮	2829	04b
角–총17획	觵	2822	04b
角–총18획	觴	2844	04b
角–총19획	觿	2841	04b
角–총19획	觿	2827	04b
角–총19획	觿	2850	04b
角–총19획	觻	2842	04b
角–총20획	觸	2828	04b
角–총20획	觷	2831	04b
角–총20획	觺	2847	04b
角–총22획	觿	2848	04b
角–총22획	觿	2817	04b
角–총23획	觿	2853	04b
角–총25획	觿	2816	04b
角–총25획	觿	2840	04b

149 언(言)부수

言–총07획	言	1470	03a
言–총09획	計	1543	03a
言–총09획	訇	1630	03a
言–총09획	訄	1716	03a

言-총09획	訓	韜	1651	03a		言-총12획	訶	訶	1677	03a
言-총09획	訪	新	1517	03a		言-총12획	詎	詎	1722	03a
言-총09획	訂	訂	1509	03a		言-총12획	詁	詁	1529	03a
言-총10획	訕	訕	1633	03a		言-총12획	詘	詘	1694	03a
言-총10획	記	記	1564	03a		言-총12획	罪	罘	4822	07b
言-총10획	訓	訓	1604	03a		言-총12획	詐	詐	1665	03a
言-총10획	訊	訊	1514	03a		言-총12획	詞	詞	5744	09a
言-총10획	討	訏	1679	03a		言-총12획	訴	訴	1680	03a
言-총10획	訐	訐	1666	03a		言-총12획	試	試	1591	03a
言-총10획	訒	訒	1579	03a		言-총12획	詠	詠	1496	03a
言-총10획	託	託	1563	03a		言-총12획	詠	詠	1569	03a
言-총10획	討	討	1706	03a		言-총12획	詍	詍	1622	03a
言-총10획	訌	訌	1645	03a		言-총12획	詧	詧	1695	03a
言-총10획	訓	訓	1491	03a		言-총12획	詑	詑	1592	03a
言-총10획	訖	訖	1573	03a		言-총12획	詒	詒	1599	03a
言-총11획	訣	訣	1726	03a		言-총12획	詈	詈	1623	03a
言-총11획	訥	訥	1580	03a		言-총12획	詛	詛	1611	03a
言-총11획	訪	訪	1505	03a		言-총12획	詆	詆	1698	03a
言-총11획	設	設	1558	03a		言-총12획	詔	詔	1526	03a
言-총11획	訟	訟	1674	03a		言-총12획	詘	詘	1612	03a
言-총11획	訝	訝	1575	03a		言-총12획	証	証	1533	03a
言-총11획	啻	啻	1539	03a		言-총12획	診	診	1702	03a
言-총11획	訧	訧	1520	03a		言-총12획	詄	詄	1637	03a
言-총11획	說	說	1704	03a		言-총12획	詖	詖	1498	03a
言-총11획	訬	訬	1662	03a		言-총12획	詗	詗	1696	03a
言-총11획	許	許	1480	03a		言-총12획	評	評	1571	03a
言-총11획	訴	訴	1541	03a		言-총13획	誇	誇	1640	03a

言-총13획	詿	[전서]	1617	03a
言-총13획	詿	[전서]	1657	03a
言-총13획	詭	[전서]	1692	03a
言-총13획	詷	[전서]	1557	03a
言-총13획	誄	[전서]	1710	03a
言-총13획	詳	[전서]	1510	03a
言-총13획	詵	[전서]	1477	03a
言-총13획	訹	[전서]	1610	03a
言-총13획	詢	[전서]	1719	03a
言-총13획	詩	[전서]	1485	03a
言-총13획	試	[전서]	1537	03a
言-총13획	詻	[전서]	1501	03a
言-총13획	詽	[전서]	1625	03a
言-총13획	詣	[전서]	1576	03a
言-총13획	諫	[전서]	1688	03a
言-총13획	詮	[전서]	1540	03a
言-총13획	誂	[전서]	1635	03a
言-총13획	誅	[전서]	1705	03a
言-총13획	詬	[전서]	1678	03a
言-총13획	督	[전서]	1515	03a
言-총13획	詹	[전서]	713	02a
言-총13획	誃	[전서]	1613	03a
言-총13획	詥	[전서]	1545	03a
言-총13획	該	[전서]	1714	03a
言-총13획	訮	[전서]	1628	03a
言-총13획	誾	[전서]	1644	03a
言-총13획	話	[전서]	1547	03a
言-총13획	詭	[전서]	1660	03a
言-총13획	詣	[전서]	1620	03a
言-총13획	詡	[전서]	1554	03a
言-총13획	訴	[전서]	1712	03a
言-총13획	詢	[전서]	1673	03a
言-총13획	詰	[전서]	1690	03a
言-총14획	誩	[전서]	1727	03a
言-총14획	誠	[전서]	1522	03a
言-총14획	誥	[전서]	1525	03a
言-총14획	誰	[전서]	1601	03a
言-총14획	誋	[전서]	1523	03a
言-총14획	誣	[전서]	1606	03a
言-총14획	誓	[전서]	1527	03a
言-총14획	說	[전서]	1542	03a
言-총14획	誠	[전서]	1521	03a
言-총14획	諌	[전서]	1531	03a
言-총14획	誦	[전서]	1488	03a
言-총14획	誐	[전서]	1556	03a
言-총14획	語	[전서]	1473	03a
言-총14획	誤	[전서]	1616	03a
言-총14획	誤	[전서]	1658	03a
言-총14획	詐	[전서]	1595	03a
言-총14획	誌	[전서]	1725	03a
言-총14획	誕	[전서]	1641	03a
言-총14획	誇	[전서]	1614	03a
言-총14획	誧	[전서]	1561	03a
言-총14획	僭	[전서]	1582	03a

言-총14획	誨		1492	03a
言-총14획	誘		1618	03a
言-총15획	課		1536	03a
言-총15획	蕙		1638	03a
言-총15획	諅		1663	03a
言-총15획	說		1634	03a
言-총15획	談		1474	03a
言-총15획	諸		1627	03a
言-총15획	諏		1624	03a
言-총15획	諒		1476	03a
言-총15획	論		1507	03a
言-총15획	誹		1607	03a
言-총15획	誶		1689	03a
言-총15획	誰		1699	03a
言-총15획	諄		1499	03a
言-총15획	諗		1535	03a
言-총15획	誣		1670	03a
言-총15획	諉		1549	03a
言-총15획	誾		1502	03a
言-총15획	誼		1553	03a
言-총15획	諍		1570	03a
言-총15획	諓		1555	03a
言-총15획	調		1546	03a
言-총15획	諧		1586	03a
言-총15획	請		1478	03a
言-총15획	諏		1506	03a
言-총15획	諈		1548	03a
言-총15획,	諕		1652	03a
言-총16획	諫		1534	03a
言-총16획	諽		1700	03a
言-총16획	諨		1648	03a
言-총16획	諾		1481	03a
言-총16획	謀		1503	03a
言-총16획	諝		1532	03a
言-총16획	諼		1723	03a
言-총16획	諟		1511	03a
言-총16획	諰		1562	03a
言-총16획	謚		1709	03a
言-총16획	諶		1518	03a
言-총16획	諨		1479	03a
言-총16획	諳		1707	03a
言-총16획	諺		1574	03a
言-총16획	謂		1475	03a
言-총16획	諭		1497	03a
言-총16획	諫		1587	03a
言-총16획	諯		1685	03a
言-총16획	諸		1484	03a
言-총16획	諫		1713	03a
言-총16획	諦		1512	03a
言-총16획	論		1631	03a
言-총16획	諷		1487	03a
言-총16획	諴		1538	03a
言-총16획	諧		1544	03a
言-총16획	諼		1589	03a

言-총16획	諱		1524	03a		言-총18획	謨		1504	03a
言-총17획	講		1577	03a		言-총18획	謟		1669	03a
言-총17획	謙		1552	03a		言-총18획	謷		1590	03a
言-총17획	謄		1578	03a		言-총18획	謼		1655	03a
言-총17획	謎		1724	03a		言-총18획	謪		1581	03a
言-총17획	謚		1551	03a		言-총18획	謫		1684	03a
言-총17획	謗		1608	03a		言-총18획	謺		1596	03a
言-총17획	謝		1567	03a		言-총18획	謬		1600	03a
言-총17획	斲		1703	03a		言-총18획	謭		1572	03a
言-총17획	謐		1717	03a		言-총19획	譏		1605	03a
言-총17획	謍		1585	03a		言-총19획	譊		1584	03a
言-총17획	謜		1495	03a		言-총19획	變		1615	03a
言-총17획	謏		1500	03a		言-총19획	譜		1721	03a
言-총17획	謓		1675	03a		言-총19획	譔		1493	03a
言-총17획	謑		1667	03a		言-총19획	譬		1671	03a
言-총17획	暜		1661	03a		言-총19획	識		1513	03a
言-총17획	謕		1643	03a		言-총19획	譌		1656	03a
言-총17획	謑		1711	03a		言-총19획	譄		1636	03a
言-총18획	謦		1472	03a		言-총19획	證		1693	03a
言-총18획	謳		1568	03a		言-총19획	譇		1594	03a
言-총18획	謹		1516	03a		言-총19획	譖		1681	03a
言-총18획	謰		1597	03a		言-총19획	譙		1687	03a
言-총18획	謨		1598	03a		言-총19획	譒		1566	03a
言-총18획	謬		1659	03a		言-총19획	譀		1639	03a
言-총18획	謫		1621	03a		言-총19획	譁		1654	03a
言-총18획	謾		1593	03a		言-총19획	讃		1646	03a
言-총18획	謹		1691	03a		言-총19획	謠		1664	03a

言－총19획	譆	譆	1619	03a
言－총20획	警	警	1550	03a
言－총20획	譟	譟	1603	03a
言－총20획	謦	謦	1583	03a
言－총20획	譖	譖	1642	03a
言－총20획	譬	譬	1494	03a
言－총20획	譱	譱	1728	03a
言－총20획	譎	譎	1530	03a
言－총20획	譯	譯	1715	03a
言－총20획	議	議	1508	03a
言－총20획	譟	譟	1650	03a
言－총20획	譣	譣	1528	03a
言－총20획	譲	譲	1560	03a
言－총20획	識	識	1647	03a
言－총21획	譴	譴	1683	03a
言－총21획	譫	譫	1626	03a
言－총21획	囍	囍	1718	03a
言－총21획	譽	譽	1471	03a
言－총21획	譽	譽	1565	03a
言－총21획	譸	譸	1602	03a
言－총21획	護	護	1609	03a
言－총21획	護	護	1559	03a
言－총22획	讀	讀	1489	03a
言－총22획	讄	讄	1708	03a
言－총22획	讃	讃	1482	03a
言－총22획	讅	讅	1697	03a
言－총23획	變	變	2012	03b

言－총23획	讎	讎	1632	03a
言－총23획	讋	讋	1668	03a
言－총23획	讌	讌	1483	03a
言－총23획	讒	讒	1588	03a
言－총24획	讕	讕	1701	03a
言－총24획	讓	讓	1686	03a
言－총24획	讖	讖	1486	03a
言－총24획	讒	讒	1682	03a
言－총25획	讜	讜	1672	03a
言－총25획	讟	讟	1676	03a
言－총25획	讘	讘	1649	03a
言－총25획	讙	讙	1653	03a
言－총25획	讚	讚	1629	03a
言－총27획	讞	讞	1720	03a
言－총29획	讟	讟	1730	03a
150 곡(谷)부수				
谷－총07획	谷	谷	1443	03a
谷－총07획	谷	谷	7462	11b
谷－총10획	谻	谻	7469	11b
谷－총11획	谼	谼	1881	03b
谷－총11획	谿	谿	7467	11b
谷－총12획	容	容	7468	11b
谷－총17획	谿	谿	7463	11b
谷－총17획	豁	豁	7464	11b
谷－총18획	谬	谬	7465	11b
谷－총23획	豅	豅	7466	11b
151 두(豆)부수				

豆－총07획	豆	豆	3080	05a
豆－총10획	豈	豈	3077	05a
豆－총12획	登	登	3084	05a
豆－총13획	登	登	3083	05a
豆－총13획	豐	豐	3086	05a
豆－총15획	豎	豎	1944	03b
豆－총16획	豋	豋	3082	05a
豆－총18획	豐	豐	3088	05a
豆－총20획	豔	豔	3087	05a
豆－총22획	豏	豏	3079	05a
豆－총28획	豔	豔	3089	05a

152 시(豕)부수

豕－총07획	豕	豕	6047	09b
豕－총08획	豝	豝	6065	09b
豕－총11획	豚	豚	6079	09b
豕－총11획	彖	彖	6076	09b
豕－총11획	豟	豟	6056	09b
豕－총11획	豝	豝	6052	09b
豕－총12획	毇	毇	1956	03b
豕－총12획	象	象	6104	09b
豕－총12획	豠	豠	6062	09b
豕－총13획	狠	狠	6058	09b
豕－총13획	豦	豦	6066	09b
豕－총13획	豜	豜	6053	09b
豕－총13획	彘	彘	6061	09b
豕－총14획	豧	豧	6060	09b
豕－총14획	豩	豩	6068	09b

豕－총14획	豪	豪	6067	09b
豕－총14획	豨	豨	6064	09b
豕－총16획	豭	豭	6055	09b
豕－총16획	豫	豫	6105	09b
豕－총16획	豬	豬	6048	09b
豕－총17획	獂	獂	6063	09b
豕－총17획	豯	豯	6050	09b
豕－총17획	豰	豰	6049	09b
豕－총18획	豵	豵	6051	09b
豕－총19획	豶	豶	6057	09b
豕－총19획	豷	豷	6059	09b
豕－총20획	豶	豶	6054	09b
豕－총27획	麤	麤	6080	09b

153 치(豸)부수

豸－총07획	豸	豸	6081	09b
豸－총10획	豺	豺	6086	09b
豸－총10획	豹	豹	6082	09b
豸－총10획	豻	豻	6093	09b
豸－총12획	貀	貀	6091	09b
豸－총12획	狄	狄	6100	09b
豸－총12획	貂	貂	6094	09b
豸－총13획	貉	貉	6095	09b
豸－총13획	貐	貐	6092	09b
豸－총13획	貆	貆	6096	09b
豸－총14획	貍	貍	6097	09b
豸－총16획	貒	貒	6098	09b
豸－총16획	貓	貓	6101	09b

貝-총15획	資	𧴩	3941	06b		貝-총22획	贖	贖	3956	06b

貝-총15획	資	𧴩	3941	06b
貝-총15획	賣	𧵩	3849	06b
貝-총15획	賷	賷	3974	06b
貝-총15획	賜	賜	3943	06b
貝-총15획	賞	賞	3942	06b
貝-총15획	賚	賚	3960	06b
貝-총15획	賓	賓	3973	06b
貝-총15획	質	質	3954	06b
貝-총15획	賤	賤	3963	06b
貝-총15획	賢	賢	3927	06b
貝-총16획	賵	賵	3923	06b
貝-총16획	賭	賭	3979	06b
貝-총16획	賴	賴	3946	06b
貝-총16획	賵	賵	3978	06b
貝-총16획	賷	賷	3932	06b
貝-총17획	購	購	3970	06b
貝-총17획	賻	賻	3984	06b
貝-총17획	賽	賽	3983	06b
貝-총17획	賸	賸	3937	06b
貝-총17획	䝭	䝭	9091	13b
貝-총18획	贅	贅	3953	06b
貝-총19획	贈	贈	3938	06b
貝-총19획	贊	贊	3931	06b
貝-총20획	贎	贎	3925	06b
貝-총20획	贍	贍	3985	06b
貝-총20획	贏	贏	3945	06b
貝-총20획	賺	賺	3982	06b

貝-총22획	贖	贖	3956	06b
貝-총23획	贛	贛	3121	05a

155 적(赤)부수

赤-총07획	赤	炎	6553	10b
赤-총11획	赦	赦	2025	03b
赤-총12획	赧	赧	6556	10b
赤-총13획	赨	赨	6554	10b
赤-총13획	赩	赩	6562	10b
赤-총14획	經	經	6557	10b
赤-총14획	赫	赫	6561	10b
赤-총16획	赭	赭	6559	10b
赤-총16획	赮	赮	6563	10b
赤-총17획	縠	縠	6555	10b
赤-총17획	赣	赣	6560	10b

156 주(走)부수

走-총07획	走	走	978	02a
走-총09획	赳	赳	984	02a
走-총09획	赴	赴	980	02a
走-총10획	趕	趕	1062	02a
走-총10획	起	起	1023	02a
走-총10획	起	起	1016	02a
走-총10획	赵	赵	1012	02a
走-총11획	趄	趄	1025	02a
走-총11획	超	超	1014	02a
走-총11획	赾	赾	1030	02a
走-총11획	趙	趙	985	02a
走-총12획	趑	趑	1040	02a

走-총12획	越		989	02a
走-총12획	越		995	02a
走-총12획	越		1027	02a
走-총12획	趄		1043	02a
走-총12획	趁		990	02a
走-총12획	趀		1013	02a
走-총12획	趂		1052	02a
走-총12획	超		982	02a
走-총13획	趌		1049	02a
走-총13획	趄		1020	02a
走-총13획	趑		1055	02a
走-총13획	趙		1008	02a
走-총13획	趖		1042	02a
走-총13획	趘		1000	02a
走-총13획	趔		1048	02a
走-총13획	趒		1061	02a
走-총13획	趍		1028	02a
走-총14획	趕		1057	02a
走-총14획	趙		1029	02a
走-총14획	趖		1004	02a
走-총14획	趚		1047	02a
走-총14획	趣		1017	02a
走-총15획	趣		1041	02a
走-총15획	趙		1003	02a
走-총15획	趣		997	02a
走-총15획	趣		1046	02a
走-총15획	趙		1051	02a
走-총15획	趮		1037	02a
走-총15획	趲		1054	02a
走-총15획	趚		1019	02a
走-총15획	趙		992	02a
走-총15획	趣		981	02a
走-총15획	趪		1032	02a
走-총15획	越		994	02a
走-총16획	趫		1021	02a
走-총16획	趧		1060	02a
走-총16획	趨		1035	02a
走-총16획	趙		998	02a
走-총17획	騫		1011	02a
走-총17획	趯		1044	02a
走-총17획	趨		1009	02a
走-총17획	趨		1056	02a
走-총17획	趨		979	02a
走-총17획	趨		1050	02a
走-총17획	趨		1018	02a
走-총18획	趯		1039	02a
走-총18획	趲		1059	02a
走-총18획	趯		1026	02a
走-총18획	趲		996	02a
走-총18획	趲		1058	02a
走-총19획	趣		988	02a
走-총19획	趲		983	02a
走-총19획	趲		993	02a
走-총19획	趲		1038	02a

走-총19획	趲		1036	02a
走-총20획	趉		991	02a
走-총20획	趮		986	02a
走-총20획	趫		1007	02a
走-총20획	趨		999	02a
走-총20획	趪		1022	02a
走-총21획	趫		1001	02a
走-총21획	趣		1015	02a
走-총21획	趩		987	02a
走-총22획	趲		1031	02a
走-총22획	趱		1053	02a
走-총23획	趲		1006	02a
走-총23획	趲		1005	02a
走-총24획	趲		1002	02a
走-총24획	趲		1033	02a
走-총25획	趲		1010	02a
走-총25획	趲		1045	02a
走-총25획	趲		1024	02a
走-총27획	趲		1034	02a
157 족(足)부수				
足-총07획	足		1325	02b
足-총09획	趴		1339	02b
足-총11획	趼		1406	02b
足-총11획	趺		1405	02b
足-총11획	跂		1409	02b
足-총11획	趽		1404	02b
足-총11획	跋		1376	02b
足-총11획	趾		1364	02b
足-총11획	朏		1403	02b
足-총12획	距		1399	02b
足-총12획	跔		1397	02b
足-총12획	跋		1382	02b
足-총12획	跰		1372	02b
足-총12획	跙		1380	02b
足-총12획	跅		1341	02b
足-총12획	跌		1384	02b
足-총12획	跖		1329	02b
足-총12획	跎		1414	02b
足-총12획	跛		1391	02b
足-총13획	跲		1379	02b
足-총13획	跨		1351	02b
足-총13획	跪		1331	02b
足-총13획	跟		1327	02b
足-총13획	跳		1369	02b
足-총13획	路		1407	02b
足-총13획	跣		1396	02b
足-총13획	跧		1348	02b
足-총14획	踌		1394	02b
足-총14획	踾		1332	02b
足-총14획	踄		1353	02b
足-총14획	踅		1343	02b
足-총14획	踊		1345	02b
足-총14획	踉		1370	02b
足-총14획	踉		1377	02b
足-총15획	踞		1387	02b
足-총15획	踽		1398	02b
足-총15획	踝		1328	02b
足-총15획	踦		1330	02b
足-총15획	踣		1390	02b
足-총15획	踖		1402	02b
足-총15획	踠		1395	02b
足-총15획	踏		1335	02b

車-총10획	軔	輲	9489	14a
車-총10획	軒	軒	9466	14a
車-총11획	軠	輇	9558	14a
車-총11획	較	較	9484	14a
車-총11획	軝	軝	9503	14a
車-총11획	軜	軜	9518	14a
車-총11획	軘	軘	9475	14a
車-총11획	軓	軓	9485	14a
車-총11획	軐	軐	9513	14a
車-총12획	軻	軻	9544	14a
車-총12획	軥	軥	9516	14a
車-총12획	軵	軵	9532	14a
車-총12획	軨	軨	9491	14a
車-총12획	軷	軷	9523	14a
車-총12획	軋	軋	9514	14a
車-총12획	軶	軶	9546	14a
車-총12획	軝	軝	9550	14a
車-총12획	軹	軹	9504	14a
車-총12획	軫	軫	9493	14a
車-총12획	軼	軼	9536	14a
車-총12획	軺	軺	9471	14a
車-총12획	軸	軸	9496	14a
車-총13획	衛	衛	9519	14a
車-총13획	軿	軿	9541	14a
車-총13획	輊	輊	9539	14a
車-총13획	葦	葦	9554	14a
車-총13획	輅	輅	9483	14a
車-총13획	輁	輁	9468	14a
車-총13획	輂	輂	9520	14a
車-총13획	軾	軾	9482	14a
車-총13획	載	載	9521	14a
車-총13획	輇	輇	9548	14a

車-총13획	輈	輈	9511	14a
車-총14획	輕	輕	9472	14a
車-총14획	輐	輐	9492	14a
車-총14획	輓	輓	9557	14a
車-총14획	輔	輔	9562	14a
車-총14획	葷	葷	9555	14a
車-총14획	輒	輒	9488	14a
車-총15획	輥	輥	9502	14a
車-총15획	輖	輖	9509	14a
車-총15획	疊	疊	9512	14a
車-총15획	輬	輬	9470	14a
車-총15획	輦	輦	9556	14a
車-총15획	輪	輪	9547	14a
車-총15획	輩	輩	9530	14a
車-총15획	珊	珊	223	01a
車-총15획	輗	輗	9549	14a
車-총15획	輤	輤	9553	14a
車-총15획	輢	輢	9487	14a
車-총15획	輘	輘	9535	14a
車-총15획	輖	輖	9529	14a
車-총15획	輟	輟	9540	14a
車-총15획	輜	輜	9467	14a
車-총15획	輣	輣	9474	14a
車-총16획	輳	輳	9497	14a
車-총16획	輻	輻	9506	14a
車-총16획	輸	輸	9528	14a
車-총16획	輶	輶	9473	14a
車-총16획	輮	輮	9499	14a
車-총16획	輹	輹	9561	14a
車-총16획	輯	輯	9479	14a
車-총16획	輠	輠	9515	14a
車-총17획	轝	轝	9500	14a

부수	楷書	篆書	번호	쪽
車-총17획	轂		9501	14a
車-총17획	輿		9478	14a
車-총17획	輼		9469	14a
車-총17획	轅		9510	14a
車-총17획	輾		9537	14a
車-총17획	轃		9551	14a
車-총17획	轄		9526	14a
車-총18획	轚		9545	14a
車-총18획	轞		9480	14a
車-총18획	轉		9527	14a
車-총18획	轝		9538	14a
車-총18획	轗		9477	14a
車-총19획	轑		9507	14a
車-총19획	轔		9565	14a
車-총19획	轐		9494	14a
車-총19획	轒		9552	14a
車-총19획	轘		9564	14a
車-총19획	轍		9566	14a
車-총19획	轔		9476	14a
車-총20획	轟		9542	14a
車-총20획	轠		9490	14a
車-총20획	轤		9517	14a
車-총20획	轣		9559	14a
車-총21획	轟		9563	14a
車-총21획	轤		9486	14a
車-총21획	籄		9543	14a
車-총22획	轥		9533	14a
車-총22획	轡		8738	13a
車-총26획	轣		9495	14a
車-총27획	轣		9525	14a

160 신(辛)부수

부수	楷書	篆書	번호	쪽
辛-총07획	辛		9707	14b
辛-총12획	辜		9709	14b
辛-총13획	辟		5768	09a
辛-총13획	辠		9708	14b
辛-총14획	辡		9713	14b
辛-총15획	辤		9711	14b
辛-총15획	劈		5770	09a
辛-총16획	辥		9710	14b
辛-총16획	辨		2756	04b
辛-총16획	辦		9208	13b
辛-총17획	擘		5769	09a
辛-총18획	辯		5697	09a
辛-총19획	辭		9712	14b
辛-총20획	辮		8532	13a
辛-총21획	辯		9714	14b

161 신(辰)부수

부수	楷書	篆書	번호	쪽
辰-총07획	辰		9746	14b
辰-총10획	辱		9747	14b
辰-총13획	晨		1778	03a
辰-총20획	農		1779	03a
辰-총20획	醫		3261	05b

162 착(辵)부수

부수	楷書	篆書	번호	쪽
辵-총04획	辵		1091	02b
辵-총07획	迂		1189	02b
辵-총07획	迅		3006	05a
辵-총07획	辻		1098	02b
辵-총07획	迅		1121	02b
辵-총07획	迁		1201	02b
辵-총07획	池		1155	02b
辵-총07획	迄		1215	02b
辵-총08획	迋		1103	02b
辵-총08획	近		1179	02b
辵-총08획	返		1140	02b

부수-총획	한자	전서	번호	위치
辵-총08획	迊		1102	02b
辵-총08획	迌		1192	02b
辵-총08획	迍		1134	02b
辵-총08획	迎		1124	02b
辵-총08획	迒		1207	02b
辵-총08획	远		1206	02b
辵-총09획	迟		1153	02b
辵-총09획	迣		1187	02b
辵-총09획	追		1181	02b
辵-총09획	述		1106	02b
辵-총09획	迻		1194	02b
辵-총09획	迪		1131	02b
辵-총09획	延		1100	02b
辵-총09획	迡		1161	02b
辵-총09획	退		1105	02b
辵-총09획	迭		1165	02b
辵-총09획	迮		1117	02b
辵-총09획	迢		1219	02b
辵-총09획	迴		1199	02b
辵-총10획	适		1122	02b
辵-총10획	适		1125	02b
辵-총10획	逃		1175	02b
辵-총10획	迵		1164	02b
辵-총10획	迾		1188	02b
辵-총10획	迷		1166	02b
辵-총10획	进		1216	02b
辵-총10획	送		1143	02b
辵-총10획	逆		1123	02b
辵-총10획	迻		1135	02b
辵-총10획	迹		1092	02b
辵-총10획	追		1176	02b
辵-총10획	迨		1116	02b
辵-총10획	逅		1210	02b
辵-총11획	逑		1168	02b
辵-총11획	逗		1152	02b
辵-총11획	連		1167	02b
辵-총11획	逞		1195	02b
辵-총11획	逢		1129	02b
辵-총11획	逝		1104	02b
辵-총11획	逌		1220	02b
辵-총11획	速		1120	02b
辵-총11획	逖		1198	02b
辵-총11획	造		1113	02b
辵-총11획	逎		1178	02b
辵-총11획	逡		1160	02b
辵-총11획	逐		1177	02b
辵-총11획	通		1133	02b
辵-총11획	透		1217	02b
辵-총11획	退		1169	02b
辵-총11획	逋		1172	02b
辵-총12획	逬		1190	02b
辵-총12획	逯		1163	02b
辵-총12획	遄		1150	02b
辵-총12획	逶		1154	02b
辵-총12획	逸		6263	10a
辵-총12획	進		1112	02b
辵-총12획	道		1118	02b
辵-총12획	逮		1146	02b
辵-총12획	遌		1200	02b
辵-총12획	逭		1170	02b
辵-총13획	迦		1193	02b
辵-총13획	過		1109	02b
辵-총13획	達		1162	02b
辵-총13획	道		1204	02b

부수	자		번호	위치
辵-총13획	遁		1138	02b
辵-총13획	遂		1174	02b
辵-총13획	遷		1130	02b
辵-총13획	過		1184	02b
辵-총13획	遇		1126	02b
辵-총13획	運		1137	02b
辵-총13획	達		1158	02b
辵-총13획	逾		1114	02b
辵-총13획	違		1202	02b
辵-총13획	遄		1119	02b
辵-총13획	逼		1212	02b
辵-총13획	退		1214	02b
辵-총13획	遑		1211	02b
辵-총14획	遣		1144	02b
辵-총14획	遘		1128	02b
辵-총14획	遜		1115	02b
辵-총14획	遝		1139	02b
辵-총14획	遙		1221	02b
辵-총14획	遠		1197	02b
辵-총14획	遞		1132	02b
辵-총15획	遺		1110	02b
辵-총15획	邀		1097	02b
辵-총15획	遯		1171	02b
辵-총15획	遷		1191	02b
辵-총15획	達		1094	02b
辵-총15획	適		1108	02b
辵-총15획	遭		1127	02b
辵-총15획	遮		1185	02b
辵-총15획	遷		1149	02b
辵-총16획	遼		1196	02b
辵-총16획	遴		1159	02b
辵-총16획	選		1142	02b
辵-총16획	遺		1173	02b
辵-총16획	遷		1182	02b
辵-총16획	遵		1107	02b
辵-총16획	遲		1147	02b
辵-총16획	遷		1136	02b
辵-총16획	遹		1156	02b
辵-총17획	邊		1205	02b
辵-총17획	邁		1095	02b
辵-총17획	邃		1186	02b
辵-총17획	避		1157	02b
辵-총17획	邂		1209	02b
辵-총17획	還		1141	02b
辵-총18획	邊		4655	07b
辵-총18획	邇		1183	02b
辵-총18획	邃		1093	02b
辵-총19획	遺		1111	02b
辵-총19획	邋		1180	02b
辵-총19획	邃		1148	02b
辵-총19획	邊		1208	02b
辵-총20획	邇		1213	02b
辵-총20획	邊		1203	02b
辵-총22획	邏		1099	02b
辵-총22획	邁		1151	02b
辵-총23획	邏		1218	02b
辵-총23획	邐		1145	02b

163 읍(邑)부수

부수	자		번호	위치
邑-총05획	邙		4144	06b
邑-총06획	邛		4107	06b
邑-총06획	邝		4014	06b
邑-총06획	邠		4079	06b
邑-총06획	邝		4026	06b
邑-총06획	邨		4159	06b

邑-총06획	邧	4031	06b		邑-총08획	鄂	4068	06b
邑-총06획	邢	4123	06b		邑-총09획	郟	4138	06b
邑-총07획	郊	4002	06b		邑-총09획	郢	4041	06b
邑-총07획	邢	4091	06b		邑-총09획	郊	3993	06b
邑-총07획	那	4143	06b		邑-총09획	邦	4020	06b
邑-총07획	邦	3987	06b		邑-총09획	郎	4120	06b
邑-총07획	邡	4087	06b		邑-총09획	郝	4095	06b
邑-총07획	邦	4131	06b		邑-총09획	郇	4050	06b
邑-총07획	邶	4003	06b		邑-총09획	邽	4115	06b
邑-총07획	邪	4130	06b		邑-총09획	邸	4102	06b
邑-총07획	邺	4101	06b		邑-총09획	娜	4142	06b
邑-총07획	祁	4109	06b		邑-총09획	那	4073	06b
邑-총07획	邑	4166	06b		邑-총09획	郁	4005	06b
邑-총07획	邑	3986	06b		邑-총09획	郴	4080	06b
邑-총07획	邨	4154	06b		邑-총09획	郅	4055	06b
邑-총07획	邾	4098	06b		邑-총09획	郃	4013	06b
邑-총07획	邟	4058	06b		邑-총09획	郎	4063	06b
邑-총07획	邢	4047	06b		邑-총09획	邢	4043	06b
邑-총07획	邠	4151	06b		邑-총09획	邱	4125	06b
邑-총08획	邯	4048	06b		邑-총10획	郯	4060	06b
邑-총08획	邰	4137	06b		邑-총10획	鄍	4111	06b
邑-총08획	邱	4141	06b		邑-총10획	郜	4105	06b
邑-총08획	邴	4099	06b		邑-총10획	郴	4162	06b
邑-총08획	邳	4121	06b		邑-총10획	郲	4146	06b
邑-총08획	邵	4033	06b		邑-총10획	郡	3988	06b
邑-총08획	邮	4018	06b		邑-총10획	郤	4038	06b
邑-총08획	邸	3994	06b		邑-총10획	郐	4114	06b
邑-총08획	耶	4009	06b		邑-총10획	郢	4022	06b
邑-총08획	邰	4001	06b		邑-총10획	野	4072	06b
邑-총08획	邶	4030	06b		邑-총10획	郭	4135	06b
邑-총08획	郎	4090	06b		邑-총10획	郓	3995	06b
邑-총08획	邲	4037	06b		邑-총10획	郫	4163	06b

	해서	전서		
邑-총14획	喦		4167	06b
邑-총14획	鄂		4006	06b
邑-총14획	廓		4150	06b
邑-총15획	鄲		4049	06b
邑-총15획	鄴		4136	06b
邑-총15획	鄐		4148	06b
邑-총15획	鄧		4066	06b
邑-총15획	鄑		4032	06b
邑-총15획	鄰		3990	06b
邑-총15획	鄭		4096	06b
邑-총15획	鄪		4039	06b
邑-총15획	部		3998	06b
邑-총15획	鄂		4027	06b
邑-총15획	鄥		4153	06b
邑-총15획	鄭		4012	06b
邑-총15획	郫		4129	06b
邑-총15획	都		4092	06b
邑-총15획	鄉		4161	06b
邑-총15획	鄜		4057	06b
邑-총15획	鄒		4145	06b
邑-총16획	鄴		4077	06b
邑-총16획	鄆		4076	06b
邑-총16획	鄨		4046	06b
邑-총16획	義		4124	06b
邑-총16획	鄶		4108	06b
邑-총17획	鄩		4084	06b
邑-총17획	鄯		4085	06b
邑-총18획	鄭		4024	06b
邑-총18획	鄭		4086	06b
邑-총18획	鄘		4016	06b
邑-총18획	鄭		4067	06b
邑-총19획	鄭		4160	06b
邑-총19획	鄭		4140	06b
邑-총19획	鄰		4158	06b
邑-총19획	鄫		4089	06b
邑-총20획	酇		4093	06b
邑-총20획	酆		4070	06b
邑-총20획	酁		4147	06b
邑-총20획	酅		4103	06b
邑-총20획	酅		4169	06b
邑-총21획	酆		4011	06b
邑-총21획	酈		4168	06b
邑-총21획	酀		4119	06b
邑-총21획	酇		4128	06b
邑-총22획	酈		4164	06b
邑-총22획	酇		4015	06b
邑-총22획	酇		3991	06b
邑-총22획	酇		4165	06b

164 유(酉)부수

	해서	전서		
酉-총07획	酉		9757	14b
酉-총09획	酊		9827	14b
酉-총09획	酋		9830	14b
酉-총10획	配		9783	14b
酉-총10획	酏		9813	14b
酉-총10획	酞		9784	14b
酉-총10획	酌		9786	14b
酉-총10획	酒		9758	14b
酉-총10획	酎		9772	14b
酉-총11획	酥		9782	14b
酉-총11획	酌		9789	14b
酉-총11획	酖		9795	14b
酉-총12획	酣		9794	14b
酉-총12획	酤		9776	14b
酉-총12획	酋		9763	14b

酉-총12획	酢	酢	9812	14b
酉-총13획	舊	舊	9823	14b
酉-총13획	酪	酪	9824	14b
酉-총13획	酩	酩	9826	14b
酉-총13획	蔵	蔵	9810	14b
酉-총14획	酲	酲	9766	14b
酉-총14획	酴	酴	9764	14b
酉-총14획	酵	酵	9818	14b
酉-총14획	酸	酸	9809	14b
酉-총14획	醒	醒	9804	14b
酉-총14획	酺	酺	9798	14b
酉-총14획	酷	酷	9780	14b
酉-총15획	醇	醇	9821	14b
酉-총15획	醅	醅	9799	14b
酉-총15획	醇	醇	9770	14b
酉-총15획	醆	醆	9785	14b
酉-총15획	醬	醬	9814	14b
酉-총15획	醋	醋	9791	14b
酉-총15획	醉	醉	9800	14b
酉-총16획	醬	醬	9816	14b
酉-총16획	醒	醒	9828	14b
酉-총16획	醍	醍	9760	14b
酉-총16획	醍	醍	9829	14b
酉-총16획	醐	醐	9817	14b
酉-총16획	醐	醐	9825	14b
酉-총17획	醨	醨	9767	14b
酉-총17획	醛	醛	9759	14b
酉-총17획	醞	醞	9792	14b
酉-총17획	醢	醢	9773	14b
酉-총17획	醤	醤	9802	14b
酉-총17획	醍	醍	9762	14b
酉-총17획	醒	醒	9775	14b

酉-총17획	醜	醜	5806	09a
酉-총17획	醢	醢	9815	14b
酉-총18획	醪	醪	9769	14b
酉-총18획	醨	醨	9807	14b
酉-총18획	醢	醢	9796	14b
酉-총18획	醫	醫	9805	14b
酉-총18획	醬	醬	9777	14b
酉-총18획	醳	醳	9819	14b
酉-총19획	醨	醨	9820	14b
酉-총19획	醰	醰	9781	14b
酉-총19획	醮	醮	9788	14b
酉-총19획	醮	醮	9787	14b
酉-총19획	醯	醯	3137	05a
酉-총20획	釀	釀	9797	14b
酉-총20획	釃	釃	9774	14b
酉-총20획	醴	醴	9768	14b
酉-총20획	醵	醵	9811	14b
酉-총21획	醺	醺	9778	14b
酉-총21획	醻	醻	9790	14b
酉-총21획	醺	醺	9771	14b
酉-총21획	釁	釁	9822	14b
酉-총21획	釄	釄	9801	14b
酉-총24획	釅	釅	9779	14b
酉-총24획	釀	釀	9761	14b
酉-총24획	釄	釄	9808	14b
酉-총25획	釂	釂	9793	14b
酉-총25획	釁	釁	1782	03a
酉-총26획	釅	釅	9765	14b
165 변(釆)부수				
釆-총07획	釆	釆	719	02a
釆-총08획	采	采	3775	06a
釆-총18획	釐	釐	2483	04b

釆-총20획	釋	釋	723	02a

166 리(里)부수

里-총07획	里	里	9122	13b
里-총09획	重	重	5220	08a
里-총11획	野	野	9124	13b
里-총12획	量	量	5221	08a
里-총18획	釐	釐	9123	13b

167 금(金)부수

金-총08획	金	金	9213	14a
金-총10획	釦	釦	2783	04b
金-총10획	釘	釘	9235	14a
金-총11획	釭	釭	9370	14a
金-총11획	釦	釦	9280	14a
金-총11획	釣	釣	9380	14a
金-총11획	釵	釵	9415	14a
金-총11획	釧	釧	9414	14a
金-총11획	鈇	鈇	9316	14a
金-총11획	釬	釬	9366	14a
金-총11획	釳	釳	9372	14a
金-총12획	鈴	鈴	9302	14a
金-총12획	鈌	鈌	9396	14a
金-총12획	鈞	鈞	9331	14a
金-총12획	釿	釿	9434	14a
金-총12획	鈑	鈑	2053	03b
金-총12획	鈕	鈕	9289	14a
金-총12획	鈍	鈍	9407	14a
金-총12획	鈁	鈁	9341	14a
金-총12획	鈋	鈋	9416	14a
金-총12획	鈇	鈇	9379	14a
金-총12획	鈒	鈒	9353	14a
金-총12획	鈃	鈃	9351	14a
金-총12획	鉏	鉏	9403	14a
金-총12획	銃	銃	9355	14a
金-총12획	釧	釧	9219	14a
金-총12획	鈔	鈔	9390	14a
金-총12획	鈗	鈗	9297	14a
金-총12획	鈀	鈀	9332	14a
金-총13획	鉅	鉅	9400	14a
金-총13획	鉾	鉾	9378	14a
金-총13획	鉗	鉗	9315	14a
金-총13획	鉤	鉤	1453	03a
金-총13획	鈴	鈴	9334	14a
金-총13획	鉈	鉈	9356	14a
金-총13획	鉏	鉏	9306	14a
金-총13획	鈇	鈇	9285	14a
金-총13획	鉛	鉛	9217	14a
金-총13획	鉞	鉞	9374	14a
金-총13획	鑒	鑒	9291	14a
金-총13획	鈿	鈿	9413	14a
金-총13획	鉦	鉦	9335	14a
金-총13획	鉓	鉓	9408	14a
金-총13획	鉆	鉆	9313	14a
金-총13획	鉊	鉊	9310	14a
金-총13획	鈹	鈹	9287	14a
金-총13획	鉉	鉉	9267	14a
金-총14획	銒	銒	9245	14a
金-총14획	鍪	鍪	9290	14a
金-총14획	鉹	鉹	9298	14a
金-총14획	銅	銅	9220	14a
金-총14획	銖	銖	9305	14a
金-총14획	鉻	鉻	9393	14a
金-총14획	銘	銘	9411	14a
金-총14획	銑	銑	9227	14a
金-총14획	銛	銛	9296	14a

金-총14획	銖	鎌	9326	14a
金-총14획	銚	鎌	9261	14a
金-총14획	銀	銀	9214	14a
金-총14획	銓	銓	9325	14a
金-총14획	銍	鎚	9311	14a
金-총14획	鉹	鉹	9244	14a
金-총14획	衚	衚	9376	14a
金-총14획	鍘	鍘	9258	14a
金-총15획	鋯	鋯	9392	14a
金-총15획	銀	銀	9382	14a
金-총15획	鋝	鋝	9327	14a
金-총15획	鋂	鋂	9384	14a
金-총15획	鋗	鋗	9314	14a
金-총15획	鋬	鋬	9371	14a
金-총15획	銷	銷	9232	14a
金-총15획	鋋	鋋	9354	14a
金-총15획	銳	銳	9321	14a
金-총15획	鋬	鋬	9216	14a
金-총15획	鉛	鉛	9268	14a
金-총15획	鋌	鋌	9241	14a
金-총15획	錦	錦	9402	14a
金-총15획	鋻	鋻	9224	14a
金-총15획	銼	銼	9256	14a
金-총15획	鋪	鋪	9388	14a
金-총15획	銷	銷	9264	14a
金-총15획	鋏	鋏	9239	14a
金-총15획	鋞	鋞	9250	14a
金-총16획	鋸	鋸	9317	14a
金-총16획	鋻	鋻	9228	14a
金-총16획	鋼	鋼	9236	14a
金-총16획	錦	錦	4906	07b
金-총16획	錡	錡	9283	14a
金-총16획	鍛	鍛	9358	14a
金-총16획	錄	錄	9230	14a
金-총16획	錯	錯	9399	14a
金-총16획	錍	錍	9292	14a
金-총16획	錫	錫	9218	14a
金-총16획	錞	錞	9360	14a
金-총16획	錏	錏	9367	14a
金-총16획	錚	錚	9346	14a
金-총16획	錤	錤	9255	14a
金-총16획	錢	錢	9300	14a
金-총16획	錠	錠	9271	14a
金-총16획	錭	錭	9406	14a
金-총16획	錯	錯	9281	14a
金-총16획	錐	錐	9319	14a
金-총16획	錘	錘	9330	14a
金-총16획	錣	錣	9409	14a
金-총16획	錙	錙	9329	14a
金-총16획	踏	踏	9391	14a
金-총17획	錯	錯	9223	14a
金-총17획	鍵	鍵	9266	14a
金-총17획	鍥	鍥	9309	14a
金-총17획	鍠	鍠	9343	14a
金-총17획	鍛	鍛	9240	14a
金-총17획	鍊	鍊	9234	14a
金-총17획	鑒	鑒	9254	14a
金-총17획	鍑	鍑	9253	14a
金-총17획	鍤	鍤	9284	14a
金-총17획	鍱	鍱	9274	14a
金-총17획	鐶	鐶	9385	14a
金-총17획	鍒	鍒	9405	14a
金-총17획	鍾	鍾	9246	14a
金-총17획	鍼	鍼	9286	14a

金-총17획	鍜	鍜	9368	14a	金-총19획	鏃	鏃	9395	14a
金-총17획	鍰	鍰	9328	14a	金-총19획	鏊	鏊	9381	14a
金-총17획	鏃	鏃	9363	14a	金-총19획	鑒	鑒	9293	14a
金-총18획	鎧	鎧	9365	14a	金-총19획	鏓	鏓	9345	14a
金-총18획	鎞	鎞	9387	14a	金-총19획	鏦	鏦	9357	14a
金-총18획	鎌	鎌	9308	14a	金-총19획	鏢	鏢	9352	14a
金-총18획	鎕	鎕	9401	14a	金-총20획	鐧	鐧	9369	14a
金-총18획	鏗	鏗	9262	14a	金-총20획	鐈	鐈	9248	14a
金-총18획	鎛	鎛	9342	14a	金-총20획	鐃	鐃	9336	14a
金-총18획	鎖	鎖	9412	14a	金-총20획	鏊	鏊	9404	14a
金-총18획	鎔	鎔	9238	14a	金-총20획	鐙	鐙	9272	14a
金-총18획	鎗	鎗	9344	14a	金-총20획	鐐	鐐	9215	14a
金-총18획	鎘	鎘	9278	14a	金-총20획	鐺	鐺	9398	14a
金-총18획	鎮	鎮	9312	14a	金-총20획	鐝	鐝	9304	14a
金-총18획	鎣	鎣	9269	14a	金-총20획	鑒	鑒	9299	14a
金-총18획	鎬	鎬	9259	14a	金-총20획	鐕	鐕	9249	14a
金-총19획	鏡	鏡	9243	14a	金-총20획	鐔	鐔	9349	14a
金-총19획	鏜	鏜	9347	14a	金-총20획	鐊	鐊	9375	14a
金-총19획	鏈	鏈	9221	14a	金-총20획	鐒	鐒	9318	14a
金-총19획	鏤	鏤	9225	14a	金-총20획	鐉	鐉	9389	14a
金-총19획	鏐	鏐	9362	14a	金-총20획	鐘	鐘	9340	14a
金-총19획	鏌	鏌	9350	14a	金-총20획	鐏	鐏	9361	14a
金-총19획	鏝	鏝	9322	14a	金-총20획	鐷	鐷	9273	14a
金-총19획	鏠	鏠	9359	14a	金-총20획	鐎	鐎	9263	14a
金-총19획	鏵	鏵	9275	14a	金-총20획	鐯	鐯	9303	14a
金-총19획	鏇	鏇	9277	14a	金-총21획	鐿	鐿	9383	14a
金-총19획	鍛	鍛	9288	14a	金-총21획	鑛	鑛	9279	14a
金-총19획	鏉	鏉	9397	14a	金-총21획	鑕	鑕	9226	14a
金-총19획	鍘	鍘	9282	14a	金-총21획	鑢	鑢	9260	14a
金-총19획	鐕	鐕	9265	14a	金-총21획	鑄	鑄	9294	14a
金-총19획	鏞	鏞	9339	14a	金-총21획	鐲	鐲	9394	14a
金-총19획	鏑	鏑	9364	14a	金-총21획	鐵	鐵	9222	14a

부수	한자	전서	번호	위치		부수	한자	전서	번호	위치
金-총21획	鐲		9333	14a		門-총10획	閃		7742	12a
金-총21획	鐸		9337	14a		門-총10획	閄		7741	12a
金-총22획	鑑		9247	14a		門-총11획	閉		7730	12a
金-총22획	鑿		9348	14a		門-총11획	閈		7700	12a
金-총22획	鑄		9231	14a		門-총12획	開		7716	12a
金-총22획	鑴		9252	14a		門-총12획	閎		7696	12a
金-총23획	鑠		9229	14a		門-총12획	閔		7747	12a
金-총23획	鑢		9324	14a		門-총12획	閏		79	01a
金-총23획	鑣		9233	14a		門-총12획	閒		7722	12a
金-총23획	鑼		9307	14a		門-총12획	閑		7729	12a
金-총23획	鑥		9377	14a		門-총12획	閔		7751	12a
金-총24획	鑪		9276	14a		門-총12획	閗		7708	12a
金-총24획	鑛		9242	14a		門-총13획	閘		7719	12a
金-총25획	鑮		9338	14a		門-총13획	開		7707	12a
金-총25획	鑲		9237	14a		門-총13획	閟		7720	12a
金-총25획	鑱		9320	14a		門-총13획	問		7718	12a
金-총25획	鑷		9270	14a		門-총14획	閣		7721	12a
金-총26획	鑵		9410	14a		門-총14획	閨		7697	12a
金-총26획	鑸		9386	14a		門-총14획	閩		8889	13a
金-총26획	鑹		9251	14a		門-총14획	閥		7752	12a
金-총27획	鑺		9257	14a		門-총14획	閤		7731	12a
金-총27획	鑻		9373	14a		門-총14획	閣		7698	12a
金-총27획	鑽		9323	14a		門-총15획	閬		7712	12a
金-총28획	鑿		9301	14a		門-총15획	間		7701	12a
金-총28획	鑿		9295	14a		門-총15획	閱		7743	12a
168 장(長)부수						門-총16획	闍		2274	04a
長-총08획	長		6038	09b		門-총16획	閼		7723	12a
長-총12획	镻		6041	09b		門-총16획	閾		7724	12a
長-총12획	酛		9803	14b		門-총16획	閶		7737	12a
長-총21획	镾		6040	09b		門-총16획	闃		7711	12a
169 문(門)부수						門-총16획	閻		7702	12a
門-총08획	門		7692	12a		門-총16획	閽		7693	12a

부수-획수	楷書	篆書	번호	쪽
門-총16획	閣		7738	12a
門-총17획	闃		7753	12a
門-총17획	闊		7744	12a
門-총17획	闈		7705	12a
門-총17획	闌		7728	12a
門-총17획	闐		2086	04a
門-총17획	闇		7732	12a
門-총17획	闉		7694	12a
門-총17획	闋		7704	12a
門-총17획	闊		7726	12a
門-총17획	闍		7746	12a
門-총18획	闔		7717	12a
門-총18획	闖		7706	12a
門-총18획	關		7710	12a
門-총18획	闐		7735	12a
門-총18획	闟		7699	12a
門-총18획	闛		7748	12a
門-총18획	闓		7709	12a
門-총19획	關		7733	12a
門-총19획	闚		7739	12a
門-총19획	闠		7736	12a
門-총20획	闞		7745	12a
門-총20획	闟		7703	12a
門-총20획	闐		7714	12a
門-총20획	闡		7715	12a
門-총21획	闥		7750	12a
門-총21획	闢		7713	12a
門-총21획	闇		7695	12a
門-총21획	闟		7727	12a
門-총21획	闡		7749	12a
門-총25획	闥		7734	12a
門-총25획	闥		7725	12a

부수-획수	楷書	篆書	번호	쪽
門-총27획	闡		7740	12a

170 부(阜)부수

부수-획수	楷書	篆書	번호	쪽
阜-총05획	防		9573	14b
阜-총05획	阞		9636	14b
阜-총06획	阢		9662	14b
阜-총06획	阤		9615	14b
阜-총06획	阡		9663	14b
阜-총06획	陁		9603	14b
阜-총07획	阮		9607	14b
阜-총07획	防		9609	14b
阜-총07획	阭		9632	14b
阜-총07획	阮		9587	14b
阜-총07획	阱		3177	05b
阜-총07획	阯		9611	14b
阜-총07획	阪		9579	14b
阜-총08획	陆		9655	14b
阜-총08획	阜		9570	14b
阜-총08획	附		9613	14b
阜-총08획	阿		9577	14b
阜-총08획	陀		9617	14b
阜-총08획	阺		9614	14b
阜-총08획	阽		9642	14b
阜-총08획	阻		9584	14b
阜-총08획	阼		9645	14b
阜-총08획	陂		9578	14b
阜-총09획	降		9600	14b
阜-총09획	陕		9626	14b
阜-총09획	陊		9606	14b
阜-총09획	限		9583	14b
阜-총09획	陔		9647	14b
阜-총10획	陛		9633	14b
阜-총10획	陋		9592	14b

阜-총10획	陝		9627	14b
阜-총10획	賑		9660	14b
阜-총10획	院		9658	14b
阜-총10획	除		9643	14b
阜-총10획	陵		9590	14b
阜-총10획	陟		9594	14b
阜-총10획	陏		9589	14b
阜-총10획	陛		9646	14b
阜-총10획	陝		9593	14b
阜-총10획	陘		9612	14b
阜-총11획	陼		9629	14b
阜-총11획	陭		9630	14b
阜-총11획	陶		9640	14b
阜-총11획	陸		9576	14b
阜-총11획	陯		9659	14b
阜-총11획	陵		9571	14b
阜-총11획	陪		9650	14b
阜-총11획	陚		9634	14b
阜-총11획	陴		9653	14b
阜-총11획	陲		9656	14b
阜-총11획	陰		9574	14b
阜-총11획	陵		9661	14b
阜-총11획	陧		9641	14b
阜-총11획	陳		9639	14b
阜-총11획	陬		9580	14b
阜-총11획	陮		9585	14b
阜-총11획	陷		9595	14b
阜-총12획	階		9644	14b
阜-총12획	隊		9599	14b
阜-총12획	隋		2660	04b
阜-총12획	陽		9575	14b
阜-총12획	隍		9602	14b
阜-총12획	隁		9622	14b
阜-총12획	隅		9581	14b
阜-총12획	隃		9631	14b
阜-총12획	陾		9652	14b
阜-총12획	堦		9638	14b
阜-총12획	隊		9651	14b
阜-총12획	隕		9635	14b
阜-총12획	隄		9610	14b
阜-총12획	隍		9654	14b
阜-총13획	隔		9618	14b
阜-총13획	隙		9649	14b
阜-총13획	隒		9588	14b
阜-총13획	陵		8259	12b
阜-총13획	陳		9616	14b
阜-총13획	隝		9657	14b
阜-총13획	隗		9586	14b
阜-총13획	隕		9601	14b
阜-총13획	陸		9604	14b
阜-총14획	隤		9605	14b
阜-총14획	隔		9597	14b
阜-총14획	隆		3861	06b
阜-총14획	障		9619	14b
阜-총14획	際		9648	14b
阜-총14획	陸		7660	11b
阜-총15획	隥		9591	14b
阜-총15획	隦		9628	14b
阜-총15획	隔		9637	14b
阜-총15획	隤		9598	14b
阜-총16획	隨		9664	14b
阜-총16획	隨		1101	02b
阜-총16획	隩		9621	14b
阜-총16획	隰		9624	14b

阜-총16획	險	嶮	9582	14b		隹-총13획	雌	雌	2305	04a
阜-총17획	隱	隱	9596	14b		隹-총13획	雋	雋	2307	04a
阜-총17획	隱	隱	9620	14b		隹-총13획	雄	雄	2280	04a
阜-총17획	隰	隰	3735	06a		隹-총13획	雎	雎	2288	04a
阜-총18획	隨	隨	9608	14b		隹-총14획	雜	雜	2273	04a
阜-총19획	隴	隴	9625	14b		隹-총14획	雘	雘	2295	04a
阜-총20획	隮	隮	6107	10a		隹-총16획	雔	雔	2353	04a
阜-총21획	隴	隴	9665	14b		隹-총16획	雗	雗	2289	04a
阜-총21획	隳	隳	9572	14b		隹-총16획	雒	雒	2298	04a
阜-총24획	齜	齜	9666	14b		隹-총16획	雁	雁	2287	04a
阜-총33획	齜	齜	9667	14b		隹-총16획	雕	雕	2286	04a

171 이(隶)부수

						隹-총17획	雖	雖	8756	13a
隶-총08획	隶	隶	1938	03b		隹-총18획	雞	雞	2282	04a
隶-총15획	隸	隸	6039	09b		隹-총18획	雚	雚	2314	04a
隶-총17획	隸	隸	1940	03b		隹-총18획	雙	雙	2355	04a
隶-총17획	隸	隸	1939	03b		隹-총18획	雝	雝	2291	04a

172 추(隹)부수

						隹-총18획	雜	雜	5309	08a
隹-총08획	隹	隹	2270	04a		隹-총18획	雛	雛	2283	04a
隹-총10획	雀	雀	3311	05b		隹-총18획	雗	雗	2279	04a
隹-총10획	隻	隻	2272	04a		隹-총18획	騰	騰	3171	05b
隹-총11획	雄	雄	2303	04a		隹-총19획	雥	雥	2284	04a
隹-총11획	雀	雀	2277	04a		隹-총19획	離	離	2285	04a
隹-총11획	堆	堆	2301	04a		隹-총19획	雕	雕	2299	04a
隹-총12획	雇	雇	2297	04a		隹-총20획	歡	歡	2302	04a
隹-총12획	雅	雅	2292	04a		隹-총21획	隴	隴	2308	04a
隹-총12획	雄	雄	2276	04a		隹-총23획	雥	雥	2294	04a
隹-총12획	雅	雅	2271	04a		隹-총24획	雥	雥	2356	04a
隹-총12획	雁	雁	2293	04a		隹-총28획	雥	雥	2358	04a
隹-총12획	雄	雄	2304	04a		隹-총32획	雥	雥	2357	04a
隹-총12획	雉	雉	2300	04a

173 우(雨)부수

隹-총13획	雊	雊	2281	04a		雨-총08획	雨	雨	7487	11b
隹-총13획	雌	雌	2296	04a		雨-총11획	雩	雩	7530	11b

부수-획	楷書	篆書	번호	쪽
雨-총12획	雲		7538	11b
雨-총13획	零		7500	11b
雨-총13획	雹		7497	11b
雨-총13획	電		7492	11b
雨-총14획	霂		7499	11b
雨-총14획	需		7531	11b
雨-총14획	霈		7532	11b
雨-총14획	霖		7511	11b
雨-총15획	霖		7503	11b
雨-총15획	霅		7491	11b
雨-총15획	霄		7495	11b
雨-총15획	霆		7490	11b
雨-총15획	震		7493	11b
雨-총15획	霃		7507	11b
雨-총16획	霖		7510	11b
雨-총16획	霏		7534	11b
雨-총16획	霓		7505	11b
雨-총16획	霎		7535	11b
雨-총16획	霓		7528	11b
雨-총16획	露		7539	11b
雨-총16획	霑		7515	11b
雨-총16획	霙		7521	11b
雨-총17획	霝		7498	11b
雨-총17획	霡		7525	11b
雨-총17획	霍		7519	11b
雨-총17획	霜		7524	11b
雨-총17획	霠		7516	11b
雨-총17획	霞		7513	11b
雨-총17획	霞		7533	11b
雨-총18획	霖		7508	11b
雨-총18획	霢		7502	11b
雨-총18획	霣		7489	11b
雨-총18획	霣		7512	11b
雨-총18획	霤		7509	11b
雨-총19획	霹		7494	11b
雨-총19획	霸		7529	11b
雨-총19획	霩		7506	11b
雨-총19획	霧		7522	11b
雨-총20획	露		7523	11b
雨-총20획	霤		7517	11b
雨-총21획	霰		7514	11b
雨-총21획	霸		4294	07a
雨-총22획	霽		7536	11b
雨-총22획	霾		7526	11b
雨-총22획	霦		7527	11b
雨-총22획	霞		7504	11b
雨-총22획	霽		7520	11b
雨-총22획	霽		5496	08b
雨-총23획	靂		7488	11b
雨-총24획	靆		7496	11b
雨-총24획	靄		7537	11b
雨-총24획	靈		2354	04a
雨-총25획	靉		7501	11b

174 청(青)부수

부수-획	楷書	篆書	번호	쪽
靑-총08획	靑		3173	05b
靑-총11획	彭		5689	09a
靑-총13획	靖		6651	10b
靑-총15획	靚		5485	08b
靑-총16획	靜		3174	05b

175 비(非)부수

부수-획	楷書	篆書	번호	쪽
非-총08획	非		7656	11b
非-총11획	剕		7657	11b
非-총15획	靠		7659	11b
非-총19획	靡		7658	11b

非-총20획	纛	纛	5375	08a

176 면(面)부수

面-총09획	面	圓	5667	09a
面-총16획	䩉		5669	09a
面-총16획	䩌		5668	09a
面-총21획	靦		5670	09a
面-총23획	靨		5671	09a

177 혁(革)부수

革-총09획	革		1783	03b
革-총11획	靬		1801	03b
革-총12획	靬		1785	03b
革-총12획	靮		1821	03b
革-총12획	靷		1845	03b
革-총13획	靳		1816	03b
革-총13획	靲		1832	03b
革-총13획	靸		1795	03b
革-총13획	靴		1796	03b
革-총13획	靷		1818	03b
革-총13획	靶		1814	03b
革-총14획	鞀		1807	03b
革-총14획	鞄		1790	03b
革-총14획	鞉		1803	03b
革-총14획	鞅		1838	03b
革-총14획	鞁		1827	03b
革-총14획	鞏		1840	03b
革-총14획	鞄		1787	03b
革-총14획	鞍		1812	03b
革-총14획	鞐		1809	03b
革-총15획	鞏		1793	03b
革-총15획	鞈		1786	03b
革-총15획	鞌		1825	03b
革-총15획	鞊		1811	03b

革-총15획	鞈		1828	03b
革-총15획	鞁		1806	03b
革-총16획	鞅		1798	03b
革-총16획	鞋		1820	03b
革-총16획	鞍		1794	03b
革-총16획	鞘		1842	03b
革-총16획	鞗		1830	03b
革-총16획	鞙		1841	03b
革-총17획	鞜		1819	03b
革-총17획	鞠		1802	03b
革-총17획	鞞		1805	03b
革-총17획	鞚		1823	03b
革-총17획	鞝		1824	03b
革-총18획	鞬		1833	03b
革-총18획	鞭		1836	03b
革-총18획	鞮		1831	03b
革-총18획	鞪		1808	03b
革-총18획	鞨		1813	03b
革-총18획	鞦		1788	03b
革-총18획	鞣		1789	03b
革-총18획	鞢		1817	03b
革-총18획	鞥		1797	03b
革-총18획	鞭		1837	03b
革-총19획	鞲		1822	03b
革-총19획	鞶		1792	03b
革-총19획	鞳		1826	03b
革-총19획	鞴		1804	03b
革-총19획	鞵		1800	03b
革-총20획	鞹		1784	03b
革-총20획	鞺		1799	03b
革-총21획	韀		1791	03b
革-총21획	韂		1844	03b

革-총23획	韉	韉	1839	03b
革-총24획	韂	韂	1834	03b
革-총26획	韆	韆	1843	03b
革-총27획	韀	韀	1835	03b
革-총32획	韃	韃	1815	03b
革-총38획	韊	韊	1810	03b

178 위(韋)부수

韋-총09획	韋	韋	3367	05b
韋-총12획	韌	韌	3383	05b
韋-총14획	韐	韐	3369	05b
韋-총15획	韍	韍	3380	05b
韋-총17획	韔	韔	3375	05b
韋-총18획	韝	韝	3377	05b
韋-총18획	韛	韛	3373	05b
韋-총18획	韙	韙	1089	02b
韋-총18획	韜	韜	3376	05b
韋-총19획	韛	韛	3372	05b
韋-총19획	韜	韜	3371	05b
韋-총19획	韞	韞	3379	05b
韋-총19획	韠	韠	4330	07a
韋-총19획	韓	韓	3382	05b
韋-총20획	韣	韣	3368	05b
韋-총21획	韤	韤	3370	05b
韋-총22획	韥	韥	3374	05b
韋-총22획	韢	韢	3867	06b
韋-총24획	韝	韝	3378	05b
韋-총27획	韡	韡	3381	05b

179 구(韭)부수

韭-총09획	韭	韭	4519	07b
韭-총17획	韱	韱	4523	07b
韭-총19획	韲	韲	4521	07b
韭-총21획	韰	韰	4520	07b

韭-총21획	韰	韰	4524	07b
韭-총23획	韲	韲	4522	07b

180 음(音)부수

音-총09획	音	音	1731	03a
音-총14획	韶	韶	1734	03a
音-총19획	韻	韻	1737	03a
音-총20획	韽	韽	1733	03a
音-총22획	響	響	1732	03a

181 혈(頁)부수

頁-총09획	頁	頁	5572	09a
頁-총11획	頃	頃	5197	08a
頁-총11획	頂	頂	5580	09a
頁-총12획	領	領	5643	09a
頁-총12획	頊	頊	5576	09a
頁-총12획	須	須	5678	09a
頁-총12획	順	順	5624	09a
頁-총12획	項	項	5592	09a
頁-총13획	頍	頍	5621	09a
頁-총13획	頓	頓	5630	09a
頁-총13획	頎	頎	5622	09a
頁-총13획	頒	頒	5602	09a
頁-총13획	碩	碩	5595	09a
頁-총13획	頌	頌	5575	09a
頁-총13획	預	預	5664	09a
頁-총13획	頑	頑	5613	09a
頁-총13획	頏	頏	5649	09a
頁-총13획	頃	頃	5628	09a
頁-총13획	頖	頖	5597	09a
頁-총13획	煩	煩	5593	09a
頁-총14획	領	領	5591	09a
頁-총14획	頤	頤	5635	09a
頁-총14획	頗	頗	5625	09a

부
수

頁-총14획	頯		5648	09a	頁-총17획	頤	5609	09a
頁-총15획	頡		5616	09a	頁-총17획	頣	5679	09a
頁-총15획	頼		5644	09a	頁-총17획	頮	5638	09a
頁-총15획	頳		5655	09a	頁-총17획	頥	5594	09a
頁-총15획	頩		5631	09a	頁-총17획	領	5657	09a
頁-총15획	頤		5632	09a	頁-총18획	顃	5646	09a
頁-총15획	頞		5584	09a	頁-총18획	顔	5574	09a
頁-총15획	頟		5583	09a	頁-총18획	顒	5603	09a
頁-총15획	頦		5618	09a	頁-총18획	額	5612	09a
頁-총15획	頮		5639	09a	頁-총18획	顙	5620	09a
頁-총15획	頜		5588	09a	頁-총18획	顚	5627	09a
頁-총15획	頟		5659	09a	頁-총18획	題	5582	09a
頁-총15획	頡		5634	09a	頁-총18획	顤	5663	09a
頁-총16획	頵		5587	09a	頁-총18획	顑	5651	09a
頁-총16획	頸		5590	09a	頁-총19획	顖	5605	09a
頁-총16획	頰		5598	09a	頁-총19획	類	6337	10a
頁-총16획	頽		5585	09a	頁-총19획	顣	5682	09a
頁-총16획	頭		5573	09a	頁-총19획	顥	5581	09a
頁-총16획	顆		5610	09a	頁-총19획	顠	5600	09a
頁-총16획	頷		5680	09a	頁-총19획	魌	5647	09a
頁-총16획	頲		5617	09a	頁-총19획	顛	5599	09a
頁-총16획	頟		5619	09a	頁-총19획	願	5606	09a
頁-총16획	頻		5586	09a	頁-총19획	顋	5640	09a
頁-총17획	顀		5641	09a	頁-총19획	顚	5579	09a
頁-총17획	顧		5642	09a	頁-총19획	顫	5589	09a
頁-총17획	顂		5615	09a	頁-총19획	顟	5604	09a
頁-총17획	顃		5614	09a	頁-총20획	顭	5681	09a
頁-총17획	鎮		5629	09a	頁-총20획	贅	5608	09a
頁-총17획	顊		5660	09a	頁-총21획	顧	5623	09a
頁-총17획	頤		5658	09a	頁-총21획	麟	5626	09a
頁-총17획	頓		5645	09a	頁-총21획	顥	5633	09a
頁-총17획	頵		6656	10b	頁-총21획	舁	3008	05a

頁—총21획	顠	顠	5656	09a
頁—총21획	顥	顥	5636	09a
頁—총21획	顙	顙	5607	09a
頁—총22획	顬	顬	5596	09a
頁—총22획	顫	顫	5650	09a
頁—총23획	顭	顭	5654	09a
頁—총23획	顯	顯	5662	09a
頁—총24획	顰	顰	5637	09a
頁—총24획	顳	顳	7439	11b
頁—총24획	顴	顴	5578	09a
頁—총25획	页	页	5652	09a
頁—총25획	顲	顲	5577	09a
頁—총26획	顳	顳	5611	09a
182 풍(風)부수				
風—총09획	風	風	8932	13b
風—총13획	颭	颭	8941	13b
風—총14획	颯	颯	8937	13b
風—총14획	颱	颱	8947	13b
風—총14획	颶	颶	8934	13b
風—총15획	颳	颳	8944	13b
風—총16획	颵	颵	8943	13b
風—총17획	颻	颻	8933	13b
風—총17획	颸	颸	8939	13b
風—총18획	颺	颺	8946	13b
風—총18획	颼	颼	8945	13b
風—총18획	颿	颿	8942	13b
風—총18획	飀	飀	8940	13b
風—총19획	飂	飂	6177	10a
風—총20획	飃	飃	8938	13b
風—총20획	飄	飄	8936	13b
風—총21획	飆	飆	8935	13b
183 비(飛)부수				

飛—총09획	飛	飛	7654	11b
飛—총16획	飜	飜	7655	11b
184 식(食)부수				
食—총09획	食	食	3189	05b
食—총11획	飢	飢	3244	05b
食—총11획	飧	飧	3207	05b
食—총11획	飡	飡	3210	05b
食—총12획	飩	飩	3206	05b
食—총13획	飣	飣	3221	05b
食—총13획	飫	飫	3250	05b
食—총13획	飯	飯	3205	05b
食—총13획	飩	飩	3242	05b
食—총13획	飪	飪	3192	05b
食—총13획	飭	飭	3220	05b
食—총13획	飮	飮	3236	05b
食—총13획	飰	飰	9202	13b
食—총14획	飾	飾	4876	07b
食—총14획	飴	飴	3194	05b
食—총14획	飽	飽	3227	05b
食—총14획	飼	飼	3225	05b
食—총15획	餅	餅	3197	05b
食—총15획	餃	餃	3248	05b
食—총15획	養	養	3204	05b
食—총15획	餉	餉	3228	05b
食—총15획	餐	餐	3198	05b
食—총15획	餂	餂	1879	03b
食—총15획	餄	餄	3231	05b
食—총15획	餇	餇	3216	05b
食—총16획	餋	餋	3195	05b
食—총16획	餑	餑	3249	05b
食—총16획	餓	餓	3245	05b
食—총16획	餔	餔	3226	05b

食-총16획	餘	餘	3230	05b
食-총16획	餕	餕	3251	05b
食-총16획	餐	餐	3212	05b
食-총16획	餔	餔	3211	05b
食-총17획	館	館	3234	05b
食-총17획	馨	馨	5225	08a
食-총17획	餥	餥	3201	05b
食-총17획	餧	餧	3243	05b
食-총17획	餞	餞	3232	05b
食-총17획	餟	餟	3247	05b
食-총17획	餪	餪	3200	05b
食-총18획	餬	餬	3213	05b
食-총18획	餲	餲	3239	05b
食-총18획	餭	餭	3223	05b
食-총18획	餫	餫	3233	05b
食-총18획	餬	餬	3224	05b
食-총19획	餳	餳	3252	05b
食-총19획	餲	餲	3246	05b
食-총19획	餯	餯	3190	05b
食-총19획	餿	餿	3214	05b
食-총20획	饉	饉	3241	05b
食-총20획	饂	饂	3191	05b
食-총20획	餼	餼	3209	05b
食-총21획	饋	饋	3217	05b
食-총21획	饑	饑	3240	05b
食-총21획	饒	饒	3229	05b
食-총21획	饐	饐	3238	05b
食-총21획	饎	饎	3202	05b
食-총22획	饗	饗	3235	05b
食-총22획	饖	饖	3237	05b
食-총22획	饘	饘	3222	05b
食-총22획	饍	饍	3199	05b

食-총22획	饔	饔	3218	05b
食-총23획	饛	饛	3219	05b
食-총24획	饞	饞	3196	05b
食-총26획	饟	饟	3215	05b
食-총27획	饡	饡	3193	05b
食-총28획	饢	饢	3208	05b
185 수(首)부수				
首-총09획	首	首	5673	09a
首-총11획	馗	馗	9682	14b
首-총16획	䭫	䭫	5674	09a
首-총27획	䭾	䭾	5675	09a
186 향(香)부수				
香-총09획	香	香	4452	07a
香-총18획	馥	馥	4454	07a
香-총20획	馨	馨	4453	07a
187 마(馬)부수				
馬-총10획	馬	馬	6106	10a
馬-총10획	馬	馬	6108	10a
馬-총12획	馴	馴	6110	10a
馬-총12획	馮	馮	6172	10a
馬-총13획	馴	馴	6192	10a
馬-총13획	駒	駒	6129	10a
馬-총13획	馵	馵	6131	10a
馬-총13획	馳	馳	6179	10a
馬-총13획	馱	馱	6224	10a
馬-총14획	駃	駃	6198	10a
馬-총14획	駪	駪	6211	10a
馬-총14획	駁	駁	6148	10a
馬-총14획	駁	駁	6130	10a
馬-총14획	駅	駅	6171	10a
馬-총14획	駟	駟	6153	10a
馬-총14획	駐	駐	6205	10a

부수	한자	전서	번호	출전	부수	한자	전서	번호	출전
馬-총14획	駄		6149	10a	馬-총17획	騁		6182	10a
馬-총14획	罵		6200	10a	馬-총17획	騅		6164	10a
馬-총15획	駕		6157	10a	馬-총17획	駼		6174	10a
馬-총15획	駒		6176	10a	馬-총17획	駿		6139	10a
馬-총15획	駉		6208	10a	馬-총17획	駸		6170	10a
馬-총15획	駒		6109	10a	馬-총17획	駾		6183	10a
馬-총15획	駙		6162	10a	馬-총17획	騂		6185	10a
馬-총15획	駏		6126	10a	馬-총17획	騑		6114	10a
馬-총15획	駟		6161	10a	馬-총18획	騏		6112	10a
馬-총15획	駚		6184	10a	馬-총18획	騎		6156	10a
馬-총15획	駔		6202	10a	馬-총18획	騧		6218	10a
馬-총15획	駐		6191	10a	馬-총18획	騋		6143	10a
馬-총15획	駖		6193	10a	馬-총18획	騛		6158	10a
馬-총15획	嶣		6146	10a	馬-총18획	騞		6128	10a
馬-총15획	駘		6201	10a	馬-총18획	騅		6118	10a
馬-총15획	駅		6165	10a	馬-총19획	騠		6168	10a
馬-총15획	駋		6150	10a	馬-총19획	騖		6180	10a
馬-총16획	駺		6151	10a	馬-총19획	騤		6136	10a
馬-총16획	駧		6186	10a	馬-총19획	騔		6124	10a
馬-총16획	駱		6119	10a	馬-총19획	騠		6212	10a
馬-총16획	駮		6210	10a	馬-총19획	騣		6223	10a
馬-총16획	駢		6159	10a	馬-총19획	騢		6141	10a
馬-총16획	駷		6221	10a	馬-총19획	騟		6117	10a
馬-총16획	駹		6209	10a	馬-총19획	騛		6163	10a
馬-총16획	駴		6222	10a	馬-총20획	騫		6190	10a
馬-총16획	駰		6120	10a	馬-총20획	騩		6115	10a
馬-총16획	駭		6188	10a	馬-총20획	騊		6166	10a
馬-총16획	駞		6189	10a	馬-총20획	騰		6206	10a
馬-총16획	傌		6147	10a	馬-총20획	騪		6215	10a
馬-총17획	飃		6173	10a	馬-총20획	驛		6225	10a
馬-총17획	駼		6219	10a	馬-총20획	騷		6199	10a
馬-총17획	虩		6123	10a	馬-총20획	騋		6197	10a

馬-총20획	騳		6203	10a
馬-총20획	驕		6152	10a
馬-총20획	驊		6207	10a
馬-총20획	騽		6135	10a
馬-총20획	騾		6217	10a
馬-총21획	驅		6178	10a
馬-총21획	鶩		6155	10a
馬-총21획	驑		6134	10a
馬-총21획	驚		6137	10a
馬-총21획	驂		6160	10a
馬-총21획	驄		6121	10a
馬-총21획	鷙		6195	10a
馬-총21획	驃		6125	10a
馬-총22획	驕		6142	10a
馬-총22획	驔		6132	10a
馬-총22획	驪		6116	10a
馬-총22획	驕		6122	10a
馬-총22획	驒		6216	10a
馬-총22획	騆		6111	10a
馬-총22획	驍		6140	10a
馬-총23획	驚		6187	10a
馬-총23획	驢		6194	10a
馬-총23획	贏		6213	10a
馬-총23획	鷽		6169	10a
馬-총23획	驛		6204	10a
馬-총23획	驗		6145	10a
馬-총24획	驖		6127	10a
馬-총24획	驟		6175	10a
馬-총26획	驢		6214	10a
馬-총26획	驫		6133	10a
馬-총27획	驪		6196	10a
馬-총27획	驥		6138	10a

馬-총27획	驤		6154	10a
馬-총28획	驩		6144	10a
馬-총29획	驪		6113	10a
馬-총30획	驫		6220	10a
馬-총34획	驫		3564	06a

188 골(骨)부수

骨-총10획	骨		2559	04b
骨-총13획	骩		2582	04b
骨-총13획	骭		2573	04b
骨-총14획	骹		5549	08b
骨-총15획	骴		2581	04b
骨-총16획	骼		2580	04b
骨-총16획	骷		2570	04b
骨-총16획	骸		2572	04b
骨-총16획	骹		2574	04b
骨-총17획	骾		2579	04b
骨-총18획	髁		2566	04b
骨-총18획	骿		2564	04b
骨-총18획	髀		2565	04b
骨-총18획	骴		2576	04b
骨-총19획	髃		2563	04b
骨-총20획	髆		2562	04b
骨-총21획	髏		2561	04b
骨-총21획	髍		2578	04b
骨-총22획	髖		2571	04b
骨-총22획	髕		2567	04b
骨-총23획	髑		2583	04b
骨-총23획	髒		2575	04b
骨-총23획	體		2577	04b
骨-총23획	髑		2560	04b
骨-총24획	髓		2569	04b
骨-총25획	髖		2568	04b

189 고(高)부수

高-총10획	高		3303	05b
高-총12획	高		3304	05b
高-총17획	髙		3312	05b
高-총18획	槀		6071	09b
高-총20획	鞈		3313	05b

190 표(髟)부수

髟-총10획	髟		5699	09a
髟-총13획	髡		5732	09a
髟-총14획	髥		5723	09a
髟-총14획	髦		5706	09a
髟-총15획	髮		5700	09a
髟-총15획	髳		5720	09a
髟-총15획	髫		5726	09a
髟-총15획	髱		5738	09a
髟-총15획	髯		5716	09a
髟-총16획	髻		5739	09a
髟-총16획	髺		5718	09a
髟-총16획	髭		5727	09a
髟-총16획	髮		5717	09a
髟-총17획	鬁		5736	09a
髟-총17획	鬀		5733	09a
髟-총18획	鬆		5705	09a
髟-총18획	鬈		5710	09a
髟-총18획	鬃		5735	09a
髟-총18획	鬅		5708	09a
髟-총18획	鬄		5715	09a
髟-총19획	鬋		5711	09a
髟-총19획	鬌		5729	09a
髟-총19획	鬍		5712	09a
髟-총19획	鬎		5728	09a
髟-총20획	鬐		5737	09a
髟-총20획	鬏		5713	09a
髟-총20획	鬑		5719	09a
髟-총20획	鬒		5704	09a
髟-총20획	鬐		5731	09a
髟-총20획	鬔		5734	09a
髟-총21획	鬖		5730	09a
髟-총21획	鬘		5721	09a
髟-총21획	鬗		5702	09a
髟-총21획	鬚		3879	06b
髟-총22획	鬙		5722	09a
髟-총23획	鬛		5740	09a
髟-총24획	鬜		5709	09a
髟-총24획	鬝		5703	09a
髟-총24획	鬞		5701	09a
髟-총25획	鬟		5724	09a
髟-총25획	鬠		5707	09a
髟-총25획	鬡		5714	09a
髟-총26획	鬢		5725	09a

191 투(鬥)부수

鬥-총10획	鬥		1884	03b
鬥-총14획	鬦		1893	03b
鬥-총15획	鬧		1894	03b
鬥-총16획	鬨		1886	03b
鬥-총18획	鬩		1892	03b
鬥-총21획	鬪		1887	03b
鬥-총21획	鬫		1891	03b
鬥-총24획	鬬		1889	03b
鬥-총25획	鬭		1885	03b
鬥-총26획	鬮		1888	03b
鬥-총28획	鬭		1890	03b

192 창(鬯)부수

鬯-총10획	鬯		3184	05b

부수	해서	전서	번호	면
鬯-총16획	㔪		3188	05b
鬯-총20획	𩰫		3187	05b
鬯-총28획	鬱		3185	05b
鬯-총29획	鬱		3832	06a

193 력(鬲)부수

부수	해서	전서	번호	면
鬲-총10획	鬲		1846	03b
鬲-총13획	䰜		1850	03b
鬲-총14획	鬳		1847	03b
鬲-총16획	䰝		1854	03b
鬲-총16획	鬻		1859	03b
鬲-총16획	鬵		1857	03b
鬲-총17획	䰞		1853	03b
鬲-총18획	鬴		1858	03b
鬲-총18획	鬶		1851	03b
鬲-총19획	䰣		1849	03b
鬲-총21획	鬸		1848	03b
鬲-총21획	鬺		1862	03b
鬲-총22획	鬻		1867	03b
鬲-총22획	鬷		1861	03b
鬲-총22획	䰤		1852	03b
鬲-총23획	鬳		5350	08a
鬲-총23획	鬻		1871	03b
鬲-총24획	鬹		1860	03b
鬲-총25획	鬻		1870	03b
鬲-총26획	鬻		1863	03b
鬲-총26획	鬻		1868	03b
鬲-총27획	鬻		1864	03b
鬲-총30획	鬻		1869	03b
鬲-총30획	鬻		1865	03b
鬲-총31획	鬻		1856	03b
鬲-총37획	鬻		1866	03b

194 귀(鬼)부수

부수	해서	전서	번호	면
鬼-총10획	鬼		5791	09a
鬼-총13획	髟		5798	09a
鬼-총14획	魁		9448	14a
鬼-총14획	魃		5799	09a
鬼-총14획	魂		5793	09a
鬼-총14획	愧		5803	09a
鬼-총15획	魃		5797	09a
鬼-총15획	魄		5794	09a
鬼-총15획	魈		5792	09a
鬼-총15획	魅		5795	09a
鬼-총18획	魋		5807	09a
鬼-총18획	魖		5800	09a
鬼-총21획	魖		5808	09a
鬼-총21획	魔		5809	09a
鬼-총22획	魙		5801	09a
鬼-총22획	魌		5796	09a
鬼-총24획	魘		5804	09a
鬼-총24획	魖		5805	09a
鬼-총24획	魘		5810	09a
鬼-총24획	魖		5802	09a

195 어(魚)부수

부수	해서	전서	번호	면
魚-총11획	魚		7540	11b
魚-총12획	魞		7638	11b
魚-총13획	劍		2792	04b
魚-총13획	魣		7641	11b
魚-총14획	魟		7586	11b
魚-총15획	魯		2219	04a
魚-총15획	魴		7566	11b
魚-총15획	魵		7600	11b
魚-총15획	魢		7644	11b
魚-총15획	魦		7606	11b
魚-총15획	魿		7623	11b

魚-총15획	魳	魳	7604	11b
魚-총15획	魠	魪	7629	11b
魚-총16획	鮐	鮐	7625	11b
魚-총16획	鮁	鮁	7637	11b
魚-총16획	鮊	鮊	7613	11b
魚-총16획	鮂	鮂	7630	11b
魚-총16획	鮒	鮒	7571	11b
魚-총16획	鮃	鮃	7577	11b
魚-총16획	鮏	鮏	7619	11b
魚-총16획	鮋	鮋	7570	11b
魚-총16획	鮎	鮎	7589	11b
魚-총16획	鮆	鮆	7587	11b
魚-총16획	鮀	鮀	7588	11b
魚-총16획	鮨	鮨	7612	11b
魚-총16획	鮑	鮑	7624	11b
魚-총16획	鮍	鮍	7569	11b
魚-총16획	鮅	鮅	7632	11b
魚-총16획	鮇	鮇	7543	11b
魚-총17획	鮫	鮫	7615	11b
魚-총17획	鮚	鮚	7631	11b
魚-총17획	鮦	鮦	7559	11b
魚-총17획	鮥	鮥	7553	11b
魚-총17획	鮜	鮜	7552	11b
魚-총17획	鮮	鮮	7608	11b
魚-총17획	鮪	鮪	7550	11b
魚-총17획	鮞	鮞	7542	11b
魚-총17획	鮡	鮡	7640	11b
魚-총17획	鮨	鮨	7621	11b
魚-총18획	鯁	鯁	7572	11b
魚-총18획	鯁	鯁	7617	11b
魚-총18획	鯀	鯀	7554	11b
魚-총18획	鯇	鯇	7564	11b

魚-총18획	鯉	鯉	7556	11b
魚-총18획	鯢	鯢	7599	11b
魚-총18획	鯪	鯪	7590	11b
魚-총18획	鯗	鯗	7622	11b
魚-총18획	鯆	鯆	7591	11b
魚-총18획	鯈	鯈	7563	11b
魚-총18획	鯇	鯇	7585	11b
魚-총19획	鯔	鯔	7628	11b
魚-총19획	鯛	鯛	7605	11b
魚-총19획	鯕	鯕	7639	11b
魚-총19획	鯢	鯢	7582	11b
魚-총19획	鯛	鯛	7635	11b
魚-총19획	鯮	鯮	7636	11b
魚-총19획	鯪	鯪	7603	11b
魚-총19획	鯫	鯫	7597	11b
魚-총19획	鯍	鯍	7595	11b
魚-총19획	鯡	鯡	7579	11b
魚-총20획	鰤	鰤	7551	11b
魚-총20획	鰒	鰒	7614	11b
魚-총20획	鰆	鰆	7549	11b
魚-총20획	鰓	鰓	7609	11b
魚-총20획	鰈	鰈	7643	11b
魚-총20획	鰂	鰂	7611	11b
魚-총20획	鰌	鰌	7584	11b
魚-총20획	鰛	鰛	7565	11b
魚-총20획	鰕	鰕	7626	11b
魚-총20획	鰍	鰍	7634	11b
魚-총21획	鰜	鰜	7562	11b
魚-총21획	鰤	鰤	7544	11b
魚-총21획	鰯	鰯	7594	11b
魚-총21획	鰩	鰩	7645	11b
魚-총21획	鰮	鰮	7548	11b

魚-총21획	鯖		7573	11b
魚-총21획	鰨		7545	11b
魚-총21획	鰝		7627	11b
魚-총21획	鱯		7576	11b
魚-총21획	鰥		7555	11b
魚-총22획	鰸		7602	11b
魚-총22획	鰱		7568	11b
魚-총22획	⿰魚婁		7561	11b
魚-총22획	鰻		7575	11b
魚-총22획	鰼		7583	11b
魚-총22획	䲆		7646	11b
魚-총22획	鱅		7610	11b
魚-총22획	鱄		7558	11b
魚-총23획	鱖		7596	11b
魚-총23획	鰲		7547	11b
魚-총23획	鱗		7618	11b
魚-총23획	鱓		7598	11b
魚-총23획	鱏		7581	11b
魚-총23획	⿰魚朁		7593	11b
魚-총23획	鱒		7546	11b
魚-총23획	鱝		7541	11b
魚-총24획	⿰魚畺		7616	11b
魚-총24획	鱧		7578	11b
魚-총24획	⿰魚虜		7601	11b
魚-총24획	鱢		7620	11b
魚-총24획	鱣		7557	11b
魚-총25획	鱠		7580	11b
魚-총25획	鱮		7567	11b
魚-총25획	𤄧		7647	11b
魚-총26획	鱳		7607	11b
魚-총27획	⿰魚賴		7592	11b
魚-총29획	鱹		7633	11b
魚-총30획	鱺		7574	11b
魚-총32획	⿰魚蠡		7560	11b
魚-총33획	鱻		7642	11b

196 조(鳥)부수

鳥-총11획	鳥		2359	04a
鳥-총13획	鳩		2366	04a
鳥-총13획	鳧		1972	03b
鳥-총14획	鳴		2471	04a
鳥-총14획	鳳		2360	04a
鳥-총15획	[illegible]		2461	04a
鳥-총15획	鳽		2290	04a
鳥-총15획	鳽		2439	04a
鳥-총15획	鳺		2380	04a
鳥-총15획	鴋		2382	04a
鳥-총15획	[illegible]		2427	04a
鳥-총15획	鳻		2473	04a
鳥-총15획	鴈		2413	04a
鳥-총15획	⿰火鳥		2469	04a
鳥-총16획	鴚		2411	04a
鳥-총16획	鴣		2475	04a
鳥-총16획	鴝		2454	04a
鳥-총16획	鴡		2373	04a
鳥-총16획	鴗		2434	04a
鳥-총16획	⿰母鳥		2463	04a
鳥-총16획	⿰犮鳥		2430	04a
鳥-총16획	鴨		2476	04a
鳥-총16획	鴦		2408	04a
鳥-총16획	鴛		2407	04a
鳥-총16획	⿰穴鳥		2452	04a
鳥-총16획	鴩		2385	04a
鳥-총16획	鴠		2447	04a
鳥-총16획	鳿		2395	04a

鳥-총16획	駮		2425	04a
鳥-총16획	鴇		2379	04a
鳥-총17획	鴒		2400	04a
鳥-총17획	鵠		2436	04a
鳥-총17획	鴰		2437	04a
鳥-총17획	鷙		6181	10a
鳥-총17획	鴱		2468	04a
鳥-총17획	鳶		2443	04a
鳥-총17획	鴜		2441	04a
鳥-총17획	鵝		2433	04a
鳥-총17획	鵂		2370	04a
鳥-총17획	鶛		2399	04a
鳥-총17획	鵒		2406	04a
鳥-총17획	鵡		2477	04a
鳥-총17획	鴿		2372	04a
鳥-총17획	鴻		2405	04a
鳥-총18획	鳥		2388	04a
鳥-총18획	鵠		2404	04a
鳥-총18획	鵙		2412	04a
鳥-총18획	鵑		2394	04a
鳥-총18획	鵪		2455	04a
鳥-총18획	鵔		2457	04a
鳥-총18획	鴟		2426	04a
鳥-총19획	鶍		2367	04a
鳥-총19획	鶌		2393	04a
鳥-총19획	鵻		2410	04a
鳥-총19획	鶡		2396	04a
鳥-총19획	鴃		2432	04a
鳥-총19획	鶤		2387	04a
鳥-총19획	鶄		2438	04a
鳥-총19획	雛		2368	04a
鳥-총19획	鷄		2409	04a
鳥-총20획	鶹		2460	04a
鳥-총20획	鶢		2374	04a
鳥-총20획	鶏		2416	04a
鳥-총20획	鶼		2386	04a
鳥-총20획	鶩		2414	04a
鳥-총20획	鷁		2390	04a
鳥-총20획	鷗		2398	04a
鳥-총21획	鶱		2472	04a
鳥-총21획	鶺		2369	04a
鳥-총21획	鷇		2470	04a
鳥-총21획	鷩		2381	04a
鳥-총21획	鶯		2453	04a
鳥-총21획	鷊		2445	04a
鳥-총21획	鷉		2423	04a
鳥-총21획	鷂		2435	04a
鳥-총21획	鶵		2421	04a
鳥-총21획	鶴		2402	04a
鳥-총21획	鶼		2467	04a
鳥-총22획	鷗		2429	04a
鳥-총22획	鷴		2392	04a
鳥-총22획	鷚		2375	04a
鳥-총22획	鷄		2365	04a
鳥-총22획	鷴		2450	04a
鳥-총22획	鷲		2415	04a
鳥-총22획	鷦		2465	04a
鳥-총22획	鷫		2431	04a
鳥-총22획	鷠		2474	04a
鳥-총22획	鷟		2363	04a
鳥-총22획	鷸		2459	04a
鳥-총22획	鷥		2451	04a
鳥-총22획	鷯		2384	04a
鳥-총23획	鸊		2428	04a

鳥-총23획	鷸		2464	04a
鳥-총23획	鷹		2446	04a
鳥-총23획	鷇		2442	04a
鳥-총23획	鷔		2403	04a
鳥-총23획	鷦		2397	04a
鳥-총23획	鷫		2391	04a
鳥-총23획	鷩		2456	04a
鳥-총23획	鷸		2364	04a
鳥-총23획	鷻		2424	04a
鳥-총23획	鶵		2389	04a
鳥-총23획	鷞		2378	04a
鳥-총23획	鵬		2444	04a
鳥-총23획	鷭		2419	04a
鳥-총24획	鷭		2420	04a
鳥-총24획	鷬		2458	04a
鳥-총24획	鷿		2449	04a
鳥-총24획	鸄		2377	04a
鳥-총25획	鸋		2418	04a
鳥-총25획	鸒		2362	04a
鳥-총25획	鷯		2376	04a
鳥-총26획	鸇		2466	04a
鳥-총26획	鸘		2401	04a
鳥-총26획	鸋		2417	04a
鳥-총26획	鸐		2383	04a
鳥-총26획	鸏		2440	04a
鳥-총27획	鸕		2371	04a
鳥-총27획	鸕		2422	04a
鳥-총28획	鸚		2462	04a
鳥-총29획	鸛		2448	04a
鳥-총30획	鸞		2361	04a

197 로(鹵)부수

鹵-총11획	鹵		7676	12a
鹵-총18획	䴞		7677	12a
鹵-총20획	鹹		7678	12a
鹵-총21획	鹶		3321	05b
鹵-총24획	鹼		7681	12a
鹵-총24획	鹽		7679	12a

198 록(鹿)부수

鹿-총11획	鹿		6230	10a
鹿-총13획	麀		6255	10a
鹿-총15획	麃		6246	10a
鹿-총16획	麇		6242	10a
鹿-총16획	麈		6247	10a
鹿-총17획	麗		6236	10a
鹿-총17획	麋		6241	10a
鹿-총17획	麌		6251	10a
鹿-총17획	麐		6239	10a
鹿-총18획	麎		6238	10a
鹿-총18획	麏		6240	10a
鹿-총19획	麒		6244	10a
鹿-총19획	麒		6237	10a
鹿-총19획	麗		6254	10a
鹿-총19획	麓		3836	06a
鹿-총19획	麑		6248	10a
鹿-총20획	麚		6231	10a
鹿-총20획	麖		6233	10a
鹿-총20획	麘		6235	10a
鹿-총20획	麛		6249	10a
鹿-총22획	麞		6234	10a
鹿-총22획	麜		6243	10a
鹿-총23획	麟		6232	10a
鹿-총23획	麠		6252	10a
鹿-총24획	麤		6245	10a
鹿-총25획	麤		6253	10a

부
수

黑-총21획	黥		6539	10a
黑-총22획	黱		6536	10a
黑-총22획	黲		6535	10a
黑-총23획	黴		6533	10a
黑-총23획	黶		6513	10a
黑-총23획	黪		6517	10a
黑-총24획	黷		6543	10a
黑-총25획	黸		6532	10a
黑-총25획	黵		6510	10a
黑-총26획	黶		6512	10a
黑-총26획	黰		6525	10a
黑-총27획	黯		6515	10a
黑-총27획	黷		6531	10a
黑-총28획	黸		6509	10a
204 치(黹)부수				
黹-총12획	黹		4920	07b
黹-총16획	黺		4925	07b
黹-총17획	黻		4923	07b
黹-총19획	黼		4922	07b
黹-총20획	黼		4924	07b
黹-총23획	黼		4921	07b
205 민(黽)부수				
黽-총13획	黽		8952	13b
黽-총17획	鼀		8954	13b
黽-총18획	鼃		8960	13b
黽-총18획	鼅		8964	13b
黽-총18획	鼄		8956	13b
黽-총19획	鼂		8955	13b
黽-총19획	鼇		8963	13b
黽-총23획	鼈		4285	07a
黽-총23획	鼉		8959	13b
黽-총24획	鼉		8965	13b

黽-총24획	鼀		8962	13b
黽-총25획	鼂		8953	13b
黽-총25획	鼄		8958	13b
黽-총27획	鼅		8957	13b
206 정(鼎)부수				
鼎-총13획	鼎		4347	07a
鼎-총15획	鼐		4349	07a
鼎-총15획	鼏		4350	07a
鼎-총16획	鼒		4348	07a
207 고(鼓)부수				
鼓-총13획	鼓		3067	05a
鼓-총13획	鼓		2041	03b
鼓-총18획	鼕		3069	05a
鼓-총19획	鼖		3074	05a
鼓-총19획	鼗		3076	05a
鼓-총21획	鼙		3068	05a
鼓-총21획	鼚		3070	05a
鼓-총21획	鼛		3072	05a
鼓-총22획	鼘		3075	05a
鼓-총24획	鼜		3073	05a
鼓-총25획	鼟		3071	05a
208 서(鼠)부수				
鼠-총13획	鼠		6359	10a
鼠-총16획	鼢		6374	10a
鼠-총17획	鼢		6362	10a
鼠-총17획	鼢		6372	10a
鼠-총18획	鼩		6370	10a
鼠-총18획	鼫		6363	10a
鼠-총18획	鼬		6366	10a
鼠-총18획	鼪		6375	10a
鼠-총18획	鼨		6373	10a
鼠-총18획	鼯		6367	10a

鼠－총18획	鼶		6376	10a
鼠－총19획	鼺		6361	10a
鼠－총20획	鼮		6365	10a
鼠－총22획	鼲		6378	10a
鼠－총22획	鼫		6377	10a
鼠－총23획	鼶		6371	10a
鼠－총23획	鼹		6364	10a
鼠－총23획	鼸		6368	10a
鼠－총23획	鼷		6369	10a
鼠－총25획	鼶		6360	10a

209 비(鼻)부수

鼻－총14획	鼻		2224	04a
鼻－총16획	鼽		2227	04a
鼻－총17획	鼾		2226	04a
鼻－총22획	齅		2228	04a
鼻－총24획	齈		2225	04a

210 제(齊)부수

齊－총14획	齊		4334	07a
齊－총17획	齋		28	01a
齊－총17획	齌		8184	12b
齊－총18획	齎		6425	10a
齊－총18획	齏		2620	04b
齊－총19획	齏		3126	05a
齊－총19획	齏		4371	07a
齊－총20획	齏		5329	08a
齊－총21획	齎		3933	06b
齊－총22획	齏		4335	07a

211 치(齒)부수

齒－총15획	齒		1277	02b
齒－총17획	齔		1279	02b
齒－총18획	齗		1301	02b
齒－총18획	齕		1309	02b
齒－총19획	齘		1282	02b
齒－총19획	齗		1278	02b
齒－총20획	齟		1294	02b
齒－총20획	齡		1321	02b
齒－총20획	齛		1315	02b
齒－총20획	齜		1297	02b
齒－총20획	齠		1283	02b
齒－총20획	齞		1281	02b
齒－총20획	齝		1308	02b
齒－총21획	齦		1300	02b
齒－총21획	齬		1319	02b
齒－총21획	齩		1304	02b
齒－총21획	齚		1313	02b
齒－총21획	齧		1291	02b
齒－총21획	齫		1303	02b
齒－총21획	齨		1311	02b
齒－총21획	齬		1317	02b
齒－총21획	齱		1306	02b
齒－총22획	齬		1314	02b
齒－총22획	齼		1290	02b
齒－총23획	齮		1296	02b
齒－총23획	齰		1298	02b
齒－총23획	齗		1312	02b
齒－총23획	齯		1295	02b
齒－총23획	齳		1302	02b
齒－총23획	齵		1288	02b
齒－총24획	齲		1286	02b
齒－총24획	齴		1292	02b
齒－총24획	齷		1299	02b
齒－총25획	齶		1320	02b
齒－총25획	齾		1284	02b
齒－총25획	齹		1307	02b

齒-총25획	齸	齸	1316	02b
齒-총25획	齺	齺	1305	02b
齒-총25획	齹	齹	1289	02b
齒-총25획	齱	齱	1285	02b
齒-총25획	齰	齰	1318	02b
齒-총26획	齼	齼	1287	02b
齒-총26획	齽	齽	1280	02b
齒-총32획	齾	齾	1310	02b
齒-총35획	齉	齉	1293	02b

212 룡(龍)부수				
龍-총16획	龍	龍	7649	11b
龍-총19획	龏	龏	1762	03a
龍-총19획	龐	龐	5920	09b
龍-총22획	龕	龕	7651	11b
龍-총22획	龗	龗	7652	11b
龍-총22획	龔	龔	1769	03a
龍-총22획	礱	礱	4303	07a
龍-총32획	龘	龘	7653	11b
龍-총33획	龓	龓	7650	11b

213 귀(龜)부수				
龜-총16획	龜	龜	8949	13b
龜-총21획	龞	龞	8951	13b

214 약(龠)부수				
龠-총17획	龠	龠	1423	02b
龠-총22획	龢	龢	1426	02b
龠-총25획	龡	龡	1424	02b
龠-총26획	龤	龤	1427	02b
龠-총27획	龣	龣	1425	02b

완역 설문해자

총획수
색인

획수	부수	해서	소전	번호	권수
01획					
01	一	一	一	1	01a
01	丨	丨	丨	230	01a
01	丨	ㄴ		1454	03a
01	丶	丶		3167	05a
01	丿	丿		8318	12b
01	丿	乀		8321	12b
01	丿	乀		8324	12b
01	乙	ㄴ		7663	12a
01	乙	ㄴ		8368	12b
01	乙	乙		9693	14b
01	亅	亅		8362	12b
01	亅	ㄴ		8363	12b
01	巛			7440	11b
02획					
02	一	丂		3037	05a
02	一	丄	丄	6	01a
02	一	丁		9698	14b
02	一	七		9680	14b
02	一	丅	丅	9	01a
02	一	己		3040	05a
02	丿	乃		3034	05a
02	丿	乂		8319	12b
02	丿	厂		8322	12b
02	丿	ナ		1923	03b
02	乙	九		9681	14b
02	亅	了		9732	14b
02	二	二	二	8968	13b
02	人	人		4926	08a
02	儿	儿		5430	08b
02	入	入		3264	05b
02	八	八		707	02a
02	冂	冂		3307	05b
02	冖	冖		4775	07b
02	几	几		9420	14a
02	几	几		1970	03b
02	凵	凵		969	02a
02	凵	凵		3148	05a
02	刀	刀		2732	04b
02	力	力		9165	13b
02	勹	勹		5771	09a
02	匕	匕		5193	08a
02	匕	匕		5189	08a
02	匸	匸		8382	12b
02	匚	匚		8375	12b
02	十	十	十	1459	03a
02	卜	卜	卜	2066	03b
02	卩	卩		5748	09a
02	厂	厂		5947	09b
02	厶	厶		5814	09a
02	又	又		1895	03b
02	巛	巛		7441	11b
03획					

03	一	丌	丌	3005	05a
03	一	三	三	77	01a
03	一	丈	丈	1460	03a
03	丶	丸	丸	5974	09b
03	丿	久	久	3392	05b
03	丿	乇	乇	3864	06b
03	乙	也	也	8325	12b
03	二	亏	亏	3052	05a
03	二	亍	亍	1258	02b
03	人	亡	亡	8370	12b
03	人	厽	A	3253	05b
03	儿	兀	兀	5431	08b
03	冂	冃	冃	4779	07b
03	几	凡	凡	8973	13b
03	刀	刃	刃	2800	04b
03	勹	勺	勺	9418	14a
03	十	卅	卅	7661	11b
03	十	千	千	1461	03a
03	厶	去	去	9738	14a
03	又	叉	叉	1898	03b
03	口	口	口	779	02a
03	口	口	口	3890	06b
03	土	土	土	8974	13b
03	士	士	士	226	01a
03	夂	干	干	3391	05b
03	夂	夂	夂	3386	05b
03	夂	夂	夂	3346	05b
03	夕	夕	夕	4308	07a
03	大	大	大	6564	10b
03	大	绊	绊	6633	10b
03	女	女	女	8069	12b
03	子	子	子	9734	14b
03	子	子	子	9717	14b
03	子	子	子	9733	14b
03	宀	宀	宀	4534	07b
03	寸	寸	寸	1973	03b
03	小	小	川	704	02a
03	尤	尢	尢	9696	14b
03	尸	尸	尸	5376	08a
03	屮	屮	屮	233	01b
03	山	山	山	5819	09b
03	巛	川	川	7443	11b
03	工	工	工	3014	05a
03	己	己	己	9701	14b
03	己	巳	巳	9748	14b
03	巾	巾	巾	4832	07b
03	干	干	干	1440	03a
03	幺	幺	幺	2488	04b
03	广	广	广	5892	09b
03	廴	廴	廴	1259	02b
03	弋	弋	弋	8323	12b
03	弓	弓	弓	8436	12b
03	弓	弓	弓	4324	07a
03	彐	彑	彑	6074	09b

03	彡	彡	5683	09a
03	彳	彳	1222	02b
03	手	才	3840	06a
03	止	少	1075	02a
03	艸	屮	2316	04a

04획

04	一	丏	5672	09a
04	一	不	7666	12a
04	一	与	9419	14a
04	一	丑	9741	14b
04	丨	丯	2806	04b
04	丨	乨	1876	03b
04	丨	丰	3859	06b
04	丨	中	231	01a
04	丶	丹	3170	05b
04	丿	之	3843	06b
04	亅	予	2500	04b
04	二	五	9678	14b
04	二	井	3175	05b
04	亠	亢	6620	10b
04	人	介	714	02a
04	人	仇	5148	08a
04	人	今	3257	05b
04	人	仆	5131	08a
04	人	仌	7470	11b
04	人	什	5045	08a
04	人	仁	4929	08a
04	人	仍	5025	08a
04	人	从	5202	08a
04	人	仄	5969	09b
04	儿	元	2	01a
04	儿	允	5433	08b
04	儿	先	5438	08b
04	入	内	3265	05b
04	入	从	3269	05b
04	八	公	716	02a
04	八	六	9679	14b
04	八	仌	715	02a
04	八	今	3046	05b
04	冂	冃	4783	07b
04	冂	冄	6044	09b
04	冖	冘	3309	05b
04	凵	凶	4505	07a
04	刀	分	708	02a
04	刀	切	2748	04b
04	刀	办	2801	04b
04	勹	匁	5777	09a
04	勹	勻	5776	09a
04	勹	勾	5779	09a
04	勹	勿	6042	09b
04	匕	卓	5195	08a
04	匕	化	5192	08a
04	匸	匹	8381	12b
04	十	协	1465	03a

04	十	卅	1468	03a
04	十	升	9458	14a
04	十	午	9750	14b
04	卩	印	5199	08a
04	厂	厄	5754	09a
04	厂	产	5973	09b
04	厶	厷	1897	03b
04	又	収	1748	03a
04	又	及	1910	03b
04	又	反	1912	03b
04	又	𠬹	1765	03a
04	又	𠬝	1913	03b
04	又	友	1921	03b
04	又	叉	1899	03b
04	土	壬	5216	08a
04	士	壬	9715	14b
04	夂	夃	3390	05b
04	大	矢	6584	10b
04	大	夫	6641	10b
04	大	夭	6588	10b
04	大	天	3	01a
04	大	夬	1905	03b
04	子	孔	7664	12a
04	小	少	705	02a
04	小	尐	706	02a
04	尢	允	6595	10b
04	尸	尹	1906	03b
04	尸	尺	5400	08b
04	屮	屯	234	01b
04	巛	巛	7450	11b
04	己	巴	9704	14b
04	巾	市	4903	07b
04	巾	市	3845	06b
04	幺	幻	2502	04b
04	廾	廿	1466	03a
04	弓	引	8450	12b
04	弓	弔	5161	08a
04	弓	弓	4328	07a
04	心	心	6670	10b
04	戈	戈	8332	12b
04	戶	戶	7682	12a
04	手	手	7789	12a
04	支	支	1927	03b
04	攴	攴	1987	03b
04	文	文	5695	09a
04	斗	斗	9442	14a
04	斤	斤	9427	14a
04	方	方	5428	08b
04	无	无	5569	08b
04	日	日	4170	07a
04	曰	曰	3027	05a
04	月	月	4291	07a
04	木	木	3396	06a
04	木	朩	4507	07b

04	欠	欠	灵	5497	08b		05	、	主	坒	3168	05a
04	止	止	止	1063	02a		05	ノ	乍	乍	8371	12b
04	殳	殳	亀	1948	03b		05	ノ	弗	帯	3856	06b
04	毌	毌	毌	4321	07a		05	ノ	乏	乏	1087	02b
04	毋	毋	鹿	8314	12b		05	ノ	乎	兮	3049	05a
04	比	比	州	5205	08a		05	人	代	帐	5059	08a
04	毛	毛	乇	5361	08a		05	人	仝	仝	3268	05b
04	氏	氏	氏	8326	12b		05	人	令	命	5749	09a
04	气	气	气	224	01a		05	人	付	鬥	5034	08a
04	水	水	州	6948	11a		05	人	仕	仕	4932	08a
04	火	火	火	6382	10a		05	人	仞	杤	4931	08a
04	爪	爪	爪	1875	03b		05	人	仔	鬥	5083	08a
04	爪	爪	爪	1872	03b		05	人	仢	鬥	5012	08a
04	父	父	弓	1900	03b		05	人	参	象	1971	03b
04	爻	爻	爻	2079	03b		05	人	参	彘	5685	09a
04	片	片	片	4339	07a		05	人	企	遉	5166	08a
04	牙	牙	月	1322	02b		05	人	仜	仜	4973	08a
04	牛	牛	半	727	02a		05	人	仡	吒	4978	08a
04	犬	犬	犬	6269	10a		05	儿	充	亢	5435	08b
04	玉	王	王	78	01a		05	儿	兄	見	5436	08b
04	辵	辵	辵	1091	02b		05	冂	冊	冊	1428	02b
05획							05	冫	冬	桑	7478	11b
05	一	丘	丠	5209	08a		05	几	尻	尻	9422	14a
05	一	丙	丙	9697	14b		05	几	处	扣	9423	14a
05	一	丕	丕	4	01a		05	凵	㟧	㟧	8993	13b
05	一	世	世	1469	03a		05	凵	出	屮	3847	06b
05	一	且	且	9424	14a		05	刀	刊	刐	2761	04b

분류	부수	해서	전서	번호	위치
05	刀	刉		2751	04b
05	刀	刊		2749	04b
05	力	加		9196	13b
05	力	功		9167	13b
05	勹	勼		8374	12b
05	勹	包		5786	09a
05	匕	北		5207	08a
05	匚	匜		8386	12b
05	十	半		724	02a
05	十	卉		629	01b
05	卜	卟		2068	03b
05	卜	占		2071	03b
05	卩	卯		5766	09a
05	卩	卯		9745	14b
05	卩	厄		5745	09a
05	厂	庀		5967	09b
05	厶	去		3149	05a
05	又	发		1914	03b
05	口	可		3041	05a
05	口	古		1457	03a
05	口	旮		903	02a
05	口	句		1450	03a
05	口	叫		923	02a
05	口	史		1925	03b
05	口	司		5743	09a
05	口	召		841	02a
05	口	台		958	02a
05	口	右		873	02a
05	口	右		1896	03b
05	口	只		1445	03a
05	口	叱		906	02a
05	口	台		867	02a
05	口	叵		3045	05a
05	口	号		3050	05a
05	口	囡		3907	06b
05	口	四		9671	14b
05	口	囚		3910	06b
05	土	圣		9049	13b
05	夕	外		4314	07a
05	夕	夗		4311	07a
05	大	夲		6622	10b
05	大	失		7938	12a
05	大	央		3310	05b
05	大	夰		6628	10b
05	女	奴		8121	12b
05	子	孕		9718	14b
05	宀	宄		4597	07b
05	宀	宂		4569	07b
05	宀	宁		9672	14b
05	宀	它		8948	13b
05	小	尒		709	02a
05	尸	尻		5383	08a
05	尸	尼		5386	08a
05	山	仉		5828	09b

05	山	庐		5886	09b
05	山	尖		3266	05b
05	山	岫		5869	09b
05	工	巨		3017	05a
05	工	巧		3016	05a
05	工	左		3012	05a
05	己	目		9749	14b
05	巾	帆		4860	07b
05	巾	市		3308	05b
05	巾	布		4888	07b
05	干	羊		1441	03a
05	干	平		3056	05a
05	幺	幼		2489	04b
05	弓	弗		8320	12b
05	弓	弘		8452	12b
05	心	必		717	02a
05	戈	戊		9699	14b
05	戈	戉		8358	12b
05	戶	戹		7687	12a
05	手	扐		7983	12a
05	手	扔		7977	12a
05	手	打		8066	12a
05	日	旦		4256	07a
05	木	末		3549	06a
05	木	未		9752	14b
05	木	朱		3852	06b
05	木	本		3544	06a
05	木	札		3751	06a
05	止	正		1086	02b
05	歹	歺		2520	04b
05	毋	母		8099	12b
05	氏	民		8316	12b
05	氏	氏		8328	12b
05	水	氿		7206	11a
05	水	氾		7145	11a
05	水	永		7457	11b
05	水	汀		7316	11a
05	水	汁		7358	11a
05	水	氻		6949	11a
05	犬	犮		6321	10a
05	犬	犯		6309	10a
05	玄	玄		2497	04b
05	玉	玉		81	01a
05	瓜	瓜		4525	07b
05	瓦	瓦		8409	12b
05	甘	甘		3022	05a
05	生	生		3858	06b
05	用	用		2074	03b
05	田	甲		9692	14b
05	田	申		9753	14b
05	田	田		9125	13b
05	疋	疋		1417	02b
05	广	广		4673	07b
05	癶	癶		1077	02a

05	白	白	白	4907	07b		06	亠	交	交	6592	10b
05	皮	皮	皮	1980	03b		06	亠	亦	夾	6582	10b
05	皿	皿	皿	3122	05a		06	亠	亥	亥	9833	14b
05	目	目	目	2088	04a		06	人	价	价	5082	08a
05	矛	矛	矛	9459	14a		06	人	件	件	5170	08a
05	矢	矢	矢	3292	05b		06	人	伋	伋	4941	08a
05	石	石	石	5980	09b		06	人	企	企	4930	08a
05	示	示	示	10	01a		06	人	伎	伎	5107	08a
05	内	内	内	9683	14b		06	人	仿	仿	4996	08a
05	禾	禾	禾	3870	06b		06	人	伐	伐	5142	08a
05	禾	禾	禾	4353	07a		06	人	伏	伏	5138	08a
05	穴	穴	穴	4612	07b		06	人	仳	仳	5151	08a
05	立	立	立	6644	10b		06	人	份	份	4959	08a
05	网	网	网	4791	07b		06	人	仰	仰	5039	08a
05	聿	聿	聿	1929	03b		06	人	伃	伃	4948	08a
05	肉	肌	肌	2606	04b		06	人	伍	伍	5044	08a
05	艸	芅	芅	513	01b		06	人	伊	伊	4945	08a
05	邑	邡	邡	4144	06b		06	人	任	任	5064	08a
05	阜	防	防	9573	14b		06	人	仏	仏	4949	08a
05	阜	阡	阡	9636	14b		06	人	仲	仲	4944	08a
06획							06	人	似	似	5212	08a
06	一	丞	丞	1750	03a		06	人	伉	伉	4942	08a
06	一	丙	丙	1444	03a		06	人	休	休	3799	06a
06	丿	月	月	5228	08a		06	儿	兆	兆	5442	08b
06	丿	自	自	9567	14a		06	儿	光	光	6477	10a
06	丿	辰	辰	7459	11b		06	儿	先	先	5444	08b
06	二	亘	亘	8971	13b		06	儿	兇	兇	4506	07a

총획수

06	女	改		8138	12b
06	女	妷		8305	12b
06	女	妄		8242	12b
06	女	妭		5977	09b
06	女	妃		8091	12b
06	女	如		8203	12b
06	女	妣		8122	12b
06	女	妁		8084	12b
06	女	妊		8082	12b
06	女	好		8149	12b
06	子	字		9720	14b
06	子	存		9729	14b
06	宀	穼		4592	07b
06	宀	守		4575	07b
06	宀	安		4557	07b
06	宀	宇		4545	07b
06	宀	宅		4536	07b
06	寸	寺		1974	03b
06	小	朿		4516	07b
06	尢	尥		6602	10b
06	尢	尪		6605	10b
06	尸	辰		5389	08a
06	屮	芇		1442	03a
06	山	屺		5835	09b
06	山	屾		5884	09b
06	巛	岁		7448	11b
06	巛	州		7452	11b

06	巛	巟		7445	11b
06	巾	帉		4837	07b
06	干	开		9417	14a
06	幺	丝		2491	04b
06	廾	异		1755	03a
06	弋	式		3015	05a
06	弓	弱		8463	12b
06	弓	弜		8451	12b
06	弓	弛		8454	12b
06	彐	归		5762	09a
06	心	忓		6766	10b
06	心	忢		6930	10b
06	心	忍		6849	10b
06	心	忖		6939	10b
06	心	忏		6897	10b
06	戈	戌		8340	12b
06	戈	戊		9832	14b
06	手	扛		7924	12a
06	手	扣		8049	12a
06	手	扠		7945	12a
06	手	抓		8000	12a
06	手	扜		8046	12a
06	手	扚		8012	12a
06	手	扞		8026	12a
06	支	攱		5196	08a
06	攴	攷		2042	03b
06	攴	收		2040	03b

획수	부수	해서	전서	번호	쪽	획수	부수	해서	전서	번호	쪽
06	方	放		4261	07a	06	水	汎		7127	11a
06	日	旬		5778	09a	06	水	氾		7213	11a
06	日	昆		4210	07a	06	水	汕		7234	11a
06	日	旭		4183	07a	06	水	汙		7254	11a
06	日	早		4173	07a	06	水	汛		7388	11a
06	日	旨		3057	05a	06	水	汝		6983	11a
06	日	曲		8401	12b	06	水	汗		7312	11a
06	日	曳		9756	14b	06	水	汭		7079	11a
06	日	臾		9755	14b	06	水	汋		7158	11a
06	月	有		4301	07a	06	水	汲		7090	11a
06	木	机		3533	06a	06	水	汻		7092	11a
06	木	朼		3574	06a	06	水	汗		7397	11a
06	木	朸		3594	06a	06	水	汓		7414	11a
06	木	朴		3555	06a	06	水	汔		7302	11a
06	木	朳		3474	06a	06	火	灰		6416	10a
06	木	束		4336	07a	06	牛	牟		750	02a
06	木	朾		3782	06a	06	牛	牝		731	02a
06	木	朱		3546	06a	06	玉	玏		181	01a
06	木	朵		3567	06a	06	玉	玎		152	01a
06	欠	次		5558	08b	06	田	由		5811	09a
06	止	此		1082	02a	06	白	百		2223	04a
06	歹	死		2552	04b	06	白	自		2217	04a
06	歹	歽		2538	04b	06	穴	宄		4632	07b
06	氏	氒		8327	12b	06	立	辛		1738	03a
06	水	江		6955	11a	06	竹	竹		2854	05a
06	水	休		7259	11a	06	米	米		4455	07a
06	水	汱		7331	11a	06	糸	糸		8473	13a

06	缶	缶		3270	05b
06	羊	羊		2323	04a
06	羽	羽		2233	04a
06	老	考		5359	08a
06	老	老		5351	08a
06	而	而		6045	09b
06	耒	耒		2808	04b
06	耳	耳		7754	12a
06	聿	聿		1932	03b
06	肉	肌		2684	04b
06	肉	胃		2722	04b
06	肉	肌		2588	04b
06	肉	肋		2611	04b
06	肉	肉		2584	04b
06	肉	肎		2637	04b
06	臣	臣		1945	03b
06	自	自		2215	04a
06	至	至		7668	12a
06	臼	臼		4499	07a
06	舌	舌		1437	03a
06	舛	舛		3362	05b
06	舟	舟		5412	08b
06	艮	艮		5201	08a
06	色	色		5763	09a
06	艸	芄		630	01b
06	艸	艾		389	01b
06	艸	芳		657	01b
06	艸	芌		469	01b
06	艸	苩		351	01b
06	艸	艸		240	01b
06	艸	芅		427	01b
06	虍	虍		3093	05a
06	虫	虫		8741	13a
06	血	血		3152	05a
06	行	行		1265	02b
06	衣	衣		5230	08a
06	襾	西		7674	12a
06	襾	襾		4828	07b
06	邑	邛		4107	06b
06	邑	邙		4014	06b
06	邑	邟		4079	06b
06	邑	邔		4026	06b
06	邑	邺		4159	06b
06	邑	邘		4031	06b
06	邑	邢		4123	06b
06	阜	阤		9662	14b
06	阜	阢		9615	14b
06	阜	阡		9663	14b
06	阜	阤		9603	14b

07획

07	丿	纯		5760	09a
07	二	些		1085	02a
07	人	佝		5113	08a
07	人	侒		8235	12b

07	人	但		5144	08a
07	人	伶		5078	08a
07	人	伴		4983	08a
07	人	伯		4943	08a
07	人	佛		4997	08a
07	人	佤		4986	08a
07	人	佝		5062	08a
07	人	伺		5185	08a
07	人	佋		5162	08a
07	人	伸		5087	08a
07	人	余		718	02a
07	人	位		5007	08a
07	人	佁		5109	08a
07	人	佀		5112	08a
07	人	佚		5119	08a
07	人	作		5051	08a
07	人	伹		5088	08a
07	人	低		5180	08a
07	人	佇		5187	08a
07	人	佃		5101	08a
07	人	佗		5000	08a
07	人	必		4961	08a
07	人	何		5001	08a
07	人	佷		5106	08a
07	儿	克		4351	07a
07	儿	兌		5434	08b
07	入	兩		4788	07b

07	八	兵		1761	03a
07	冫	冷		7481	11b
07	冫	泆		7484	11b
07	冫	冶		7479	11b
07	刀	刐		2736	04b
07	刀	利		2740	04b
07	刀	刜		2779	04b
07	刀	刪		2763	04b
07	刀	刮		2785	04b
07	刀	初		2742	04b
07	刀	判		2757	04b
07	力	劫		9201	13b
07	力	劬		9205	13b
07	力	劲		9179	13b
07	力	助		9168	13b
07	匚	匣		8397	12b
07	匚	匧		8378	12b
07	匚	医		8380	12b
07	十	華		2481	04b
07	卜	卦		2072	03b
07	卩	卵		8966	13b
07	卩	卬		5752	09a
07	卩	卲		5753	09a
07	厂	庍		1883	03b
07	厂	庍		5961	09b
07	厂	庍		5953	09b
07	厂	居		5959	09b

07	又	叟	叟	1917	03b	07	口	困	困	3913	06b
07	口	昏	昏	941	02a	07	口	圂	圂	3915	06b
07	口	启	启	869	02a	07	口	圂	圂	3894	06b
07	口	告	告	777	02a	07	口	囪	囪	6545	10b
07	口	君	君	838	02a	07	土	坎	坎	9039	13b
07	口	肏	肏	1447	03a	07	土	坙	坙	7444	11b
07	口	吷	吷	895	02a	07	土	均	均	8983	13b
07	口	呂	呂	4610	07b	07	土	坊	坊	9117	13b
07	口	吝	吝	931	02a	07	土	坏	坏	9087	13b
07	口	吻	吻	783	02a	07	土	坋	坋	9080	13b
07	口	否	否	933	02a	07	土	坒	坒	9026	13b
07	口	否	否	7667	12a	07	土	坄	坄	8998	13b
07	口	呒	呒	807	02a	07	土	坐	坐	9022	13b
07	口	吾	吾	836	02a	07	土	坻	坻	9023	13b
07	口	吳	吳	6587	10b	07	土	壯	壯	228	01a
07	口	吡	吡	929	02a	07	夂	肇	肇	3388	05b
07	口	听	听	850	02a	07	夂	肇	肇	3387	05b
07	口	吟	吟	920	02a	07	夂	夋	夋	3347	05b
07	口	呈	呈	872	02a	07	夕	夙	夙	4315	07a
07	口	吹	吹	828	02a	07	大	奔	奔	6576	10b
07	口	吹	吹	5501	08b	07	大	夾	夾	6583	10b
07	口	吞	吞	787	02a	07	大	奄	奄	6579	10b
07	口	吠	吠	943	02a	07	大	夅	夅	6574	10b
07	口	呀	呀	968	02a	07	大	夾	夾	6566	10b
07	口	含	含	814	02a	07	女	妖	妖	8260	12b
07	口	吸	吸	826	02a	07	女	妗	妗	8178	12b
07	口	囧	囧	4306	07a	07	女	妓	妓	8218	12b

07	女	妨	𤔔	8241	12b
07	女	姓	𤔔	8106	12b
07	女	晏	𧥩	8210	12b
07	女	姆	𤔔	8166	12b
07	女	妘	𤔔	8077	12b
07	女	妊	𤔔	8093	12b
07	女	妝	𤔔	8224	12b
07	女	姘	𤔔	8181	12b
07	女	妓	𤔔	8152	12b
07	女	妒	𤔔	8232	12b
07	女	姅	𤔔	8231	12b
07	女	妖	𤔔	8080	12b
07	子	孝	𤔔	9730	14b
07	子	孚	𤔔	1873	03b
07	子	孜	𤔔	2005	03b
07	子	孛	𤔔	3855	06b
07	子	孝	𤔔	5360	08a
07	宀	宏	𤔔	4548	07b
07	宀	宆	𤔔	4583	07b
07	宀	宋	𤔔	4600	07b
07	宀	完	𤔔	4564	07b
07	寸	寽	𤔔	2513	04b
07	尢	尬	𤔔	6601	10b
07	尢	尨	𤔔	6272	10a
07	尸	局	𤔔	957	02a
07	尸	尿	𤔔	5405	08b
07	尸	尾	𤔔	5402	08b

07	屮	㞢	𤔔	238	01b
07	屮	岑	𤔔	237	01b
07	屮	圭	𤔔	3844	06b
07	山	岌	𤔔	5874	09b
07	山	岑	𤔔	5840	09b
07	巛	巡	𤔔	1096	02b
07	巛	巠	𤔔	7447	11b
07	工	巩	𤔔	1880	03b
07	工	巫	𤔔	3020	05a
07	巾	帔	𤔔	4884	07b
07	巾	帚	𤔔	4833	07b
07	巾	帊	𤔔	4900	07b
07	巾	尚	𤔔	4918	07b
07	广	庇	𤔔	5899	09b
07	广	庀	𤔔	5926	09b
07	广	序	𤔔	5907	09b
07	广	庌	𤔔	5900	09b
07	广	庋	𤔔	5915	09b
07	廴	延	𤔔	1264	02b
07	廴	廷	𤔔	1260	02b
07	廴	延	𤔔	1263	02b
07	廾	弄	𤔔	1759	03a
07	廾	弄	𤔔	1756	03a
07	弓	弢	𤔔	5511	08b
07	弓	弟	𤔔	3384	05b
07	彐	彔	𤔔	6077	09b
07	彡	彤	𤔔	3172	05b

07	彡	彣		5693	09a
07	彡	形		5684	09a
07	彳	彶		1233	02b
07	彳	徇		1255	02b
07	彳	役		1966	03b
07	心	忼		6695	10b
07	心	忬		6882	10b
07	心	忮		6797	10b
07	心	忌		6837	10b
07	心	忘		6810	10b
07	心	忨		6824	10b
07	心	忧		6878	10b
07	心	忍		6928	10b
07	心	志		6674	10b
07	心	怟		6713	10b
07	心	忡		6898	10b
07	心	忧		6727	10b
07	心	快		6683	10b
07	心	忐		6788	10b
07	心	怖		6848	10b
07	心	忻		6691	10b
07	戈	戒		1760	03a
07	戈	成		9700	14b
07	戈	我		8360	12b
07	戈	戔		8351	12b
07	戶	戾		7686	12a
07	手	扴		7890	12a
07	手	抉		7893	12a
07	手	扱		8007	12a
07	手	技		7984	12a
07	手	拂		7879	12a
07	手	扶		7816	12a
07	手	扮		7925	12a
07	手	抒		7942	12a
07	手	拼		7922	12a
07	手	抎		7906	12a
07	手	捐		8001	12a
07	手	抵		8014	12a
07	手	扰		8023	12a
07	手	拥		7829	12a
07	手	投		7887	12a
07	手	把		7837	12a
07	手	抗		8027	12a
07	攴	改		2011	03b
07	攴	攻		2044	03b
07	攴	攰		2027	03b
07	攴	敃		1999	03b
07	攴	攸		2026	03b
07	攴	政		2056	03b
07	方	於		232	01a
07	日	旰		4197	07a
07	日	旳		4180	07a
07	日	旱		4209	07a
07	日	旻		3320	05b

07	日	更		2013	03b		07	水	汩	7411	11a
07	木	杠		3658	06a		07	水	汲	7378	11a
07	木	杚		3684	06a		07	水	沂	7046	11a
07	木	杞		3510	06a		07	水	沺	7317	11a
07	木	杜		3416	06a		07	水	沔	6975	11a
07	木	李		3408	06a		07	水	沐	7373	11a
07	木	朵		3639	06a		07	水	沒	7260	11a
07	木	東		3881	06b		07	水	汶	7052	11a
07	木	杇		3641	06a		07	水	汳	7030	11a
07	木	杝		3653	06a		07	水	汾	6985	11a
07	木	杗		3463	06a		07	水	沙	7201	11a
07	木	杒		3538	06a		07	水	沁	6987	11a
07	木	杖		3723	06a		07	水	沈	7281	11a
07	木	材		3595	06a		07	水	次	5565	08b
07	木	杈		3553	06a		07	水	沇	6993	11a
07	木	林		3584	06a		07	水	汭	7109	11a
07	木	朴		3579	06a		07	水	汗	7205	11a
07	木	杘		3732	06a		07	水	汪	7122	11a
07	木	杓		3694	06a		07	水	沈	7084	11a
07	木	杏		3406	06a		07	水	沄	7128	11a
07	欠	欥		5513	08b		07	水	沅	6966	11a
07	止	步		1080	02a		07	水	沚	7209	11a
07	歹	奴		2515	04b		07	水	汲	7222	11a
07	母	每		235	01b		07	水	汦	7299	11a
07	母	毒		8315	12b		07	水	沖	7126	11a
07	水	決		7235	11a		07	水	沛	7064	11a
07	水	汩		7005	11a		07	水	沆	7130	11a

07	火	灸	6440	10a		07	广	疝	4684	07b
07	火	炪	6445	10a		07	广	疕	4695	07b
07	火	灼	6441	10a		07	广	疫	4705	07b
07	火	夭	6410	10a		07	白	皂	3180	05b
07	牛	牢	756	02a		07	白	皃	5440	08b
07	牛	牡	728	02a		07	目	旬	2146	04a
07	牛	物	769	02a		07	矢	矣	3301	05b
07	犬	狁	6312	10a		07	禾	秀	5446	08b
07	犬	狂	6336	10a		07	禾	私	4368	07a
07	犬	狙	6308	10a		07	禾	秀	4354	07a
07	犬	狋	6333	10a		07	穴	究	4651	07b
07	犬	狋	6299	10a		07	糸	系	8469	12b
07	犬	狄	6338	10a		07	耳	耴	7755	12a
07	犬	狒	6318	10a		07	肉	肝	2598	04b
07	玉	玕	199	01a		07	肉	肙	2720	04b
07	玉	玒	92	01a		07	肉	肘	2619	04b
07	玉	玖	162	01a		07	肉	肖	2634	04b
07	玉	玘	214	01a		07	肉	肕	2651	04b
07	玉	玗	182	01a		07	肉	育	2594	04b
07	玉	玓	190	01a		07	臣	臣	7787	12a
07	用	甫	2075	03b		07	自	百	5665	09a
07	用	甬	4327	07a		07	臼	臼	1776	03a
07	田	男	9162	13b		07	艮	良	3324	05b
07	田	甹	3038	05a		07	艸	艺	299	01b
07	田	甼	4326	07a		07	艸	芒	660	01b
07	田	甸	9135	13b		07	艸	市	2318	04a
07	田	町	9126	13b		07	艸	芃	519	01b

07	艸	芋		270	01b
07	艸	芋		254	01b
07	艸	芍		445	01b
07	艸	芊		692	01b
07	艸	茉		454	01b
07	艸	芐		405	01b
07	艸	芃		289	01b
07	見	見		5448	08b
07	角	角		2815	04b
07	言	言		1470	03a
07	谷	谷		1443	03a
07	谷	谷		7462	11b
07	豆	豆		3080	05a
07	豕	豕		6047	09b
07	豸	豸		6081	09b
07	貝	貝		3918	06b
07	赤	赤		6553	10b
07	走	走		978	02a
07	足	足		1325	02b
07	身	身		5226	08a
07	車	車		9465	14a
07	辛	辛		9707	14b
07	辰	辰		9746	14b
07	辵	迂		1189	02b
07	辵	迈		3006	05a
07	辵	辻		1098	02b
07	辵	迅		1121	02b
07	辵	迁		1201	02b
07	辵	迆		1155	02b
07	辵	迄		1215	02b
07	邑	郏		4002	06b
07	邑	邧		4091	06b
07	邑	邥		4143	06b
07	邑	邦		3987	06b
07	邑	邡		4087	06b
07	邑	邖		4131	06b
07	邑	邨		4003	06b
07	邑	邪		4130	06b
07	邑	邧		4101	06b
07	邑	祁		4109	06b
07	邑	邑		4166	06b
07	邑	邑		3986	06b
07	邑	邮		4154	06b
07	邑	邩		4098	06b
07	邑	邟		4058	06b
07	邑	邢		4047	06b
07	邑	炟		4151	06b
07	酉	酉		9757	14b
07	采	采		719	02a
07	里	里		9122	13b
07	阜	阮		9607	14b
07	阜	防		9609	14b
07	阜	阮		9632	14b
07	阜	阮		9587	14b

획	부수	한자	전서	번호	위치
07	阜	阱		3177	05b
07	阜	阯		9611	14b
07	阜	阪		9579	14b

<table>
<tr><td colspan="6" align="center">08획</td></tr>
</table>

획	부수	한자	전서	번호	위치
08	乙	乳		7665	12a
08	亅	事		1926	03b
08	二	亞		9676	14b
08	亠	京		3314	05b
08	亠	亯		3325	05b
08	人	佳		4955	08a
08	人	侃		7451	11b
08	人	供		5003	08a
08	人	侉		5135	08a
08	人	佸		5047	08a
08	人	侊		5103	08a
08	人	佼		4933	08a
08	人	佶		4971	08a
08	人	侗		4970	08a
08	人	來		3331	05b
08	人	例		5140	08a
08	人	侖		3256	05b
08	人	侔		5015	08a
08	人	佰		5046	08a
08	人	併		5019	08a
08	人	使		5076	08a
08	人	侚		5102	08a
08	人	佝		4952	08a
08	人	侍		5029	08a
08	人	侁		5038	08a
08	人	侒		5032	08a
08	人	依		5024	08a
08	人	俱		5027	08a
08	人	侚		5177	08a
08	人	佺		5010	08a
08	人	佻		5104	08a
08	人	侜		5099	08a
08	人	佽		5026	08a
08	人	侈		5108	08a
08	人	侙		5021	08a
08	人	侲		5155	08a
08	人	佩		4936	08a
08	人	佮		5048	08a
08	人	侅		4956	08a
08	人	侐		5033	08a
08	儿	兒		5432	08b
08	儿	兓		5439	08b
08	儿	兔		6262	10a
08	入	兩		4789	07b
08	八	具		1764	03a
08	八	典		3007	05a
08	几	凭		9421	14a
08	刀	刻		2753	04b
08	刀	剀		2759	04b
08	刀	刮		2773	04b

08	刀	券	券	2793	04b
08	刀	刲	刲	2775	04b
08	刀	到	到	7669	12a
08	刀	剐	剐	2557	04b
08	刀	[illegible]	[illegible]	2733	04b
08	刀	刷	刷	2772	04b
08	刀	刵	刵	2787	04b
08	刀	刺	刺	2794	04b
08	刀	制	制	2784	04b
08	刀	刹	刹	2799	04b
08	刀	刱	刱	3179	05b
08	力	券	券	9194	13b
08	力	劼	劼	9171	13b
08	力	劾	劾	9203	13b
08	勹	匊	匊	5775	09a
08	勹	匋	匋	3272	05b
08	勹	匍	匍	5781	09a
08	勹	匌	匌	5782	09a
08	十	卑	卑	1924	03b
08	十	卒	卒	5336	08a
08	十	卓	卓	5200	08a
08	十	協	協	9212	13b
08	卜	卦	卦	2067	03b
08	卜	卣	卣	3035	05a
08	卜	[illegible]	[illegible]	2073	03b
08	卩	卷	卷	5756	09a
08	卩	卸	卸	5758	09a
08	卩	[illegible]	[illegible]	5751	09a
08	卩	卹	卹	3162	05a
08	厂	厓	厓	5948	09b
08	厶	叀	叀	2494	04b
08	厶	参	参	4288	07a
08	又	㕞	㕞	1909	03b
08	又	受	受	2509	04b
08	又	叔	叔	1916	03b
08	又	叕	叕	9674	14b
08	又	取	取	1918	03b
08	口	呱	呱	792	02a
08	口	咎	咎	5150	08a
08	口	呶	呶	905	02a
08	口	咄	咄	853	02a
08	口	命	命	839	02a
08	口	味	味	816	02a
08	口	咅	咅	3169	05a
08	口	咈	咈	885	02a
08	口	呻	呻	919	02a
08	口	吃	吃	949	02a
08	口	呭	呭	851	02a
08	口	呦	呦	954	02a
08	口	呰	呰	897	02a
08	口	咀	咀	802	02a
08	口	呧	呧	896	02a
08	口	周	周	876	02a
08	口	咆	咆	944	02a

총획수

08	口	呷		858	02a
08	口	哈		966	02a
08	口	呼		825	02a
08	口	和		845	02a
08	口	呐		823	02a
08	囗	固		3911	06b
08	囗	困		3901	06b
08	囗	囵		3908	06b
08	土	坷		9074	13b
08	土	坤		8976	13b
08	土	垄		8990	13b
08	土	坶		8980	13b
08	土	坺		8997	13b
08	土	坿		9047	13b
08	土	垒		9019	13b
08	土	垂		9103	13b
08	土	块		9077	13b
08	土	坳		9113	13b
08	土	坦		9089	13b
08	土	坫		9011	13b
08	土	坻		9041	13b
08	土	坼		9076	13b
08	土	坦		9025	13b
08	土	坡		8981	13b
08	土	坪		8982	13b
08	夊	夏		2084	04a
08	夊	夌		3349	05b

08	夊	夔		3355	05b
08	夕	夜		4309	07a
08	夕	夝		4313	07a
08	大	臭		6636	10b
08	大	奇		3042	05a
08	大	夫		6643	10b
08	大	奉		1749	03a
08	大	夷		6578	10b
08	大	奄		6567	10b
08	大	夽		6570	10b
08	大	夶		6575	10b
08	大	奊		6573	10b
08	大	夵		6577	10b
08	女	姑		8104	12b
08	女	姐		8308	12b
08	女	妹		8108	12b
08	女	姘		8299	12b
08	女	妭		8118	12b
08	女	姗		8286	12b
08	女	姓		8070	12b
08	女	始		8142	12b
08	女	婴		8114	12b
08	女	妸		8129	12b
08	女	姎		8267	12b
08	女	婴		8162	12b
08	女	娀		8264	12b
08	女	委		8173	12b

획수	부수	글자	전서	번호	위치
08	女	姊	(篆)	8107	12b
08	女	姐	(篆)	8103	12b
08	女	妵	(篆)	8139	12b
08	女	敠	(篆)	8220	12b
08	女	妻	(篆)	8089	12b
08	女	姑	(篆)	8176	12b
08	女	姜	(篆)	1740	03a
08	女	妯	(篆)	8247	12b
08	女	妭	(篆)	8182	12b
08	女	姁	(篆)	8102	12b
08	子	季	(篆)	9724	14b
08	子	孤	(篆)	9728	14b
08	子	孟	(篆)	9725	14b
08	宀	官	(篆)	9569	14a
08	宀	宓	(篆)	4558	07b
08	宀	宛	(篆)	4543	07b
08	宀	宜	(篆)	4578	07b
08	宀	定	(篆)	4555	07b
08	宀	宗	(篆)	4602	07b
08	宀	宝	(篆)	4603	07b
08	宀	宙	(篆)	4604	07b
08	宀	宕	(篆)	4599	07b
08	宀	宔	(篆)	4567	07b
08	宀	宏	(篆)	4549	07b
08	小	尚	(篆)	711	02a
08	尢	尳	(篆)	6598	10b
08	尢	尵	(篆)	6597	10b
08	尸	居	(篆)	5378	08a
08	尸	屋	(篆)	5388	08a
08	尸	屈	(篆)	5382	08a
08	尸	屆	(篆)	5404	08b
08	尸	屍	(篆)	5384	08a
08	尸	屚	(篆)	3353	05b
08	山	岡	(篆)	5839	09b
08	山	岱	(篆)	5821	09b
08	山	岩	(篆)	5864	09b
08	山	岫	(篆)	5845	09b
08	山	岸	(篆)	5887	09b
08	山	岨	(篆)	5838	09b
08	山	岵	(篆)	5834	09b
08	巾	帗	(篆)	4899	07b
08	巾	帛	(篆)	4905	07b
08	巾	帔	(篆)	4836	07b
08	巾	帑	(篆)	4868	07b
08	巾	帙	(篆)	4864	07b
08	巾	帖	(篆)	4863	07b
08	巾	帚	(篆)	4879	07b
08	巾	帗	(篆)	4887	07b
08	巾	帔	(篆)	4846	07b
08	干	并	(篆)	5204	08a
08	干	幸	(篆)	6611	10b
08	广	庚	(篆)	9706	14b
08	广	废	(篆)	5924	09b
08	广	府	(篆)	5893	09b

08	广	底		5921	09b
08	广	庭		5936	09b
08	广	庖		5903	09b
08	廴	延		1261	02b
08	廾	弄		1757	03a
08	弓	弩		8456	12b
08	弓	弢		8455	12b
08	弓	弨		8441	12b
08	弓	弦		8465	12b
08	弓	弧		8440	12b
08	彐	彔		4352	07a
08	彐	希		6069	09b
08	彐	希		6078	09b
08	彳	往		1228	02b
08	彳	徂		1245	02b
08	彳	彼		1230	02b
08	心	恣		6808	10b
08	心	怪		6800	10b
08	心	念		6686	10b
08	心	恢		6831	10b
08	心	怩		6935	10b
08	心	恒		6864	10b
08	心	忝		6752	10b
08	心	恨		6830	10b
08	心	恦		6886	10b
08	心	恣		6838	10b
08	心	怫		6807	10b

08	心	性		6673	10b
08	心	快		6855	10b
08	心	悉		6745	10b
08	心	惼		6881	10b
08	心	怡		6711	10b
08	心	怍		6925	10b
08	心	恤		6785	10b
08	心	怕		6750	10b
08	心	悉		6922	10b
08	心	怊		6940	10b
08	心	忧		6910	10b
08	心	忠		6680	10b
08	心	怕		6764	10b
08	心	怙		6740	10b
08	心	忽		6809	10b
08	心	悗		6818	10b
08	心	急		6834	10b
08	戈	或		8346	12b
08	戈	戕		8347	12b
08	戈	戔		8357	12b
08	戈	戗		8353	12b
08	戈	或		8344	12b
08	戈	珷		1882	03b
08	戶	戾		6322	10a
08	戶	房		7685	12a
08	戶	所		9435	14a
08	手	拑		7820	12a

획수	부수	한자	번호	위치
08	手	拘	1451	03a
08	手	拈	7843	12a
08	手	拉	7814	12a
08	手	拇	7791	12a
08	手	拔	7957	12a
08	手	拚	7933	12a
08	手	拊	7852	12a
08	手	拂	8021	12a
08	手	抴	8034	12a
08	手	承	7874	12a
08	手	挾	8015	12a
08	手	拗	8060	12a
08	手	拜	7817	12a
08	手	抵	7812	12a
08	手	抯	7943	12a
08	手	拙	7986	12a
08	手	择	7885	12a
08	手	抶	8013	12a
08	手	拓	7946	12a
08	手	招	7881	12a
08	手	拖	8032	12a
08	手	抨	8005	12a
08	手	拵	7830	12a
08	手	抛	8064	12a
08	手	披	7907	12a
08	手	拘	7979	12a
08	攴	放	2006	03b
08	攴	放	2503	04b
08	攴	政	1998	03b
08	斤	斧	9428	14a
08	斤	所	9441	14a
08	斤	斫	9429	14a
08	方	航	5429	08b
08	日	昆	4235	07a
08	日	旻	4171	07a
08	日	杳	4234	07a
08	日	昉	4243	07a
08	日	昔	4231	07a
08	日	昇	4255	07a
08	日	昂	4254	07a
08	日	易	6103	09b
08	日	昌	4218	07a
08	日	昃	4200	07a
08	日	昄	4220	07a
08	日	旿	4242	07a
08	日	昏	4202	07a
08	日	昕	4239	07a
08	日	昀	4174	07a
08	曰	旾	3030	05a
08	月	服	5423	08b
08	木	极	3758	06a
08	木	枡	3617	06a
08	木	杲	3598	06a
08	木	果	3551	06a

	부수	해서	전서	번호	위치
08	木	枏	[篆]	3404	06a
08	木	東	[篆]	3828	06a
08	木	科	[篆]	3693	06a
08	木	林	[篆]	3830	06a
08	木	枚	[篆]	3557	06a
08	木	杏	[篆]	3599	06a
08	木	枋	[篆]	3488	06a
08	木	扶	[篆]	3577	06a
08	木	粉	[篆]	3525	06a
08	木	枇	[篆]	3464	06a
08	木	析	[篆]	3791	06a
08	木	松	[篆]	3528	06a
08	木	殳	[篆]	1950	03b
08	木	杼	[篆]	3802	06a
08	木	柳	[篆]	3763	06a
08	木	枒	[篆]	3511	06a
08	木	枉	[篆]	3575	06a
08	木	枖	[篆]	3561	06a
08	木	柔	[篆]	3461	06a
08	木	杵	[篆]	3682	06a
08	木	杼	[篆]	3709	06a
08	木	枝	[篆]	3554	06a
08	木	杪	[篆]	3566	06a
08	木	杶	[篆]	3453	06a
08	木	枕	[篆]	3662	06a
08	木	杷	[篆]	3677	06a
08	木	林	[篆]	4509	07b
08	木	柿	[篆]	3776	06a
08	木	柘	[篆]	3756	06a
08	木	茱	[篆]	3670	06a
08	欠	欥	[篆]	5557	08b
08	欠	钦	[篆]	5520	08b
08	欠	欣	[篆]	5510	08b
08	欠	蚊	[篆]	5524	08b
08	止	武	[篆]	8354	12b
08	歺	殁	[篆]	2524	04b
08	殳	煅	[篆]	1953	03b
08	毋	毒	[篆]	236	01b
08	氏	氓	[篆]	8317	12b
08	气	氛	[篆]	225	01a
08	水	泔	[篆]	7341	11a
08	水	沽	[篆]	7063	11a
08	水	泒	[篆]	7069	11a
08	水	泥	[篆]	7072	11a
08	水	沓	[篆]	3032	05a
08	水	沴	[篆]	7190	11a
08	水	泠	[篆]	7001	11a
08	水	泑	[篆]	7297	11a
08	水	沫	[篆]	6960	11a
08	水	沬	[篆]	7374	11a
08	水	泯	[篆]	7415	11a
08	水	泮	[篆]	7406	11a
08	水	泛	[篆]	7253	11a
08	水	洲	[篆]	7245	11a

08	水	沸		7210	11a		08	水	泌	7113	11a
08	水	泗		7040	11a		08	水	河	6950	11a
08	水	泄		7029	11a		08	水	泫	7116	11a
08	水	沼		7220	11a		08	水	沉	7131	11a
08	水	泝		7248	11a		08	水	洞	7369	11a
08	水	沫		7045	11a		08	水	泓	7146	11a
08	水	決		7263	11a		08	水	況	7125	11a
08	水	沿		7247	11a		08	火	炅	6483	10a
08	水	泳		7250	11a		08	火	炎	6500	10a
08	水	泜		7322	11a		08	火	炙	6550	10b
08	水	沴		6951	11a		08	火	炊	6423	10a
08	水	油		7009	11a		08	火	炕	6484	10a
08	水	泣		7398	11a		08	爪	𡴋	5219	08a
08	水	洗		7188	11a		08	爪	爭	2511	04b
08	水	沮		6963	11a		08	爻	㸚	2081	03b
08	水	沛		6994	11a		08	爿	牀	3661	06a
08	水	注		7238	11a		08	片	版	4340	07a
08	水	泜		7060	11a		08	牛	牞	767	02a
08	水	泚		7124	11a		08	牛	牧	2060	03b
08	水	沾		6988	11a		08	牛	物	770	02a
08	水	泒		7435	11b		08	牛	牸	733	02a
08	水	泄		7179	11a		08	犬	狂	6313	10a
08	水	治		7053	11a		08	犬	狗	6270	10a
08	水	沱		6956	11a		08	犬	狛	6346	10a
08	水	波		7138	11a		08	犬	狀	6302	10a
08	水	泙		7178	11a		08	犬	狎	6307	10a
08	水	泡		7038	11a		08	犬	狄	6352	10a

08	犬	狀	𤟟	6356	10a
08	犬	猰	𤜣	6298	10a
08	犬	狙	狙	6342	10a
08	犬	狂	狂	6279	10a
08	犬	狐	狐	6348	10a
08	玉	珏	珏	221	01a
08	玉	玲	玲	158	01a
08	玉	玠	玠	116	01a
08	玉	玦	玦	123	01a
08	玉	玫	玫	183	01a
08	玉	玟	玟	195	01a
08	玉	珅	珅	157	01a
08	玉	玭	玭	192	01a
08	玉	玩	玩	149	01a
08	瓦	瓨	瓨	8419	12b
08	田	畉	畉	9148	13b
08	田	畁	畁	3009	05a
08	田	畄	畄	8404	12b
08	疋	建	建	1073	02a
08	疒	疝	疝	4707	07b
08	疒	疛	疛	4708	07b
08	皮	皯	皯	1982	03b
08	皿	盂	盂	3123	05a
08	目	盰	盰	2106	04a
08	目	盲	盲	2188	04a
08	目	盱	盱	2126	04a
08	目	直	直	8369	12b

08	矢	矤	矤	3299	05b
08	矢	知	知	3300	05b
08	示	祁	祁	4045	06b
08	示	祀	祀	31	01a
08	示	社	社	64	01a
08	示	礿	礿	42	01a
08	禾	季	季	4421	07a
08	禾	秉	秉	1911	03b
08	禾	秄	秄	4397	07a
08	禾	秒	秒	4387	07a
08	禾	耗	耗	4437	07a
08	禾	秅	秅	4406	07a
08	穴	空	空	4630	07b
08	穴	穹	穹	4650	07b
08	穴	窋	窋	4613	07b
08	穴	穻	穻	4661	07b
08	竹	竺	竺	8972	13b
08	糸	糾	糾	1456	03a
08	糸	終	終	8950	13b
08	羊	羌	羌	2347	04a
08	羊	芉	芉	2324	04a
08	老	耆	耆	5357	08a
08	肉	朕	朕	2624	04b
08	肉	股	股	2626	04b
08	肉	胁	胁	4297	07a
08	肉	胆	胆	9742	14b
08	肉	肪	肪	2604	04b

총획수

08	辵	迣		1134	02b
08	辵	迎		1124	02b
08	辵	迊		1207	02b
08	辵	远		1206	02b
08	邑	邯		4048	06b
08	邑	郇		4137	06b
08	邑	邱		4141	06b
08	邑	邴		4099	06b
08	邑	邳		4121	06b
08	邑	邵		4033	06b
08	邑	邮		4018	06b
08	邑	邸		3994	06b
08	邑	邪		4009	06b
08	邑	邰		4001	06b
08	邑	邶		4030	06b
08	邑	郎		4090	06b
08	邑	邲		4037	06b
08	邑	鄂		4068	06b
08	采	采		3775	06a
08	金	金		9213	14a
08	長	長		6038	09b
08	門	門		7692	12a
08	阜	陕		9655	14b
08	阜	阜		9570	14b
08	阜	附		9613	14b
08	阜	阿		9577	14b
08	阜	陀		9617	14b

08	阜	阺		9614	14b
08	阜	阽		9642	14b
08	阜	阻		9584	14b
08	阜	阼		9645	14b
08	阜	陂		9578	14b
08	隶	隶		1938	03b
08	隹	隹		2270	04a
08	雨	雨		7487	11b
08	青	青		3173	05b
08	非	非		7656	11b
09획					
09	二	亟		8969	13b
09	亠	亭		3305	05b
09	亠	亯		3316	05b
09	人	係		5141	08a
09	人	侳		5169	08a
09	人	俅		4935	08a
09	人	侸		5040	08a
09	人	侶		5171	08a
09	人	俚		4982	08a
09	人	侮		5125	08a
09	人	保		4928	08a
09	人	俻		5022	08a
09	人	俘		5143	08a
09	人	傅		5035	08a
09	人	俟		4969	08a
09	人	徐		5085	08a

09	人	俗		5072	08a
09	人	信		1519	03a
09	人	俔		5163	08a
09	人	俄		5120	08a
09	人	俑		5137	08a
09	人	侯		4972	08a
09	人	俞		5413	08b
09	人	侼		5084	08a
09	人	俀		4989	08a
09	人	俎		9425	14a
09	人	侳		5042	08a
09	人	俊		4938	08a
09	人	俍		5172	08a
09	人	促		5139	08a
09	人	侵		5054	08a
09	人	便		5063	08a
09	人	倪		5065	08a
09	人	俠		5036	08a
09	人	俒		5069	08a
09	人	俙		5128	08a
09	八	兹		712	02a
09	冂	冒		4786	07b
09	冖	冠		4776	07b
09	宀	宦		3183	05b
09	刀	到		2790	04b
09	刀	剌		3884	06b
09	刀	削		2735	04b
09	刀	剆		2769	04b
09	刀	前		1068	02a
09	刀	剄		2776	04b
09	刀	則		2744	04b
09	力	勁		9177	13b
09	力	勏		9191	13b
09	力	勉		9178	13b
09	力	勃		9199	13b
09	力	勇		9198	13b
09	勹	匍		5773	09a
09	比	毖		5190	08a
09	匚	匬		8391	12b
09	匚	医		8384	12b
09	匚	匽		8379	12b
09	十	南		3857	06b
09	卜	卤		4331	07a
09	卜	卦		2070	03b
09	卩	卻		5757	09a
09	卩	即		3181	05b
09	厂	厖		5966	09b
09	厂	厘		5964	09b
09	厂	厔		5567	08b
09	厂	厓		5960	09b
09	厂	厖		5968	09b
09	厂	厚		3322	05b
09	又	叚		1920	03b
09	又	叛		726	02a

09	又	㚋		1901	03b		09	土	垚		9118	13b
09	口	咼		938	02a		09	土	垣		9000	13b
09	口	咷		797	02a		09	土	垠		9060	13b
09	口	咢		973	02a		09	土	垔		9066	13b
09	口	咅		894	02a		09	土	垤		9044	13b
09	口	哀		935	02a		09	土	垗		9094	13b
09	口	哇		893	02a		09	土	垤		9088	13b
09	口	咦		822	02a		09	土	垎		9062	13b
09	口	咽		788	02a		09	土	垛		9010	13b
09	口	咨		840	02a		09	土	垓		8977	13b
09	口	哉		855	02a		09	土	型		9033	13b
09	口	味		950	02a		09	士	奠		6585	10b
09	口	思		5401	08b		09	士	壴		3062	05a
09	口	咠		857	02a		09	夂	夑		3358	05b
09	口	哆		791	02a		09	大	契		6580	10b
09	口	品		1420	02b		09	大	奎		6565	10b
09	口	咸		871	02a		09	大	奔		6591	10b
09	口	咳		800	02a		09	大	奏		6626	10b
09	口	哊		5742	09a		09	大	奕		6634	10b
09	口	咺		795	02a		09	大	奐		1751	03a
09	口	哐		846	02a		09	大	查		6569	10b
09	囗	囿		3903	06b		09	女	姦		8306	12b
09	土	垍		9050	13b		09	女	姜		8071	12b
09	土	垎		9043	13b		09	女	姣		8153	12b
09	土	垢		9085	13b		09	女	姤		8313	12b
09	土	塊		9064	13b		09	女	姽		8172	12b
09	土	壘		9670	14b		09	女	姑		8073	12b

09	女	敂		8164	12b
09	女	姘		8078	12b
09	女	姰		8216	12b
09	女	姶		8137	12b
09	女	姸		8257	12b
09	女	姀		8175	12b
09	女	娃		8258	12b
09	女	姚		8075	12b
09	女	威		8105	12b
09	女	姷		8215	12b
09	女	娍		8125	12b
09	女	姂		8135	12b
09	女	姨		8113	12b
09	女	姐		8141	12b
09	女	姻		8088	12b
09	女	娎		8217	12b
09	女	姿		8239	12b
09	女	姼		8117	12b
09	女	姝		8148	12b
09	女	姪		8112	12b
09	女	娕		8246	12b
09	女	姘		8297	12b
09	女	娈		8244	12b
09	女	姞		8185	12b
09	女	姬		8072	12b
09	子	孨		9735	14b
09	宀	客		4588	07b
09	宀	宣		4538	07b
09	宀	室		4537	07b
09	宀	宦		4541	07b
09	宀	宥		4577	07b
09	宀	窀		4540	07b
09	宀	宋		4561	07b
09	宀	宦		4573	07b
09	寸	封		9029	13b
09	尢	尵		6599	10b
09	尸	眉		5385	08a
09	尸	屛		5397	08a
09	尸	屑		5380	08a
09	尸	屍		5393	08a
09	尸	屋		5396	08a
09	尸	眉		5379	08a
09	中	峕		9568	14a
09	山	峋		5873	09b
09	己	巹		9702	14b
09	巾	帣		4878	07b
09	巾	帤		4839	07b
09	巾	帥		4834	07b
09	巾	帲		4845	07b
09	巾	帟		4896	07b
09	巾	帝		7	01a
09	巾	帆		4842	07b
09	幺	幽		2492	04b
09	广	度		1922	03b

09	广	庠	庠	5895	09b
09	广	庢	庢	5922	09b
09	广	庴	庴	5938	09b
09	广	庤	庤	5928	09b
09	廴	建	建	1262	02b
09	廾	舁	舁	1754	03a
09	廾	弇	弇	1752	03a
09	廾	弈	弈	1763	03a
09	弓	弭	弭	8438	12b
09	弓	弳	弳	8462	12b
09	彡	彦	彦	5694	09a
09	彳	待	待	1244	02b
09	彳	律	律	1256	02b
09	彳	徇	徇	1238	02b
09	彳	後	後	1249	02b
09	彳	很	很	1251	02b
09	心	恭	恭	6912	10b
09	心	恇	恇	6903	10b
09	心	恔	恔	6702	10b
09	心	恑	恑	6819	10b
09	心	急	急	6775	10b
09	心	恬	恬	6706	10b
09	心	怒	怒	6843	10b
09	心	怠	怠	6687	10b
09	心	思	思	6668	10b
09	心	愧	愧	6755	10b
09	心	思	思	6774	10b
09	心	恂	恂	6726	10b
09	心	恃	恃	6741	10b
09	心	怨	怨	6842	10b
09	心	恮	恮	6715	10b
09	心	悄	悄	6676	10b
09	心	怠	怠	6803	10b
09	心	恫	恫	6868	10b
09	心	恣	恣	6784	10b
09	心	恨	恨	6851	10b
09	心	恒	恒	8970	13b
09	心	恢	恢	6913	10b
09	心	恊	恊	9210	13b
09	心	恢	恢	6707	10b
09	心	恤	恤	6765	10b
09	心	恰	恰	6943	10b
09	戈	戜	戜	8334	12b
09	戶	扂	扂	7690	12a
09	戶	扃	扃	7691	12a
09	戶	扁	扁	1430	02b
09	手	挌	挌	8041	12a
09	手	拱	拱	7802	12a
09	手	括	括	7978	12a
09	手	挂	挂	8031	12a
09	手	拮	拮	7991	12a
09	手	拏	拏	7839	12a
09	手	挑	挑	7892	12a
09	手	挏	挏	7880	12a

09	手	拓	7851	12a
09	手	拾	7948	12a
09	手	按	7847	12a
09	手	捆	7976	12a
09	手	批	7865	12a
09	手	指	7792	12a
09	手	持	7818	12a
09	手	拒	7875	12a
09	手	挃	7998	12a
09	手	拹	7902	12a
09	攴	故	1997	03b
09	攴	敏	2043	03b
09	攴	救	1993	03b
09	攴	敃	1992	03b
09	攴	敀	1994	03b
09	斗	料	9453	14a
09	斤	斫	9431	14a
09	斤	研	9430	14a
09	方	施	4273	07a
09	日	昫	4188	07a
09	日	昧	4175	07a
09	日	昴	4211	07a
09	日	昇	4217	07a
09	日	昭	4178	07a
09	日	是	1088	02b
09	日	易	6043	09b
09	日	映	4249	07a
09	日	昱	4221	07a
09	日	昨	4214	07a
09	日	昳	4251	07a
09	日	昶	4246	07a
09	日	曶	3028	05a
09	日	昺	6631	10b
09	曰	曷	3029	05a
09	月	胸	2680	04b
09	月	胐	4293	07a
09	木	枷	3681	06a
09	木	柯	3727	06a
09	木	柬	3882	06b
09	木	柜	3505	06a
09	木	枯	3759	06a
09	木	柷	3452	06a
09	木	枯	3588	06a
09	木	柧	3783	06a
09	木	枸	3486	06a
09	木	柩	8399	12b
09	木	柰	3407	06a
09	木	柲	3479	06a
09	木	柚	3789	06a
09	木	柆	3787	06a
09	木	柃	3679	06a
09	木	枰	3467	06a
09	木	某	3541	06a
09	木	柭	3724	06a

09	木	柏	柏	3532	06a
09	木	柄	柄	3729	06a
09	木	柎	柎	3746	06a
09	木	柫	柫	3680	06a
09	木	柲	柲	3730	06a
09	木	柤	柤	3647	06a
09	木	柤	柤	3671	06a
09	木	栖	栖	3686	06a
09	木	柖	柖	3571	06a
09	木	柿	柿	3403	06a
09	木	柴	柴	3596	06a
09	木	臬	臬	4508	07b
09	木	染	染	7389	11a
09	木	某	某	3797	06a
09	木	柍	柍	3424	06a
09	木	柚	柚	3399	06a
09	木	柔	柔	3592	06a
09	木	柏	柏	3672	06a
09	木	柘	柘	3517	06a
09	木	柞	柞	3466	06a
09	木	柢	柢	3545	06a
09	木	柱	柱	3610	06a
09	木	枳	枳	3502	06a
09	木	柵	柵	3652	06a
09	木	柷	柷	3749	06a
09	木	枯	枯	3534	06a
09	木	柝	柝	3593	06a

09	木	枰	枰	3786	06a
09	木	柨	柨	3747	06a
09	木	柀	柀	3449	06a
09	木	柙	柙	3809	06a
09	木	枵	枵	3570	06a
09	欠	欨	欨	5502	08b
09	欠	㰎	㰎	5555	08b
09	欠	歁	歁	5556	08b
09	止	歫	歫	1067	02a
09	歹	殆	殆	2550	04b
09	歹	殃	殃	2540	04b
09	歹	殂	殂	2529	04b
09	歹	殄	殄	2542	04b
09	歹	殆	殆	2539	04b
09	殳	段	段	1961	03b
09	比	毖	毖	5206	08a
09	比	毗	毗	6258	10a
09	水	汧	汧	6977	11a
09	水	洎	洎	7323	11a
09	水	洭	洭	6997	11a
09	水	洸	洸	7137	11a
09	水	洞	洞	7152	11a
09	水	洛	洛	6981	11a
09	水	洌	洌	7161	11a
09	水	洺	洺	7421	11a
09	水	洦	洦	7091	11a
09	水	泚	泚	7093	11a

09	水	洇		7023	11a
09	水	洗		7377	11a
09	水	洒		7362	11a
09	水	洙		7044	11a
09	水	洵		7077	11a
09	水	洝		7326	11a
09	水	洋		7047	11a
09	水	洿		7310	11a
09	水	洼		7217	11a
09	水	洹		7041	11a
09	水	洍		6995	11a
09	水	洧		7026	11a
09	水	洅		7327	11a
09	水	洆		7395	11a
09	水	洇		7085	11a
09	水	洰		7282	11a
09	水	洮		6969	11a
09	水	洔		7192	11a
09	水	涷		7267	11a
09	水	津		7242	11a
09	水	泉		7453	11b
09	水	派		7212	11a
09	水	洐		7229	11a
09	水	洫		7223	11a
09	水	洪		7099	11a
09	水	洚		7100	11a
09	水	活		7114	11a

09	水	洄		7249	11a
09	水	洨		7058	11a
09	水	洘		7154	11a
09	水	洽		7293	11a
09	火	炟		6383	10a
09	火	炦		6415	10a
09	火	炳		6462	10a
09	火	沸		6401	10a
09	火	炪		6394	10a
09	火	炭		6412	10a
09	火	炱		6417	10a
09	火	炮		6429	10a
09	火	炫		6476	10a
09	火	炯		6473	10a
09	爪	叟		2510	04b
09	爪	爰		2507	04b
09	爪	冓		2487	04b
09	爻	延		1419	02b
09	牛	牥		748	02a
09	牛	牲		735	02a
09	牛	牲		752	02a
09	牛	牴		763	02a
09	牛	牮		743	02a
09	犬	臭		6282	10a
09	犬	狡		6273	10a
09	犬	狒		6295	10a
09	犬	狩		6328	10a

총획수

09	犬	猜		6306	10a
09	犬	狼		6296	10a
09	犬	狟		6317	10a
09	玄	紗		8467	12b
09	玉	珈		207	01a
09	玉	珂		213	01a
09	玉	珣		174	01a
09	玉	玲		150	01a
09	玉	珉		187	01a
09	玉	珊		200	01a
09	玉	玭		139	01a
09	玉	珇		132	01a
09	玉	珍		148	01a
09	玉	珌		128	01a
09	瓦	瓶		8410	12b
09	瓦	瓮		8418	12b
09	瓦	甌		8433	12b
09	瓦	瓵		8431	12b
09	甘	甚		3026	05a
09	田	畎		9141	13b
09	田	畛		9140	13b
09	田	畏		5812	09a
09	田	畋		2055	03b
09	疋	疌		1074	02a
09	疒	疥		4722	07b
09	疒	疲		4759	07b
09	疒	疫		4762	07b
09	疒	痕		4758	07b
09	疒	疾		4749	07b
09	疒	痹		4741	07b
09	疒	痎		4701	07b
09	癶	癸		9716	14b
09	癶	發		1079	02a
09	白	皆		2218	04a
09	白	皅		4914	07b
09	白	皇		80	01a
09	皿	盆		3132	05a
09	皿	盈		3140	05a
09	皿	盇		3130	05a
09	皿	盅		3142	05a
09	皿	益		3165	05a
09	目	看		2166	04a
09	目	映		2174	04a
09	目	眄		2118	04a
09	目	縣		5676	09a
09	目	首		2319	04a
09	目	眴		2129	04a
09	目	睍		2186	04a
09	目	眊		2112	04a
09	目	眇		2185	04a
09	目	眉		2210	04a
09	目	盼		2105	04a
09	目	相		2154	04a
09	目	省		2211	04a

획수	부수	한자	전서	번호	코드
09	目	盾		2212	04a
09	目	眠		2120	04a
09	目	眅		2194	04a
09	目	眈		2124	04a
09	目	眅		2107	04a
09	目	盼		2199	04a
09	矛	矜		9463	14a
09	矛	秙		9464	14a
09	矢	矦		3296	05b
09	石	砅		7255	11a
09	石	研		6017	09b
09	石	砌		6034	09b
09	示	祇		26	01a
09	示	祈		50	01a
09	示	祋		1949	03b
09	示	祉		40	01a
09	示	祖		19	01a
09	示	祆		75	01a
09	禸	禹		5813	09a
09	禸	禹		9687	14b
09	禾	秔		4378	07a
09	禾	科		4433	07a
09	禾	秏		4379	07a
09	禾	秕		4414	07a
09	禾	采		4386	07a
09	禾	秒		4391	07a
09	禾	秋		4430	07a
09	穴	突		4645	07b
09	穴	窀		4660	07b
09	穴	突		4622	07b
09	穴	穿		4620	07b
09	竹	竿		2937	05a
09	竹	竽		2973	05a
09	米	籹		4494	07a
09	米	粓		4484	07a
09	糸	紀		8498	13a
09	糸	紃		8626	13a
09	糸	約		8526	13a
09	糸	紆		8514	13a
09	糸	紉		8650	13a
09	糸	紂		8667	13a
09	糸	紅		8582	13a
09	糸	紈		8545	13a
09	糸	紇		8483	13a
09	缶	缸		3280	05b
09	网	罘		4793	07b
09	羊	羍		2328	04a
09	羊	美		2346	04a
09	羊	羌		2348	04a
09	羽	翁		2269	04a
09	老	耆		5355	08a
09	老	者		2220	04a
09	老	耇		5356	08a
09	而	耏		6046	09b

09	而	耑	糸	4518	07b	09	舟	彤	彤	5415	08b
09	而	奭	奭	6638	10b	09	艸	茄	茄	432	01b
09	而	胹	胹	5976	09b	09	艸	苟	苟	544	01b
09	聿	妻	妻	1934	03b	09	艸	苷	苷	302	01b
09	肉	肢	肢	2616	04b	09	艸	苣	苣	620	01b
09	肉	肩	肩	2614	04b	09	艸	苦	苦	323	01b
09	肉	胖	胖	725	02a	09	艸	茈	茈	471	01b
09	肉	背	背	2607	04b	09	艸	苟	苟	636	01b
09	肉	胑	胑	2666	04b	09	艸	苟	苟	5789	09a
09	肉	胥	胥	2682	04b	09	艸	苓	苓	662	01b
09	肉	胜	胜	2691	04b	09	艸	苺	苺	300	01b
09	肉	肿	肿	2612	04b	09	艸	茅	茅	326	01b
09	肉	胃	胃	2600	04b	09	艸	苗	苗	543	01b
09	肉	胤	胤	2635	04b	09	艸	菲	菲	667	01b
09	肉	胆	胆	2719	04b	09	艸	茂	茂	523	01b
09	肉	胙	胙	2659	04b	09	艸	茇	茇	518	01b
09	肉	胄	胄	2636	04b	09	艸	芝	芝	561	01b
09	肉	胄	胄	4785	07b	09	艸	范	范	656	01b
09	肉	肌	肌	2632	04b	09	艸	莆	莆	571	01b
09	肉	胝	胝	2649	04b	09	艸	菇	菇	419	01b
09	肉	胗	胗	2647	04b	09	艸	若	若	599	01b
09	肉	胅	胅	2653	04b	09	艸	苓	苓	365	01b
09	肉	胎	胎	2587	04b	09	艸	英	英	503	01b
09	肉	胞	胞	5787	09a	09	艸	苑	苑	563	01b
09	肉	胘	胘	2668	04b	09	艸	莒	莒	341	01b
09	肉	胡	胡	2667	04b	09	艸	芘	芘	380	01b
09	臼	舀	舀	4502	07a	09	艸	苴	苴	606	01b

09	艸	苗		371	01b
09	艸	苦		587	01b
09	艸	苗		493	01b
09	艸	芙		258	01b
09	艸	芙		468	01b
09	艸	茗		664	01b
09	艸	蔓		609	01b
09	艸	苹		279	01b
09	艸	苞		388	01b
09	艸	芯		572	01b
09	虍	虐		3099	05a
09	虫	蚳		8897	13a
09	虫	蚩		8842	13a
09	虫	虹		8890	13a
09	虫	虺		8757	13a
09	血	盇		3153	05a
09	行	衍		1273	02b
09	行	衍		7101	11a
09	衣	衿		5312	08a
09	衣	袷		5268	08a
09	衣	袂		5262	08a
09	衣	袱		5247	08a
09	衣	裕		5287	08a
09	衣	袓		5302	08a
09	衣	衽		5241	08a
09	襾	要		1777	03a
09	角	觖		2824	04b
09	言	計		1543	03a
09	言	訇		1630	03a
09	言	訏		1716	03a
09	言	訓		1651	03a
09	言	訪		1517	03a
09	言	訂		1509	03a
09	貝	負		3947	06b
09	貝	貞		2069	03b
09	走	赳		984	02a
09	走	赴		980	02a
09	足	趴		1339	02b
09	車	軍		9522	14a
09	車	軌		9534	14a
09	辵	迟		1153	02b
09	辵	進		1187	02b
09	辵	迫		1181	02b
09	辵	述		1106	02b
09	辵	迻		1194	02b
09	辵	迪		1131	02b
09	辵	延		1100	02b
09	辵	返		1161	02b
09	辵	退		1105	02b
09	辵	迭		1165	02b
09	辵	迮		1117	02b
09	辵	迢		1219	02b
09	辵	迴		1199	02b
09	邑	郄		4138	06b

총획수

09	邑	邸	𨝯	4041	06b
09	邑	郊	𨛍	3993	06b
09	邑	邽	𨐈	4020	06b
09	邑	郎	𨝚	4120	06b
09	邑	邾	𨝓	4095	06b
09	邑	郇	𨝬	4050	06b
09	邑	邦	𨝐	4115	06b
09	邑	邸	𨝮	4102	06b
09	邑	娜	𨝭	4142	06b
09	邑	那	𨝜	4073	06b
09	邑	郁	𨝖	4005	06b
09	邑	邶	𨛐	4080	06b
09	邑	郅	𨛚	4055	06b
09	邑	郃	𨛭	4013	06b
09	邑	郞	𨛳	4063	06b
09	邑	邢	𨝜	4043	06b
09	邑	屵	𨝓	4125	06b
09	酉	酊	𨡊	9827	14b
09	酉	酋	𨡄	9830	14b
09	里	重	𨤋	5220	08a
09	阜	降	𨸏	9600	14b
09	阜	陕	𨸁	9626	14b
09	阜	陊	𨸈	9606	14b
09	阜	限	𨸖	9583	14b
09	阜	陔	𨸆	9647	14b
09	面	面	𠚉	5667	09a
09	革	革	革	1783	03b

09	韋	韋	𩏔	3367	05b
09	韭	韭	𩭤	4519	07b
09	音	音	𩐍	1731	03a
09	頁	頁	𩑋	5572	09a
09	風	風	𩖕	8932	13b
09	飛	飛	𩙿	7654	11b
09	食	食	𩙿	3189	05b
09	首	首	𦣻	5673	09a
09	香	香	𥝌	4452	07a
10획					
10	丨	㞧	𡳾	1741	03a
10	丿	丞	𠬞	3865	06b
10	亠	亳	𩫇	3306	05b
10	人	軌	𠑆	4258	07a
10	人	倨	𠑔	4979	08a
10	人	倞	𠑑	4976	08a
10	人	倌	𠑹	5081	08a
10	人	俱	𠑵	5017	08a
10	人	俗	𠑥	5152	08a
10	人	倦	𠒩	5158	08a
10	人	倓	𠑵	4951	08a
10	人	倒	𠍴	5178	08a
10	人	倫	𠑊	5014	08a
10	人	倍	𠑍	5091	08a
10	人	俳	𠍵	5116	08a
10	人	倗	𠎗	4990	08a
10	人	俾	𠍤	5073	08a

10	口	哥		3044	05a
10	口	詻		2807	04b
10	口	嚞		9623	14b
10	口	唊		899	02a
10	口	哽		890	02a
10	口	哭		976	02a
10	口	唌		925	02a
10	口	唐		877	02a
10	口	唬		922	02a
10	口	哦		959	02a
10	口	唉		854	02a
10	口	唁		934	02a
10	口	員		3916	06b
10	口	唇		911	02a
10	口	哲		837	02a
10	口	哨		928	02a
10	口	哺		815	02a
10	口	唲		882	02a
10	口	哮		947	02a
10	口	唏		849	02a
10	囗	圓		3893	06b
10	囗	圉		3909	06b
10	囗	圍		3905	06b
10	囗	圅		4325	07a
10	囗	圂		3914	06b
10	土	埂		9068	13b
10	土	埒		9006	13b

10	土	城		9036	13b
10	土	埃		9082	13b
10	土	埏		9107	13b
10	土	垸		9032	13b
10	土	垤		9084	13b
10	土	塓		9053	13b
10	土	垷		9013	13b
10	土	埍		9090	13b
10	夊	夋		3361	05b
10	夊	夏		3356	05b
10	大	奘		6635	10b
10	大	奚		6637	10b
10	大	夷		6586	10b
10	女	姄		8115	12b
10	女	娓		8196	12b
10	女	姑		8275	12b
10	女	娉		8222	12b
10	女	娑		8214	12b
10	女	娟		8245	12b
10	女	娠		8094	12b
10	女	娥		8126	12b
10	女	娭		8194	12b
10	女	娟		8311	12b
10	女	娛		8193	12b
10	女	姃		8300	12b
10	女	娣		8109	12b
10	女	婬		8266	12b

총획
수

10	心	慽	幍	6720	10b	10	手	捀	醔	8042	12a
10	心	悃	幗	6697	10b	10	手	捄	襟	7990	12a
10	心	恭	蕎	6708	10b	10	手	捐	槸	7896	12a
10	心	恐	磄	6908	10b	10	手	拳	蕎	7793	12a
10	心	悪	亞	6924	10b	10	手	挈	挚	8038	12a
10	心	悝	悝	6815	10b	10	手	捈	憳	8033	12a
10	心	恕	恕	6710	10b	10	手	将	犕	7854	12a
10	心	息	息	6671	10b	10	手	捀	槗	7916	12a
10	心	恙	恙	6883	10b	10	手	捊	牌	7871	12a
10	心	恚	恚	6841	10b	10	手	挐	挐	7819	12a
10	心	悄	幍	6839	10b	10	手	捎	槗	7927	12a
10	心	悟	悟	6743	10b	10	手	挨	槗	8009	12a
10	心	恩	恩	6716	10b	10	手	挺	槗	7862	12a
10	心	悒	幍	6786	10b	10	手	捐	椙	8044	12a
10	心	恁	悊	6783	10b	10	手	挹	槐	7941	12a
10	心	恣	恣	6812	10b	10	手	掌	挙	7909	12a
10	心	悛	幍	6758	10b	10	手	抓	槗	7842	12a
10	心	悌	幍	6944	10b	10	手	挺	槗	7961	12a
10	心	悄	幍	6899	10b	10	手	挫	挫	7815	12a
10	心	恥	恥	6920	10b	10	手	捘	捘	7809	12a
10	心	怖	幍	6915	10b	10	手	振	振	7923	12a
10	心	悍	幍	6798	10b	10	手	捉	捉	7860	12a
10	心	悝	悝	6779	10b	10	手	挩	挩	7939	12a
10	心	悔	幍	6853	10b	10	手	捌	捌	8062	12a
10	戶	扇	扇	7684	12a	10	手	捕	槗	8028	12a
10	戶	宸	宸	7689	12a	10	手	挾	槗	7982	12a
10	手	挈	挈	7807	12a	10	手	挾	挾	7831	12a

10	支	敆		5979	09b
10	攴	故		2019	03b
10	攴	敉		2028	03b
10	攴	敚		5049	08a
10	攴	敊		2047	03b
10	攴	救		2061	03b
10	攴	敊		4517	07b
10	攴	效		1996	03b
10	斗	料		9445	14a
10	斤	斯		628	01b
10	方	旅		4267	07a
10	方	旅		4282	07a
10	方	旄		4280	07a
10	方	旁		8	01a
10	方	旆		4270	07a
10	方	施		4264	07a
10	日	時		4172	07a
10	日	晏		4190	07a
10	日	晉		4184	07a
10	日	晐		4236	07a
10	日	晄		4181	07a
10	曰	書		1935	03b
10	月	朔		4292	07a
10	月	朓		2658	04b
10	月	朓		4296	07a
10	月	朕		5420	08b
10	木	桀		3393	05b
10	木	格		3586	06a
10	木	栔		2805	04b
10	木	桂		3414	06a
10	木	梆		3421	06a
10	木	栝		3740	06a
10	木	桄		3779	06a
10	木	校		3773	06a
10	木	桊		3719	06a
10	木	根		3547	06a
10	木	桔		3465	06a
10	木	桃		3409	06a
10	木	桐		3522	06a
10	木	栵		3618	06a
10	木	栟		3442	06a
10	木	桑		3842	06b
10	木	棟		3827	06a
10	木	案		3690	06a
10	木	桅		3537	06a
10	木	栜		3441	06a
10	木	栭		3619	06a
10	木	枲		3560	06a
10	木	栽		3601	06a
10	木	栲		3700	06a
10	木	株		3548	06a
10	木	桎		3803	06a
10	木	桜		3701	06a
10	木	栿		3715	06a

총획수

10	木	杉		3500	06a
10	木	柬		4329	07a
10	木	枱		3667	06a
10	木	桻		3739	06a
10	木	核		3712	06a
10	木	栩		3460	06a
10	木	桓		3655	06a
10	欠	歐		5550	08b
10	欠	欪		5530	08b
10	欠	㰤		5519	08b
10	欠	飲		5547	08b
10	欠	歉		5551	08b
10	欠	欯		5500	08b
10	止	峕		1066	02a
10	歹	殊		2526	04b
10	歹	殢		2548	04b
10	殳	殸		1952	03b
10	殳	毅		1967	03b
10	殳	殷		5229	08a
10	比	毖		6667	10b
10	毛	毬		5364	08a
10	毛	耗		5367	08a
10	氏	歋		8330	12b
10	气	氣		4483	07a
10	水	涇		6970	11a
10	水	淈		7355	11a
10	水	涂		6965	11a
10	水	浪		6974	11a
10	水	浼		7311	11a
10	水	瀧		7088	11a
10	水	浮		7143	11a
10	水	浜		7204	11a
10	水	淀		7172	11a
10	水	涗		7328	11a
10	水	消		7304	11a
10	水	涷		7384	11a
10	水	淺		6958	11a
10	水	涓		7105	11a
10	水	涅		7197	11a
10	水	浯		7051	11a
10	水	浴		7375	11a
10	水	涌		7155	11a
10	水	洍		7200	11a
10	水	涔		7287	11a
10	水	浙		6957	11a
10	水	浚		7336	11a
10	水	泜		7290	11a
10	水	沬		6558	10b
10	水	涕		7399	11a
10	水	泰		7390	11a
10	水	湞		7065	11a
10	水	浦		7208	11a
10	水	海		7096	11a
10	水	浹		7431	11a

10	水	浩	7129	11a
10	火	烓	6420	10a
10	火	烄	6409	10a
10	火	烙	6496	10a
10	火	烈	6393	10a
10	火	烖	6486	10a
10	火	烾	6446	10a
10	火	烏	2478	04a
10	火	烖	6430	10a
10	火	烝	6397	10a
10	火	烤	6466	10a
10	火	烘	6424	10a
10	爪	쑿	2512	04b
10	爿	牂	2332	04a
10	牛	牷	753	02a
10	牛	特	730	02a
10	犬	狷	6354	10a
10	犬	狼	6345	10a
10	犬	狻	6339	10a
10	犬	狳	6324	10a
10	犬	狾	6335	10a
10	玄	兹	2498	04b
10	玉	琪	220	01a
10	玉	瑈	193	01a
10	玉	班	222	01a
10	玉	珣	97	01a

10	玉	瑰	165	01a
10	玉	珧	194	01a
10	玉	珢	164	01a
10	玉	珥	125	01a
10	玉	珠	189	01a
10	玉	珦	95	01a
10	玉	珩	122	01a
10	玉	珛	102	01a
10	玉	翎	215	01a
10	瓜	瓟	4531	07b
10	瓜	瓞	4527	07b
10	瓦	瓵	8421	12b
10	瓦	瓺	8420	12b
10	瓦	瓴	8415	12b
10	生	牲	3863	06b
10	田	畕	9154	13b
10	田	畔	9139	13b
10	田	富	3323	05b
10	田	畛	9143	13b
10	田	畜	9151	13b
10	田	畏	3357	05b
10	广	痂	4723	07b
10	广	痁	4767	07b
10	广	疴	4711	07b
10	广	疸	4751	07b
10	广	病	4676	07b
10	广	府	4710	07b

총획수

10	疒	痒	膓	4755	07b
10	疒	疴		4678	07b
10	疒	疕		4687	07b
10	疒	疵		4688	07b
10	疒	痋		4757	07b
10	疒	疽		4717	07b
10	疒	痁		4727	07b
10	疒	痕		4738	07b
10	疒	疾		4674	07b
10	疒	疲		4756	07b
10	白	皋	皋	6627	10b
10	皮	皰		1981	03b
10	皿	盜	盜	3136	05a
10	皿	盉	盉	3147	05a
10	皿	盎	盎	3131	05a
10	皿	盈	盈	3144	05a
10	皿	盌	盌	3124	05a
10	皿	益	益	3139	05a
10	皿	盋	盋	3133	05a
10	皿	盂	盂	3138	05a
10	目	朙	朙	2207	04a
10	目	眔	眔	2134	04a
10	目	眛	眛	2136	04a
10	目	眜	眜	2176	04a
10	目	眇	眇	2116	04a
10	目	曹	曹	2200	04a
10	目	眚	眚	2170	04a
10	目	智	智	2144	04a
10	目	眙	眙	2197	04a
10	目	眥	眥	2092	04a
10	目	眨	眨	2202	04a
10	目	眝	眝	2198	04a
10	目	眕	眕	2130	04a
10	目	眞	眞	5191	08a
10	目	眹	眹	2183	04a
10	目	眩	眩	2091	04a
10	目	眓	眓	2123	04a
10	石	礜	礜	5984	09b
10	石	砢	砢	6027	09b
10	石	砧	砧	6033	09b
10	石	破	破	6015	09b
10	石	砐	砐	6025	09b
10	示	祓	祓	49	01a
10	示	祔	祔	35	01a
10	示	祕	祕	27	01a
10	示	祠	祠	41	01a
10	示	祩	祩	70	01a
10	示	祐	祐	39	01a
10	示	祟	祟	68	01a
10	示	祡	祡	32	01a
10	示	神	神	25	01a
10	示	祐	祐	21	01a
10	示	祖	祖	36	01a
10	示	祚	祚	76	01a

10	示	祇		23	01a
10	示	祝		47	01a
10	示	祜		11	01a
10	禾	秜		4381	07a
10	禾	秝		4442	07a
10	禾	秠		4393	07a
10	禾	秬		4438	07a
10	禾	秧		4418	07a
10	禾	秭		4436	07a
10	禾	秨		4394	07a
10	禾	租		4424	07a
10	禾	秦		4431	07a
10	禾	秩		4402	07a
10	禾	秫		4372	07a
10	穴	窎		4635	07b
10	穴	突		4619	07b
10	穴	窀		4662	07b
10	穴	窋		4628	07b
10	穴	窅		2111	04a
10	穴	窈		4656	07b
10	穴	窏		4642	07b
10	穴	窐		4659	07b
10	立	竘		6653	10b
10	立	竝		6663	10b
10	竹	笄		2889	05a
10	竹	笆		2930	05a
10	竹	笑		2997	05a

10	竹	笍		2962	05a
10	竹	笎		2882	05a
10	竹	笡		2946	05a
10	竹	笏		3000	05a
10	米	粗		4479	07a
10	米	粉		4485	07a
10	糸	紘		8596	13a
10	糸	紟		8615	13a
10	糸	級		8523	13a
10	糸	納		8502	13a
10	糸	紐		8609	13a
10	糸	統		8597	13a
10	糸	素		8522	13a
10	糸	紡		8503	13a
10	糸	紓		8591	13a
10	糸	紛		8666	13a
10	糸	紕		8717	13a
10	糸	索		3854	06b
10	糸	紵		8512	13a
10	糸	素		8731	13a
10	糸	純		8479	13a
10	糸	紅		8491	13a
10	糸	紙		8686	13a
10	糸	紖		8671	13a
10	糸	縻		8708	13a
10	缶	缺		3286	05b
10	缶	䍃		3283	05b

10	网	罬		4802	07b		10	肉	能		6379	10a
10	网	罢		4803	07b		10	肉	胸		2727	04b
10	网	罠		4808	07b		10	肉	脯		2689	04b
10	网	罜		4805	07b		10	肉	脂		2695	04b
10	网	置		4816	07b		10	肉	脊		8068	12a
10	网	罨		4812	07b		10	肉	胞		2707	04b
10	网	罿		4815	07b		10	肉	脛		2670	04b
10	羊	羔		2325	04a		10	肉	胲		2633	04b
10	羊	羖		2334	04a		10	肉	胏		2629	04b
10	羊	羒		2331	04a		10	肉	脅		2608	04b
10	羽	翍		2241	04a		10	自	臬		3742	06a
10	羽	翁		2240	04a		10	自	臭		6329	10a
10	羽	翡		2257	04a		10	至	致		3350	05b
10	羽	翠		2256	04a		10	臼	舁		1772	03a
10	羽	翌		2262	04a		10	臼	舀		4503	07a
10	老	耆		5354	08a		10	舟	般		5422	08b
10	老	耊		5352	08a		10	舟	舫		5421	08b
10	耒	耕		2809	04b		10	艸	茖		301	01b
10	耳	耿		7760	12a		10	艸	菰		683	01b
10	耳	聆		7783	12a		10	艸	苗		618	01b
10	耳	聃		7758	12a		10	艸	苦		398	01b
10	耳	取		2015	03b		10	艸	莜		318	01b
10	耳	聊		7781	12a		10	艸	葵		612	01b
10	耳	耽		7757	12a		10	艸	苫		414	01b
10	聿	肁		7688	12a		10	艸	菫		337	01b
10	肉	胳		2615	04b		10	艸	苔		247	01b
10	肉	胯		2625	04b		10	艸	菜		568	01b

10	艸	茗		693	01b		10	艸	莖		457	01b
10	艸	荓		358	01b		10	艸	荏		535	01b
10	艸	茱		486	01b		10	艸	茷		558	01b
10	艸	荀		688	01b		10	艸	荌		516	01b
10	艸	苣		280	01b		10	艸	荍		354	01b
10	艸	荌		360	01b		10	艸	茰		658	01b
10	艸	茹		614	01b		10	艸	荒		547	01b
10	艸	荔		648	01b		10	虍	虔		3096	05a
10	艸	莉		428	01b		10	虍	虘		3115	05a
10	艸	茸		676	01b		10	虍	虓		3109	05a
10	艸	菁		472	01b		10	虍	虖		3111	05a
10	艸	羮		321	01b		10	虫	蚨		8827	13a
10	艸	蒂		560	01b		10	虫	蚳		8776	13a
10	艸	茵		610	01b		10	虫	蚚		8782	13a
10	艸	荏		257	01b		10	虫	蚑		8840	13a
10	艸	茲		527	01b		10	虫	蚼		8828	13a
10	艸	茨		584	01b		10	虫	蚌		8860	13a
10	艸	莘		549	01b		10	虫	蚨		8868	13a
10	艸	荃		592	01b		10	虫	蚞		8744	13a
10	艸	茝		292	01b		10	虫	蚖		8761	13a
10	艸	萉		397	01b		10	虫	蚰		8818	13a
10	艸	茜		384	01b		10	虫	蚩		8814	13a
10	艸	荐		580	01b		10	血	衄		3157	05a
10	艸	茉		487	01b		10	血	衃		3154	05a
10	艸	草		679	01b		10	衣	袪		5260	08a
10	艸	芻		611	01b		10	衣	袞		5232	08a
10	艸	筑		297	01b		10	衣	袠		5300	08a

총획수

10	衣	祖	祖	5315	08a
10	衣	被	被	5339	08a
10	衣	袢	袢	5308	08a
10	衣	袤	袤	5322	08a
10	衣	袑	袑	5275	08a
10	衣	衰	衰	5335	08a
10	衣	袁	袁	5288	08a
10	衣	祇	祇	5255	08a
10	衣	袓	袓	5306	08a
10	衣	裖	裖	5341	08a
10	衣	袗	袗	5235	08a
10	衣	裛	裛	5304	08a
10	衣	袘	袘	5270	08a
10	衣	袍	袍	5249	08a
10	衣	表	表	5236	08a
10	衣	被	被	5299	08a
10	衣	袨	袨	5346	08a
10	見	尋	尋	5459	08b
10	見	覓	覓	5478	08b
10	見	覺	覺	5441	08b
10	言	訓	訓	1633	03a
10	言	記	記	1564	03a
10	言	訕	訕	1604	03a
10	言	訊	訊	1514	03a
10	言	許	許	1679	03a
10	言	訏	訏	1666	03a
10	言	訋	訋	1579	03a

10	言	託	託	1563	03a
10	言	討	討	1706	03a
10	言	訌	訌	1645	03a
10	言	訓	訓	1491	03a
10	言	訖	訖	1573	03a
10	谷	裕	裕	7469	11b
10	豆	豈	豈	3077	05a
10	豸	豺	豺	6086	09b
10	豸	豹	豹	6082	09b
10	豸	豻	豻	6093	09b
10	貝	貢	貢	3930	06b
10	貝	貟	貟	3919	06b
10	貝	貤	貤	3944	06b
10	貝	財	財	3921	06b
10	貝	貞	貞	3935	06b
10	走	趕	趕	1062	02a
10	走	趑	趑	1023	02a
10	走	起	起	1016	02a
10	走	趙	趙	1012	02a
10	車	軟	軟	9508	14a
10	車	軓	軓	9481	14a
10	車	曹	曹	9505	14a
10	車	軔	軔	9498	14a
10	車	軔	軔	9489	14a
10	車	軒	軒	9466	14a
10	辰	辱	辱	9747	14b
10	辵	适	适	1122	02b

10	辵	迒	諧	1125	02b
10	辵	逃	諧	1175	02b
10	辵	迥	調	1164	02b
10	辵	迾	諧	1188	02b
10	辵	迷	諧	1166	02b
10	辵	进	諧	1216	02b
10	辵	送	諧	1143	02b
10	辵	逆	諧	1123	02b
10	辵	逐	諧	1135	02b
10	辵	迹	諧	1092	02b
10	辵	追	諧	1176	02b
10	辵	造	諧	1116	02b
10	辵	逅	諧	1210	02b
10	邑	郊	釋	4060	06b
10	邑	郱	釋	4111	06b
10	邑	郜	釋	4105	06b
10	邑	郞	釋	4162	06b
10	邑	邦	釋	4146	06b
10	邑	郡	釋	3988	06b
10	邑	郤	釋	4038	06b
10	邑	郯	釋	4114	06b
10	邑	邸	釋	4022	06b
10	邑	野	野	4072	06b
10	邑	郭	釋	4135	06b
10	邑	郋	釋	3995	06b
10	邑	郫	釋	4163	06b
10	邑	郔	釋	4117	06b

10	邑	郤	釋	3997	06b
10	邑	郷	釋	4110	06b
10	邑	郢	釋	4074	06b
10	邑	部	釋	4127	06b
10	邑	邕	邕	7449	11b
10	邑	郗	釋	4028	06b
10	邑	郝	釋	4010	06b
10	酉	配	配	9783	14b
10	酉	酏	酏	9813	14b
10	酉	酛	酛	9784	14b
10	酉	酌	酌	9786	14b
10	酉	酒	酒	9758	14b
10	酉	酎	酎	9772	14b
10	金	釗	釗	2783	04b
10	金	釘	釘	9235	14a
10	門	閃	閃	7742	12a
10	門	两	两	7741	12a
10	阜	陼	陼	9633	14b
10	阜	陋	陋	9592	14b
10	阜	陝	陝	9627	14b
10	阜	陙	陙	9660	14b
10	阜	院	院	9658	14b
10	阜	除	除	9643	14b
10	阜	陵	陵	9590	14b
10	阜	陟	陟	9594	14b
10	阜	陥	陥	9589	14b
10	阜	陛	陛	9646	14b

총획수

10	阜	陝	陝	9593	14b
10	阜	陘	陘	9612	14b
10	隹	崔	崔	3311	05b
10	隹	隻	隻	2272	04a
10	馬	馬	馬	6106	10a
10	馬	騧	騧	6108	10a
10	骨	骨	骨	2559	04b
10	高	高	高	3303	05b
10	髟	髟	髟	5699	09a
10	鬥	鬥	鬥	1884	03b
10	鬯	鬯	鬯	3184	05b
10	鬲	鬲	鬲	1846	03b
10	鬼	鬼	鬼	5791	09a
11획					
11	乙	乾	乾	9694	14b
11	亠	㫃	㫃	6621	10b
11	人	假	假	5052	08a
11	人	御	御	5122	08a
11	人	健	健	4975	08a
11	人	偆	偆	5077	08a
11	人	偰	偰	5090	08a
11	人	偭	偭	5071	08a
11	人	偋	偋	5086	08a
11	人	偞	偞	4946	08a
11	人	偲	偲	4987	08a
11	人	偓	偓	5009	08a
11	人	偃	偃	5132	08a
11	人	偶	偶	5160	08a
11	人	偉	偉	4958	08a
11	人	倭	倭	4962	08a
11	人	停	停	5183	08a
11	人	偵	偵	5188	08a
11	人	偆	偆	5068	08a
11	人	側	側	5031	08a
11	人	偫	偫	5004	08a
11	人	俱	俱	5043	08a
11	人	偏	偏	5095	08a
11	人	偕	偕	5016	08a
11	人	僆	僆	4940	08a
11	人	候	候	5056	08a
11	儿	兜	兜	5443	08b
11	冂	㒼	㒼	4790	07b
11	冂	冕	冕	4784	07b
11	刀	剒	剒	2746	04b
11	刀	副	副	2754	04b
11	刀	剮	剮	2734	04b
11	刀	剪	剪	2743	04b
11	刀	劇	劇	2758	04b
11	力	勘	勘	9207	13b
11	力	動	動	9186	13b
11	力	勒	勒	1829	03b
11	力	務	務	9172	13b
11	力	勖	勖	9180	13b
11	勹	匐	匐	5774	09a

총획수

11	土	埱		9051	13b
11	土	埴		8989	13b
11	土	堊		9016	13b
11	土	場		9108	13b
11	土	埩		9057	13b
11	土	埻		9034	13b
11	土	執		6613	10b
11	土	堅		9054	13b
11	土	埵		9052	13b
11	夂	夏		3348	05b
11	大	奞		2309	04a
11	女	嬰		8192	12b
11	女	姻		8238	12b
11	女	娸		8081	12b
11	女	婪		8279	12b
11	女	婡		8223	12b
11	女	婁		8281	12b
11	女	娩		6265	10a
11	女	婦		8090	12b
11	女	婢		8120	12b
11	女	斐		8289	12b
11	女	婔		8302	12b
11	女	嬰		8256	12b
11	女	婬		8293	12b
11	女	婗		8098	12b
11	女	媒		8174	12b
11	女	婠		8158	12b
11	女	婉		8163	12b
11	女	娸		8234	12b
11	女	婬		8296	12b
11	女	婥		8301	12b
11	女	婧		8180	12b
11	女	嫻		8136	12b
11	女	婆		8177	12b
11	女	婕		8131	12b
11	女	綴		8254	12b
11	女	婆		8086	12b
11	女	婚		8209	12b
11	女	婷		8251	12b
11	女	嫉		8270	12b
11	女	婚		8087	12b
11	女	婎		8269	12b
11	宀	寇		2035	03b
11	宀	寄		4589	07b
11	宀	密		5844	09b
11	宀	宿		4581	07b
11	宀	寅		9744	14b
11	宀	寁		4586	07b
11	宀	寀		4607	07b
11	寸	將		1975	03b
11	寸	專		1977	03b
11	寸	尃		3877	06b
11	尸	扇		7518	11b
11	尸	屝		5392	08a

11	山	崑		5881	09b
11	山	崞		5832	09b
11	山	崛		5849	09b
11	山	崙		5882	09b
11	山	崩		5863	09b
11	山	崇		5870	09b
11	山	崖		5888	09b
11	山	崟		5841	09b
11	山	崴		5867	09b
11	山	崝		5860	09b
11	山	崒		5842	09b
11	山	崔		5871	09b
11	巛	巢		3876	06b
11	巛	巤		7446	11b
11	己	晜		9703	14b
11	巾	帶		4843	07b
11	巾	常		4847	07b
11	巾	帷		4857	07b
11	巾	帳		4858	07b
11	巾	帴		4849	07b
11	巾	幏		4890	07b
11	广	慶		5945	09b
11	广	屏		5912	09b
11	广	庫		5925	09b
11	广	庶		5927	09b
11	广	庸		2076	03b
11	广	廖		5917	09b
11	广	庳		5919	09b
11	广	雁		5931	09b
11	弓	強		8781	13a
11	弓	弳		8437	12b
11	弓	弸		8447	12b
11	弓	張		8445	12b
11	彐	彗		1919	03b
11	彡	廖		5690	09a
11	彡	彫		5688	09a
11	彡	彩		5692	09a
11	彡	彪		3108	05a
11	彳	徛		1254	02b
11	彳	得		1253	02b
11	彳	御		1257	02b
11	彳	從		5203	08a
11	彳	徙		1241	02b
11	心	惱		6892	10b
11	心	悸		6821	10b
11	心	惎		6817	10b
11	心	愋		6887	10b
11	心	悼		6907	10b
11	心	惇		6694	10b
11	心	惀		6730	10b
11	心	惏		6825	10b
11	心	悱		6934	10b
11	心	惜		6871	10b
11	心	悉		722	02a

11	心	念	念	6787	10b
11	心	惟	帷	6728	10b
11	心	悠	悠	6893	10b
11	心	恢	恢	6921	10b
11	心	情	情	6672	10b
11	心	悰	悰	6705	10b
11	心	悵	悵	6860	10b
11	心	悛	悛	6794	10b
11	心	悽	悽	6867	10b
11	心	惕	惕	6911	10b
11	心	悲	悲	6704	10b
11	心	惙	惙	6888	10b
11	心	恩	恩	6546	10b
11	心	惆	惆	6859	10b
11	心	悴	悴	6894	10b
11	心	悷	悷	6759	10b
11	心	悆	悆	6904	10b
11	心	惛	惛	6833	10b
11	心	患	患	6902	10b
11	戈	戛	戛	8338	12b
11	戈	戔	戔	8343	12b
11	戈	戚	戚	8359	12b
11	戈	戜	戜	8336	12b
11	戶	扈	扈	4007	06b
11	手	据	据	7897	12a
11	手	掐	掐	8058	12a
11	手	控	控	7848	12a

11	手	掘	掘	7993	12a
11	手	捲	捲	8006	12a
11	手	捡	捡	7825	12a
11	手	掎	掎	7969	12a
11	手	捻	捻	8059	12a
11	手	捘	捘	7965	12a
11	手	掊	掊	7987	12a
11	手	掉	掉	7910	12a
11	手	掠	掠	8057	12a
11	手	掄	掄	7858	12a
11	手	掕	掕	8004	12a
11	手	押	押	7832	12a
11	手	揞	揞	7883	12a
11	手	排	排	7810	12a
11	手	培	培	7853	12a
11	手	掤	掤	8045	12a
11	手	捨	捨	7845	12a
11	手	授	授	7873	12a
11	手	掆	掆	7805	12a
11	手	掖	掖	8053	12a
11	手	掩	掩	7994	12a
11	手	接	接	7878	12a
11	手	措	措	7856	12a
11	手	捽	捽	7867	12a
11	手	掇	掇	7949	12a
11	手	捷	捷	8048	12a
11	手	推	推	7808	12a

11	手	捶		8018	12a		11	无	既		3182	05b
11	手	撒		8043	12a		11	日	暴		4222	07a
11	手	探		7963	12a		11	日	晚		4201	07a
11	手	捭		8017	12a		11	日	晟		4245	07a
11	手	捉		8050	12a		11	日	晤		4179	07a
11	手	掀		7920	12a		11	日	晢		4177	07a
11	攴	啟		1988	03b		11	日	晝		1937	03b
11	攴	教		2064	03b		11	日	晙		4244	07a
11	攴	救		2022	03b		11	日	晛		4189	07a
11	攴	敏		1991	03b		11	日	晧		4193	07a
11	攴	敍		2057	03b		11	日	晦		4206	07a
11	攴	倏		2010	03b		11	日	晞		4230	07a
11	攴	敔		2051	03b		11	曰	曼		1903	03b
11	攴	敤		2504	04b		11	曰	曹		3033	05a
11	攴	敖		3848	06b		11	月	朗		4295	07a
11	攴	敕		2014	03b		11	月	望		8372	12b
11	攴	斂		2023	03b		11	月	朏		4304	07a
11	攴	敗		2033	03b		11	木	梆		3622	06a
11	攴	敦		2007	03b		11	木	梗		3526	06a
11	斗	斛		9443	14a		11	木	樫		3660	06a
11	斗	斜		9451	14a		11	木	械		3801	06a
11	斤	斷		9439	14a		11	木	梧		3804	06a
11	斤	斬		9560	14a		11	木	梱		3645	06a
11	方	旋		4279	07a		11	木	梧		3736	06a
11	方	旌		4265	07a		11	木	梾		3514	06a
11	方	族		4283	07a		11	木	桓		3081	05a
11	方	旎		4278	07a		11	木	根		3568	06a

11	木	梁		3768	06a
11	木	栢		3626	06a
11	木	枋		3482	06a
11	木	桰		3535	06a
11	木	柳		3497	06a
11	木	梅		3405	06a
11	木	梧		3687	06a
11	木	梵		3839	06a
11	木	桴		3607	06a
11	木	棻		3492	06a
11	木	梭		3483	06a
11	木	梳		3666	06a
11	木	棟		3640	06a
11	木	椌		3402	06a
11	木	梧		3520	06a
11	木	梡		3793	06a
11	木	椶		3455	06a
11	木	梓		3446	06a
11	木	梲		3728	06a
11	木	梃		3563	06a
11	木	桯		3659	06a
11	木	梯		3717	06a
11	木	條		3556	06a
11	木	棻		3411	06a
11	木	梴		3582	06a
11	木	梢		3480	06a
11	木	梔		3817	06a

11	木	桼		3878	06b
11	木	椳		3413	06a
11	木	梣		3430	06a
11	木	桶		3743	06a
11	木	椎		3757	06a
11	木	椴		3678	06a
11	木	梜		3778	06a
11	木	梟		3815	06a
11	欠	欷		5544	08b
11	欠	欨		5541	08b
11	欠	欸		5529	08b
11	欠	欲		5514	08b
11	欠	欹		5533	08b
11	殳	毀		1954	03b
11	殳	殺		1968	03b
11	殳	殹		1960	03b
11	毛	毬		5372	08a
11	水	淦		7252	11a
11	水	湑		7082	11a
11	水	淫		7157	11a
11	水	淉		7086	11a
11	水	湏		7329	11a
11	水	淈		7171	11a
11	水	淇		6991	11a
11	水	淖		7194	11a
11	水	淡		7354	11a
11	水	湝		7330	11a

11	水	涷		6952	11a
11	水	淶		7071	11a
11	水	涼		7353	11a
11	水	淪		7141	11a
11	水	淩		7032	11a
11	水	淋		7380	11a
11	水	涪		6953	11a
11	水	淠		7021	11a
11	水	淜		7243	11a
11	水	涂		7078	11a
11	水	淅		7333	11a
11	水	淑		7162	11a
11	水	淳		7379	11a
11	水	淬		7372	11a
11	水	深		7007	11a
11	水	淰		7346	11a
11	水	涯		7434	11a
11	水	液		7357	11a
11	水	淤		7344	11a
11	水	淹		6967	11a
11	水	減		7118	11a
11	水	淵		7174	11a
11	水	淏		7239	11a
11	水	渀		7089	11a
11	水	淯		6982	11a
11	水	淫		7186	11a
11	水	淨		7036	11a

11	水	渟		7102	11a
11	水	淙		7150	11a
11	水	渚		7240	11a
11	水	淒		7264	11a
11	水	淺		7191	11a
11	水	淶		7081	11a
11	水	清		7165	11a
11	水	渣		7080	11a
11	水	涿		7274	11a
11	水	淲		7117	11a
11	水	涸		7303	11a
11	水	洎		7283	11a
11	水	混		7106	11a
11	水	淊		7199	11a
11	水	淮		7017	11a
11	火	焆		6457	10a
11	火	焙		6487	10a
11	火	烽		6398	10a
11	火	焉		6102	09b
11	火	焉		2480	04a
11	火	炮		6459	10a
11	火	焌		6387	10a
11	火	羨		6413	10a
11	火	烴		6384	10a
11	爻	爽		2083	03b
11	牛	牽		754	02a
11	牛	牼		766	02a

11	牛	牿		755	02a
11	牛	㸬		740	02a
11	牛	㸪		742	02a
11	牛	牻		737	02a
11	犬	猛		6311	10a
11	犬	猜		6310	10a
11	犬	猚		2278	04a
11	犬	猗		6281	10a
11	犬	獎		6303	10a
11	犬	猲		6319	10a
11	犬	猝		6285	10a
11	犬	獀		6294	10a
11	犬	猈		6280	10a
11	玄	兹		2499	04b
11	玄	率		8740	13a
11	玉	豐		8402	12b
11	玉	球		104	01a
11	玉	琅		198	01a
11	玉	珋		202	01a
11	玉	理		147	01a
11	玉	琄		175	01a
11	玉	珇		163	01a
11	玉	斑		119	01a
11	玉	玲		203	01a
11	瓜	㼬		4526	07b
11	瓜	瓠		4532	07b
11	瓦	瓷		8434	12b

11	甘	甜		3023	05a
11	生	產		3860	06b
11	用	葡		2077	03b
11	田	略		9145	13b
11	田	畤		9144	13b
11	田	畢		2482	04b
11	田	畦		9137	13b
11	疋	疏		9740	14a
11	疒	痒		4697	07b
11	疒	痟		4739	07b
11	疒	痍		4743	07b
11	疒	痏		4747	07b
11	疒	痔		4730	07b
11	疒	疹		4764	07b
11	疒	痠		4728	07b
11	疒	痕		4745	07b
11	白	皎		4908	07b
11	皿	盇		3127	05a
11	目	眷		2163	04a
11	目	眮		2115	04a
11	目	眳		2187	04a
11	目	眽		2139	04a
11	目	睟		2205	04a
11	目	眯		2178	04a
11	目	眼		2089	04a
11	目	眺		2179	04a
11	目	眾		5213	08a

11	目	联	瞬	2204	04a
11	目	眵	眵	2172	04a
11	目	眭	眭	2203	04a
11	石	碧	碧	5990	09b
11	石	硙	硙	5999	09b
11	示	祪	祪	34	01a
11	示	祥	祥	18	01a
11	示	祭	祭	30	01a
11	示	祧	祧	74	01a
11	示	袷	袷	44	01a
11	示	祜	祜	57	01a
11	禸	离	离	9685	14b
11	禾	梨	梨	4416	07a
11	禾	案	案	4396	07a
11	禾	移	移	4383	07a
11	禾	秸	秸	4405	07a
11	穴	窒	窒	4618	07b
11	穴	窅	窅	4653	07b
11	穴	窊	窊	4654	07b
11	穴	窕	窕	4649	07b
11	穴	窒	窒	4644	07b
11	立	竟	竟	1736	03a
11	立	章	章	1735	03a
11	竹	笏	笏	2730	04b
11	竹	筍	筍	1452	03a
11	竹	筊	筊	2936	05a
11	竹	笪	笪	2967	05a

11	竹	笒	笒	2957	05a
11	竹	笠	笠	2954	05a
11	竹	筐	筐	2868	05a
11	竹	笵	笵	2885	05a
11	竹	符	符	2887	05a
11	竹	笨	笨	2869	05a
11	竹	笱	笱	2911	05a
11	竹	笙	笙	2974	05a
11	竹	第	第	2898	05a
11	竹	笛	笛	2983	05a
11	竹	笞	笞	2966	05a
11	竹	筌	筌	2895	05a
11	竹	答	答	2968	05a
11	米	粗	粗	4493	07a
11	米	粒	粒	4465	07a
11	米	粔	粔	4471	07a
11	米	粕	粕	4492	07a
11	米	粜	粜	4463	07a
11	米	粗	粗	4462	07a
11	糸	紺	紺	8584	13a
11	糸	絅	絅	8539	13a
11	糸	絇	絇	8654	13a
11	糸	絜	絜	8688	13a
11	糸	絆	絆	8669	13a
11	糸	紺	紺	8695	13a
11	糸	紳	紳	8715	13a
11	糸	絁	絁	8674	13a

11	糸	細	8517	13a		11	羽	翎	2268	04a	
11	糸	紹	8508	13a		11	羽	翏	2252	04a	
11	糸	紳	8602	13a		11	羽	翭	2263	04a	
11	糸	絑	8599	13a		11	羽	習	2231	04a	
11	糸	絨	8624	13a		11	羽	翊	2255	04a	
11	糸	紫	8581	13a		11	耳	聆	7766	12a	
11	糸	紙	8484	13a		11	耳	聊	7762	12a	
11	糸	絎	8701	13a		11	耳	聇	7777	12a	
11	糸	絓	8662	13a		11	耳	聑	7756	12a	
11	糸	組	8605	13a		11	耳	聯	7779	12a	
11	糸	終	8546	13a		11	肉	脛	2628	04b	
11	糸	紬	8559	13a		11	肉	脉	2643	04b	
11	糸	紾	8530	13a		11	肉	腔	2593	04b	
11	糸	紩	8638	13a		11	肉	胕	2610	04b	
11	糸	絀	8574	13a		11	肉	脢	2613	04b	
11	糸	組	8640	13a		11	肉	脩	2675	04b	
11	糸	給	8501	13a		11	肉	屑	2592	04b	
11	糸	綏	8622	13a		11	肉	脘	2679	04b	
11	糸	紭	8635	13a		11	肉	脂	5666	09a	
11	缶	鉼	3278	05b		11	肉	脰	2728	04b	
11	缶	鉆	3285	05b		11	肉	㿝	2712	04b	
11	网	罘	4797	07b		11	肉	朘	2725	04b	
11	羊	羞	9743	14b		11	肉	脫	2642	04b	
11	羊	羋	2345	04a		11	肉	胕	2601	04b	
11	羊	羚	2326	04a		11	肉	脯	2674	04b	
11	羊	羝	2330	04a		11	肉	脝	2654	04b	
11	羽	翎	2246	04a		11	臼	舂	4500	07a	

11	舟	舸	舸	5424	08b		11	艸	芍	芍	517	01b
11	舟	船	船	5414	08b		11	艸	猇	猇	522	01b
11	舟	舳	舳	5416	08b		11	艸	慈	慈	306	01b
11	色	艴	艴	5764	09a		11	艸	莋	莋	689	01b
11	艸	菖	菖	271	01b		11	艸	莊	莊	241	01b
11	艸	莖	莖	494	01b		11	艸	莛	莛	495	01b
11	艸	蔽	蔽	376	01b		11	艸	莜	莜	603	01b
11	艸	菩	菩	338	01b		11	艸	堊	堊	615	01b
11	艸	莨	莨	475	01b		11	艸	敊	敊	569	01b
11	艸	茶	茶	668	01b		11	艸	芳	芳	613	01b
11	艸	菫	菫	309	01b		11	艸	菜	菜	488	01b
11	艸	莫	莫	701	01b		11	艸	莆	莆	245	01b
11	艸	艸	艸	700	01b		11	艸	毗	毗	319	01b
11	艸	菌	菌	453	01b		11	艸	荷	荷	433	01b
11	艸	莩	莩	356	01b		11	艸	莟	莟	462	01b
11	艸	莎	莎	638	01b		11	艸	莧	莧	269	01b
11	艸	菁	菁	533	01b		11	艸	蕎	蕎	362	01b
11	艸	茜	茜	9806	14b		11	虍	處	處	3095	05a
11	艸	萁	萁	605	01b		11	虍	虓	虓	3110	05a
11	艸	菌	菌	625	01b		11	虍	盧	盧	3097	05a
11	艸	莪	莪	439	01b		11	虍	虖	虖	3098	05a
11	艸	莿	莿	426	01b		11	虫	蛄	蛄	8789	13a
11	艸	莃	莃	372	01b		11	虫	蚼	蚼	8883	13a
11	艸	菩	菩	655	01b		11	虫	蚰	蚰	8769	13a
11	艸	莞	莞	329	01b		11	虫	蛉	蛉	8831	13a
11	艸	猫	猫	250	01b		11	虫	蛄	蛄	8805	13a
11	艸	莠	莠	252	01b		11	虫	蛁	蛁	8750	13a
							11	虫	蚯	蚯	8793	13a

11	行	術	術	1266	02b
11	衣	袷	袷	5296	08a
11	衣	祜	祜	5324	08a
11	衣	袈	袈	5314	08a
11	衣	袤	袤	5252	08a
11	衣	袾	袾	5305	08a
11	衣	祐	祐	5267	08a
11	衣	裏	裏	5265	08a
11	襾	要	要	4829	07b
11	見	規	規	6642	10b
11	見	現	現	5489	08b
11	角	舩	舩	2830	04b
11	角	觕	觕	2826	04b
11	言	訣	訣	1726	03a
11	言	訥	訥	1580	03a
11	言	訪	訪	1505	03a
11	言	設	設	1558	03a
11	言	訟	訟	1674	03a
11	言	訝	訝	1575	03a
11	言	脅	脅	1539	03a
11	言	訛	訛	1520	03a
11	言	訧	訧	1704	03a
11	言	訬	訬	1662	03a
11	言	許	許	1480	03a
11	言	訢	訢	1541	03a
11	谷	頷	頷	1881	03b
11	谷	峪	峪	7467	11b

11	豕	豚	豚	6079	09b
11	豕	彖	彖	6076	09b
11	豕	毅	毅	6056	09b
11	豕	豝	豝	6052	09b
11	貝	貫	貫	4322	07a
11	貝	貧	貧	3967	06b
11	貝	責	責	3958	06b
11	貝	貪	貪	3965	06b
11	貝	販	販	3961	06b
11	貝	貨	貨	3922	06b
11	赤	赦	赦	2025	03b
11	走	趀	趀	1025	02a
11	走	趄	趄	1014	02a
11	走	趑	趑	1030	02a
11	走	越	越	985	02a
11	足	跱	跱	1406	02b
11	足	跌	跌	1405	02b
11	足	跂	跂	1409	02b
11	足	趽	趽	1404	02b
11	足	跋	跋	1376	02b
11	足	趾	趾	1364	02b
11	足	跀	跀	1403	02b
11	車	軒	軒	9558	14a
11	車	較	較	9484	14a
11	車	軝	軝	9503	14a
11	車	軏	軏	9518	14a
11	車	軛	軛	9475	14a

11	車	軯		9485	14a	11	邑	郳		4134	06b
11	車	軴		9513	14a	11	邑	郵		3996	06b
11	辵	述		1168	02b	11	邑	鄁		4061	06b
11	辵	逗		1152	02b	11	邑	耶		4116	06b
11	辵	連		1167	02b	11	邑	郴		4094	06b
11	辵	逞		1195	02b	11	酉	酖		9782	14b
11	辵	逢		1129	02b	11	酉	酌		9789	14b
11	辵	逝		1104	02b	11	酉	酕		9795	14b
11	辵	逍		1220	02b	11	里	野		9124	13b
11	辵	速		1120	02b	11	金	釭		9370	14a
11	辵	逑		1198	02b	11	金	釦		9280	14a
11	辵	造		1113	02b	11	金	釣		9380	14a
11	辵	逎		1178	02b	11	金	釵		9415	14a
11	辵	逡		1160	02b	11	金	釧		9414	14a
11	辵	逐		1177	02b	11	金	釱		9316	14a
11	辵	通		1133	02b	11	金	釬		9366	14a
11	辵	透		1217	02b	11	金	釳		9372	14a
11	辵	退		1169	02b	11	門	閉		7730	12a
11	辵	逋		1172	02b	11	門	閈		7700	12a
11	邑	郭		4133	06b	11	阜	隫		9629	14b
11	邑	郫		4019	06b	11	阜	陭		9630	14b
11	邑	鄭		4126	06b	11	阜	陶		9640	14b
11	邑	邢		4149	06b	11	阜	陸		9576	14b
11	邑	部		4021	06b	11	阜	隃		9659	14b
11	邑	郵		4083	06b	11	阜	陵		9571	14b
11	邑	都		4155	06b	11	阜	陪		9650	14b
11	邑	郼		4118	06b	11	阜	陚		9634	14b

11	阜	陴	髀	9653	14b
11	阜	陲	鲢	9656	14b
11	阜	陰	陰	9574	14b
11	阜	陵	陵	9661	14b
11	阜	陧	陧	9641	14b
11	阜	陳	陳	9639	14b
11	阜	陬	陬	9580	14b
11	阜	陮	陮	9585	14b
11	阜	陷	陷	9595	14b
11	隹	雕	雕	2303	04a
11	隹	雀	雀	2277	04a
11	隹	雄	雄	2301	04a
11	雨	雩	雩	7530	11b
11	青	彰	彰	5689	09a
11	非	棐	棐	7657	11b
11	革	靪	靪	1801	03b
11	頁	頃	頃	5197	08a
11	頁	頂	頂	5580	09a
11	食	飢	飢	3244	05b
11	食	飫	飫	3207	05b
11	食	餈	餈	3210	05b
11	首	馗	馗	9682	14b
11	魚	魚	魚	7540	11b
11	鳥	鳥	鳥	2359	04a
11	鹵	鹵	鹵	7676	12a
11	鹿	鹿	鹿	6230	10a
11	麥	麥	麥	3333	05b

11	麻	麻	麻	4512	07b
12획					
12	人	傑	傑	4939	08a
12	人	傔	傔	5174	08a
12	人	傀	傀	4957	08a
12	人	傍	傍	5061	08a
12	人	傅	傅	5020	08a
12	人	備	備	5006	08a
12	人	傞	傞	5123	08a
12	人	偏	偏	4991	08a
12	人	傜	傜	5110	08a
12	人	俗	俗	4953	08a
12	人	傆	傆	5050	08a
12	人	傱	傱	5126	08a
12	儿	兟	兟	5445	08b
12	一	䡄	䡄	4778	07b
12	冫	凓	凓	7485	11b
12	冫	勝	勝	7475	11b
12	冫	滄	滄	7480	11b
12	刀	剈	剈	2737	04b
12	刀	剝	剝	2788	04b
12	刀	割	割	2766	04b
12	力	勞	勞	9189	13b
12	力	勝	勝	9182	13b
12	匚	匭	匭	8390	12b
12	十	博	博	1464	03a
12	卩	卿	卿	5767	09a

획수	부수	글자	번호	위치
12	厂	厫	5954	09b
12	厂	厤	5957	09b
12	又	叡	1915	03b
12	口	喝	927	02a
12	口	喈	946	02a
12	口	喬	6589	10b
12	口	喫	964	02a
12	口	單	974	02a
12	口	喪	977	02a
12	口	啻	874	02a
12	口	喔	948	02a
12	口	喑	798	02a
12	口	童	1490	03a
12	口	品	1421	02b
12	口	品	5853	09b
12	口	喎	956	02a
12	口	喱	790	02a
12	口	喟	829	02a
12	口	禍	5975	09b
12	口	喐	865	02a
12	口	㗊	975	02a
12	口	晶	1431	03a
12	口	喘	824	02a
12	口	啾	793	02a
12	口	㕚	1446	03a
12	口	喚	965	02a
12	口	喤	794	02a
12	口	喉	785	02a
12	口	喙	782	02a
12	口	喜	3059	05a
12	口	圍	3912	06b
12	土	堪	9007	13b
12	土	堵	9002	13b
12	土	塙	8994	13b
12	土	報	6616	10b
12	土	塌	9005	13b
12	土	埶	1877	03b
12	土	堯	9119	13b
12	土	堨	8979	13b
12	土	場	9100	13b
12	土	堤	9027	13b
12	土	埈	8995	13b
12	土	堲	9059	13b
12	土	堇	8991	13b
12	土	堷	227	01a
12	土	壹	6608	10b
12	土	壹	6609	10b
12	土	壺	6607	10b
12	大	奢	6618	10b
12	大	奧	4542	07b
12	大	奡	6630	10b
12	大	奠	3011	05a
12	大	夏	2087	04a
12	女	媼	8303	12b

총획수

12	女	嬊		8292	12b
12	女	媸		8195	12b
12	女	媒		8083	12b
12	女	媚		8233	12b
12	女	媌		8156	12b
12	女	婺		8189	12b
12	女	媚		8143	12b
12	女	媄		8145	12b
12	女	婟		8273	12b
12	女	媟		8226	12b
12	女	婚		8249	12b
12	女	嫂		8111	12b
12	女	媱		8200	12b
12	女	媶		8250	12b
12	女	嬈		8201	12b
12	女	媧		8124	12b
12	女	媛		8221	12b
12	女	媚		8110	12b
12	女	媁		8268	12b
12	女	媮		8243	12b
12	女	嬰		8191	12b
12	女	嫥		8123	12b
12	女	媞		8188	12b
12	女	斂		8287	12b
12	女	媥		8271	12b
12	子	孳		9727	14b
12	子	孱		9736	14b

12	宀	盦		4554	07b
12	宀	寐		4665	07b
12	宀	寎		4670	07b
12	宀	富		4565	07b
12	宀	寔		4556	07b
12	宀	寏		4559	07b
12	宀	寓		4590	07b
12	宀	寝		4582	07b
12	宀	寒		4593	07b
12	宀	寃		4547	07b
12	寸	尌		3063	05a
12	小	尞		6388	10a
12	尢	就		3315	05b
12	尸	屠		5394	08a
12	尸	屟		5395	08a
12	尸	屆		5387	08a
12	屮	鞝		6625	10b
12	山	嵌		5876	09b
12	山	嵐		5879	09b
12	山	嵍		5865	09b
12	山	嶋		5833	09b
12	山	崏		5825	09b
12	山	巍		5868	09b
12	山	嵇		5883	09b
12	工	珡		3018	05a
12	己	巽		3010	05a
12	巾	幃		4850	07b

12	心	惴	6884	10b
12	心	惻	6870	10b
12	心	愊	6698	10b
12	心	慈	6780	10b
12	心	惠	2495	04b
12	心	惑	6829	10b
12	心	惶	6914	10b
12	心	慄	6850	10b
12	戶	扉	7683	12a
12	手	揭	7921	12a
12	手	擎	7915	12a
12	手	揆	7935	12a
12	手	抯	7951	12a
12	手	探	8016	12a
12	手	插	7857	12a
12	手	揟	7996	12a
12	手	揲	7821	12a
12	手	揆	8051	12a
12	手	揗	7849	12a
12	手	握	7835	12a
12	手	搹	7958	12a
12	手	揚	7918	12a
12	手	揙	7872	12a
12	手	掾	7850	12a
12	手	援	7954	12a
12	手	揄	7930	12a
12	手	揖	7800	12a
12	手	掌	7790	12a
12	手	揣	7863	12a
12	手	提	7841	12a
12	手	抑	7866	12a
12	手	揟	7914	12a
12	手	揣	7884	12a
12	手	撠	7999	12a
12	手	揙	8035	12a
12	手	搣	7967	12a
12	手	換	8052	12a
12	手	揮	7970	12a
12	支	攲	1928	03b
12	支	敗	2052	03b
12	支	㪢	2038	03b
12	支	敦	2031	03b
12	支	敠	2058	03b
12	支	椒	4511	07b
12	支	㪻	2059	03b
12	支	敤	2029	03b
12	支	敊	2001	03b
12	支	敞	2009	03b
12	支	致	2046	03b
12	支	敝	4919	07b
12	文	斐	5696	09a
12	斗	斞	9444	14a
12	斗	斠	9457	14a
12	斤	斯	9436	14a

획수	부수	한자	번호	쪽
12	斤	斬	9437	14a
12	方	旒	4262	07a
12	无	殑	5571	08b
12	日	景	4192	07a
12	日	啓	4186	07a
12	日	晷	4199	07a
12	日	普	4237	07a
12	日	晬	4248	07a
12	日	晻	4204	07a
12	日	暘	4187	07a
12	日	睅	4219	07a
12	日	晶	4286	07a
12	曰	曾	710	02a
12	曰	暜	3031	05a
12	曰	最	4787	07b
12	月	期	4298	07a
12	木	棊	3558	06a
12	木	椌	3748	06a
12	木	椐	3458	06a
12	木	棨	3754	06a
12	木	楀	3426	06a
12	木	梱	3764	06a
12	木	暴	3704	06a
12	木	棹	3813	06a
12	木	棺	3810	06a
12	木	棘	4338	07a
12	木	棄	2484	04b
12	木	棊	3737	06a
12	木	棠	3415	06a
12	木	棟	3608	06a
12	木	椋	3435	06a
12	木	棆	3422	06a
12	木	棱	3784	06a
12	木	棃	3401	06a
12	木	梣	3834	06a
12	木	椕	2080	03b
12	木	棓	3725	06a
12	木	棽	3837	06a
12	木	棚	3713	06a
12	木	椑	3696	06a
12	木	棐	3816	06a
12	木	森	3838	06a
12	木	椉	3395	05b
12	木	植	3632	06a
12	木	棫	3456	06a
12	木	棪	3433	06a
12	木	椅	3445	06a
12	木	棧	3714	06a
12	木	椏	3431	06a
12	木	椄	3738	06a
12	木	棖	3718	06a
12	木	棗	4337	07a
12	木	椆	3427	06a
12	木	棣	3501	06a

총획수

12	木	檠		1084	02a		12	水	渠		7226	11a
12	木	椎		3726	06a		12	水	溪		7214	11a
12	木	椒		3792	06a		12	水	渼		7325	11a
12	木	椓		3781	06a		12	水	湳		7073	11a
12	木	椙		3580	06a		12	水	漆		7276	11a
12	欠	歈		5546	08b		12	水	湍		7149	11a
12	欠	款		5512	08b		12	水	湛		7257	11a
12	欠	歇		5554	08b		12	水	渡		7246	11a
12	欠	欺		5560	08b		12	水	渾		7394	11a
12	欠	欹		5504	08b		12	水	湅		7400	11a
12	欠	欻		2555	04b		12	水	湆		7156	11a
12	欠	欿		5523	08b		12	水	湎		7351	11a
12	欠	欽		5498	08b		12	水	淼		7429	11a
12	止	歃		1070	02a		12	水	湄		7228	11a
12	止	歂		1065	02a		12	水	湁		7366	11a
12	歹	殗		2551	04b		12	水	湘		7004	11a
12	歹	殖		2549	04b		12	水	湑		7350	11a
12	歹	殘		2521	04b		12	水	溧		7381	11a
12	歹	殑		2534	04b		12	水	淯		7193	11a
12	歹	殘		2541	04b		12	水	浚		7335	11a
12	歹	殕		2525	04b		12	水	湜		7166	11a
12	殳	殷		1965	03b		12	水	渥		7291	11a
12	殳	殼		1963	03b		12	水	湒		7265	11a
12	毛	毳		5374	08a		12	水	渨		7261	11a
12	水	渴		7306	11a		12	水	渦		7055	11a
12	水	減		7403	11a		12	水	湲		7423	11a
12	水	湝		7115	11a		12	水	渭		6971	11a

12	水	湋	7147	11a
12	水	游	4277	07a
12	水	湆	7309	11a
12	水	湮	7258	11a
12	水	滋	7198	11a
12	水	渚	7057	11a
12	水	湔	6959	11a
12	水	湞	7011	11a
12	水	湊	7256	11a
12	水	湒	7270	11a
12	水	湫	7313	11a
12	水	測	7148	11a
12	水	湦	7075	11a
12	水	湯	7324	11a
12	水	渝	7402	11a
12	水	港	7426	11a
12	水	湖	7221	11a
12	水	渾	7160	11a
12	水	渙	7112	11a
12	水	湟	6976	11a
12	火	敦	6414	10a
12	火	焞	6461	10a
12	火	閔	6403	10a
12	火	無	8373	12b
12	火	焠	6447	10a
12	火	然	6389	10a
12	火	焱	6547	10b

12	火	尉	6438	10a
12	火	焯	6463	10a
12	火	焜	6472	10a
12	爪	舀	2508	04b
12	爪	爲	1874	03b
12	爿	牋	7352	11a
12	牙	犄	1323	02b
12	牛	犅	729	02a
12	牛	犖	765	02a
12	牛	犒	738	02a
12	牛	犇	761	02a
12	牛	犀	768	02a
12	牛	犉	745	02a
12	犬	猲	6276	10a
12	犬	猩	6286	10a
12	犬	猰	6355	10a
12	犬	猎	6283	10a
12	犬	猒	3025	05a
12	犬	猥	6289	10a
12	犬	猶	6341	10a
12	犬	猍	6320	10a
12	犬	猴	6293	10a
12	犬	猵	6350	10a
12	犬	猋	6351	10a
12	犬	猴	6343	10a
12	犬	猸	6353	10a
12	玉	琚	160	01a

12	玉	琨		186	01a
12	玉	琴		8364	12b
12	玉	琳		105	01a
12	玉	琲		212	01a
12	玉	瑃		127	01a
12	玉	琵		8366	12b
12	玉	琡		218	01a
12	玉	琰		115	01a
12	玉	琬		113	01a
12	玉	瑅		177	01a
12	玉	瑑		209	01a
12	玉	玪		153	01a
12	玉	琠		85	01a
12	玉	琱		146	01a
12	玉	琮		110	01a
12	玉	瑁		117	01a
12	玉	琛		210	01a
12	玉	琢		145	01a
12	玉	琶		8367	12b
12	玉	琥		111	01a
12	瓦	瓶		8435	12b
12	生	甥		9164	13b
12	生	甦		3862	06b
12	用	甯		2078	03b
12	田	留		9150	13b
12	田	畮		9134	13b
12	田	番		720	02a
12	田	畬		9130	13b
12	田	異		1770	03a
12	田	畯		9147	13b
12	田	畫		1936	03b
12	疋	疏		1418	02b
12	疒	痙		4746	07b
12	疒	痛		4679	07b
12	疒	痞		4753	07b
12	疒	痟		4694	07b
12	疒	痒		4692	07b
12	疒	痟		4685	07b
12	疒	痤		4716	07b
12	疒	痲		4765	07b
12	疒	痛		4675	07b
12	疒	痰		4752	07b
12	癶	登		1078	02a
12	癶	發		8461	12b
12	白	皕		2229	04a
12	皮	皺		1984	03b
12	皿	盜		5568	08b
12	皿	盈		4307	07a
12	皿	盛		3125	05a
12	目	睛		2158	04a
12	目	眥		2208	04a
12	目	眼		2175	04a
12	目	睕		2119	04a
12	目	映		2093	04a

12	目	睇	睇	2195	04a
12	目	睚	睚	2193	04a
12	目	瞀	瞀	2182	04a
12	目	睨	睨	2108	04a
12	目	睅	睅	2099	04a
12	目	睎	睎	2165	04a
12	矛	稂	稂	9460	14a
12	矛	喬	喬	1448	03a
12	矢	短	短	3298	05b
12	石	硪	硪	5996	09b
12	石	硠	硠	5997	09b
12	石	硪	硪	6008	09b
12	石	硯	硯	6024	09b
12	石	硲	硲	6012	09b
12	石	确	确	6006	09b
12	示	祴	祴	61	01a
12	示	祜	祜	38	01a
12	示	祳	祳	60	01a
12	示	祿	祿	66	01a
12	内	禽	禽	9689	14b
12	禾	稈	稈	4412	07a
12	禾	稍	稍	4415	07a
12	禾	秋	秋	3872	06b
12	禾	稌	稌	4375	07a
12	禾	稃	稃	4407	07a
12	禾	税	税	4425	07a
12	禾	程	程	4434	07a

12	禾	稍	稍	4429	07a
12	禾	稀	稀	4365	07a
12	穴	窒	窒	4631	07b
12	穴	窖	窖	4636	07b
12	穴	窘	窘	4648	07b
12	穴	窤	窤	4623	07b
12	立	童	童	1739	03a
12	立	竢	竢	6652	10b
12	立	竦	竦	6649	10b
12	立	竣	竣	6658	10b
12	竹	筆	筆	2922	05a
12	竹	筋	筋	2729	04b
12	竹	筐	筐	2890	05a
12	竹	等	等	2884	05a
12	竹	答	答	2921	05a
12	竹	筍	筍	2861	05a
12	竹	策	策	2959	05a
12	竹	筞	筞	2965	05a
12	竹	筑	筑	2984	05a
12	竹	筴	筴	2961	05a
12	竹	筒	筒	2978	05a
12	竹	筆	筆	1933	03b
12	竹	筌	筌	2940	05a
12	米	粜	粜	4476	07a
12	米	粦	粦	6507	10a
12	糸	絳	絳	8575	13a
12	糸	絹	絹	8679	13a

12	糸	結	結	8533	13a		12	缶	餅	3276	05b
12	糸	綺	綺	8618	13a		12	缶	缻	3290	05b
12	糸	絓	絓	8485	13a		12	网	罯	4814	07b
12	糸	絞	絞	6594	10b		12	羊	羛	7458	11b
12	糸	縈	縈	8656	13a		12	羊	羢	2336	04a
12	糸	給	給	8542	13a		12	羊	羻	2329	04a
12	糸	絡	絡	8684	13a		12	羽	翔	2259	04a
12	糸	累	累	9669	14b		12	羽	羿	2247	04a
12	糸	緋	緋	8567	13a		12	羽	翁	2249	04a
12	糸	絣	絣	8716	13a		12	耒	耤	2812	04b
12	糸	紱	紱	8661	13a		12	耳	聒	7768	12a
12	糸	絲	絲	8737	13a		12	耳	聑	7784	12a
12	糸	絮	絮	8683	13a		12	聿	肅	1931	03b
12	糸	結	結	8642	13a		12	肉	腔	2726	04b
12	糸	絨	絨	8490	13a		12	肉	脂	2683	04b
12	糸	経	経	8700	13a		12	肉	脊	2724	04b
12	糸	絶	絶	8504	13a		12	肉	腡	2677	04b
12	糸	縦	縦	8550	13a		12	肉	腊	2688	04b
12	糸	絑	絑	8572	13a		12	肉	脾	2597	04b
12	糸	経	経	8706	13a		12	肉	腓	2630	04b
12	糸	絮	絮	8692	13a		12	肉	雁	2623	04b
12	糸	統	統	8497	13a		12	肉	腫	2648	04b
12	糸	紙	紙	8540	13a		12	肉	喬	2646	04b
12	糸	絢	絢	8564	13a		12	肉	腎	2595	04b
12	糸	絜	絜	8711	13a		12	肉	腌	2706	04b
12	糸	組	組	8612	13a		12	肉	戴	2703	04b
12	糸	縱	縱	8482	13a		12	肉	腆	2664	04b

획수	부수	한자	전서	번호	위치
12	肉	腆		2687	04b
12	肉	腏		2711	04b
12	肉	胎		2713	04b
12	臣	臦		1946	03b
12	自	臮		5215	08a
12	至	銍		7673	12a
12	臼	舂		4501	07a
12	臼	舃		2479	04a
12	舌	舒		2501	04b
12	舛	舜		3365	05b
12	艸	葭		438	01b
12	艸	菌		345	01b
12	艸	蒩		589	01b
12	艸	菅		327	01b
12	艸	菊		273	01b
12	艸	營		284	01b
12	艸	葬		1455	03a
12	艸	菌		478	01b
12	艸	莛		267	01b
12	艸	葐		407	01b
12	艸	萁		248	01b
12	艸	萊		647	01b
12	艸	菉		651	01b
12	艸	菻		441	01b
12	艸	菿		422	01b
12	艸	萄		659	01b
12	艸	菿		684	01b
12	艸	萁		317	01b
12	艸	葸		387	01b
12	艸	莽		702	01b
12	艸	萌		492	01b
12	艸	菋		456	01b
12	艸	菩		324	01b
12	艸	葴		278	01b
12	艸	羡		1745	03a
12	艸	華		506	01b
12	艸	葩		253	01b
12	艸	萆		604	01b
12	艸	菲		641	01b
12	艸	蓮		244	01b
12	艸	菸		555	01b
12	艸	菀		452	01b
12	艸	萎		616	01b
12	艸	菌		653	01b
12	艸	莉		401	01b
12	艸	莨		307	01b
12	艸	菹		591	01b
12	艸	葳		528	01b
12	艸	菱		463	01b
12	艸	萍		595	01b
12	艸	菜		559	01b
12	艸	萋		505	01b
12	艸	菁		276	01b
12	艸	落		654	01b

12	艸	萑		336	01b
12	艸	菣		680	01b
12	艸	萲		682	01b
12	艸	萃		541	01b
12	艸	菑		565	01b
12	艸	落		490	01b
12	艸	萍		7409	11a
12	艸	菏		7039	11a
12	艸	荚		512	01b
12	艸	荆		489	01b
12	艸	華		3868	06b
12	艸	萑		2312	04a
12	艸	萈		6268	10a
12	虍	虜		4323	07a
12	虍	虓		3104	05a
12	虍	虦		3112	05a
12	虍	虛		5210	08a
12	虫	蚰		8901	13b
12	虫	蛩		8884	13a
12	虫	蛟		8851	13a
12	虫	蜿		8875	13a
12	虫	晝		8775	13a
12	虫	蛞		8768	13a
12	虫	蜊		8829	13a
12	虫	蜽		8878	13a
12	虫	蛢		8801	13a
12	虫	蛼		8877	13a
12	虫	蜌		8849	13a
12	虫	蚕		8774	13a
12	虫	蛭		8766	13a
12	虫	蠢		8846	13a
12	虫	盦		8857	13a
12	虫	蛸		8754	13a
12	血	衁		7460	11b
12	行	街		1267	02b
12	行	衕		1270	02b
12	衣	裂		5313	08a
12	衣	補		5316	08a
12	衣	裞		5342	08a
12	衣	裋		5330	08a
12	衣	裕		5310	08a
12	衣	裁		5231	08a
12	衣	裎		5320	08a
12	衣	袲		5285	08a
12	襾	覂		7675	12a
12	見	覘		5475	08b
12	見	覢		5490	08b
12	見	視		5449	08b
12	見	覵		5491	08b
12	見	覬		5464	08b
12	見	覘		5470	08b
12	角	觚		2845	04b
12	角	觛		2843	04b
12	角	觟		2849	04b

12	角	觜	觜	2838	04b
12	言	訶	訶	1677	03a
12	言	詎	詎	1722	03a
12	言	詁	詁	1529	03a
12	言	詘	詘	1694	03a
12	言	罟	罟	4822	07b
12	言	詐	詐	1665	03a
12	言	詞	詞	5744	09a
12	言	訴	訴	1680	03a
12	言	詠	詠	1591	03a
12	言	詇	詇	1496	03a
12	言	詠	詠	1569	03a
12	言	詍	詍	1622	03a
12	言	訾	訾	1695	03a
12	言	詑	詑	1592	03a
12	言	詒	詒	1599	03a
12	言	訾	訾	1623	03a
12	言	詛	詛	1611	03a
12	言	詆	詆	1698	03a
12	言	詔	詔	1526	03a
12	言	詖	詖	1612	03a
12	言	証	証	1533	03a
12	言	診	診	1702	03a
12	言	詄	詄	1637	03a
12	言	詖	詖	1498	03a
12	言	詗	詗	1696	03a
12	言	評	評	1571	03a
12	谷	容	容	7468	11b
12	豆	登	登	3084	05a
12	豕	毅	毅	1956	03b
12	豕	象	象	6104	09b
12	豕	狙	狙	6062	09b
12	豸	貀	貀	6091	09b
12	豸	豽	豽	6100	09b
12	豸	貂	貂	6094	09b
12	貝	貴	貴	3975	06b
12	貝	貸	貸	3934	06b
12	貝	買	買	3962	06b
12	貝	貿	貿	3955	06b
12	貝	貴	貴	3928	06b
12	貝	費	費	3957	06b
12	貝	貰	貰	3952	06b
12	貝	貶	貶	3971	06b
12	貝	貳	貳	3949	06b
12	貝	貽	貽	3981	06b
12	貝	貨	貨	3972	06b
12	貝	貯	貯	3948	06b
12	貝	貼	貼	3980	06b
12	貝	貶	貶	3966	06b
12	貝	貱	貱	3939	06b
12	貝	賀	賀	3929	06b
12	貝	貺	貺	3977	06b
12	赤	赧	赧	6556	10b
12	走	越	越	1040	02a

12	走	越	𧼛	989	02a
12	走	趛	𧻟	995	02a
12	走	越	𧽄	1027	02a
12	走	趄	䢸	1043	02a
12	走	趁	𧺏	990	02a
12	走	越	𧽀	1013	02a
12	走	趌	𧺾	1052	02a
12	走	超	𧻲	982	02a
12	足	距	𧿝	1399	02b
12	足	跔	𨂂	1397	02b
12	足	跋	𨂀	1382	02b
12	足	踔	𨂂	1372	02b
12	足	跙	𨁯	1380	02b
12	足	跋	𨃀	1341	02b
12	足	趺	𨂘	1384	02b
12	足	跖	𨂗	1329	02b
12	足	跎	𨁰	1414	02b
12	足	跋	𨂊	1391	02b
12	身	躰	𨉖	3293	05b
12	車	軻	𨊖	9544	14a
12	車	鞠	𨍏	9516	14a
12	車	輓	𨍏	9532	14a
12	車	軨	𨊖	9491	14a
12	車	較	𨍎	9523	14a
12	車	軓	𨊡	9514	14a
12	車	軵	𨍎	9546	14a
12	車	軝	𨊔	9550	14a

12	車	軹	𨊖	9504	14a
12	車	軫	𨍎	9493	14a
12	車	軼	𨍏	9536	14a
12	車	軺	𨊡	9471	14a
12	車	軸	軸	9496	14a
12	辛	辜	辜	9709	14b
12	辵	迊	𨕲	1190	02b
12	辵	逯	𨖰	1163	02b
12	辵	遌	𨕹	1150	02b
12	辵	透	𨖰	1154	02b
12	辵	逸	𨔶	6263	10a
12	辵	進	𨔳	1112	02b
12	辵	道	𨖡	1118	02b
12	辵	逮	𨔶	1146	02b
12	辵	逴	𨖲	1200	02b
12	辵	逪	𨖐	1170	02b
12	邑	郙	𨜩	4065	06b
12	邑	鄭	𨜢	4106	06b
12	邑	鄭	𨛬	4000	06b
12	邑	郟	𨛪	4042	06b
12	邑	都	𨛶	3989	06b
12	邑	郋	𨛩	4004	06b
12	邑	郲	𨜧	4056	06b
12	邑	鄂	𨜊	4078	06b
12	邑	鄆	𨛝	4059	06b
12	邑	鄅	𨜮	4112	06b
12	邑	鄆	𨜫	4029	06b

12	邑	郶		4051	06b
12	邑	鄒		4036	06b
12	酉	酤		9794	14b
12	酉	酷		9776	14b
12	酉	酓		9763	14b
12	酉	酢		9812	14b
12	里	量		5221	08a
12	金	鈴		9302	14a
12	金	鈇		9396	14a
12	金	鈞		9331	14a
12	金	釿		9434	14a
12	金	鈌		2053	03b
12	金	鈕		9289	14a
12	金	鈍		9407	14a
12	金	鈁		9341	14a
12	金	鈑		9416	14a
12	金	鈇		9379	14a
12	金	鈒		9353	14a
12	金	鈃		9351	14a
12	金	鈖		9403	14a
12	金	鈗		9355	14a
12	金	釗		9219	14a
12	金	鈔		9390	14a
12	金	鈧		9297	14a
12	金	鈀		9332	14a
12	長	镻		6041	09b
12	長	酘		9803	14b
12	門	開		7716	12a
12	門	閦		7696	12a
12	門	閔		7747	12a
12	門	閏		79	01a
12	門	閒		7722	12a
12	門	閑		7729	12a
12	門	閎		7751	12a
12	門	閉		7708	12a
12	阜	階		9644	14b
12	阜	隊		9599	14b
12	阜	隋		2660	04b
12	阜	陽		9575	14b
12	阜	陧		9602	14b
12	阜	隈		9622	14b
12	阜	隅		9581	14b
12	阜	隃		9631	14b
12	阜	陝		9652	14b
12	阜	隯		9638	14b
12	阜	隊		9651	14b
12	阜	隕		9635	14b
12	阜	隄		9610	14b
12	阜	隍		9654	14b
12	佳	雇		2297	04a
12	佳	雎		2292	04a
12	佳	雄		2276	04a
12	佳	雅		2271	04a
12	佳	雁		2293	04a

12	隹	雄	[전서]	2304	04a
12	隹	雉	[전서]	2300	04a
12	雨	雲	[전서]	7538	11b
12	革	軒	[전서]	1785	03b
12	革	靬	[전서]	1821	03b
12	革	鞈	[전서]	1845	03b
12	韋	韌	[전서]	3383	05b
12	頁	頌	[전서]	5643	09a
12	頁	頃	[전서]	5576	09a
12	頁	須	[전서]	5678	09a
12	頁	順	[전서]	5624	09a
12	頁	項	[전서]	5592	09a
12	食	飩	[전서]	3206	05b
12	馬	馴	[전서]	6110	10a
12	馬	馮	[전서]	6172	10a
12	高	高	[전서]	3304	05b
12	魚	魬	[전서]	7638	11b
12	黃	黃	[전서]	9156	13b
12	黍	黍	[전서]	4444	07a
12	黑	黑	[전서]	6508	10a
12	黹	黹	[전서]	4920	07b
13획					
13	乙	亂	[전서]	9695	14b
13	宀	宣	[전서]	3327	05b
13	人	傾	[전서]	5030	08a
13	人	傴	[전서]	5145	08a
13	人	僅	[전서]	5058	08a
13	人	僂	[전서]	5146	08a
13	人	傷	[전서]	5147	08a
13	人	傷	[전서]	5133	08a
13	人	僟	[전서]	5164	08a
13	人	愯	[전서]	4998	08a
13	人	僑	[전서]	5092	08a
13	人	傲	[전서]	4977	08a
13	人	儋	[전서]	5121	08a
13	人	備	[전서]	4994	08a
13	人	傳	[전서]	5080	08a
13	人	僧	[전서]	5159	08a
13	人	傪	[전서]	4981	08a
13	人	債	[전서]	5181	08a
13	人	僉	[전서]	3255	05b
13	人	催	[전서]	5136	08a
13	人	僄	[전서]	5114	08a
13	人	雩	[전서]	3866	06b
13	冫	澤	[전서]	7483	11b
13	刀	勢	[전서]	2767	04b
13	刀	剡	[전서]	2780	04b
13	刀	剽	[전서]	2774	04b
13	力	勞	[전서]	9173	13b
13	力	勤	[전서]	9195	13b
13	力	勠	[전서]	9184	13b
13	力	募	[전서]	9204	13b
13	力	勢	[전서]	9206	13b
13	力	勤	[전서]	9193	13b

13	力	勡	勡	9200	13b
13	力	勢	勢	9197	13b
13	匚	[illegible]	[illegible]	8392	12b
13	匚	匯	匯	8398	12b
13	卩	[illegible]	[illegible]	5755	09a
13	广	鳫	鳫	6226	10a
13	又	[illegible]	[illegible]	1908	03b
13	又	[illegible]	[illegible]	1907	03b
13	口	嗛	嗛	801	02a
13	口	嗜	嗜	888	02a
13	口	[illegible]	[illegible]	813	02a
13	口	嗙	嗙	901	02a
13	口	嗣	嗣	1429	02b
13	口	嗇	嗇	3329	05b
13	口	喿	喿	1422	02b
13	口	嗢	嗢	881	02a
13	口	嗂	嗂	868	02a
13	口	嗌	嗌	789	02a
13	口	嗞	嗞	921	02a
13	口	嗁	嗁	936	02a
13	口	嗔	嗔	862	02a
13	口	嗀	嗀	937	02a
13	口	嗃	嗃	960	02a
13	口	嗑	嗑	900	02a
13	口	嗥	嗥	945	02a
13	囗	[illegible]	[illegible]	3900	06b
13	囗	圓	圓	3895	06b
13	囗	園	園	3904	06b
13	土	塙	塙	8985	13b
13	土	塏	塏	9070	13b
13	土	塘	塘	9112	13b
13	土	塗	塗	9105	13b
13	土	[illegible]	[illegible]	7386	11a
13	土	[illegible]	[illegible]	9012	13b
13	土	塓	塓	9106	13b
13	土	塞	塞	9048	13b
13	土	[illegible]	[illegible]	8988	13b
13	土	塍	塍	8996	13b
13	土	塒	塒	9035	13b
13	土	塋	塋	9095	13b
13	土	塡	塡	9024	13b
13	土	塔	塔	9116	13b
13	夊	[illegible]	[illegible]	3151	05a
13	女	嫁	嫁	8085	12b
13	女	媿	媿	8304	12b
13	女	媾	媾	8116	12b
13	女	嫋	嫋	8167	12b
13	女	嫇	嫇	8169	12b
13	女	嫛	嫛	8213	12b
13	女	媲	媲	8092	12b
13	女	嫈	嫈	8236	12b
13	女	媼	媼	8101	12b
13	女	媱	媱	8170	12b
13	女	嫄	嫄	8127	12b

총획수

13	女	娓	8199	12b
13	女	嫀	8262	12b
13	女	嫋	8095	12b
13	女	嫦	8146	12b
13	女	嫌	8248	12b
13	女	媛	8119	12b
13	子	毅	9721	14b
13	子	舂	9737	14b
13	宀	寐	4668	07b
13	宀	索	4595	07b
13	宀	寘	4605	07b
13	宀	寖	7054	11a
13	小	尟	1090	02b
13	尢	尲	6600	10b
13	尢	尷	6596	10b
13	山	嵒	5885	09b
13	山	崩	5890	09b
13	山	嵩	5880	09b
13	山	嵬	5817	09a
13	山	崚	5846	09b
13	山	嵯	5858	09b
13	山	崔	5889	09b
13	巾	幏	4889	07b
13	巾	嗛	4856	07b
13	巾	幁	4853	07b
13	巾	幏	4873	07b
13	巾	幣	4838	07b
13	干	葉	3883	06b
13	广	廊	5942	09b
13	广	廉	5918	09b
13	广	廈	5941	09b
13	弋	弑	1969	03b
13	弓	彀	8457	12b
13	彳	微	1235	02b
13	彳	徬	1242	02b
13	彳	徺	7774	12a
13	彳	徯	1243	02b
13	心	悤	6737	10b
13	心	感	6877	10b
13	心	愷	3078	05a
13	心	愷	6684	10b
13	心	愫	6861	10b
13	心	慫	6827	10b
13	心	慊	6828	10b
13	心	憐	6891	10b
13	心	慆	6761	10b
13	心	愍	6872	10b
13	心	想	6731	10b
13	心	怪	6876	10b
13	心	慺	6738	10b
13	心	愁	6890	10b
13	心	慎	6679	10b
13	心	愛	3352	05b
13	心	惹	6942	10b

13	心	慍		6845	10b
13	心	愚		6792	10b
13	心	愬		6901	10b
13	心	愼		6880	10b
13	心	意		6675	10b
13	心	慌		6714	10b
13	心	慈		6712	10b
13	心	惷		6832	10b
13	心	愴		6863	10b
13	心	愿		6685	10b
13	心	愷		6733	10b
13	戈	戠		8349	12b
13	戈	殘		8335	12b
13	戈	戢		8356	12b
13	戈	戥		8355	12b
13	戈	戴		6572	10b
13	手	推		8019	12a
13	手	摅		7953	12a
13	手	搞		7838	12a
13	手	搢		7992	12a
13	手	搦		7968	12a
13	手	搯		7806	12a
13	手	搣		7864	12a
13	手	搏		7826	12a
13	手	搒		8040	12a
13	手	搵		7972	12a
13	手	掔		7796	12a

13	手	搔		7889	12a
13	手	損		7937	12a
13	手	搕		7861	12a
13	手	搵		8039	12a
13	手	擘		7794	12a
13	手	搖		7911	12a
13	手	搈		7912	12a
13	手	搢		7974	12a
13	手	搢		8056	12a
13	手	摰		7904	12a
13	手	搢		7900	12a
13	手	搰		7989	12a
13	攴	敬		5790	09a
13	攴	敫		2505	04b
13	攴	敹		5537	08b
13	攴	敵		2037	03b
13	攴	敯		2050	03b
13	攴	敦		2030	03b
13	斗	斟		9446	14a
13	斗	斠		9450	14a
13	斤	新		9440	14a
13	方	旒		4271	07a
13	无	旣		5570	08b
13	日	暇		4215	07a
13	日	暍		4223	07a
13	日	暏		4176	07a
13	日	暑		4224	07a

총획수

13	日	暗	4205	07a
13	日	暘	4185	07a
13	日	晥	4198	07a
13	日	暈	4247	07a
13	日	暉	4196	07a
13	曰	會	3259	05b
13	木	椵	3470	06a
13	木	楬	3814	06a
13	木	械	3692	06a
13	木	楗	3649	06a
13	木	椌	3472	06a
13	木	樊	3425	06a
13	木	極	3609	06a
13	木	椔	3800	06a
13	木	梸	3485	06a
13	木	楝	3515	06a
13	木	槀	4332	07a
13	木	椢	3644	06a
13	木	椮	3755	06a
13	木	楸	3410	06a
13	木	林	3835	06a
13	木	楣	3625	06a
13	木	榎	3710	06a
13	木	福	3796	06a
13	木	椙	3423	06a
13	木	楔	3651	06a
13	木	楷	3685	06a

13	木	梭	3769	06a
13	木	椽	3469	06a
13	木	楯	3637	06a
13	木	椻	3656	06a
13	木	楊	3495	06a
13	木	業	1742	03a
13	木	橡	3623	06a
13	木	楹	3611	06a
13	木	椻	3643	06a
13	木	柄	3439	06a
13	木	楥	3711	06a
13	木	椷	3663	06a
13	木	楮	3420	06a
13	木	榆	3524	06a
13	木	楔	3536	06a
13	木	椸	3820	06a
13	木	楮	3508	06a
13	木	楁	3614	06a
13	木	楨	3591	06a
13	木	楼	3443	06a
13	木	楫	3771	06a
13	木	楚	3833	06a
13	木	楸	3447	06a
13	木	椯	3720	06a
13	木	楄	3795	06a
13	木	楓	3503	06a
13	木	楷	3412	06a

13	木	楇	桐	3762	06a
13	木	樟	樟	3419	06a
13	木	楎	楎	3673	06a
13	欠	歇	歇	5545	08b
13	欠	歃	歃	5543	08b
13	欠	歆	歆	5562	08b
13	欠	歁	歁	5516	08b
13	欠	歇	歇	5508	08b
13	欠	歂	歂	5561	08b
13	止	歲	歲	1081	02a
13	止	歱	歱	1064	02a
13	歹	殟	殟	2530	04b
13	歹	殨	殨	2522	04b
13	殳	殿	殿	1959	03b
13	殳	毀	毀	9071	13b
13	毛	毹	毹	5369	08a
13	水	湝	湝	7359	11a
13	水	潅	潅	7292	11a
13	水	溝	溝	7224	11a
13	水	溺	溺	6968	11a
13	水	滔	滔	7104	11a
13	水	溓	溓	7296	11a
13	水	漖	漖	7436	11b
13	水	溧	溧	7003	11a
13	水	滅	滅	7404	11a
13	水	溟	溟	7266	11a
13	水	溦	溦	7279	11a

13	水	滂	滂	7121	11a
13	水	溥	溥	7097	11a
13	水	滤	滤	7056	11a
13	水	湏	湏	7087	11a
13	水	滢	滢	7308	11a
13	水	澤	澤	7285	11a
13	水	溫	溫	6961	11a
13	水	滃	滃	7262	11a
13	水	溮	溮	7196	11a
13	水	溶	溶	7163	11a
13	水	湑	湑	7020	11a
13	水	溢	溢	7361	11a
13	水	溠	溠	6996	11a
13	水	滓	滓	7345	11a
13	水	滌	滌	7420	11a
13	水	滇	滇	6964	11a
13	水	準	準	7315	11a
13	水	溱	溱	7006	11a
13	水	滄	滄	7370	11a
13	水	湢	湢	7018	11a
13	水	涵	涵	7284	11a
13	水	溘	溘	7432	11a
13	水	滈	滈	7277	11a
13	水	溺	溺	7170	11a
13	水	滑	滑	7183	11a
13	火	熒	熒	7662	11b
13	火	煖	煖	6481	10a

13	火	煥		6482	10a
13	火	煉		6442	10a
13	火	熭		2321	04a
13	火	煩		5653	09a
13	火	煁		6421	10a
13	火	煬		6434	10a
13	火	煙		6456	10a
13	火	熅		6458	10a
13	火	煨		6418	10a
13	火	煜		6468	10a
13	火	煒		6465	10a
13	火	燦		6448	10a
13	火	煎		6427	10a
13	火	黏		6504	10a
13	火	照		6464	10a
13	火	煥		6499	10a
13	火	煌		6471	10a
13	火	煦		6399	10a
13	火	煇		6470	10a
13	火	熙		6493	10a
13	片	牘		4341	07a
13	片	牒		4343	07a
13	片	牏		4346	07a
13	片	牖		4344	07a
13	牙	觭		1324	02b
13	牛	犍		772	02a
13	犬	獀		6271	10a

13	犬	獵		6287	10a
13	玉	瑇		96	01a
13	玉	奎		93	01a
13	玉	瑁		120	01a
13	玉	瑉		179	01a
13	玉	瑞		124	01a
13	玉	瑄		219	01a
13	玉	瑟		8365	12b
13	玉	瑛		100	01a
13	玉	瑀		156	01a
13	玉	瑗		107	01a
13	玉	瑜		91	01a
13	玉	瑑		131	01a
13	玉	瑕		144	01a
13	玉	瑎		184	01a
13	玉	瑚		201	01a
13	玉	瑝		155	01a
13	瓦	甍		8416	12b
13	瓦	瓿		8424	12b
13	瓦	甄		8422	12b
13	瓦	瓶		8432	12b
13	田	畾		9155	13b
13	田	畸		9132	13b
13	田	當		9146	13b
13	田	畚		8406	12b
13	田	畹		9138	13b
13	田	畮		9673	14b

13	田	畷		9142	13b		13	目	睯		2098	04a
13	疒	瘠		4713	07b		13	目	睴		2145	04a
13	疒	麻		4729	07b		13	矛	猎		9462	14a
13	疒	痱		4714	07b		13	矢	矮		3302	05b
13	疒	痹		4732	07b		13	石	碧		6001	09b
13	疒	瘀		4706	07b		13	石	磌		6021	09b
13	疒	瘍		4754	07b		13	石	碓		6020	09b
13	疒	瘻		4731	07b		13	石	碌		6032	09b
13	疒	瘃		4734	07b		13	石	碑		5992	09b
13	疒	瘥		4693	07b		13	石	碤		5995	09b
13	白	皙		4910	07b		13	石	碎		6014	09b
13	目	睘		2127	04a		13	石	碏		6030	09b
13	目	睯		2153	04a		13	石	碇		6013	09b
13	目	睔		2104	04a		13	石	硾		6037	09b
13	目	奭		2209	04a		13	示	祼		45	01a
13	目	督		2164	04a		13	示	禁		71	01a
13	目	睞		2180	04a		13	示	祺		22	01a
13	目	睩		2181	04a		13	示	禂		63	01a
13	目	睦		2148	04a		13	示	祿		15	01a
13	目	睝		2097	04a		13	示	祾		69	01a
13	目	睗		2157	04a		13	内	禽		9684	14b
13	目	睒		2114	04a		13	禾	稞		4404	07a
13	目	睡		2168	04a		13	禾	稇		4403	07a
13	目	睟		2141	04a		13	禾	稘		4439	07a
13	目	睢		2206	04a		13	禾	稑		4385	07a
13	目	睪		6612	10b		13	禾	稙		4360	07a
13	目	睨		2121	04a		13	禾	稔		4423	07a

13	禾	稠	䄲	4363	07a
13	禾	穆	䅇	4441	07a
13	禾	稙	䅟	4358	07a
13	禾	稗	䅉	4382	07a
13	禾	稟	稟	3326	05b
13	穴	窠	窠	4626	07b
13	穴	窨	窨	4634	07b
13	穴	窣	窣	4647	07b
13	穴	窽	窽	4641	07b
13	立	隶	隶	6645	10b
13	立	竦	竦	6659	10b
13	立	竨	竨	6661	10b
13	立	竫	竫	6660	10b
13	立	竫	竫	6650	10b
13	立	竴	竴	6646	10b
13	竹	筥	筥	2910	05a
13	竹	筅	筅	2893	05a
13	竹	筑	筑	2999	05a
13	竹	筡	筡	2866	05a
13	竹	篔	篔	2918	05a
13	竹	箭	箭	2731	04b
13	竹	筝	筝	2894	05a
13	竹	箏	箏	2995	05a
13	竹	篴	篴	2888	05a
13	竹	筱	筱	2858	05a
13	竹	筳	筳	2899	05a
13	竹	箭	箭	2934	05a

13	竹	笮	笮	2941	05a
13	竹	筳	筳	2892	05a
13	米	粱	粱	4456	07a
13	米	粤	粤	3054	05a
13	米	粲	粲	4458	07a
13	糸	紿	紿	8698	13a
13	糸	絹	絹	8568	13a
13	糸	經	經	8488	13a
13	糸	綆	綆	8678	13a
13	糸	綠	綠	8538	13a
13	糸	繇	繇	8664	13a
13	糸	絜	絜	8649	13a
13	糸	練	練	8727	13a
13	糸	綏	綏	8720	13a
13	糸	約	約	8733	13a
13	糸	綃	綃	8571	13a
13	糸	綎	綎	8611	13a
13	糸	綈	綈	8555	13a
13	糸	條	條	8623	13a
13	糸	綃	綃	8480	13a
13	糸	絺	絺	8697	13a
13	糸	綬	綬	8632	13a
13	糸	練	練	8663	13a
13	网	罦	罦	4795	07b
13	网	罧	罧	4807	07b
13	网	罜	罜	4792	07b
13	网	罭	罭	4825	07b

13	网	罥	2306	04a		13	肉	腨	2631	04b
13	网	罩	4798	07b		13	臼	舅	9163	13b
13	网	罪	4800	07b		13	舛	舝	3364	05b
13	网	羀	4810	07b		13	舟	艅	5426	08b
13	网	置	4820	07b		13	舟	艇	5425	08b
13	羊	羥	2338	04a		13	艸	葭	646	01b
13	羊	羣	2343	04a		13	艸	葰	287	01b
13	羊	羨	5566	08b		13	艸	葛	459	01b
13	羊	義	8361	12b		13	艸	葢	586	01b
13	羽	翆	2254	04a		13	艸	葵	260	01b
13	耒	耡	2814	04b		13	艸	落	550	01b
13	耳	聘	7772	12a		13	艸	葳	540	01b
13	耳	聖	7763	12a		13	艸	鄏	251	01b
13	肉	腳	2627	04b		13	艸	萬	9686	14b
13	肉	腊	2640	04b		13	艸	萩	537	01b
13	肉	腁	2665	04b		13	艸	曹	666	01b
13	肉	勝	4881	07b		13	艸	葆	674	01b
13	肉	臂	2672	04b		13	艸	蕾	369	01b
13	肉	腜	2585	04b		13	艸	葑	399	01b
13	肉	腹	2621	04b		13	艸	葍	352	01b
13	肉	腴	2686	04b		13	艸	葭	627	01b
13	肉	腥	2694	04b		13	艸	蒁	305	01b
13	肉	腴	2622	04b		13	艸	葚	481	01b
13	肉	腬	2662	04b		13	艸	黄	480	01b
13	肉	腸	2602	04b		13	艸	葉	496	01b
13	肉	腖	2704	04b		13	艸	葽	476	01b
13	肉	腫	2652	04b		13	艸	萬	320	01b

13	艸	葦	645	01b	13	虫	蛹	8752	13a
13	艸	萸	485	01b	13	虫	蜓	8760	13a
13	艸	葎	396	01b	13	虫	蜀	8783	13a
13	艸	葬	703	01b	13	虫	蜕	8845	13a
13	艸	蒩	312	01b	13	虫	蜆	8806	13a
13	艸	薄	677	01b	13	虫	蛺	8812	13a
13	艸	蔓	509	01b	13	虫	蟶	8771	13a
13	艸	葰	288	01b	13	行	衙	1272	02b
13	艸	蒩	382	01b	13	行	衒	1274	02b
13	艸	葺	585	01b	13	衣	裾	5271	08a
13	艸	萩	444	01b	13	衣	裘	5349	08a
13	艸	葴	374	01b	13	衣	裏	5237	08a
13	艸	葩	499	01b	13	衣	裨	5307	08a
13	艸	蒿	296	01b	13	衣	褐	5321	08a
13	艸	澼	639	01b	13	衣	裺	5334	08a
13	艸	菫	274	01b	13	衣	裔	5286	08a
13	虍	虞	3094	05a	13	衣	襄	5328	08a
13	虍	虓	3105	05a	13	衣	裝	5326	08a
13	虍	號	3051	05a	13	衣	裯	5256	08a
13	虍	虘	3090	05a	13	見	覛	7461	11b
13	虫	蝱	8894	13a	13	見	覜	5488	08b
13	虫	蜋	8799	13a	13	角	觡	2837	04b
13	虫	蚵	8837	13a	13	角	觜	2819	04b
13	虫	蛸	8800	13a	13	角	觤	2835	04b
13	虫	蜃	8856	13a	13	角	觺	2821	04b
13	虫	蛾	8791	13a	13	角	觟	2836	04b
13	虫	蜎	8863	13a	13	角	解	2839	04b

13	角	觟		2846	04b	13	言	誾		1644	03a
13	言	誇		1640	03a	13	言	話		1547	03a
13	言	誆		1617	03a	13	言	詥		1660	03a
13	言	誆		1657	03a	13	言	詣		1620	03a
13	言	詭		1692	03a	13	言	詡		1554	03a
13	言	詷		1557	03a	13	言	訴		1712	03a
13	言	誄		1710	03a	13	言	詢		1673	03a
13	言	詳		1510	03a	13	言	詰		1690	03a
13	言	詵		1477	03a	13	豆	登		3083	05a
13	言	訓		1610	03a	13	豆	豊		3086	05a
13	言	詢		1719	03a	13	豕	狠		6058	09b
13	言	詩		1485	03a	13	豕	豦		6066	09b
13	言	試		1537	03a	13	豕	豜		6053	09b
13	言	詻		1501	03a	13	豕	豢		6061	09b
13	言	誁		1625	03a	13	豸	貉		6095	09b
13	言	詣		1576	03a	13	豸	貂		6092	09b
13	言	諫		1688	03a	13	豸	貆		6096	09b
13	言	詮		1540	03a	13	貝	賈		3959	06b
13	言	誂		1635	03a	13	貝	賂		3936	06b
13	言	誅		1705	03a	13	貝	賃		3968	06b
13	言	誈		1678	03a	13	貝	資		3924	06b
13	言	誊		1515	03a	13	貝	賊		8339	12b
13	言	詹		713	02a	13	貝	賄		3920	06b
13	言	誃		1613	03a	13	赤	赨		6554	10b
13	言	詥		1545	03a	13	赤	赩		6562	10b
13	言	該		1714	03a	13	走	趌		1049	02a
13	言	訮		1628	03a	13	走	趄		1020	02a

총획수

13	走	趣	趣	1055	02a
13	走	趙	趙	1008	02a
13	走	越	越	1042	02a
13	走	趄	趄	1000	02a
13	走	趛	趛	1048	02a
13	走	趒	趒	1061	02a
13	走	趍	趍	1028	02a
13	足	跲	跲	1379	02b
13	足	跨	跨	1351	02b
13	足	跪	跪	1331	02b
13	足	跟	跟	1327	02b
13	足	跳	跳	1369	02b
13	足	路	路	1407	02b
13	足	跌	跌	1396	02b
13	足	跧	跧	1348	02b
13	車	衝	衝	9519	14a
13	車	軺	軺	9541	14a
13	車	軭	軭	9539	14a
13	車	輂	輂	9554	14a
13	車	輅	輅	9483	14a
13	車	輧	輧	9468	14a
13	車	輦	輦	9520	14a
13	車	軾	軾	9482	14a
13	車	載	載	9521	14a
13	車	輇	輇	9548	14a
13	車	軶	軶	9511	14a
13	辛	辟	辟	5768	09a

13	辛	辜	辜	9708	14b
13	辰	晨	晨	1778	03a
13	辵	迦	迦	1193	02b
13	辵	過	過	1109	02b
13	辵	達	達	1162	02b
13	辵	道	道	1204	02b
13	辵	遁	遁	1138	02b
13	辵	遂	遂	1174	02b
13	辵	遷	遷	1130	02b
13	辵	過	過	1184	02b
13	辵	遇	遇	1126	02b
13	辵	運	運	1137	02b
13	辵	達	達	1158	02b
13	辵	逾	逾	1114	02b
13	辵	逮	逮	1202	02b
13	辵	遄	遄	1119	02b
13	辵	逼	逼	1212	02b
13	辵	退	退	1214	02b
13	辵	遑	遑	1211	02b
13	邑	郗	郗	4156	06b
13	邑	郭	郭	4040	06b
13	邑	鄹	鄹	4088	06b
13	邑	鄭	鄭	4034	06b
13	邑	郊	郊	4064	06b
13	邑	郞	郞	4062	06b
13	邑	鄔	鄔	4044	06b
13	邑	郿	郿	4023	06b

획수	부수	한자	전서	번호	쪽	획수	부수	한자	전서	번호	쪽
13	邑	郎	郎	4081	06b	13	金	鉉	鉉	9267	14a
13	邑	鄲	鄲	4104	06b	13	門	閘	閘	7719	12a
13	邑	戠	戠	4139	06b	13	門	開	開	7707	12a
13	邑	鄒	鄒	4113	06b	13	門	閔	閔	7720	12a
13	邑	鄙	鄙	4035	06b	13	門	間	間	7718	12a
13	邑	鄗	鄗	4052	06b	13	阜	隔	隔	9618	14b
13	酉	喬	喬	9823	14b	13	阜	隙	隙	9649	14b
13	酉	酪	酪	9824	14b	13	阜	陜	陜	9588	14b
13	酉	酩	酩	9826	14b	13	阜	陵	陵	8259	12b
13	酉	戠	戠	9810	14b	13	阜	陳	陳	9616	14b
13	金	鉅	鉅	9400	14a	13	阜	隃	隃	9657	14b
13	金	鈺	鈺	9378	14a	13	阜	隗	隗	9586	14b
13	金	鉗	鉗	9315	14a	13	阜	隕	隕	9601	14b
13	金	鉤	鉤	1453	03a	13	阜	陸	陸	9604	14b
13	金	鈴	鈴	9334	14a	13	隹	雛	雛	2281	04a
13	金	鉈	鉈	9356	14a	13	隹	翟	翟	2296	04a
13	金	鉏	鉏	9306	14a	13	隹	雌	雌	2305	04a
13	金	鉥	鉥	9285	14a	13	隹	雋	雋	2307	04a
13	金	鉛	鉛	9217	14a	13	隹	雉	雉	2280	04a
13	金	鉞	鉞	9374	14a	13	隹	雎	雎	2288	04a
13	金	鑒	鑒	9291	14a	13	雨	零	零	7500	11b
13	金	鈿	鈿	9413	14a	13	雨	雹	雹	7497	11b
13	金	鉦	鉦	9335	14a	13	雨	電	電	7492	11b
13	金	鉨	鉨	9408	14a	13	青	靖	靖	6651	10b
13	金	鉆	鉆	9313	14a	13	革	靳	靳	1816	03b
13	金	鉊	鉊	9310	14a	13	革	靬	靬	1832	03b
13	金	鈹	鈹	9287	14a	13	革	鞁	鞁	1795	03b

13	革	靪	鞘	1796	03b
13	革	靮	靮	1818	03b
13	革	靶	靶	1814	03b
13	頁	頏	頏	5621	09a
13	頁	頓	頓	5630	09a
13	頁	頌	頌	5622	09a
13	頁	頒	頒	5602	09a
13	頁	碩	碩	5595	09a
13	頁	頌	頌	5575	09a
13	頁	預	預	5664	09a
13	頁	頑	頑	5613	09a
13	頁	煩	煩	5649	09a
13	頁	項	項	5628	09a
13	頁	頖	頖	5597	09a
13	頁	頖	頖	5593	09a
13	風	颭	颭	8941	13b
13	食	飴	飴	3221	05b
13	食	餘	餘	3250	05b
13	食	飯	飯	3205	05b
13	食	餛	餛	3242	05b
13	食	飪	飪	3192	05b
13	食	飵	飵	3220	05b
13	食	餗	餗	3236	05b
13	食	飭	飭	9202	13b
13	馬	馴	馴	6192	10a
13	馬	駒	駒	6129	10a
13	馬	騫	騫	6131	10a

13	馬	馳	馳	6179	10a
13	馬	駄	駄	6224	10a
13	骨	骬	骬	2582	04b
13	骨	骭	骭	2573	04b
13	髟	髡	髡	5732	09a
13	鬲	鬴	鬴	1850	03b
13	鬼	髬	髬	5798	09a
13	魚	魛	魛	2792	04b
13	魚	魽	魽	7641	11b
13	鳥	鳩	鳩	2366	04a
13	鳥	梟	梟	1972	03b
13	鹿	麀	麀	6255	10a
13	黽	黽	黽	8952	13b
13	鼎	鼎	鼎	4347	07a
13	鼓	鼔	鼔	2041	03b
13	鼓	鼓	鼓	3067	05a
13	鼠	鼠	鼠	6359	10a
14획					
14	人	僑	僑	4968	08a
14	人	僟	僟	4999	08a
14	人	傲	傲	5124	08a
14	人	僮	僮	4927	08a
14	人	僚	僚	4960	08a
14	人	僕	僕	1746	03a
14	人	僰	僰	5165	08a
14	人	債	債	5129	08a
14	人	像	像	5157	08a

14	人	僎		4934	08a
14	人	儀		5117	08a
14	人	僧		5186	08a
14	人	㒱		5089	08a
14	人	僥		5167	08a
14	人	僞		5111	08a
14	人	傅		5156	08a
14	人	僭		5093	08a
14	人	僦		5184	08a
14	人	僤		4974	08a
14	人	債		4967	08a
14	人	僩		4985	08a
14	人	僡		5067	08a
14	八	巺		1747	03a
14	冂	牓		2558	04b
14	冫	漸		7476	11b
14	刀	剿		2770	04b
14	刀	罰		2786	04b
14	刀	劓		2791	04b
14	刀	劃		2768	04b
14	力	厲		9175	13b
14	力	劼		9185	13b
14	力	勯		9192	13b
14	勹	匓		5783	09a
14	勹	匔		5784	09a
14	匚	匱		8395	12b
14	匚	匩		8400	12b
14	厂	厴		5952	09b
14	厂	厱		5958	09b
14	厂	厰		5951	09b
14	厂	厭		5972	09b
14	又	叡		2516	04b
14	口	嘉		3066	05a
14	口	嘅		924	02a
14	口	嘹		891	02a
14	口	嘂		1434	03a
14	口	嘆		940	02a
14	口	嘗		3058	05a
14	口	嘊		808	02a
14	口	嗷		915	02a
14	口	嚚		878	02a
14	口	嗾		942	02a
14	口	嘘		898	02a
14	口	蒙		4320	07a
14	口	嘖		914	02a
14	口	嘆		926	02a
14	口	噲		870	02a
14	口	嘌		863	02a
14	口	齁		1458	03a
14	口	嘘		827	02a
14	口	嘻		859	02a
14	口	嘷		864	02a
14	口	團		3892	06b
14	口	圖		3897	06b

14	土	境	境	9109	13b
14	土	墐	墐	9014	13b
14	土	墢	墢	9015	13b
14	土	壞	壞	9079	13b
14	土	壓	壓	9078	13b
14	土	墓	墓	9096	13b
14	土	塾	塾	9110	13b
14	土	堅	堅	9083	13b
14	土	墉	墉	9037	13b
14	土	墇	墇	9058	13b
14	土	墊	墊	9040	13b
14	土	墀	墀	9017	13b
14	土	塹	塹	9067	13b
14	土	墟	墟	9075	13b
14	士	壽	壽	5358	08a
14	夊	夐	夐	2085	04a
14	夕	夥	夥	4318	07a
14	夕	募	募	4316	07a
14	夕	夢	夢	4310	07a
14	夕	夤	夤	4312	07a
14	大	翰	翰	7869	12a
14	大	奪	奪	2310	04a
14	女	嫗	嫗	8100	12b
14	女	嬰	嬰	8187	12b
14	女	嫪	嫪	8237	12b
14	女	嫠	嫠	8312	12b
14	女	嫚	嫚	8272	12b

14	女	蔂	蔂	8288	12b
14	女	嫌	嫌	8183	12b
14	女	嬌	嬌	8255	12b
14	女	嫣	嫣	8165	12b
14	女	嬰	嬰	8097	12b
14	女	嫢	嫢	8295	12b
14	女	嫡	嫡	8197	12b
14	女	嫥	嫥	8202	12b
14	女	嫢	嫢	8208	12b
14	女	嬸	嬸	8278	12b
14	女	嬪	嬪	8204	12b
14	女	嫗	嫗	8240	12b
14	女	嫖	嫖	8265	12b
14	宀	康	康	4551	07b
14	宀	寡	寡	4587	07b
14	宀	寠	寠	4591	07b
14	宀	寧	寧	3039	05a
14	宀	實	實	4566	07b
14	宀	寤	寤	4666	07b
14	宀	寢	寢	4601	07b
14	宀	察	察	4562	07b
14	宀	寤	寤	4672	07b
14	寸	對	對	1744	03a
14	尸	屢	屢	5399	08a
14	山	島	島	5822	09b
14	山	嶅	嶅	5837	09b
14	山	崒	崒	5831	09b

총획수

14	手	撖	8061	12a
14	手	掐	7952	12a
14	手	撓	8020	12a
14	手	摴	8065	12a
14	手	摘	7899	12a
14	手	摺	7903	12a
14	手	撋	7870	12a
14	手	撕	7901	12a
14	手	撰	8008	12a
14	手	摧	7813	12a
14	手	摽	7891	12a
14	手	掫	8054	12a
14	攴	敲	2045	03b
14	攴	敷	2000	03b
14	攴	散	2008	03b
14	攴	數	2036	03b
14	斗	斠	9449	14a
14	斗	斜	9454	14a
14	斗	斡	9447	14a
14	斤	斳	9433	14a
14	方	旗	4263	07a
14	方	旖	4274	07a
14	日	暨	4257	07a
14	日	暜	4207	07a
14	日	暓	9677	14b
14	日	暴	4226	07a
14	日	暉	4194	07a

14	日	暍	3150	05a
14	曰	曺	9754	14b
14	月	望	5218	08a
14	木	榷	3766	06a
14	木	榦	3603	06a
14	木	槤	3634	06a
14	木	槀	3589	06a
14	木	榖	3507	06a
14	木	槐	3506	06a
14	木	構	3605	06a
14	木	櫥	3668	06a
14	木	榙	3540	06a
14	木	槅	3760	06a
14	木	槃	3688	06a
14	木	榜	3733	06a
14	木	榑	3597	06a
14	木	槌	3627	06a
14	木	樞	3689	06a
14	木	槎	3788	06a
14	木	榭	3818	06a
14	木	槊	3819	06a
14	木	槭	3493	06a
14	木	楣	3646	06a
14	木	樐	3498	06a
14	木	榺	3708	06a
14	木	槱	3457	06a
14	木	榮	3521	06a

획수	부수	한자	전서	번호	위치
14	木	榣		3572	06a
14	木	槙		3562	06a
14	木	楷		3613	06a
14	木	櫻		3550	06a
14	木	榛		3451	06a
14	木	榰		3468	06a
14	木	槍		3648	06a
14	木	槐		3624	06a
14	木	梟		3585	06a
14	木	榻		3821	06a
14	木	槌		3699	06a
14	木	榿		3697	06a
14	木	榔		3600	06a
14	木	榾		3794	06a
14	欠	歌		5515	08b
14	欠	歎		5548	08b
14	欠	歇		5517	08b
14	欠	歆		5525	08b
14	欠	歐		5535	08b
14	欠	歍		5521	08b
14	欠	歓		5506	08b
14	欠	歃		5522	08b
14	止	澀		1076	02a
14	歹	殢		2547	04b
14	歹	殟		2527	04b
14	歹	殞		2536	04b
14	殳	殼		1958	03b
14	殳	觳		1951	03b
14	殳	殿		1962	03b
14	比	毚		6261	10a
14	毛	毺		5362	08a
14	毛	氀		5370	08a
14	毛	毼		5363	08a
14	氏	氆		8329	12b
14	水	漮		7307	11a
14	水	漑		7049	11a
14	水	潢		7334	11a
14	水	潮		7035	11a
14	水	滰		7070	11a
14	水	漚		7289	11a
14	水	溥		7413	11a
14	水	漉		7338	11a
14	水	漊		7278	11a
14	水	漏		7407	11a
14	水	滲		7123	11a
14	水	漠		7095	11a
14	水	滿		7182	11a
14	水	滬		7068	11a
14	水	滻		6980	11a
14	水	滲		7168	11a
14	水	潄		7425	11a
14	水	潃		7342	11a
14	水	漱		7368	11a
14	水	湝		7207	11a

총획수

14	水	漾	[篆]	6972	11a
14	水	馮	[篆]	7074	11a
14	水	演	[篆]	7111	11a
14	水	漱	[篆]	7015	11a
14	水	洼	[篆]	7218	11a
14	水	漳	[篆]	6990	11a
14	水	滴	[篆]	7237	11a
14	水	漸	[篆]	7000	11a
14	水	漕	[篆]	7405	11a
14	水	漬	[篆]	7288	11a
14	水	滌	[篆]	7363	11a
14	水	滯	[篆]	7298	11a
14	水	灌	[篆]	7173	11a
14	水	漆	[篆]	6979	11a
14	水	漂	[篆]	7142	11a
14	水	漢	[篆]	6973	11a
14	水	滎	[篆]	7216	11a
14	火	熇	[篆]	6408	10a
14	火	㷭	[篆]	6450	10a
14	火	煽	[篆]	6495	10a
14	火	熄	[篆]	6419	10a
14	火	爪	[篆]	3176	05b
14	火	熊	[篆]	6380	10a
14	火	熒	[篆]	6548	10b
14	火	熀	[篆]	6435	10a
14	火	熏	[篆]	239	01b
14	爻	爾	[篆]	2082	03b

14	肉	膾	[篆]	3263	05b
14	牛	犕	[篆]	736	02a
14	牛	犖	[篆]	741	02a
14	牛	犗	[篆]	746	02a
14	牛	犒	[篆]	757	02a
14	犬	獠	[篆]	6291	10a
14	犬	獌	[篆]	6347	10a
14	犬	㺗	[篆]	6292	10a
14	犬	獄	[篆]	6357	10a
14	犬	獄	[篆]	6358	10a
14	犬	毅	[篆]	6344	10a
14	玄	竭	[篆]	8468	12b
14	玉	瑰	[篆]	196	01a
14	玉	璡	[篆]	141	01a
14	玉	瑣	[篆]	154	01a
14	玉	瑪	[篆]	178	01a
14	玉	堅	[篆]	172	01a
14	玉	瑤	[篆]	188	01a
14	玉	瑱	[篆]	126	01a
14	玉	瑤	[篆]	130	01a
14	玉	瑳	[篆]	138	01a
14	玉	瑄	[篆]	151	01a
14	瓦	甄	[篆]	8411	12b
14	瓦	甍	[篆]	8430	12b
14	瓦	甌	[篆]	8423	12b
14	瓦	甇	[篆]	1985	03b
14	瓦	甏	[篆]	8427	12b

14	田	甗	甗	8408	12b		14	矢	鍚	鍚	3297	05b
14	田	暵	暵	9127	13b		14	石	礔	礔	5986	09b
14	田	暵	暵	9131	13b		14	石	礣	礣	5993	09b
14	田	暘	暘	9153	13b		14	石	碧	碧	185	01a
14	疋	疑	疑	9731	14b		14	石	碩	碩	5601	09a
14	疋	憲	憲	2496	04b		14	石	磊	磊	6009	09b
14	疒	瘕	瘕	4724	07b		14	石	硬	硬	5983	09b
14	疒	瘏	瘏	4690	07b		14	石	碣	碣	5982	09b
14	疒	瘌	瘌	4768	07b		14	石	碫	碫	5988	09b
14	疒	瘍	瘍	4696	07b		14	示	祿	祿	58	01a
14	疒	瘉	瘉	4772	07b		14	示	福	福	20	01a
14	疒	瘖	瘖	4702	07b		14	示	禍	禍	59	01a
14	疒	瘑	瘑	4735	07b		14	示	褐	褐	65	01a
14	皮	皸	皸	1983	03b		14	示	禋	禋	29	01a
14	皿	監	監	5223	08a		14	示	禎	禎	17	01a
14	皿	盡	盡	3141	05a		14	示	禔	禔	24	01a
14	目	瞅	瞅	2189	04a		14	示	禘	禘	43	01a
14	目	暉	暉	2102	04a		14	示	禍	禍	67	01a
14	目	暌	暌	2135	04a		14	禾	稿	稿	4390	07a
14	目	睹	睹	2133	04a		14	禾	稽	稽	4411	07a
14	目	瞤	瞤	2122	04a		14	禾	穀	穀	4422	07a
14	目	督	督	2150	04a		14	禾	稷	稷	4376	07a
14	目	瞰	瞰	2213	04a		14	禾	種	種	4359	07a
14	目	睽	睽	2191	04a		14	禾	稼	稼	4435	07a
14	目	暗	暗	2162	04a		14	禾	積	積	3871	06b
14	目	睼	睼	2160	04a		14	禾	稱	稱	4432	07a
14	目	暖	暖	2100	04a		14	禾	稺	稺	4389	07a

14	禾	程	程	4420	07a
14	穴	窬	窬	4637	07b
14	穴	窨	窨	4614	07b
14	立	竭	竭	6655	10b
14	立	端	端	6647	10b
14	竹	箇	箇	2939	05a
14	竹	箝	箝	2951	05a
14	竹	筬	筬	2986	05a
14	竹	管	管	2981	05a
14	竹	箘	箘	2856	05a
14	竹	箕	箕	3003	05a
14	竹	箙	箙	2964	05a
14	竹	箸	箸	2863	05a
14	竹	箪	箪	2914	05a
14	竹	箾	箾	2926	05a
14	竹	算	算	2996	05a
14	竹	箘	箘	2943	05a
14	竹	箏	箏	2985	05a
14	竹	箋	箋	2886	05a
14	竹	箈	箈	2942	05a
14	竹	箠	箠	2960	05a
14	竹	算	算	2907	05a
14	米	糉	糉	4486	07a
14	米	粼	粼	7442	11b
14	米	粹	粹	4482	07a
14	米	粮	粮	4491	07a
14	米	精	精	4460	07a

14	米	粺	粺	4461	07a
14	糸	綱	綱	8630	13a
14	糸	綮	綮	8560	13a
14	糸	緄	緄	8601	13a
14	糸	綰	綰	8576	13a
14	糸	暴	暴	8525	13a
14	糸	綣	綣	8730	13a
14	糸	綺	綺	8551	13a
14	糸	綼	綼	8585	13a
14	糸	緊	緊	1942	03b
14	糸	綫	綫	8592	13a
14	糸	綝	綝	8710	13a
14	糸	綐	綐	8590	13a
14	糸	綠	綠	8569	13a
14	糸	絡	絡	8493	13a
14	糸	綸	綸	8610	13a
14	糸	綾	綾	8561	13a
14	糸	縃	縃	8682	13a
14	糸	綌	綌	8687	13a
14	糸	緋	緋	8724	13a
14	糸	緒	緒	8477	13a
14	糸	緆	緆	8703	13a
14	糸	綫	綫	8634	13a
14	糸	綬	綬	8604	13a
14	糸	緌	緌	8600	13a
14	糸	維	維	8660	13a
14	糸	綧	綧	8652	13a

14	糸	綜		8492	13a
14	糸	縱		8625	13a
14	糸	綢		8713	13a
14	糸	縷		8566	13a
14	糸	績		8578	13a
14	糸	綴		9675	14b
14	糸	練		8637	13a
14	糸	緻		8725	13a
14	糸	緇		8587	13a
14	糸	綝		8543	13a
14	糸	緯		8515	13a
14	缶	罃		3275	05b
14	缶	罋		3281	05b
14	网	署		4818	07b
14	网	罳		4826	07b
14	网	罯		4821	07b
14	羊	矮		2341	04a
14	羽	翡		2237	04a
14	羽	翠		2266	04a
14	羽	翟		2236	04a
14	羽	翠		2238	04a
14	耒	耤		2811	04b
14	耳	職		7780	12a
14	耳	聞		7771	12a
14	耳	聚		5214	08a
14	聿	肇		1990	03b
14	聿	肇		8333	12b

14	肉	膏		2603	04b
14	肉	臝		2718	04b
14	肉	膊		2678	04b
14	肉	膀		2609	04b
14	肉	腐		2721	04b
14	肉	脧		2669	04b
14	肉	膩		2690	04b
14	肉	膗		2696	04b
14	肉	腿		2699	04b
14	肉	膜		2715	04b
14	肉	腈		2645	04b
14	肉	膤		2700	04b
14	肉	膜		2676	04b
14	肉	蒯		4305	07a
14	臣	臧		1947	03b
14	至	臺		7672	12a
14	臼	與		1774	03b
14	舌	舓		1439	03a
14	舌	舔		6502	10a
14	舌	舔		1438	03a
14	舛	舞		3363	05b
14	色	艴		5765	09a
14	艸	蒹		420	01b
14	艸	蔿		497	01b
14	艸	墓		461	01b
14	艸	蒟		482	01b
14	艸	萱		259	01b

총획수

14	艸	蒪	520	01b		14	艸	薇	617	01b
14	艸	蓏	242	01b		14	艸	萑	644	01b
14	艸	薑	548	01b		14	艸	蓄	681	01b
14	艸	萯	455	01b		14	艸	蒲	332	01b
14	艸	蒙	649	01b		14	艸	菌	429	01b
14	艸	蒜	631	01b		14	艸	蒿	670	01b
14	艸	蓆	578	01b		14	艸	蒦	2313	04a
14	艸	蓀	690	01b		14	艸	蔬	339	01b
14	艸	蒐	383	01b		14	虫	蜦	8869	13a
14	艸	薆	404	01b		14	虫	蝀	8892	13a
14	艸	蓍	437	01b		14	虫	蜡	8838	13a
14	艸	蒔	542	01b		14	虫	蜗	8879	13a
14	艸	蒻	333	01b		14	虫	蜦	8854	13a
14	艸	蒿	340	01b		14	虫	蜢	8898	13a
14	艸	蓐	698	01b		14	虫	蟹	8807	13a
14	艸	蓉	686	01b		14	虫	蜥	8758	13a
14	艸	蒝	511	01b		14	虫	蚣	8819	13a
14	艸	藿	634	01b		14	虫	蛋	8848	13a
14	艸	蓄	325	01b		14	虫	蚘	8876	13a
14	艸	葦	598	01b		14	虫	蜺	8825	13a
14	艸	蒲	446	01b		14	虫	蝻	8834	13a
14	艸	蔯	331	01b		14	虫	蜼	8882	13a
14	艸	葅	263	01b		14	虫	蜨	8813	13a
14	艸	菹	582	01b		14	虫	蜩	8823	13a
14	艸	蒸	623	01b		14	虫	蜻	8830	13a
14	艸	蓁	532	01b		14	虫	蛖	8772	13a
14	艸	蒼	539	01b		14	血	衉	3164	05a

획수	부수	한자	전서	번호	쪽
14	血	盬		3159	05a
14	行	衕		1271	02b
14	衣	褐		5332	08a
14	衣	裹		5327	08a
14	衣	袺		5245	08a
14	衣	裂		5284	08a
14	衣	裵		5291	08a
14	衣	複		5281	08a
14	衣	褋		5344	08a
14	衣	褐		5333	08a
14	衣	褌		5246	08a
14	衣	褕		5234	08a
14	衣	褚		5337	08a
14	衣	褆		5282	08a
14	衣	製		5338	08a
14	衣	褋		5244	08a
14	衣	褊		5295	08a
14	見	覡		3021	05a
14	見	規		5456	08b
14	見	覩		5494	08b
14	言	誥		1727	03a
14	言	誠		1522	03a
14	言	誥		1525	03a
14	言	誈		1601	03a
14	言	認		1523	03a
14	言	誣		1606	03a
14	言	誓		1527	03a
14	言	說		1542	03a
14	言	誠		1521	03a
14	言	諫		1531	03a
14	言	誦		1488	03a
14	言	誡		1556	03a
14	言	語		1473	03a
14	言	誤		1616	03a
14	言	誤		1658	03a
14	言	誹		1595	03a
14	言	誌		1725	03a
14	言	誕		1641	03a
14	言	誖		1614	03a
14	言	誧		1561	03a
14	言	僣		1582	03a
14	言	誨		1492	03a
14	言	誒		1618	03a
14	豸	貗		6060	09b
14	豕	豩		6068	09b
14	豕	豪		6067	09b
14	豕	豨		6064	09b
14	豸	貍		6097	09b
14	貝	賕		3969	06b
14	貝	賦		3964	06b
14	貝	賓		3950	06b
14	貝	賒		3951	06b
14	貝	賏		3976	06b
14	貝	貶		3917	06b

14	貝	賑	賑	3926	06b		14	辵	遜	遜	1139	02b
14	貝	叡	叡	2517	04b		14	辵	遙	遙	1221	02b
14	赤	經	經	6557	10b		14	辵	遠	遠	1197	02b
14	赤	赫	赫	6561	10b		14	辵	遞	遞	1132	02b
14	走	趙	趙	1057	02a		14	邑	鄣	鄣	4157	06b
14	走	趙	趙	1029	02a		14	邑	鄒	鄒	4053	06b
14	走	趆	趆	1004	02a		14	邑	鄘	鄘	4017	06b
14	走	趂	趂	1047	02a		14	邑	鄝	鄝	4152	06b
14	走	趕	趕	1017	02a		14	邑	鄭	鄭	4071	06b
14	足	踌	踌	1394	02b		14	邑	鄭	鄭	4054	06b
14	足	踞	踞	1332	02b		14	邑	崩	崩	4008	06b
14	足	跁	跁	1353	02b		14	邑	鄙	鄙	3992	06b
14	足	瞪	瞪	1343	02b		14	邑	鄲	鄲	4069	06b
14	足	踊	踊	1345	02b		14	邑	鄂	鄂	4075	06b
14	足	跈	跈	1370	02b		14	邑	廓	廓	4082	06b
14	足	跟	跟	1377	02b		14	邑	鄞	鄞	4097	06b
14	身	躬	躬	4611	07b		14	邑	鄭	鄭	4122	06b
14	車	輕	輕	9472	14a		14	邑	鄘	鄘	4100	06b
14	車	輗	輗	9492	14a		14	邑	鄒	鄒	4025	06b
14	車	輓	輓	9557	14a		14	邑	黎	黎	4132	06b
14	車	輔	輔	9562	14a		14	邑	鄙	鄙	4167	06b
14	車	輋	輋	9555	14a		14	邑	鄠	鄠	4006	06b
14	車	輒	輒	9488	14a		14	邑	鄭	鄭	4150	06b
14	辛	辡	辡	9713	14b		14	酉	醋	醋	9766	14b
14	辵	遣	遣	1144	02b		14	酉	酥	酥	9764	14b
14	辵	邁	邁	1128	02b		14	酉	醇	醇	9818	14b
14	辵	遲	遲	1115	02b		14	酉	酸	酸	9809	14b

14	酉	醒		9804	14b
14	酉	醐		9798	14b
14	酉	酷		9780	14b
14	金	銒		9245	14a
14	金	鋬		9290	14a
14	金	鋺		9298	14a
14	金	銅		9220	14a
14	金	鈾		9305	14a
14	金	鉻		9393	14a
14	金	銘		9411	14a
14	金	銑		9227	14a
14	金	銛		9296	14a
14	金	銖		9326	14a
14	金	銚		9261	14a
14	金	銀		9214	14a
14	金	銓		9325	14a
14	金	銍		9311	14a
14	金	鉹		9244	14a
14	金	銜		9376	14a
14	金	銏		9258	14a
14	門	閣		7721	12a
14	門	閨		7697	12a
14	門	閩		8889	13a
14	門	閥		7752	12a
14	門	閤		7731	12a
14	門	閡		7698	12a
14	阜	隕		9605	14b
14	阜	隔		9597	14b
14	阜	隆		3861	06b
14	阜	障		9619	14b
14	阜	際		9648	14b
14	阜	陛		7660	11b
14	隹	雒		2273	04a
14	隹	雐		2295	04a
14	雨	雺		7499	11b
14	雨	需		7531	11b
14	雨	霈		7532	11b
14	雨	霖		7511	11b
14	革	鞁		1807	03b
14	革	鞀		1790	03b
14	革	鞉		1803	03b
14	革	鞅		1838	03b
14	革	鞐		1827	03b
14	革	鞄		1840	03b
14	革	鞄		1787	03b
14	革	鞍		1812	03b
14	革	鞃		1809	03b
14	韋	韐		3369	05b
14	音	韶		1734	03a
14	頁	領		5591	09a
14	頁	頓		5635	09a
14	頁	頗		5625	09a
14	頁	頗		5648	09a
14	風	颯		8937	13b

획수	부수	한자	전서	번호	위치
14	風	颭		8947	13b
14	風	颸		8934	13b
14	食	飾		4876	07b
14	食	飴		3194	05b
14	食	飽		3227	05b
14	食	飵		3225	05b
14	馬	駢		6198	10a
14	馬	駃		6211	10a
14	馬	駁		6148	10a
14	馬	駮		6130	10a
14	馬	駆		6171	10a
14	馬	駒		6153	10a
14	馬	駟		6205	10a
14	馬	駭		6149	10a
14	馬	馹		6200	10a
14	骨	骹		5549	08b
14	髟	髩		5723	09a
14	髟	髦		5706	09a
14	鬥	鬨		1893	03b
14	鬲	鬷		1847	03b
14	鬼	魁		9448	14a
14	鬼	魅		5799	09a
14	鬼	魂		5793	09a
14	鬼	魄		5803	09a
14	魚	魠		7586	11b
14	鳥	鳴		2471	04a
14	鳥	鳳		2360	04a
14	麥	麩		3345	05b
14	麥	麨		3335	05b
14	麻	麼		2490	04b
14	鼻	鼻		2224	04a
14	齊	齊		4334	07a

15획

획수	부수	한자	전서	번호	위치
15	人	價		5182	08a
15	人	僵		5130	08a
15	人	儉		5070	08a
15	人	儆		4992	08a
15	人	儋		5002	08a
15	人	僻		5105	08a
15	人	優		4995	08a
15	人	億		5075	08a
15	人	僕		4954	08a
15	人	儀		5060	08a
15	人	僵		5037	08a
15	人	儈		5179	08a
15	人	儇		4950	08a
15	刀	劇		2752	04b
15	刀	劇		2798	04b
15	刀	劈		2764	04b
15	刀	剝		2777	04b
15	刀	劊		2747	04b
15	力	勳		9190	13b
15	力	勘		9174	13b
15	厂	廠		5956	09b

15	厂	厲	厲	5955	09b
15	厂	厗	厗	5970	09b
15	厂	厱	厱	5950	09b
15	厶	�##	##	6267	10a
15	口	嘰	##	812	02a
15	口	嘾	##	879	02a
15	口	嘮	##	904	02a
15	口	噴	##	907	02a
15	口	嘯	##	866	02a
15	口	噠	##	860	02a
15	口	噚	##	909	02a
15	口	噎	##	880	02a
15	口	嘲	##	967	02a
15	口	噂	##	856	02a
15	口	喋	##	804	02a
15	口	嚃	##	930	02a
15	口	噍	##	806	02a
15	口	嘼	##	9690	14b
15	口	嘽	##	820	02a
15	口	嘵	##	913	02a
15	土	厜	##	2214	04a
15	土	墝	##	9004	13b
15	土	墨	##	9031	13b
15	土	墣	##	8992	13b
15	土	墳	##	9097	13b
15	土	墠	##	9061	13b
15	土	壇	##	9086	13b

15	土	增	##	9045	13b
15	土	墜	##	9115	13b
15	士	墫	##	229	01a
15	大	奭	##	2230	04a
15	女	嬋	##	8212	12b
15	女	嬌	##	8309	12b
15	女	嫣	##	8076	12b
15	女	�	##	8277	12b
15	女	嬌	##	8161	12b
15	女	嬢	##	8134	12b
15	女	嬌	##	8144	12b
15	女	嬃	##	8263	12b
15	女	嫠	##	8252	12b
15	女	嬉	##	8253	12b
15	女	嬋	##	8310	12b
15	女	頮	##	8130	12b
15	女	嬈	##	8079	12b
15	女	嬈	##	8284	12b
15	女	嬌	##	8147	12b
15	女	嫺	##	8190	12b
15	女	嬬	##	8157	12b
15	宀	寬	##	4584	07b
15	宀	寫	##	4579	07b
15	宀	寫	##	4550	07b
15	宀	寂	##	4598	07b
15	尸	履	##	5406	08b
15	尸	屦	##	5377	08a

15	尸	層		5398	08a
15	山	嶠		5875	09b
15	山	嵾		5854	09b
15	山	嶙		5872	09b
15	山	嶔		5827	09b
15	山	崙		5891	09b
15	山	嶢		5866	09b
15	山	棧		5848	09b
15	山	隋		5847	09b
15	巛	鼠		6666	10b
15	巾	幢		4894	07b
15	巾	幠		4875	07b
15	巾	幡		4869	07b
15	巾	幞		4901	07b
15	巾	幝		4872	07b
15	巾	幟		4895	07b
15	巾	幣		4840	07b
15	广	廣		5909	09b
15	广	庿		5898	09b
15	广	廟		5935	09b
15	广	廡		5901	09b
15	广	廩		5929	09b
15	广	廛		5914	09b
15	广	廚		5904	09b
15	广	廢		5932	09b
15	广	廞		5939	09b
15	弓	彈		8460	12b
15	弓	彉		8458	12b
15	彐	彙		6072	09b
15	彡	尋		1976	03b
15	彳	德		1223	02b
15	彳	徵		5217	08a
15	彳	徹		1989	03b
15	心	慶		6722	10b
15	心	憬		6932	10b
15	心	憒		6836	10b
15	心	憧		6814	10b
15	心	慮		6669	10b
15	心	憐		6926	10b
15	心	憓		6927	10b
15	心	憭		6701	10b
15	心	慼		6896	10b
15	心	慕		6757	10b
15	心	憮		6744	10b
15	心	憤		6857	10b
15	心	憂		3351	05b
15	心	慰		6747	10b
15	心	憝		6717	10b
15	心	憎		6847	10b
15	心	熱		6916	10b
15	心	憕		6689	10b
15	心	憯		6865	10b
15	心	憨		6923	10b
15	心	惓		6795	10b

15	心	憍		6805	10b
15	心	憚		6906	10b
15	心	憭		6801	10b
15	心	憫		6789	10b
15	心	慧		6700	10b
15	心	憪		6816	10b
15	戈	戮		8348	12b
15	戈	戴		8350	12b
15	戈	截		8345	12b
15	手	撄		7962	12a
15	手	撟		7926	12a
15	手	撅		8036	12a
15	手	擊		7966	12a
15	手	撚		8030	12a
15	手	撞		7975	12a
15	手	撩		7855	12a
15	手	摩		7971	12a
15	手	摹		7985	12a
15	手	撫		7882	12a
15	手	撲		8010	12a
15	手	撥		7940	12a
15	手	撓		7894	12a
15	手	擅		7799	12a
15	手	摯		7822	12a
15	手	撮		7868	12a
15	手	播		7955	12a
15	手	撫		7913	12a

15	手	撣		7836	12a
15	手	撣		7964	12a
15	手	播		7997	12a
15	手	撟		7981	12a
15	攴	敹		2017	03b
15	攴	數		2003	03b
15	攴	敵		2021	03b
15	攴	陳		2020	03b
15	攴	戰		2039	03b
15	文	髦		5698	09a
15	方	旗		4272	07a
15	日	暱		4232	07a
15	日	暬		4233	07a
15	日	暫		4216	07a
15	日	暵		4229	07a
15	木	槃		3683	06a
15	木	槕		3824	06a
15	木	楓		3716	06a
15	木	樛		3573	06a
15	木	槤		3702	06a
15	木	樓		3635	06a
15	木	槦		3529	06a
15	木	槵		3642	06a
15	木	模		3606	06a
15	木	樊		1766	03a
15	木	槢		3400	06a
15	木	槮		3581	06a

15	木	櫟		3774	06a	15	歹	殣	2535	04b
15	木	楸		3428	06a	15	歹	蕚	2532	04b
15	木	榴		3417	06a	15	歹	殤	2528	04b
15	木	樂		3745	06a	15	殳	毆	1957	03b
15	木	樣		3462	06a	15	殳	毅	1964	03b
15	木	槷		3587	06a	15	毛	氂	775	02a
15	木	樕		3487	06a	15	毛	毦	5365	08a
15	木	椿		3825	06a	15	水	澗	7230	11a
15	木	櫱		3438	06a	15	水	潔	7430	11a
15	木	樗		3490	06a	15	水	漀	7349	11a
15	木	楠		3631	06a	15	水	潰	7189	11a
15	木	槽		3741	06a	15	水	濼	7083	11a
15	木	樅		3531	06a	15	水	潭	7008	11a
15	木	槧		3750	06a	15	水	潼	6954	11a
15	木	樞		3633	06a	15	水	滕	7135	11a
15	木	橯		3494	06a	15	水	澇	6978	11a
15	木	橝		3612	06a	15	水	潞	6989	11a
15	木	標		3565	06a	15	水	潦	7272	11a
15	木	樺		3484	06a	15	水	潘	7012	11a
15	木	楷		3812	06a	15	水	潰	7010	11a
15	木	虩		3432	06a	15	水	潕	7014	11a
15	木	橫		3777	06a	15	水	潤	7167	11a
15	欠	歔		5559	08b	15	水	潘	7339	11a
15	欠	歐		5531	08b	15	水	潄	7385	11a
15	欠	歆		5563	08b	15	水	漬	7203	11a
15	欠	歎		5527	08b	15	水	潐	7396	11a
15	欠	歔		5503	08b	15	水	潊	7107	11a

15	水	楸		7437	11b
15	水	潵		7433	11a
15	水	潚		7110	11a
15	水	漦		7108	11a
15	水	澌		7301	11a
15	水	潯		7177	11a
15	水	潁		7025	11b
15	水	澆		7356	11a
15	水	澐		7139	11a
15	水	潤		7169	11a
15	水	潤		7314	11a
15	水	潩		6984	11a
15	水	潺		7422	11a
15	水	潛		7251	11a
15	水	澍		7269	11a
15	水	潧		7031	11a
15	水	澂		7164	11a
15	水	潐		7305	11a
15	水	潯		7211	11a
15	水	潓		6998	11a
15	水	潁		7408	11a
15	水	潢		7219	11a
15	水	潏		7136	11a
15	水	潈		7134	11a
15	火	熲		6405	10a
15	火	熮		6402	10a
15	火	熯		6490	10a

15	火	熠		6467	10a
15	火	熱		6478	10a
15	火	熬		6428	10a
15	火	熭		6492	10a
15	火	煩		3798	06a
15	火	熸		6453	10a
15	火	熜		6444	10a
15	火	熛		6407	10a
15	火	熚		6395	10a
15	火	熯		6400	10a
15	爻	毅		971	02a
15	片	牖		4345	07a
15	牛	犖		774	02a
15	牛	犕		759	02a
15	牛	犣		751	02a
15	牛	犘		734	02a
15	犬	獟		6334	10a
15	犬	獠		6327	10a
15	犬	獜		6314	10a
15	犬	獦		6297	10a
15	犬	猢		6300	10a
15	犬	獒		6304	10a
15	犬	獙		6288	10a
15	犬	獢		6277	10a
15	玉	瑾		90	01a
15	玉	瑽		135	01a
15	玉	璊		143	01a

15	玉	璨	璨	166	01a		15	白	皠	皠	4912	07b
15	玉	瑇	瑇	161	01a		15	白	晶	晶	4917	07b
15	玉	瑩	瑩	142	01a		15	目	𥅀	𥅀	6629	10b
15	玉	璋	璋	114	01a		15	目	瞞	瞞	2101	04a
15	玉	璁	璁	169	01a		15	目	瞑	瞑	2169	04a
15	玉	璀	璀	216	01a		15	目	瞥	瞥	2137	04a
15	瓜	瓞	瓞	4528	07b		15	目	瞢	瞢	2192	04a
15	瓦	甁	甁	8428	12b		15	目	暖	暖	2161	04a
15	瓦	甋	甋	8425	12b		15	目	瞋	瞋	2159	04a
15	田	畿	畿	9136	13b		15	目	瞋	瞋	2155	04a
15	田	疃	疃	9133	13b		15	目	瞻	瞻	2140	04a
15	疒	癑	癑	4763	07b		15	矛	稸	稸	9461	14a
15	疒	癥	癥	4712	07b		15	矢	矮	矮	3332	05b
15	疒	瘸	瘸	4698	07b		15	石	磑	磑	6000	09b
15	疒	癟	癟	4744	07b		15	石	礫	礫	5987	09b
15	疒	瘭	瘭	4771	07b		15	石	磊	磊	6028	09b
15	疒	瘐	瘐	4748	07b		15	石	礎	礎	6019	09b
15	疒	癔	癔	4720	07b		15	石	碩	碩	5994	09b
15	疒	瘟	瘟	4737	07b		15	石	磔	磔	3394	05b
15	疒	瘥	瘥	9092	13b		15	石	碼	碼	6026	09b
15	疒	瘣	瘣	4677	07b		15	示	禂	禂	62	01a
15	疒	瘨	瘨	4682	07b		15	示	禠	禠	16	01a
15	疒	瘥	瘥	4770	07b		15	示	禜	禜	52	01a
15	疒	瘝	瘝	7908	12a		15	示	禛	禛	14	01a
15	疒	瘡	瘡	4726	07b		15	禾	稼	稼	4355	07a
15	白	皚	皚	4913	07b		15	禾	稽	稽	3873	06b
15	白	普	普	6664	10b		15	禾	稟	稟	4413	07a

획수	부수	한자	번호	코드
15	禾	稻	4374	07a
15	禾	稼	4377	07a
15	禾	穄	4419	07a
15	禾	糕	4410	07a
15	禾	稷	4370	07a
15	禾	積	4362	07a
15	禾	穉	4361	07a
15	禾	稿	4427	07a
15	穴	窯	4615	07b
15	穴	窳	4633	07b
15	穴	寠	4643	07b
15	穴	窱	4657	07b
15	竹	管	3318	05b
15	竹	節	2982	05a
15	竹	範	9524	14a
15	竹	箱	2955	05a
15	竹	箾	2972	05a
15	竹	篷	2976	05a
15	竹	箸	2864	05a
15	竹	箹	2980	05a
15	竹	箓	2878	05a
15	竹	箴	2971	05a
15	竹	箸	2916	05a
15	竹	箭	2855	05a
15	竹	篆	2872	05a
15	竹	節	2865	05a
15	竹	篇	2931	05a
15	竹	筱	2987	05a
15	竹	篡	2933	05a
15	竹	篹	2862	05a
15	竹	篇	2874	05a
15	竹	篌	2935	05a
15	竹	篁	2876	05a
15	米	糕	4467	07a
15	米	糈	4477	07a
15	米	橐	4333	07a
15	米	糉	4495	07a
15	糸	緇	8481	13a
15	糸	縤	8645	13a
15	糸	緬	8676	13a
15	糸	練	8556	13a
15	糸	縣	8471	12b
15	糸	緬	8478	13a
15	糸	緢	8518	13a
15	糸	緵	8620	13a
15	糸	緟	8709	13a
15	糸	緗	8723	13a
15	糸	總	8702	13a
15	糸	緣	8616	13a
15	糸	緥	8639	13a
15	糸	綢	8606	13a
15	糸	繪	8704	13a
15	糸	緯	8494	13a
15	糸	絹	8549	13a

15	糸	繈	8510	13a
15	糸	緹	8579	13a
15	糸	緟	8627	13a
15	糸	緝	8691	13a
15	糸	締	8535	13a
15	糸	緇	8668	13a
15	糸	緻	8722	13a
15	糸	編	8659	13a
15	糸	綖	8707	13a
15	糸	緘	8657	13a
15	糸	緯	8495	13a
15	网	罵	4823	07b
15	网	罷	4819	07b
15	羊	羯	2335	04a
15	羊	鰲	2327	04a
15	羊	羍	3317	05b
15	羊	羥	2344	04a
15	羊	羭	2333	04a
15	羽	翶	2242	04a
15	羽	翬	2234	04a
15	羽	翫	2232	04a
15	羽	翯	2248	04a
15	羽	翦	2239	04a
15	羽	翻	2253	04a
15	羽	翭	2244	04a
15	羽	翬	2251	04a
15	而	耑	5747	09a

15	耒	耦	2810	04b
15	耳	聊	7769	12a
15	肉	膠	2717	04b
15	肉	腰	2657	04b
15	肉	膜	2698	04b
15	肉	膊	2710	04b
15	肉	膘	2671	04b
15	自	臱	2216	04a
15	自	魶	3851	06b
15	自	臿	3319	05b
15	舟	艘	5419	08b
15	舟	艎	5427	08b
15	艸	藍	344	01b
15	艸	葷	640	01b
15	艸	蔜	530	01b
15	艸	蘡	377	01b
15	艸	蔆	411	01b
15	艸	蔓	460	01b
15	艸	蕆	2322	04a
15	艸	蕠	314	01b
15	艸	薯	5353	08a
15	艸	蘇	665	01b
15	艸	蔤	434	01b
15	艸	蓬	671	01b
15	艸	蔜	573	01b
15	艸	蔬	691	01b
15	艸	蓨	370	01b

15	艸	蕁		600	01b
15	艸	薾		334	01b
15	艸	蔫		554	01b
15	艸	蓮		431	01b
15	艸	蓼		262	01b
15	艸	蔚		442	01b
15	艸	蔲		379	01b
15	艸	蓶		266	01b
15	艸	蔭		525	01b
15	艸	蕠		255	01b
15	艸	蒵		510	01b
15	艸	蕢		357	01b
15	艸	蔗		348	01b
15	艸	葦		390	01b
15	艸	蔣		470	01b
15	艸	蕲		570	01b
15	艸	蔦		393	01b
15	艸	蓸		652	01b
15	艸	蔟		619	01b
15	艸	蓺		521	01b
15	艸	蔡		557	01b
15	艸	蔕		515	01b
15	艸	蔥		633	01b
15	艸	蓻		526	01b
15	艸	蓷		335	01b
15	艸	蕙		502	01b
15	虍	號		3114	05a
15	虍	戯		3117	05a
15	虫	蝣		8808	13a
15	虫	蝎		8780	13a
15	虫	蝥		8919	13b
15	虫	蜵		8796	13a
15	虫	蝥		8816	13a
15	虫	蝮		8742	13a
15	虫	蝠		8887	13a
15	虫	蝤		8820	13a
15	虫	蝛		8836	13a
15	虫	蝏		8795	13a
15	虫	蝱		8905	13b
15	虫	蝥		8804	13a
15	虫	蝘		8759	13a
15	虫	蝝		8787	13a
15	虫	蝐		8839	13a
15	虫	蝸		8859	13a
15	虫	蝯		8880	13a
15	虫	蝼		8767	13a
15	虫	蝓		8862	13a
15	虫	蜦		8865	13a
15	虫	蟊		8906	13b
15	虫	蝀		8777	13a
15	虫	蝤		8778	13a
15	虫	蝙		8886	13a
15	虫	蝦		8870	13a
15	虫	蝗		8822	13a

15	血	盡	盡	3155	05a
15	衣	褍	褍	5279	08a
15	衣	褕	褕	5259	08a
15	衣	襃	襃	5261	08a
15	衣	襗	襗	5318	08a
15	衣	褚	褚	5258	08a
15	見	親	親	5461	08b
15	見	覿	覿	5454	08b
15	見	覭	覭	5472	08b
15	見	覩	覩	5452	08b
15	見	覣	覣	5451	08b
15	角	觭	觭	2823	04b
15	角	觥	觥	2820	04b
15	言	課	課	1536	03a
15	言	誊	誊	1638	03a
15	言	諆	諆	1663	03a
15	言	說	說	1634	03a
15	言	談	談	1474	03a
15	言	諸	諸	1627	03a
15	言	詢	詢	1624	03a
15	言	諒	諒	1476	03a
15	言	論	論	1507	03a
15	言	誹	誹	1607	03a
15	言	誶	誶	1689	03a
15	言	誰	誰	1699	03a
15	言	諄	諄	1499	03a
15	言	諗	諗	1535	03a
15	言	誣	誣	1670	03a
15	言	諉	諉	1549	03a
15	言	誾	誾	1502	03a
15	言	誼	誼	1553	03a
15	言	諍	諍	1570	03a
15	言	諓	諓	1555	03a
15	言	調	調	1546	03a
15	言	譜	譜	1586	03a
15	言	請	請	1478	03a
15	言	諏	諏	1506	03a
15	言	誣	誣	1548	03a
15	豆	豎	豎	1944	03b
15	貝	賚	賚	3941	06b
15	貝	賣	賣	3849	06b
15	貝	賣	賣	3974	06b
15	貝	賜	賜	3943	06b
15	貝	賞	賞	3942	06b
15	貝	資	資	3960	06b
15	貝	賓	賓	3973	06b
15	貝	質	質	3954	06b
15	貝	賤	賤	3963	06b
15	貝	賢	賢	3927	06b
15	走	趣	趣	1041	02a
15	走	趨	趨	1003	02a
15	走	趣	趣	997	02a
15	走	趌	趌	1046	02a
15	走	趙	趙	1051	02a

15	走	趣		1037	02a
15	走	趙		1054	02a
15	走	趁		1019	02a
15	走	趋		992	02a
15	走	趣		981	02a
15	走	趒		1032	02a
15	走	越		994	02a
15	足	踞		1387	02b
15	足	踊		1398	02b
15	足	踝		1328	02b
15	足	踦		1330	02b
15	足	踏		1390	02b
15	足	踣		1402	02b
15	足	踔		1395	02b
15	足	踏		1335	02b
15	足	踤		1367	02b
15	足	踐		1356	02b
15	足	踧		1333	02b
15	足	踔		1358	02b
15	車	輥		9502	14a
15	車	輨		9509	14a
15	車	暈		9512	14a
15	車	輬		9470	14a
15	車	輦		9556	14a
15	車	輪		9547	14a
15	車	輩		9530	14a
15	車	璉		223	01a

15	車	輗		9549	14a
15	車	輓		9553	14a
15	車	輪		9487	14a
15	車	輘		9535	14a
15	車	輖		9529	14a
15	車	輟		9540	14a
15	車	輜		9467	14a
15	車	輈		9474	14a
15	辛	辤		9711	14b
15	辛	辟		5770	09a
15	辵	遺		1110	02b
15	辵	遨		1097	02b
15	辵	遯		1171	02b
15	辵	遷		1191	02b
15	辵	達		1094	02b
15	辵	適		1108	02b
15	辵	遭		1127	02b
15	辵	遮		1185	02b
15	辵	遴		1149	02b
15	邑	鄲		4049	06b
15	邑	鄴		4136	06b
15	邑	鄶		4148	06b
15	邑	鄧		4066	06b
15	邑	鄡		4032	06b
15	邑	鄰		3990	06b
15	邑	鄭		4096	06b
15	邑	鄨		4039	06b

총획수

15	邑	酆		3998	06b
15	邑	鄴		4027	06b
15	邑	鄢		4153	06b
15	邑	鄭		4012	06b
15	邑	鄲		4129	06b
15	邑	鄱		4092	06b
15	邑	鄒		4161	06b
15	邑	鄦		4057	06b
15	邑	鄶		4145	06b
15	酉	醁		9821	14b
15	酉	醅		9799	14b
15	酉	醇		9770	14b
15	酉	醆		9785	14b
15	酉	醬		9814	14b
15	酉	醋		9791	14b
15	酉	醉		9800	14b
15	金	鎯		9392	14a
15	金	銀		9382	14a
15	金	銤		9327	14a
15	金	鋂		9384	14a
15	金	鈕		9314	14a
15	金	鍪		9371	14a
15	金	銷		9232	14a
15	金	鋋		9354	14a
15	金	銳		9321	14a
15	金	鋬		9216	14a
15	金	鉛		9268	14a
15	金	鋌		9241	14a
15	金	鍗		9402	14a
15	金	鑒		9224	14a
15	金	銼		9256	14a
15	金	鋪		9388	14a
15	金	銷		9264	14a
15	金	鋏		9239	14a
15	金	鋞		9250	14a
15	門	閒		7712	12a
15	門	閑		7701	12a
15	門	閱		7743	12a
15	阜	隥		9591	14b
15	阜	隴		9628	14b
15	阜	隔		9637	14b
15	阜	隤		9598	14b
15	隶	隸		6039	09b
15	雨	霖		7503	11b
15	雨	雪		7491	11b
15	雨	霄		7495	11b
15	雨	霆		7490	11b
15	雨	震		7493	11b
15	雨	霚		7507	11b
15	青	靚		5485	08b
15	非	靠		7659	11b
15	革	鞏		1793	03b
15	革	鞈		1786	03b
15	革	鞏		1825	03b

총획수

15	魚	鮚	𩵋	7644	11b
15	魚	鯵	𩵋	7606	11b
15	魚	鮱	𩵋	7623	11b
15	魚	鰤	𩵋	7604	11b
15	魚	魭	𩵋	7629	11b
15	鳥	鳲	𩾈	2461	04a
15	鳥	鴉	𩾈	2290	04a
15	鳥	鴟	𩾈	2439	04a
15	鳥	鳩	𩾈	2380	04a
15	鳥	鴙	𩾈	2382	04a
15	鳥	鴇	𩾈	2427	04a
15	鳥	鴌	𩾈	2473	04a
15	鳥	鴈	𩾈	2413	04a
15	鳥	鳩	𩾈	2469	04a
15	鹿	麃	麃	6246	10a
15	麥	麴	𪎭	3339	05b
15	麥	麩	𪎭	3338	05b
15	黍	黎	黎	4450	07a
15	鼎	鼐	鼐	4349	07a
15	鼎	鼏	鼏	4350	07a
15	齒	齒	齒	1277	02b
15,	言	諕	諕	1652	03a
16획					
16	人	倒	倒	5168	08a
16	人	儐	儐	5008	08a
16	人	儒	儒	4937	08a
16	人	儗	儗	5094	08a

16	人	儕	儕	5013	08a
16	人	儔	儔	5098	08a
16	八	冀	冀	5208	08a
16	刀	劍	劍	2802	04b
16	刀	劑	劑	2771	04b
16	力	勰	勰	9183	13b
16	力	勳	勳	9166	13b
16	勹	𠣤	𠣤	5772	09a
16	匚	匱	匱	8387	12b
16	又	叡	叡	2519	04b
16	口	噱	噱	848	02a
16	口	噭	噭	780	02a
16	口	噤	噤	834	02a
16	口	器	器	1436	03a
16	口	噬	噬	810	02a
16	口	噲	噲	962	02a
16	口	噴	噴	955	02a
16	口	噶	噶	781	02a
16	口	窨	窨	818	02a
16	口	噌	噌	786	02a
16	口	噆	噆	884	02a
16	口	噫	噫	902	02a
16	口	噫	噫	819	02a
16	囗	圍	圍	3898	06b
16	囗	圓	圓	3891	06b
16	土	墾	墾	9111	13b
16	土	墼	墼	9018	13b

16	土	墩	墩	8986	13b		16	巾	幧	幧	4898	07b
16	土	壇	壇	9099	13b		16	广	廥	廥	5910	09b
16	土	壁	壁	9003	13b		16	广	廎	廎	5902	09b
16	土	墺	墺	8978	13b		16	广	廦	廦	5908	09b
16	土	壈	壈	9038	13b		16	廾	輿	輿	1773	03a
16	大	奮	奮	2311	04a		16	廾	奰	奰	1753	03a
16	大	興	興	6639	10b		16	弓	彊	彊	8448	12b
16	大	奯	奯	6571	10b		16	彐	彝	彝	6073	09b
16	女	嬲	嬲	8230	12b		16	彳	徼	徼	1231	02b
16	女	嬯	嬯	8096	12b		16	心	憺	憺	6763	10b
16	女	嬗	嬗	8211	12b		16	心	憖	憖	6844	10b
16	女	嬐	嬐	8206	12b		16	心	憸	憸	6771	10b
16	女	嬴	嬴	8074	12b		16	心	懃	懃	6885	10b
16	女	嬙	嬙	8307	12b		16	心	蕙	蕙	6734	10b
16	女	嬖	嬖	8229	12b		16	心	懌	懌	6945	10b
16	女	嬛	嬛	8171	12b		16	心	憿	憿	6822	10b
16	女	嬕	嬕	8291	12b		16	心	愁	愁	6718	10b
16	女	嬡	嬡	8285	12b		16	心	懆	懆	6862	10b
16	宀	寰	寰	4606	07b		16	心	憨	憨	6773	10b
16	寸	導	導	1979	03b		16	心	懃	懃	6748	10b
16	尢	尲	尲	6603	10b		16	心	懈	懈	6804	10b
16	山	嶧	嶧	5824	09b		16	心	憲	憲	6688	10b
16	山	嶨	嶨	5855	09b		16	心	懁	懁	6778	10b
16	山	嶩	嶩	5857	09b		16	心	憙	憙	3060	05a
16	山	嶜	嶜	5836	09b		16	戈	戰	戰	8341	12b
16	巾	幭	幭	4892	07b		16	手	擖	擖	7898	12a
16	巾	幩	幩	4885	07b		16	手	據	據	7827	12a

16	手	撿	7803	12a
16	手	撻	8003	12a
16	手	操	7823	12a
16	手	擅	7934	12a
16	手	擇	7859	12a
16	手	擐	7950	12a
16	攴	敵	2018	03b
16	攴	敷	2063	03b
16	攴	斂	2034	03b
16	攴	散	2709	04b
16	攴	整	1995	03b
16	日	曇	4252	07a
16	日	曈	4240	07a
16	日	曆	4253	07a
16	日	暟	4208	07a
16	日	曉	4238	07a
16	木	橋	3767	06a
16	木	橐	3669	06a
16	木	㯷	3721	06a
16	木	橫	3459	06a
16	木	橘	3397	06a
16	木	機	3707	06a
16	木	橝	3630	06a
16	木	橦	3657	06a
16	木	橙	3398	06a
16	木	橑	3621	06a
16	木	榛	3552	06a

16	木	樸	3590	06a
16	木	橎	3523	06a
16	木	橪	3770	06a
16	木	檟	3437	06a
16	木	橌	3806	06a
16	木	樺	3418	06a
16	木	樹	3543	06a
16	木	橚	3583	06a
16	木	檜	3448	06a
16	木	橪	3478	06a
16	木	橈	3576	06a
16	木	橌	3476	06a
16	木	棘	3829	06a
16	木	橄	3722	06a
16	木	樵	3527	06a
16	木	橘	3454	06a
16	木	橢	3698	06a
16	木	槀	3886	06b
16	木	橀	3880	06b
16	木	橺	3569	06a
16	木	橞	3471	06a
16	欠	歜	5526	08b
16	欠	歔	5532	08b
16	欠	歆	5553	08b
16	欠	歛	5528	08b
16	止	歷	1069	02a
16	歹	殯	2537	04b

16	歹	殢	殨	2531	04b		16	水	澤	澤	7185	11a
16	歹	殫	殫	2544	04b		16	水	澥	澥	7094	11a
16	殳	毈	毈	8967	13b		16	水	澮	澮	6986	11a
16	殳	毅	毅	4497	07a		16	火	燎	燎	6451	10a
16	毛	毢	毢	5371	08a		16	火	薈	薈	6503	10a
16	毛	氂	氂	5373	08a		16	火	燔	燔	6391	10a
16	水	澩	澩	5536	08b		16	火	燓	燓	6449	10a
16	水	激	激	7151	11a		16	火	燅	燅	6505	10a
16	水	濄	濄	7028	11a		16	火	燒	燒	6392	10a
16	水	濃	濃	7294	11a		16	火	燊	燊	6549	10b
16	水	澹	澹	7176	11a		16	火	熿	熿	6404	10a
16	氵	漱	漱	2004	03b		16	火	燕	燕	7648	11b
16	水	澧	澧	7019	11a		16	火	燄	燄	6501	10a
16	水	澢	澢	7184	11a		16	火	寰	寰	6431	10a
16	水	滋	滋	7241	11a		16	火	燀	燀	6422	10a
16	水	澯	澯	7393	11a		16	火	燂	燂	6460	10a
16	水	澺	澺	7022	11a		16	火	燋	燋	6411	10a
16	水	濊	濊	7410	11a		16	火	熾	熾	6479	10a
16	水	澳	澳	7231	11a		16	火	熹	熹	6426	10a
16	水	濆	濆	7271	11a		16	爪	畾	畾	8403	12b
16	水	澶	澶	7043	11a		16	牛	犝	犝	773	02a
16	水	澈	澈	7343	11a		16	犬	獧	獧	6315	10a
16	水	澡	澡	7376	11a		16	犬	獳	獳	6275	10a
16	水	澲	澲	7364	11a		16	犬	獨	獨	6323	10a
16	水	澤	澤	7319	11a		16	犬	獘	獘	6331	10a
16	水	濁	濁	7048	11a		16	犬	獪	獪	6278	10a
16	水	蕩	蕩	6992	11a		16	犬	獝	獝	6274	10a

16	玉	璣	璣	197	01a		16	广	瘍	瘍	4773	07b
16	玉	璒	璒	180	01a		16	广	煇	煇	4733	07b
16	玉	璐	璐	98	01a		16	皿	盬	盬	3129	05a
16	玉	璗	璗	159	01a		16	皿	盥	盥	3145	05a
16	玉	璙	璙	82	01a		16	皿	盧	盧	3128	05a
16	玉	璑	璑	101	01a		16	皿	盒	盒	3143	05a
16	玉	璠	璠	88	01a		16	目	瞢	瞢	2320	04a
16	玉	璪	璪	168	01a		16	目	瞋	瞋	2196	04a
16	玉	璭	璭	167	01a		16	目	瞡	瞡	2156	04a
16	玉	璩	璩	129	01a		16	目	瞟	瞟	2132	04a
16	玉	璜	璜	109	01a		16	目	瞔	瞔	2131	04a
16	瓜	絲	絲	4529	07b		16	矢	矯	矯	2222	04a
16	瓜	瓢	瓢	4533	07b		16	石	磬	磬	6010	09b
16	瓦	甌	甌	8417	12b		16	石	磧	磧	5991	09b
16	瓦	甍	甍	8412	12b		16	石	磛	磛	6003	09b
16	瓦	甐	甐	8429	12b		16	示	禦	禦	56	01a
16	甘	曆	曆	3024	05a		16	禾	穄	穄	4409	07a
16	田	暶	暶	9129	13b		16	禾	概	概	4364	07a
16	田	畔	畔	8407	12b		16	禾	穆	穆	4367	07a
16	田	疃	疃	8405	12b		16	禾	穌	穌	4428	07a
16	广	瘫	瘫	4680	07b		16	禾	穎	穎	4384	07a
16	广	瘻	瘻	4704	07b		16	禾	積	積	4401	07a
16	广	瘼	瘼	4683	07b		16	禾	穋	穋	4373	07a
16	广	癃	癃	4760	07b		16	穴	窺	窺	4639	07b
16	广	瘝	瘝	6703	10b		16	穴	竀	竀	4638	07b
16	广	瘷	瘷	4691	07b		16	穴	窻	窻	4627	07b
16	广	療	療	4681	07b		16	穴	竂	竂	8228	12b

16	立	塼	6648	10b
16	竹	篙	3002	05a
16	竹	簍	2920	05a
16	竹	篤	6167	10a
16	竹	篚	2956	05a
16	竹	箆	3001	05a
16	竹	箱	2909	05a
16	竹	篛	2870	05a
16	竹	篍	2958	05a
16	竹	篠	2902	05a
16	竹	築	3602	06a
16	米	糗	4475	07a
16	米	糖	4496	07a
16	米	粼	4488	07a
16	糸	縑	8554	13a
16	糸	縠	8552	13a
16	糸	絹	8534	13a
16	糸	緅	8589	13a
16	糸	縢	8658	13a
16	糸	縗	8690	13a
16	糸	縛	8536	13a
16	糸	縊	8719	13a
16	糸	縰	8607	13a
16	糸	繁	8653	13a
16	糸	緼	8714	13a
16	糸	縟	8594	13a
16	糸	縝	8631	13a
16	糸	緯	8728	13a
16	糸	線	8580	13a
16	糸	縉	8577	13a
16	糸	縒	8519	13a
16	糸	纕	8705	13a
16	糸	縋	8655	13a
16	糸	綯	8699	13a
16	糸	縣	5677	09a
16	糸	縞	8557	13a
16	缶	㲉	3271	05b
16	缶	罃	3274	05b
16	缶	罄	3279	05b
16	网	麗	4806	07b
16	网	罹	4827	07b
16	网	罻	4813	07b
16	羊	義	3048	05a
16	羽	翔	2258	04a
16	羽	翯	2261	04a
16	羽	翰	2235	04a
16	羽	翮	2245	04a
16	耒	賴	2813	04b
16	耳	聯	7775	12a
16	肉	膦	2591	04b
16	肉	膩	2697	04b
16	肉	膁	2673	04b
16	肉	膴	2681	04b
16	肉	膳	2661	04b

16	肉	臘	臘	2685	04b	16	艸	萊	萊	556	01b
16	肉	臕	臕	2708	04b	16	艸	蘊	蘊	553	01b
16	肉	膮	膮	2693	04b	16	艸	羹	羹	621	01b
16	至	臻	臻	7670	12a	16	艸	蒲	蒲	435	01b
16	至	臸	臸	7671	12a	16	艸	蔦	蔦	447	01b
16	臼	興	興	1775	03a	16	艸	蓲	蓲	359	01b
16	舟	鞘	鞘	4260	07a	16	艸	薤	薤	508	01b
16	艸	醋	醋	593	01b	16	艸	菫	菫	635	01b
16	艸	蕢	蕢	608	01b	16	艸	蕬	蕬	583	01b
16	艸	蕨	蕨	637	01b	16	艸	蔝	蔝	467	01b
16	艸	蕁	蕁	342	01b	16	艸	尊	尊	602	01b
16	艸	薄	薄	295	01b	16	艸	虇	虇	524	01b
16	艸	董	董	402	01b	16	艸	葳	葳	696	01b
16	艸	夢	夢	363	01b	16	艸	蕉	蕉	624	01b
16	艸	蕪	蕪	545	01b	16	艸	蔽	蔽	395	01b
16	艸	蔞	蔞	313	01b	16	艸	蔽	蔽	551	01b
16	艸	蘇	蘇	669	01b	16	虍	麕	麕	3118	05a
16	艸	蕃	蕃	675	01b	16	虍	虦	虦	3107	05a
16	艸	覆	覆	364	01b	16	虍	鬳	鬳	3119	05a
16	艸	薑	薑	368	01b	16	虫	螣	螣	8743	13a
16	艸	蕢	蕢	575	01b	16	虫	螈	螈	8833	13a
16	艸	蔆	蔆	315	01b	16	虫	蠊	蠊	8855	13a
16	艸	蕭	蕭	443	01b	16	虫	蜄	蜄	8763	13a
16	艸	蕑	蕑	514	01b	16	虫	蟹	蟹	8815	13a
16	艸	舜	舜	484	01b	16	虫	蜿	蜿	8785	13a
16	艸	覃	覃	479	01b	16	虫	蝸	蝸	8844	13a
16	艸	蘺	蘺	588	01b	16	虫	蟠	蟠	8747	13a

16	虫	融		1855	03b
16	虫	螳		8792	13a
16	虫	蝱		8904	13b
16	虫	螺		8826	13a
16	虫	魄		8753	13a
16	行	衛		1276	02b
16	行	衡		2832	04b
16	衣	褯		5238	08a
16	衣	襄		5273	08a
16	衣	褧		5254	08a
16	衣	裏		5345	08a
16	衣	褸		5242	08a
16	衣	褧		5243	08a
16	衣	袰		5343	08a
16	衣	襃		5263	08a
16	衣	襃		5264	08a
16	見	覦		5480	08b
16	見	題		5462	08b
16	見	親		5486	08b
16	見	覞		5477	08b
16	見	覬		5467	08b
16	見	覦		5455	08b
16	角	觰		2834	04b
16	角	觸		2833	04b
16	角	觘		2818	04b
16	角	觸		2825	04b
16	角	觘		2851	04b

16	言	諫		1534	03a
16	言	譁		1700	03a
16	言	調		1648	03a
16	言	諾		1481	03a
16	言	謀		1503	03a
16	言	諂		1532	03a
16	言	諐		1723	03a
16	言	諟		1511	03a
16	言	諰		1562	03a
16	言	諡		1709	03a
16	言	諶		1518	03a
16	言	謁		1479	03a
16	言	諧		1707	03a
16	言	諺		1574	03a
16	言	謂		1475	03a
16	言	諭		1497	03a
16	言	諜		1587	03a
16	言	諯		1685	03a
16	言	諸		1484	03a
16	言	諜		1713	03a
16	言	諦		1512	03a
16	言	諞		1631	03a
16	言	諷		1487	03a
16	言	誠		1538	03a
16	言	諧		1544	03a
16	言	護		1589	03a
16	言	諱		1524	03a

16	豆	䦥		3082	05a
16	豸	獫		6055	09b
16	豸	豫		6105	09b
16	豸	豬		6048	09b
16	豸	貒		6098	09b
16	豸	貓		6101	09b
16	豸	貐		6087	09b
16	貝	賵		3923	06b
16	貝	賭		3979	06b
16	貝	賴		3946	06b
16	貝	賵		3978	06b
16	貝	賮		3932	06b
16	赤	赭		6559	10b
16	赤	赮		6563	10b
16	走	趨		1021	02a
16	走	趍		1060	02a
16	走	趦		1035	02a
16	走	趙		998	02a
16	足	踶		1336	02b
16	足	踰		1340	02b
16	足	蹄		1361	02b
16	足	踵		1357	02b
16	足	蹚		1416	02b
16	足	踢		1385	02b
16	足	踹		1393	02b
16	足	跋		1401	02b
16	車	輨		9497	14a
16	車	輻		9506	14a
16	車	輸		9528	14a
16	車	轄		9473	14a
16	車	輮		9499	14a
16	車	輭		9561	14a
16	車	輯		9479	14a
16	車	轉		9515	14a
16	辛	辤		9710	14b
16	辛	辦		2756	04b
16	辛	辮		9208	13b
16	辵	遶		1196	02b
16	辵	遴		1159	02b
16	辵	選		1142	02b
16	辵	遺		1173	02b
16	辵	遷		1182	02b
16	辵	遵		1107	02b
16	辵	遲		1147	02b
16	辵	遷		1136	02b
16	辵	通		1156	02b
16	邑	鄴		4077	06b
16	邑	鄲		4076	06b
16	邑	鄰		4046	06b
16	邑	鄹		4124	06b
16	邑	鄶		4108	06b
16	酉	醤		9816	14b
16	酉	醒		9828	14b
16	酉	醜		9760	14b

16	酉	醍	醍	9829	14b
16	酉	醏	醏	9817	14b
16	酉	醐	醐	9825	14b
16	金	鋸	鋸	9317	14a
16	金	鋻	鋻	9228	14a
16	金	錮	錮	9236	14a
16	金	錦	錦	4906	07b
16	金	錡	錡	9283	14a
16	金	錟	錟	9358	14a
16	金	錄	錄	9230	14a
16	金	錯	錯	9399	14a
16	金	錍	錍	9292	14a
16	金	錫	錫	9218	14a
16	金	錞	錞	9360	14a
16	金	錏	錏	9367	14a
16	金	錚	錚	9346	14a
16	金	錔	錔	9255	14a
16	金	錢	錢	9300	14a
16	金	錠	錠	9271	14a
16	金	錭	錭	9406	14a
16	金	錯	錯	9281	14a
16	金	錐	錐	9319	14a
16	金	錘	錘	9330	14a
16	金	錂	錂	9409	14a
16	金	錙	錙	9329	14a
16	金	錎	錎	9391	14a
16	門	閭	閭	2274	04a

16	門	鬪	鬪	7723	12a
16	門	閼	閼	7724	12a
16	門	閹	閹	7737	12a
16	門	閾	閾	7711	12a
16	門	閻	閻	7702	12a
16	門	閶	閶	7693	12a
16	門	閣	閣	7738	12a
16	阜	餡	餡	9664	14b
16	阜	隨	隨	1101	02b
16	阜	隩	隩	9621	14b
16	阜	嶰	嶰	9624	14b
16	阜	險	險	9582	14b
16	隹	雔	雔	2353	04a
16	隹	雖	雖	2289	04a
16	隹	雜	雜	2298	04a
16	隹	雁	雁	2287	04a
16	隹	雕	雕	2286	04a
16	雨	霖	霖	7510	11b
16	雨	霏	霏	7534	11b
16	雨	霙	霙	7505	11b
16	雨	霎	霎	7535	11b
16	雨	霓	霓	7528	11b
16	雨	霎	霎	7539	11b
16	雨	霑	霑	7515	11b
16	雨	霍	霍	7521	11b
16	靑	靜	靜	3174	05b
16	面	靦	靦	5669	09a

총획수

16	面	靦	5668	09a		16	首	艏	5674	09a
16	革	鞁	1798	03b		16	馬	駓	6151	10a
16	革	鞄	1820	03b		16	馬	駉	6186	10a
16	革	鞥	1794	03b		16	馬	駱	6119	10a
16	革	鞘	1842	03b		16	馬	駮	6210	10a
16	革	鞘	1830	03b		16	馬	駢	6159	10a
16	革	靪	1841	03b		16	馬	駛	6221	10a
16	頁	頤	5587	09a		16	馬	駞	6209	10a
16	頁	頸	5590	09a		16	馬	騪	6222	10a
16	頁	顊	5598	09a		16	馬	駰	6120	10a
16	頁	頰	5585	09a		16	馬	駭	6188	10a
16	頁	頭	5573	09a		16	馬	騒	6189	10a
16	頁	顯	5610	09a		16	馬	傌	6147	10a
16	頁	潁	5680	09a		16	骨	骼	2580	04b
16	頁	頤	5617	09a		16	骨	骰	2570	04b
16	頁	領	5619	09a		16	骨	骹	2572	04b
16	頁	煩	5586	09a		16	骨	骸	2574	04b
16	風	颺	8943	13b		16	髟	髻	5739	09a
16	飛	翼	7655	11b		16	髟	鬐	5718	09a
16	食	餳	3195	05b		16	髟	聲	5727	09a
16	食	餕	3249	05b		16	髟	髮	5717	09a
16	食	餓	3245	05b		16	鬥	鬫	1886	03b
16	食	餱	3226	05b		16	鬯	鬯	3188	05b
16	食	餘	3230	05b		16	冎	虜	1854	03b
16	食	餕	3251	05b		16	冎	彌	1859	03b
16	食	餐	3212	05b		16	冎	薵	1857	03b
16	食	舖	3211	05b		16	魚	鮅	7625	11b

16	魚	鮍	𩶉	7637	11b
16	魚	鮊	𩷒	7613	11b
16	魚	鮞	𩶢	7630	11b
16	魚	鮒	𩶆	7571	11b
16	魚	鮏	𩶈	7577	11b
16	魚	鮏	𩶋	7619	11b
16	魚	鮋	𩶊	7570	11b
16	魚	鮎	𩶝	7589	11b
16	魚	紫	𩶸	7587	11b
16	魚	鮀	𩶤	7588	11b
16	魚	鮐	𩶚	7612	11b
16	魚	鮑	𩶥	7624	11b
16	魚	鮫	𩶋	7569	11b
16	魚	鮓	𩶒	7632	11b
16	魚	鮭	𩶘	7543	11b
16	鳥	駒	𩿉	2411	04a
16	鳥	鴣	𩿍	2475	04a
16	鳥	鴟	𩿏	2454	04a
16	鳥	鴫	𩿅	2373	04a
16	鳥	鴻	𩿂	2434	04a
16	鳥	鴿	𩿇	2463	04a
16	鳥	鴃	𩿀	2430	04a
16	鳥	鴨	𩿃	2476	04a
16	鳥	鴬	𩿈	2408	04a
16	鳥	鴛	𩿆	2407	04a
16	鳥	駃	𩿄	2452	04a
16	鳥	鴥	𩿊	2385	04a

16	鳥	鴟	𩿌	2447	04a
16	鳥	鴰	𩿎	2395	04a
16	鳥	駇	𩿐	2425	04a
16	鳥	鴉	𩿑	2379	04a
16	鹿	麇	𪋆	6242	10a
16	鹿	塵	𪋇	6247	10a
16	麥	麩	𪌑	3342	05b
16	麥	麨	𪌒	3344	05b
16	黍	黏	𪍍	4449	07a
16	黑	黔	𪐣	6528	10a
16	黑	默	𪐤	6529	10a
16	黑	黜	𪐥	6520	10a
16	黑	默	𪐞	6284	10a
16	黹	黺	𪐼	4925	07b
16	鼎	鼐	𪐾	4348	07a
16	鼠	鼢	𪑊	6374	10a
16	鼻	鼽	𪑏	2227	04a
16	龍	龍	𪒓	7649	11b
16	龜	龜	𪓹	8949	13b
17획					
17	二	亶	𠅠	6593	10b
17	人	儡	𠌥	4963	08a
17	人	儡	𠌤	5149	08a
17	人	償	𠌣	5057	08a
17	人	優	𠌦	5066	08a
17	人	債	𠌢	5055	08a
17	人	儵	𠌩	4964	08a

17	力	勱	9187	13b
17	匚	匵	8396	12b
17	口	嚘	799	02a
17	口	嚌	805	02a
17	土	壔	9055	13b
17	土	墾	9030	13b
17	土	壓	9072	13b
17	土	壒	9114	13b
17	土	壗	9042	13b
17	土	壎	9028	13b
17	女	孃	8276	12b
17	女	嬲	8294	12b
17	女	嬪	8207	12b
17	女	嬩	8132	12b
17	女	嬮	8151	12b
17	女	嬰	8219	12b
17	女	嬬	8274	12b
17	女	孅	8186	12b
17	子	孺	9723	14b
17	宀	寱	4570	07b
17	宀	寱	4671	07b
17	尸	屨	5407	08b
17	山	嶺	5878	09b
17	山	嶼	5877	09b
17	山	嶽	5820	09b
17	山	嶷	5826	09b
17	山	嶸	5861	09b

17	巾	幪	4852	07b
17	巾	幬	4855	07b
17	彳	德	1239	02b
17	彳	徽	8648	13a
17	心	懇	6938	10b
17	心	憖	6709	10b
17	心	懦	6782	10b
17	心	懧	6826	10b
17	心	懋	6756	10b
17	心	懝	6796	10b
17	心	懕	6762	10b
17	心	應	6678	10b
17	心	憨	6917	10b
17	戈	鹹	4302	07a
17	戈	戲	8342	12b
17	手	擊	8025	12a
17	手	擎	8011	12a
17	手	擣	7959	12a
17	手	擥	7833	12a
17	手	擘	7980	12a
17	手	擩	7929	12a
17	手	擬	7936	12a
17	手	擠	7811	12a
17	手	擢	7956	12a
17	手	擭	7932	12a
17	手	擧	8024	12a
17	支	敽	2032	03b

17	攴	斂		2016	03b
17	攴	斁		2024	03b
17	攴	斀		2049	03b
17	斗	斛		9452	14a
17	斗	斞		9456	14a
17	方	旟		4275	07a
17	日	曓		4287	07a
17	日	曔		4195	07a
17	日	暴		6624	10b
17	日	曑		4212	07a
17	木	櫃		3444	06a
17	木	檀		3489	06a
17	木	檢		3752	06a
17	木	檄		3753	06a
17	木	橄		3734	06a
17	木	檕		3705	06a
17	木	檀		3512	06a
17	木	檗		3491	06a
17	木	檚		3450	06a
17	木	檈		3691	06a
17	木	橾		3761	06a
17	木	檍		3436	06a
17	木	樣		3604	06a
17	木	檉		3496	06a
17	木	檵		3434	06a
17	木	檐		3629	06a
17	木	橋		3780	06a
17	木	榍		3518	06a
17	木	櫜		3889	06b
17	木	檜		3530	06a
17	欠	歟		5507	08b
17	欠	歜		5538	08b
17	欠	歠		5534	08b
17	欠	歔		5552	08b
17	止	壁		1071	02a
17	歹	殭		2545	04b
17	比	魯		6260	10a
17	比	毚		6259	10a
17	毛	氈		5366	08a
17	水	濘		7215	11a
17	水	瀾		7175	11a
17	水	濤		7424	11a
17	水	濫		7144	11a
17	水	濛		7280	11a
17	水	濮		7033	11a
17	水	潭		7002	11a
17	水	濞		7132	11a
17	水	潷		7367	11a
17	水	濕		7037	11a
17	水	灘		7050	11a
17	水	濡		7061	11a
17	水	澀		7027	11a
17	水	濱		7103	11a
17	水	濟		7059	11a

총획수

17	水	澤		7195	11a
17	水	灈		7383	11a
17	水	㵰		7232	11a
17	水	濩		7273	11a
17	火	爕		1902	03b
17	火	爕		6506	10a
17	火	營		4609	07b
17	火	燠		6480	10a
17	火	燥		6485	10a
17	火	燦		6498	10a
17	火	燭		6443	10a
17	火	燧		6385	10a
17	爿	牆		3330	05b
17	牛	犅		747	02a
17	牛	犧		771	02a
17	犬	獳		6305	10a
17	犬	獲		6330	10a
17	玉	璩		208	01a
17	玉	璥		84	01a
17	玉	璬		121	01a
17	玉	璿		211	01a
17	玉	瑟		140	01a
17	玉	璪		134	01a
17	玉	璨		217	01a
17	玉	鎣		205	01a
17	玉	璠		170	01a
17	玉	環		108	01a

17	瓦	甑		8413	12b
17	生	甤		3366	05b
17	田	疄		9149	13b
17	田	疃		9152	13b
17	疒	癇		4686	07b
17	疒	癉		4750	07b
17	疒	癆		4769	07b
17	疒	癅		4715	07b
17	疒	癃		4761	07b
17	疒	癬		4699	07b
17	疒	癄		4736	07b
17	疒	癁		4700	07b
17	疒	癈		4689	07b
17	白	皣		3869	06b
17	白	皤		4911	07b
17	白	皢		4909	07b
17	皿	盨		3134	05a
17	皿	盬		6615	10b
17	皿	盪		3146	05a
17	目	瞯		2177	04a
17	目	瞏		3385	05b
17	目	瞵		2110	04a
17	目	瞚		2151	04a
17	目	瞴		2117	04a
17	目	瞥		2171	04a
17	目	瞷		2142	04a
17	目	瞫		2167	04a

획수	부수	글자	전서	번호	위치
17	目	瞎		2095	04a
17	矢	矯		3294	05b
17	矢	矰		3295	05b
17	石	磺		5981	09b
17	石	礅		6007	09b
17	石	礌		6031	09b
17	石	歷		6002	09b
17	石	磻		6022	09b
17	示	禪		72	01a
17	示	福		48	01a
17	示	禫		55	01a
17	示	禜		46	01a
17	示	縶		37	01a
17	示	禧		13	01a
17	禾	䅫		3875	06b
17	禾	機		4392	07a
17	禾	穜		4357	07a
17	禾	穛		3874	06b
17	穴	竂		4621	07b
17	穴	覆		4616	07b
17	穴	竈		4658	07b
17	穴	窺		4640	07b
17	穴	窩		4625	07b
17	立	嶒		6662	10b
17	竹	簋		2927	05a
17	竹	筧		2949	05a
17	竹	簏		2932	05a
17	竹	簑		2917	05a
17	竹	節		2883	05a
17	竹	筵		2913	05a
17	竹	箹		2994	05a
17	竹	簇		2998	05a
17	竹	篸		2871	05a
17	竹	蔣		2877	05a
17	竹	簞		2915	05a
17	竹	篹		6749	10b
17	竹	籍		8029	12a
17	竹	簒		5815	09a
17	竹	簪		2897	05a
17	竹	筆		2991	05a
17	米	糜		4469	07a
17	米	糊		4474	07a
17	米	糝		4487	07a
17	米	糟		4473	07a
17	糸	繐		8499	13a
17	糸	縷		8633	13a
17	糸	縭		8644	13a
17	糸	縵		8562	13a
17	糸	繆		8712	13a
17	糸	縻		8673	13a
17	糸	縫		8636	13a
17	糸	繃		8537	13a
17	糸	繆		8647	13a
17	糸	縱		8672	13a

17	糸	繾	繾	8696	13a
17	糸	纝	纝	8475	13a
17	糸	維	維	8487	13a
17	糸	繄	繄	8646	13a
17	糸	績	績	8693	13a
17	糸	縛	縛	8553	13a
17	糸	縱	縱	8511	13a
17	糸	總	總	8524	13a
17	糸	縮	縮	8521	13a
17	糸	縹	縹	8570	13a
17	糸	繘	繘	8544	13a
17	缶	罄	罄	3288	05b
17	缶	罅	罅	3287	05b
17	网	劂	劂	4801	07b
17	网	置	置	4811	07b
17	网	罿	罿	4796	07b
17	网	罾	罾	4799	07b
17	羊	羵	羵	2342	04a
17	羊	摯	摯	2339	04a
17	羽	翳	翳	2265	04a
17	耳	聯	聯	7761	12a
17	耳	聲	聲	7782	12a
17	耳	聲	聲	7770	12a
17	耳	聲	聲	7786	12a
17	耳	聰	聰	7764	12a
17	肉	膻	膻	2638	04b
17	肉	膽	膽	2599	04b
17	肉	臄	臄	2701	04b
17	肉	臂	臂	2617	04b
17	肉	騰	騰	2702	04b
17	肉	臊	臊	2692	04b
17	肉	膾	膾	2705	04b
17	臣	臩	臩	6632	10b
17	臣	臨	臨	5224	08a
17	臣	艱	艱	9121	13b
17	艸	蓙	蓙	264	01b
17	艸	藁	藁	298	01b
17	艸	薊	薊	308	01b
17	艸	蕘	蕘	2554	04b
17	艸	薖	薖	477	01b
17	艸	薔	薔	375	01b
17	艸	薁	薁	373	01b
17	艸	薇	薇	265	01b
17	艸	薄	薄	562	01b
17	艸	蕡	蕡	424	01b
17	艸	薛	薛	386	01b
17	艸	蕀	蕀	385	01b
17	艸	薜	薜	322	01b
17	艸	薪	薪	622	01b
17	艸	薟	薟	406	01b
17	艸	薕	薕	423	01b
17	艸	薉	薉	546	01b
17	艸	薍	薍	421	01b
17	艸	薋	薋	531	01b

총획수

17	言	謎	謎	1724	03a		17	走	趯	趯	1011	02a
17	言	謚	謚	1551	03a		17	走	越	越	1044	02a
17	言	謗	謗	1608	03a		17	走	趨	趨	1009	02a
17	言	謝	謝	1567	03a		17	走	趣	趣	1056	02a
17	言	斳	斳	1703	03a		17	走	趣	趣	979	02a
17	言	謐	謐	1717	03a		17	走	越	越	1050	02a
17	言	謍	謍	1585	03a		17	走	趨	趨	1018	02a
17	言	謜	謜	1495	03a		17	足	蹇	蹇	1392	02b
17	言	譯	譯	1500	03a		17	足	跨	跨	1388	02b
17	言	讇	讇	1675	03a		17	足	踢	踢	1352	02b
17	言	諐	諐	1667	03a		17	足	蹈	蹈	1354	02b
17	言	譽	譽	1661	03a		17	足	蹃	蹃	1375	02b
17	言	讕	讕	1643	03a		17	足	蹟	蹟	1381	02b
17	言	譟	譟	1711	03a		17	足	蹮	蹮	1326	02b
17	谷	谿	谿	7463	11b		17	足	蹉	蹉	1413	02b
17	谷	豁	豁	7464	11b		17	足	蹌	蹌	1344	02b
17	豕	獭	獭	6063	09b		17	足	踖	踖	1383	02b
17	豕	貔	貔	6050	09b		17	足	踏	踏	1374	02b
17	豕	豛	豛	6049	09b		17	車	肇	肇	9500	14a
17	豸	貔	貔	6085	09b		17	車	轂	轂	9501	14a
17	貝	購	購	3970	06b		17	車	輿	輿	9478	14a
17	貝	賻	賻	3984	06b		17	車	輼	輼	9469	14a
17	貝	賽	賽	3983	06b		17	車	轅	轅	9510	14a
17	貝	賸	賸	3937	06b		17	車	輱	輱	9537	14a
17	貝	齎	齎	9091	13b		17	車	轄	轄	9551	14a
17	赤	赨	赨	6555	10b		17	車	轄	轄	9526	14a
17	赤	赣	赣	6560	10b		17	辛	辟	辟	5769	09a

17	辵	遽	遽	1205	02b
17	辵	邁	邁	1095	02b
17	辵	遾	遾	1186	02b
17	辵	避	避	1157	02b
17	辵	邂	邂	1209	02b
17	辵	還	還	1141	02b
17	邑	⿰壽阝	⿰壽阝	4084	06b
17	邑	⿰耤阝	⿰耤阝	4085	06b
17	酉	⿰酉鬲	⿰酉鬲	9767	14b
17	酉	⿰酉彖	⿰酉彖	9759	14b
17	酉	醢	醢	9792	14b
17	酉	醠	醠	9773	14b
17	酉	醟	醟	9802	14b
17	酉	醞	醞	9762	14b
17	酉	⿰酉茸	⿰酉茸	9775	14b
17	酉	醜	醜	5806	09a
17	酉	[illegible]	[illegible]	9815	14b
17	金	鍇	鍇	9223	14a
17	金	鍵	鍵	9266	14a
17	金	鍥	鍥	9309	14a
17	金	鍠	鍠	9343	14a
17	金	鍛	鍛	9240	14a
17	金	鍊	鍊	9234	14a
17	金	鍪	鍪	9254	14a
17	金	鍑	鍑	9253	14a
17	金	鍤	鍤	9284	14a
17	金	鍱	鍱	9274	14a
17	金	鍡	鍡	9385	14a
17	金	鍒	鍒	9405	14a
17	金	鍾	鍾	9246	14a
17	金	鍼	鍼	9286	14a
17	金	鍜	鍜	9368	14a
17	金	鍰	鍰	9328	14a
17	金	鍭	鍭	9363	14a
17	門	闃	闃	7753	12a
17	門	闋	闋	7744	12a
17	門	闍	闍	7705	12a
17	門	闌	闌	7728	12a
17	門	闅	闅	2086	04a
17	門	闇	闇	7732	12a
17	門	闈	闈	7694	12a
17	門	闉	闉	7704	12a
17	門	⿵門曷	⿵門曷	7726	12a
17	門	闊	闊	7746	12a
17	阜	隰	隰	9596	14b
17	阜	隱	隱	9620	14b
17	阜	[illegible]	[illegible]	3735	06a
17	隶	隸	隸	1940	03b
17	隶	[illegible]	[illegible]	1939	03b
17	隹	雖	雖	8756	13a
17	雨	霝	霝	7498	11b
17	雨	霞	霞	7525	11b
17	雨	⿱雨韋	⿱雨韋	7519	11b
17	雨	霜	霜	7524	11b

총획수

17	雨	霖	霖	7516	11b		17	食	䭫	䭫	5225	08a
17	雨	雸	雸	7513	11b		17	食	養	養	3201	05b
17	雨	霞	霞	7533	11b		17	食	餧	餧	3243	05b
17	革	鞜	鞜	1819	03b		17	食	餞	餞	3232	05b
17	革	鞠	鞠	1802	03b		17	食	餟	餟	3247	05b
17	革	鞞	鞞	1805	03b		17	食	餟	餟	3200	05b
17	革	鞥	鞥	1823	03b		17	馬	驃	驃	6173	10a
17	革	鞣	鞣	1824	03b		17	馬	驗	驗	6219	10a
17	韋	韝	韝	3375	05b		17	馬	驇	驇	6123	10a
17	韭	韱	韱	4523	07b		17	馬	騁	騁	6182	10a
17	頁	顏	顏	5641	09a		17	馬	駴	駴	6164	10a
17	頁	顧	顧	5642	09a		17	馬	駿	駿	6174	10a
17	頁	顥	顥	5615	09a		17	馬	駿	駿	6139	10a
17	頁	蘇	蘇	5614	09a		17	馬	騽	騽	6170	10a
17	頁	鎮	鎮	5629	09a		17	馬	駃	駃	6183	10a
17	頁	顂	顂	5660	09a		17	馬	驊	驊	6185	10a
17	頁	頣	頣	5658	09a		17	馬	駧	駧	6114	10a
17	頁	頓	頓	5645	09a		17	骨	髁	髁	2579	04b
17	頁	頵	頵	6656	10b		17	高	亯	亯	3312	05b
17	頁	頤	頤	5609	09a		17	髟	鬘	鬘	5736	09a
17	頁	顡	顡	5679	09a		17	髟	鬚	鬚	5733	09a
17	頁	頹	頹	5638	09a		17	㐭	禟	禟	1853	03b
17	頁	顋	顋	5594	09a		17	魚	鮫	鮫	7615	11b
17	頁	頜	頜	5657	09a		17	魚	鮚	鮚	7631	11b
17	風	颷	颷	8933	13b		17	魚	鮦	鮦	7559	11b
17	風	颭	颭	8939	13b		17	魚	鮥	鮥	7553	11b
17	食	館	館	3234	05b		17	魚	鮑	鮑	7552	11b

17	魚	鮮	鮮	7608	11b	17	黑	黙	黙	6522	10a
17	魚	鮪		7550	11b	17	黑	黜		6514	10a
17	魚	鮞		7542	11b	17	黑	黝		6519	10a
17	魚	鮴		7640	11b	17	黑	點	點	6521	10a
17	魚	鮨		7621	11b	17	黑	黜		6534	10a
17	鳥	鴒		2400	04a	17	黹	黻		4923	07b
17	鳥	鴣		2436	04a	17	黽	黿		8954	13b
17	鳥	鮫		2437	04a	17	鼠	鼢		6362	10a
17	鳥	鴬		6181	10a	17	鼠	鼢		6372	10a
17	鳥	鴟		2468	04a	17	鼻	鼾		2226	04a
17	鳥	鳶		2443	04a	17	齊	齋		28	01a
17	鳥	鴜		2441	04a	17	齊	齏		8184	12b
17	鳥	鵝		2433	04a	17	齒	齔		1279	02b
17	鳥	鴰		2370	04a	17	龠	龠		1423	02b
17	鳥	鵑		2399	04a	**18획**					
17	鳥	鵠		2406	04a	18	人	勣		4259	07a
17	鳥	鵡		2477	04a	18	人	儲		5005	08a
17	鳥	鴿		2372	04a	18	儿	競		5437	08b
17	鳥	鴻		2405	04a	18	冫	瀨		7486	11b
17	鹿	麗		6236	10a	18	刀	劈		2750	04b
17	鹿	麞		6241	10a	18	又	叢		1743	03a
17	鹿	塵		6251	10a	18	口	嚙		852	02a
17	鹿	麋		6239	10a	18	口	嚘		886	02a
17	麥	麰		3334	05b	18	口	囂		1432	03a
17	黃	黇		9160	13b	18	口	噴		832	02a
17	黍	黏		4447	07a	18	口	嚌		831	02a
17	黍	黏		4448	07a	18	口	嚦		817	02a

18	土	壞		9069	13b
18	土	壘		9063	13b
18	夊	夒		3359	05b
18	女	嬻		8227	12b
18	女	嬾		8154	12b
18	寸	尃		5746	09a
18	尸	屬		5410	08b
18	山	巀		5829	09b
18	山	嵩		2275	04a
18	巾	幭		4874	07b
18	广	廫		5940	09b
18	彐	彝		8721	13a
18	心	懸		6823	10b
18	心	懟		6852	10b
18	心	懣		6856	10b
18	心	懷		6791	10b
18	心	辯		6776	10b
18	心	懇		6760	10b
18	心	懵		6937	10b
18	心	勰		9211	13b
18	戈	戴		1771	03a
18	手	舉		7919	12a
18	手	攦		7834	12a
18	手	擘		7846	12a
18	手	摘		7888	12a
18	攴	斂		2062	03b
18	攴	斁		2054	03b

18	方	旛		4281	07a
18	方	旞		4276	07a
18	日	曙		4250	07a
18	日	曝		4227	07a
18	日	暴		8614	13a
18	月	朦		4299	07a
18	木	欙		4510	07b
18	木	櫳		3509	06a
18	木	欄		3706	06a
18	木	檿		3539	06a
18	木	檮		3790	06a
18	木	櫂		3823	06a
18	木	橋		3628	06a
18	木	槫		3615	06a
18	木	樸		3477	06a
18	木	櫜		3885	06b
18	木	屚		3516	06a
18	木	櫽		3620	06a
18	木	檽		3578	06a
18	木	檳		3473	06a
18	木	檻		3807	06a
18	欠	歟		5505	08b
18	止	歸		1072	02a
18	歹	殯		2533	04b
18	殳	殼		1955	03b
18	氏	罌		8331	12b
18	水	瀆		7225	11a

18	水	濼		7034	11a
18	水	瀏		7119	11a
18	水	濊		7321	11a
18	水	潘		7365	11a
18	水	瀀		7286	11a
18	水	澘		7181	11a
18	水	瀔		7371	11a
18	水	瀑		7268	11a
18	水	瀃		7295	11a
18	水	瀊		7300	11a
18	火	燹		6386	10a
18	火	燿		6469	10a
18	火	燽		6488	10a
18	火	燅		6452	10a
18	火	穐		6432	10a
18	爪	爵		3186	05b
18	牛	犢		762	02a
18	犬	獷		6301	10a
18	犬	獵		6326	10a
18	王	璱		133	01a
18	玉	璺		87	01a
18	玉	璧		106	01a
18	玉	璿		103	01a
18	玉	璹		136	01a
18	玉	璸		176	01a
18	玉	璵		89	01a
18	玉	瑾		171	01a
18	瓦	甓		8426	12b
18	疒	癙		4742	07b
18	疒	癗		4725	07b
18	疒	癘		7472	11b
18	白	皦		4915	07b
18	皿	鹽		7680	12a
18	目	瞼		2201	04a
18	目	瞽		2190	04a
18	目	瞿		2351	04a
18	目	瞢		2173	04a
18	目	瞳		2128	04a
18	目	瞻		2149	04a
18	石	礜		5998	09b
18	石	磬		6005	09b
18	石	礎		6036	09b
18	示	禮		12	01a
18	示	禬		54	01a
18	禾	穡		4408	07a
18	禾	穤		4426	07a
18	禾	穟		4388	07a
18	禾	穧		4400	07a
18	穴	竅		4629	07b
18	穴	竄		4646	07b
18	立	嬴		6657	10b
18	立	蹟		6654	10b
18	竹	簡		2881	05a
18	竹	簡		6875	10b

총획수

18	竹	簞	簞	2912	05a
18	竹	簦	簦	2953	05a
18	竹	簬	簬	2857	05a
18	竹	簶	簶	2947	05a
18	竹	簿	簿	2990	05a
18	竹	簠	簠	2928	05a
18	竹	簫	簫	2977	05a
18	竹	箱	箱	2908	05a
18	竹	簟	簟	2900	05a
18	竹	簜	簜	2859	05a
18	竹	簧	簧	2975	05a
18	米	糠	糠	4470	07a
18	米	糧	糧	4478	07a
18	米	糕	糕	4457	07a
18	糸	繑	繑	8619	13a
18	糸	續	續	8496	13a
18	糸	繚	繚	8527	13a
18	糸	縹	縹	8675	13a
18	糸	繙	繙	8520	13a
18	糸	繳	繳	8726	13a
18	糸	繕	繕	8641	13a
18	糸	總	總	8613	13a
18	糸	繡	繡	8563	13a
18	糸	纇	纇	8670	13a
18	糸	繎	繎	8513	13a
18	糸	紫	紫	6947	10b
18	糸	絲	絲	8472	12b

18	糸	繞	繞	8529	13a
18	糸	繑	繑	8677	13a
18	糸	縶	縶	8735	13a
18	糸	縛	縛	8621	13a
18	糸	繒	繒	8548	13a
18	糸	織	織	8489	13a
18	糸	練	練	8547	13a
18	糸	綾	綾	8509	13a
18	糸	繹	繹	8603	13a
18	网	罷	罷	4804	07b
18	羊	羵	羵	2337	04a
18	羊	羴	羴	2349	04a
18	羽	翹	翹	2243	04a
18	羽	翻	翻	2267	04a
18	耳	聶	聶	7785	12a
18	耳	職	職	7776	12a
18	耳	職	職	7767	12a
18	肉	膡	膡	2618	04b
18	臼	臽	臽	1781	03a
18	臼	舊	舊	2315	04a
18	艸	蕲	蕲	346	01b
18	艸	薿	薿	343	01b
18	艸	蕢	蕢	367	01b
18	艸	蕟	蕟	529	01b
18	艸	蓁	蓁	361	01b
18	艸	藍	藍	282	01b
18	艸	蘭	蘭	430	01b

18	艹	蘿		626	01b
18	艹	蘱		381	01b
18	艹	薲		281	01b
18	艹	蓋		304	01b
18	艹	遠		687	01b
18	艹	薿		507	01b
18	艹	蘭		504	01b
18	艹	藉		581	01b
18	艹	藏		695	01b
18	艹	薺		400	01b
18	艹	藋		310	01b
18	艹	藻		650	01b
18	艹	甄		392	01b
18	艹	薰		294	01b
18	虍	虞		3101	05a
18	虍	觑		9426	14a
18	虍	號		3113	05a
18	虍	號		3091	05a
18	虫	蟜		8773	13a
18	虫	蠭		8885	13a
18	虫	蟻		8765	13a
18	虫	蟫		8770	13a
18	虫	蟠		8817	13a
18	虫	蟬		8824	13a
18	虫	蟲		8835	13a
18	虫	蟯		8755	13a
18	虫	蟒		8802	13a
18	虫	繇		8751	13a
18	虫	蠱		8926	13b
18	虫	蠋		8764	13a
18	虫	蟪		8895	13a
18	虫	蟥		8803	13a
18	血	蠻		3161	05a
18	血	蠱		3160	05a
18	行	衛		1269	02b
18	衣	襘		5253	08a
18	衣	禮		5283	08a
18	衣	襈		5340	08a
18	衣	襖		5348	08a
18	衣	襴		5280	08a
18	衣	襄		5233	08a
18	衣	襠		5266	08a
18	衣	襦		5278	08a
18	衣	襡		5292	08a
18	衣	褲		5317	08a
18	衣	襌		5269	08a
18	襾	覆		4831	07b
18	見	觀		5487	08b
18	見	覿		5481	08b
18	見	覵		5465	08b
18	見	覲		5463	08b
18	角	觴		2844	04b
18	言	謦		1472	03a
18	言	謳		1568	03a

18	言	謹	1516	03a		18	走	趮	1058	02a
18	言	諫	1597	03a		18	足	蹯	1359	02b
18	言	謰	1598	03a		18	足	蹩	1337	02b
18	言	謬	1659	03a		18	足	蹜	1371	02b
18	言	謫	1621	03a		18	足	蹢	1365	02b
18	言	謾	1593	03a		18	足	蹊	1373	02b
18	言	謼	1691	03a		18	足	蹙	1363	02b
18	言	謨	1504	03a		18	足	蹩	1415	02b
18	言	謟	1669	03a		18	身	軀	5227	08a
18	言	謷	1590	03a		18	車	轚	9545	14a
18	言	謣	1655	03a		18	車	轆	9480	14a
18	言	謔	1581	03a		18	車	轉	9527	14a
18	言	謫	1684	03a		18	車	轊	9538	14a
18	言	謺	1596	03a		18	車	轑	9477	14a
18	言	診	1600	03a		18	辛	辯	5697	09a
18	言	譚	1572	03a		18	辵	邃	4655	07b
18	谷	谿	7465	11b		18	辵	逌	1183	02b
18	豆	豐	3088	05a		18	辵	達	1093	02b
18	豕	豵	6051	09b		18	邑	鄭	4024	06b
18	豸	貘	6088	09b		18	邑	鄲	4086	06b
18	豸	貓	6089	09b		18	邑	鄘	4016	06b
18	豸	貙	6083	09b		18	邑	鄭	4067	06b
18	貝	贅	3953	06b		18	酉	醪	9769	14b
18	走	趨	1039	02a		18	酉	醨	9807	14b
18	走	趣	1059	02a		18	酉	醖	9796	14b
18	走	趧	1026	02a		18	酉	醫	9805	14b
18	走	趡	996	02a		18	酉	醬	9777	14b

18	酉	醳		9819	14b
18	采	釋		2483	04b
18	里	釐		9123	13b
18	金	鎧		9365	14a
18	金	鏺		9387	14a
18	金	鎌		9308	14a
18	金	鎕		9401	14a
18	金	鏗		9262	14a
18	金	鎛		9342	14a
18	金	鎖		9412	14a
18	金	鎔		9238	14a
18	金	鎗		9344	14a
18	金	鏌		9278	14a
18	金	鎮		9312	14a
18	金	鑒		9269	14a
18	金	鎬		9259	14a
18	門	闉		7717	12a
18	門	闕		7706	12a
18	門	闌		7710	12a
18	門	闐		7735	12a
18	門	闖		7699	12a
18	門	闔		7748	12a
18	門	闓		7709	12a
18	阜	隤		9608	14b
18	隹	雞		2282	04a
18	隹	雚		2314	04a
18	隹	雙		2355	04a
18	隹	雝		2291	04a
18	隹	雜		5309	08a
18	隹	雛		2283	04a
18	隹	雗		2279	04a
18	隹	朦		3171	05b
18	雨	霖		7508	11b
18	雨	霘		7502	11b
18	雨	霣		7489	11b
18	雨	霤		7512	11b
18	雨	靁		7509	11b
18	革	鞬		1833	03b
18	革	鞧		1836	03b
18	革	鞭		1831	03b
18	革	鞪		1808	03b
18	革	鞞		1813	03b
18	革	鞿		1788	03b
18	革	鞣		1789	03b
18	革	鞍		1817	03b
18	革	鞮		1797	03b
18	革	鞭		1837	03b
18	韋	韘		3377	05b
18	韋	韠		3373	05b
18	韋	韙		1089	02b
18	韋	韔		3376	05b
18	頁	類		5646	09a
18	頁	顏		5574	09a
18	頁	顓		5603	09a

18	頁	䫉	5612	09a
18	頁	穎	5620	09a
18	頁	顝	5627	09a
18	頁	題	5582	09a
18	頁	頭	5663	09a
18	頁	顑	5651	09a
18	風	飂	8946	13b
18	風	颸	8945	13b
18	風	飀	8942	13b
18	風	颿	8940	13b
18	食	餻	3213	05b
18	食	餲	3239	05b
18	食	饐	3223	05b
18	食	餫	3233	05b
18	食	餬	3224	05b
18	香	馥	4454	07a
18	馬	騏	6112	10a
18	馬	騎	6156	10a
18	馬	駒	6218	10a
18	馬	騋	6143	10a
18	馬	騑	6158	10a
18	馬	騩	6128	10a
18	馬	騅	6118	10a
18	骨	髁	2566	04b
18	骨	骿	2564	04b
18	骨	髀	2565	04b
18	骨	骹	2576	04b

18	高	稾	6071	09b
18	髟	鬐	5705	09a
18	髟	髻	5710	09a
18	髟	鬃	5735	09a
18	髟	髇	5708	09a
18	髟	鬄	5715	09a
18	鬥	鬩	1892	03b
18	鬲	鬵	1858	03b
18	鬲	鬻	1851	03b
18	鬼	魋	5807	09a
18	鬼	魖	5800	09a
18	魚	鯉	7572	11b
18	魚	鯁	7617	11b
18	魚	鰷	7554	11b
18	魚	鯢	7564	11b
18	魚	鯉	7556	11b
18	魚	鮸	7599	11b
18	魚	鰻	7590	11b
18	魚	鱶	7622	11b
18	魚	鮮	7591	11b
18	魚	鰷	7563	11b
18	魚	鯇	7585	11b
18	鳥	鳥	2388	04a
18	鳥	鵠	2404	04a
18	鳥	䴘	2412	04a
18	鳥	鵑	2394	04a
18	鳥	鴿	2455	04a

18	鳥	駿		2457	04a
18	鳥	鶠		2426	04a
18	鹵	薈		7677	12a
18	鹿	麠		6238	10a
18	鹿	麖		6240	10a
18	黃	鞳		9161	13b
18	黃	鞣		9159	13b
18	黑	薰		6526	10a
18	黑	黟		6544	10a
18	黑	點		6527	10a
18	黽	鼃		8960	13b
18	黽	鼂		8964	13b
18	黽	鼀		8956	13b
18	鼓	馨		3069	05a
18	鼠	駒		6370	10a
18	鼠	鼳		6363	10a
18	鼠	鼫		6366	10a
18	鼠	鼥		6375	10a
18	鼠	鼬		6373	10a
18	鼠	鼨		6367	10a
18	鼠	鼶		6376	10a
18	齊	齋		6425	10a
18	齊	齎		2620	04b
18	齒	齗		1301	02b
18	齒	齕		1309	02b
19획					
19	人	儵		6537	10a
19	人	儺		5118	08a
19	人	儼		5097	08a
19	刀	劍		2781	04b
19	口	嚨		784	02a
19	口	囍		3061	05a
19	土	壞		9073	13b
19	土	壚		8987	13b
19	土	壜		9098	13b
19	女	嬾		8280	12b
19	女	孃		8128	12b
19	女	孄		8150	12b
19	子	孽		9726	14b
19	宀	竀		4596	07b
19	宀	羴		3019	05a
19	宀	寵		4576	07b
19	宀	竅		4563	07b
19	山	巘		5830	09b
19	巾	幡		4882	07b
19	巾	幰		4902	07b
19	广	廬		5896	09b
19	心	廮		6719	10b
19	心	黎		6840	10b
19	心	懫		6835	10b
19	心	懲		6931	10b
19	心	懷		6729	10b
19	手	攘		7798	12a
19	手	攎		7947	12a

19	手	攄		8037	12a
19	攴	藜		776	02a
19	方	旜		4269	07a
19	方	旞		4268	07a
19	日	曠		4182	07a
19	日	晨		4289	07a
19	日	疊		4290	07a
19	木	櫜		3888	06b
19	木	櫝		3664	06a
19	木	櫟		3513	06a
19	木	櫓		3744	06a
19	木	楣		3695	06a
19	木	櫜		3831	06a
19	木	櫋		3674	06a
19	木	櫧		3676	06a
19	木	櫛		3665	06a
19	木	櫕		3822	06a
19	木	橫		3703	06a
19	欠	歠		5540	08b
19	欠	歚		5564	08b
19	歹	殰		2523	04b
19	水	瀝		7337	11a
19	水	瀘		7417	11a
19	水	瀧		7275	11a
19	水	瀨		7202	11a
19	水	瀕		7438	11b
19	水	瀟		7418	11a

19	水	瀾		7391	11a
19	水	瀛		7419	11a
19	水	瀦		7427	11a
19	水	瀞		7320	11a
19	水	瀩		7016	11a
19	水	瀣		7416	11a
19	水	瀬		7066	11a
19	水	瀶		7244	11a
19	火	爍		6497	10a
19	火	爇		6390	10a
19	火	爆		6433	10a
19	片	牘		4342	07a
19	牛	犢		732	02a
19	牛	犧		739	02a
19	牛	犂		760	02a
19	牛	犦		744	02a
19	犬	獺		6349	10a
19	犬	獸		9691	14b
19	玉	瓊		94	01a
19	玉	瓅		191	01a
19	玉	瑠		137	01a
19	玉	璽		204	01a
19	瓜	瓣		4530	07b
19	田	疇		9128	13b
19	广	癥		4774	07b
19	白	疇		2221	04a
19	皿	盪		3135	05a

19	目	矙	矙	2152	04a
19	目	矒	矒	2096	04a
19	目	矇	矇	2184	04a
19	目	矏	矏	2143	04a
19	目	辨	辨	2138	04a
19	目	曠	曠	2147	04a
19	石	礙	礙	6011	09b
19	石	礜	礜	5985	09b
19	示	禰	禰	73	01a
19	示	禱	禱	51	01a
19	禾	穩	穩	4440	07a
19	禾	穧	穧	4398	07a
19	禾	積	積	5447	08b
19	禾	穫	穫	4399	07a
19	穴	竆	竆	4652	07b
19	穴	竊	竊	3999	06b
19	竹	簾	簾	2948	05a
19	竹	籔	籔	2970	05a
19	竹	簾	簾	2896	05a
19	竹	薇	薇	2860	05a
19	竹	簒	簒	2989	05a
19	竹	簧	簧	2992	05a
19	竹	簝	簝	2905	05a
19	竹	簸	簸	3004	05a
19	米	糲	糲	4459	07a
19	米	糪	糪	4468	07a
19	米	糨	糨	4466	07a

19	糸	繮	繮	8665	13a
19	糸	繭	繭	8474	13a
19	糸	繁	繁	8689	13a
19	糸	爨	爨	8732	13a
19	糸	繫	繫	8681	13a
19	糸	繩	繩	8651	13a
19	糸	繹	繹	8476	13a
19	糸	髮	髮	8736	13a
19	糸	繁	繁	8680	13a
19	糸	繰	繰	8586	13a
19	糸	繯	繯	8531	13a
19	糸	繪	繪	8565	13a
19	缶	罄	罄	3289	05b
19	网	罼	罼	4824	07b
19	网	羅	羅	4809	07b
19	网	羃	羃	4817	07b
19	网	羆	羆	6381	10a
19	羊	羸	羸	2340	04a
19	羽	翾	翾	2250	04a
19	羽	翽	翽	2260	04a
19	耳	聸	聸	7759	12a
19	肉	臘	臘	2656	04b
19	肉	臢	臢	2605	04b
19	艸	蘱	蘱	464	01b
19	艸	蘮	蘮	285	01b
19	艸	蘴	蘴	349	01b
19	艸	藩	藩	590	01b

19	艸	蕩	蕩	350	01b	19	衣	襖	襖	5251	08a
19	艸	蘧	蘧	418	01b	19	襾	覈	覈	4830	07b
19	艸	薈	薈	661	01b	19	見	觀	觀	5453	08b
19	艸	藪	藪	564	01b	19	見	覼	覼	5484	08b
19	艸	藥	藥	576	01b	19	角	觽	觽	2841	04b
19	艸	藜	藜	672	01b	19	角	觿	觿	2827	04b
19	艸	蘁	蘁	378	01b	19	角	觶	觶	2850	04b
19	艸	蔍	蔍	409	01b	19	角	觶	觶	2842	04b
19	艸	蘢	蘢	473	01b	19	言	譏	譏	1605	03a
19	虫	蠵	蠵	8809	13a	19	言	譊	譊	1584	03a
19	虫	蠡	蠡	8922	13b	19	言	戀	戀	1615	03a
19	虫	蠆	蠆	8797	13a	19	言	譜	譜	1721	03a
19	虫	蠃	蠃	8810	13a	19	言	譔	譔	1493	03a
19	虫	蟻	蟻	8861	13a	19	言	譬	譬	1671	03a
19	虫	蟺	蟺	8864	13a	19	言	識	識	1513	03a
19	虫	蠅	蠅	8961	13b	19	言	譌	譌	1656	03a
19	虫	蠱	蠱	8903	13b	19	言	譖	譖	1636	03a
19	虫	蠹	蠹	8907	13b	19	言	證	證	1693	03a
19	虫	蠶	蠶	3064	05a	19	言	譖	譖	1594	03a
19	虫	蟹	蟹	8874	13a	19	言	譜	譜	1681	03a
19	虫	蠁	蠁	8749	13a	19	言	譙	譙	1687	03a
19	虫	蠸	蠸	8841	13a	19	言	譒	譒	1566	03a
19	血	盬	盬	3158	05a	19	言	譏	譏	1639	03a
19	衣	蠃	蠃	5319	08a	19	言	譁	譁	1654	03a
19	衣	襤	襤	5257	08a	19	言	讀	讀	1646	03a
19	衣	襞	襞	5311	08a	19	言	謠	謠	1664	03a
19	衣	襦	襦	5294	08a	19	言	譆	譆	1619	03a

19	豕	貐		6057	09b	19	辵	遺	1111	02b
19	豕	豴		6059	09b	19	辵	邇	1180	02b
19	豸	貙		6084	09b	19	辵	遾	1148	02b
19	貝	贈		3938	06b	19	辵	邊	1208	02b
19	貝	贊		3931	06b	19	邑	鄲	4160	06b
19	走	趣		988	02a	19	邑	鄰	4140	06b
19	走	趦		983	02a	19	邑	鄧	4158	06b
19	走	趫		993	02a	19	邑	鄮	4089	06b
19	走	趨		1038	02a	19	酉	醮	9820	14b
19	走	越		1036	02a	19	酉	醰	9781	14b
19	足	蹻		1342	02b	19	酉	醯	9788	14b
19	足	蹶		1368	02b	19	酉	醮	9787	14b
19	足	蹬		1412	02b	19	酉	醢	3137	05a
19	足	蹸		1408	02b	19	金	鏡	9243	14a
19	足	蹩		1360	02b	19	金	鐺	9347	14a
19	足	蹝		1410	02b	19	金	鏈	9221	14a
19	足	蹲		1386	02b	19	金	鏤	9225	14a
19	足	蹴		1349	02b	19	金	鏐	9362	14a
19	足	蹭		1411	02b	19	金	鏌	9350	14a
19	車	轑		9507	14a	19	金	鏝	9322	14a
19	車	轔		9565	14a	19	金	鏠	9359	14a
19	車	轐		9494	14a	19	金	鏰	9275	14a
19	車	轒		9552	14a	19	金	鏇	9277	14a
19	車	轕		9564	14a	19	金	鍛	9288	14a
19	車	轍		9566	14a	19	金	鍬	9397	14a
19	車	轘		9476	14a	19	金	鋤	9282	14a
19	辛	辭		9712	14b	19	金	錯	9265	14a

19	金	鏞		9339	14a	19	韋	韓		3379	05b
19	金	鏑		9364	14a	19	韋	韄		4330	07a
19	金	鏃		9395	14a	19	韋	韓		3382	05b
19	金	鏊		9381	14a	19	韭	韲		4521	07b
19	金	鏧		9293	14a	19	音	韻		1737	03a
19	金	鏓		9345	14a	19	頁	䫈		5605	09a
19	金	鏦		9357	14a	19	頁	類		6337	10a
19	金	鏢		9352	14a	19	頁	頟		5682	09a
19	門	關		7733	12a	19	頁	顙		5581	09a
19	門	闚		7739	12a	19	頁	顡		5600	09a
19	門	閣		7736	12a	19	頁	䫴		5647	09a
19	阜	隴		9625	14b	19	頁	顧		5599	09a
19	佳	雙		2284	04a	19	頁	願		5606	09a
19	佳	離		2285	04a	19	頁	頭		5640	09a
19	佳	雜		2299	04a	19	頁	顚		5579	09a
19	雨	霍		7494	11b	19	頁	顅		5589	09a
19	雨	霸		7529	11b	19	頁	頴		5604	09a
19	雨	霝		7506	11b	19	風	飃		6177	10a
19	雨	霧		7522	11b	19	食	饈		3252	05b
19	非	靡		7658	11b	19	食	餽		3246	05b
19	革	鞲		1822	03b	19	食	饎		3190	05b
19	革	鞏		1792	03b	19	食	餂		3214	05b
19	革	鞧		1826	03b	19	馬	駿		6168	10a
19	革	鞥		1804	03b	19	馬	鶩		6180	10a
19	革	鞳		1800	03b	19	馬	騤		6136	10a
19	韋	韝		3372	05b	19	馬	駶		6124	10a
19	韋	韜		3371	05b	19	馬	騠		6212	10a

19	馬	駿	6223	10a
19	馬	驪	6141	10a
19	馬	駮	6117	10a
19	馬	騢	6163	10a
19	骨	髃	2563	04b
19	髟	鬂	5711	09a
19	髟	鬉	5729	09a
19	髟	鬍	5712	09a
19	髟	鬘	5728	09a
19	丙	酸	1849	03b
19	魚	鰷	7628	11b
19	魚	鮰	7605	11b
19	魚	鯕	7639	11b
19	魚	鯢	7582	11b
19	魚	鯛	7635	11b
19	魚	鯸	7636	11b
19	魚	鯪	7603	11b
19	魚	鰕	7597	11b
19	魚	鮟	7595	11b
19	魚	鯿	7579	11b
19	鳥	鵩	2367	04a
19	鳥	鵦	2393	04a
19	鳥	鵽	2410	04a
19	鳥	鶞	2396	04a
19	鳥	鵵	2432	04a
19	鳥	鵖	2387	04a
19	鳥	鯖	2438	04a
19	鳥	雛	2368	04a
19	鳥	鶏	2409	04a
19	鹿	麿	6244	10a
19	鹿	麒	6237	10a
19	鹿	麗	6254	10a
19	鹿	麓	3836	06a
19	鹿	麜	6248	10a
19	麻	廲	4514	07b
19	黃	黦	9157	13b
19	黹	黼	4922	07b
19	黽	黿	8955	13b
19	黽	鼅	8963	13b
19	鼓	鼕	3074	05a
19	鼓	鼖	3076	05a
19	鼠	鼢	6361	10a
19	齊	齍	3126	05a
19	齊	齋	4371	07a
19	齒	齗	1282	02b
19	齒	斷	1278	02b
19	龍	龑	1762	03a
19	龍	龐	5920	09b
20획				
20	人	僱	5011	08a
20	力	勸	9181	13b
20	口	譽	778	02a
20	口	嚶	951	02a
20	口	嚴	972	02a

20	口	嚷		809	02a
20	土	壤		8984	13b
20	夊	爕		3360	05b
20	女	孀		8179	12b
20	女	孋		8133	12b
20	女	孅		8168	12b
20	女	孃		8290	12b
20	子	孂		6227	10a
20	宀	寶		4571	07b
20	巾	幟		4871	07b
20	广	廮		5923	09b
20	心	懯		6682	10b
20	手	攝		7795	12a
20	手	攘		7801	12a
20	手	擾		7895	12a
20	手	攪		8055	12a
20	攴	敿		2065	03b
20	斤	斷		9438	14a
20	方	旗		4266	07a
20	日	曨		4241	07a
20	日	曹		4191	07a
20	月	朧		4300	07a
20	木	櫪		3805	06a
20	木	櫭		3481	06a
20	木	櫨		3616	06a
20	木	櫜		3636	06a
20	木	權		3808	06a
20	木	櫬		3475	06a
20	木	櫪		3811	06a
20	木	櫟		3654	06a
20	水	瀾		7159	11a
20	水	瀾		7140	11a
20	水	灆		7227	11a
20	水	瀵		7318	11a
20	水	灛		7098	11a
20	水	灡		7347	11a
20	水	瀕		7412	11a
20	水	瀎		7120	11a
20	水	灒		7013	11a
20	水	瀟		7180	11a
20	水	瀊		7187	11a
20	水	瀤		7348	11a
20	水	瀚		7382	11a
20	火	燎		6552	10b
20	火	燔		6551	10b
20	火	爕		6396	10a
20	火	燜		6475	10a
20	火	爆		6474	10a
20	火	爐		6439	10a
20	牛	犨		764	02a
20	牛	犨		749	02a
20	犬	獻		6332	10a
20	玉	瓏		112	01a
20	疒	藥		4766	07b

20	皿	盭		8466	12b
20	目	矍		2352	04a
20	目	矎		2090	04a
20	石	礪		6029	09b
20	石	礫		5989	09b
20	石	礩		6035	09b
20	石	礹		6023	09b
20	禾	穬		4380	07a
20	禾	穖		4366	07a
20	禾	穡		4356	07a
20	禾	穮		4395	07a
20	穴	竇		4624	07b
20	立	竷		3354	05b
20	立	競		1729	03a
20	竹	籃		2919	05a
20	竹	篹		2867	05a
20	竹	籋		2952	05a
20	竹	籍		2875	05a
20	竹	籌		2988	05a
20	竹	籆		2891	05a
20	米	糬		4480	07a
20	糸	纏		8729	13a
20	糸	繼		8505	13a
20	糸	纀		8617	13a
20	糸	繻		8593	13a
20	糸	纂		8608	13a
20	糸	纁		8573	13a
20	缶	罌		3273	05b
20	羽	翾		2264	04a
20	肉	臚		2589	04b
20	艸	薑		261	01b
20	艸	蘜		416	01b
20	艸	蘄		328	01b
20	艸	蘆		277	01b
20	艸	蘢		436	01b
20	艸	蘝		596	01b
20	艸	蘭		330	01b
20	艸	蘇		256	01b
20	艸	蘩		566	01b
20	艸	藷		347	01b
20	艸	藸		458	01b
20	艸	蘀		552	01b
20	艸	蘐		283	01b
20	虍	虩		3120	05a
20	虫	蠓		8832	13a
20	虫	蟲		8914	13b
20	虫	蠆		8779	13a
20	虫	蠗		8881	13a
20	虫	蠖		8786	13a
20	衣	襮		5240	08a
20	衣	褧		5293	08a
20	衣	襭		5323	08a
20	見	覺		5483	08b
20	見	覹		5471	08b

20	角	觸	觸	2828	04b
20	角	觷	觷	2831	04b
20	角	觹	觹	2847	04b
20	言	警	警	1550	03a
20	言	譟	譟	1603	03a
20	言	譬	譬	1583	03a
20	言	講	講	1642	03a
20	言	譽	譽	1494	03a
20	言	譱	譱	1728	03a
20	言	讁	讁	1530	03a
20	言	譯	譯	1715	03a
20	言	議	議	1508	03a
20	言	譟	譟	1650	03a
20	言	譣	譣	1528	03a
20	言	譞	譞	1560	03a
20	言	譏	譏	1647	03a
20	豆	䇓	䇓	3087	05a
20	豕	獱	獱	6054	09b
20	貝	購	購	3925	06b
20	貝	贍	贍	3985	06b
20	貝	贏	贏	3945	06b
20	貝	賺	賺	3982	06b
20	走	趲	趲	991	02a
20	走	趮	趮	986	02a
20	走	趨	趨	1007	02a
20	走	趨	趨	999	02a
20	走	趬	趬	1022	02a

20	足	躅	躅	1366	02b
20	車	轚	轚	9542	14a
20	車	轖	轖	9490	14a
20	車	轘	轘	9517	14a
20	車	轒	轒	9559	14a
20	辛	辯	辯	8532	13a
20	辰	農	農	1779	03a
20	辰	䠶	䠶	3261	05b
20	辵	邇	邇	1213	02b
20	辵	邅	邅	1203	02b
20	邑	鄙	鄙	4093	06b
20	邑	鄘	鄘	4070	06b
20	邑	鄭	鄭	4147	06b
20	邑	鄧	鄧	4103	06b
20	邑	鼺	鼺	4169	06b
20	酉	釀	釀	9797	14b
20	酉	醲	醲	9774	14b
20	酉	醴	醴	9768	14b
20	酉	醶	醶	9811	14b
20	采	釋	釋	723	02a
20	金	鐧	鐧	9369	14a
20	金	鐈	鐈	9248	14a
20	金	鐃	鐃	9336	14a
20	金	鏨	鏨	9404	14a
20	金	鐙	鐙	9272	14a
20	金	鐐	鐐	9215	14a
20	金	鐳	鐳	9398	14a

20	金	鏃	鏃	9304	14a
20	金	鑒	鑒	9299	14a
20	金	鏒	鏒	9249	14a
20	金	鐔	鐔	9349	14a
20	金	鍚	鍚	9375	14a
20	金	鐼	鐼	9318	14a
20	金	鐉	鐉	9389	14a
20	金	鐘	鐘	9340	14a
20	金	鐏	鐏	9361	14a
20	金	鍱	鍱	9273	14a
20	金	鐎	鐎	9263	14a
20	金	鐕	鐕	9303	14a
20	門	闞	闞	7745	12a
20	門	闡	闡	7703	12a
20	門	闥	闥	7714	12a
20	門	闠	闠	7715	12a
20	阜	隥	隥	6107	10a
20	隹	歠	歠	2302	04a
20	雨	露	露	7523	11b
20	雨	雷	雷	7517	11b
20	非	饕	饕	5375	08a
20	革	鞹	鞹	1784	03b
20	革	鞭	鞭	1799	03b
20	韋	韠	韠	3368	05b
20	音	韽	韽	1733	03a
20	頁	顠	顠	5681	09a
20	頁	顭	顭	5608	09a

20	風	颺	颺	8938	13b
20	風	飄	飄	8936	13b
20	食	饉	饉	3241	05b
20	食	饘	饘	3191	05b
20	食	餘	餘	3209	05b
20	香	馨	馨	4453	07a
20	馬	騫	騫	6190	10a
20	馬	騧	騧	6115	10a
20	馬	騊	騊	6166	10a
20	馬	騰	騰	6206	10a
20	馬	騶	騶	6215	10a
20	馬	驛	驛	6225	10a
20	馬	騷	騷	6199	10a
20	馬	騍	騍	6197	10a
20	馬	驕	驕	6203	10a
20	馬	驃	驃	6152	10a
20	馬	雛	雛	6207	10a
20	馬	騿	騿	6135	10a
20	馬	騤	騤	6217	10a
20	骨	髆	髆	2562	04b
20	高	䶎	䶎	3313	05b
20	髟	鬐	鬐	5737	09a
20	髟	鬅	鬅	5713	09a
20	髟	鬒	鬒	5719	09a
20	髟	髻	髻	5704	09a
20	髟	鬍	鬍	5731	09a
20	髟	鬠	鬠	5734	09a

20	邑	鄉		3187	05b
20	魚	鮪		7551	11b
20	魚	鰒		7614	11b
20	魚	鰭		7549	11b
20	魚	鰥		7609	11b
20	魚	鰈		7643	11b
20	魚	鯽		7611	11b
20	魚	鰌		7584	11b
20	魚	鰾		7565	11b
20	魚	鰕		7626	11b
20	魚	鯸		7634	11b
20	鳥	鷉		2460	04a
20	鳥	鶪		2374	04a
20	鳥	鵝		2416	04a
20	鳥	鶤		2386	04a
20	鳥	鶩		2414	04a
20	鳥	鶖		2390	04a
20	鳥	鷗		2398	04a
20	鹵	鹹		7678	12a
20	鹿	麖		6231	10a
20	鹿	麈		6233	10a
20	鹿	麚		6235	10a
20	鹿	麎		6249	10a
20	麻	檾		4513	07b
20	麻	麢		4515	07b
20	黍	䵒		4446	07a
20	黑	黥		6542	10a

20	黑	黲		6523	10a
20	黑	黨		6530	10a
20	黑	黮		6518	10a
20	黑	黰		6538	10a
20	黹	黼		4924	07b
20	鼠	鼯		6365	10a
20	齊	齋		5329	08a
20	齒	齟		1294	02b
20	齒	齡		1321	02b
20	齒	齬		1315	02b
20	齒	齣		1297	02b
20	齒	齘		1283	02b
20	齒	齜		1281	02b
20	齒	齠		1308	02b
21획					
21	人	儺		4965	08a
21	人	儷		5079	08a
21	人	儹		5018	08a
21	口	囂		1433	03a
21	女	孀		8261	12b
21	宀	寢		4663	07b
21	宀	寢		4667	07b
21	宀	寶		4546	07b
21	尸	屬		5403	08b
21	山	巍		5818	09a
21	巾	幪		4886	07b
21	广	廱		5894	09b

21	弓	彉		8442	12b
21	弓	彎		8444	12b
21	彳	躩		1229	02b
21	心	懼		6739	10b
21	心	懾		6905	10b
21	心	懽		6767	10b
21	心	懺		6820	10b
21	手	攀		7917	12a
21	手	攉		7824	12a
21	手	攝		7828	12a
21	手	攡		7928	12a
21	手	攜		7840	12a
21	日	曩		4213	07a
21	曰	皬		3260	05b
21	木	櫺		3638	06a
21	木	櫪		3519	06a
21	木	櫻		3826	06a
21	木	欂		3542	06a
21	木	欃		3650	06a
21	歹	殲		2543	04b
21	水	瀟		7332	11a
21	水	灌		6999	11a
21	水	瀷		7024	11a
21	水	瀺		7062	11a
21	水	瀠		7454	11b
21	水	瀾		7153	11a
21	水	瀘		6229	10a
21	水	灘		7042	11a
21	水	瀰		7133	11a
21	水	灝		6962	11a
21	火	爐		6406	10a
21	犬	玃		6290	10a
21	犬	獾		6325	10a
21	玉	瓊		173	01a
21	瓦	甗		8414	12b
21	瓦	甓		1986	03b
21	目	矐		2094	04a
21	石	礮		6016	09b
21	穴	竈		4617	07b
21	竹	籔		2880	05a
21	竹	籓		2904	05a
21	竹	籬		2906	05a
21	竹	籥		2873	05a
21	竹	籑		3203	05b
21	米	糲		4481	07a
21	糸	續		8685	13a
21	糸	纈		8500	13a
21	糸	纍		8643	13a
21	糸	䜌		8734	13a
21	糸	續		8506	13a
21	糸	纞		8486	13a
21	糸	纏		8528	13a
21	糸	纞		8583	13a
21	羊	羺		1878	03b

21	羊	羴		2350	04a
21	肉	臁		2639	04b
21	艸	蘧		272	01b
21	艸	蘜		449	01b
21	艸	蘦		673	01b
21	艸	蘭		286	01b
21	艸	蘫		594	01b
21	艸	麇		293	01b
21	艸	蕭		417	01b
21	艸	蘘		275	01b
21	艸	讘		466	01b
21	艸	薔		450	01b
21	虍	虪		3103	05a
21	虫	蠡		8921	13b
21	虫	蠖		8896	13a
21	虫	蠻		8794	13a
21	虫	蠹		8925	13b
21	血	衊		3166	05a
21	衣	襱		5274	08a
21	見	覽		5460	08b
21	見	觀		5473	08b
21	言	譴		1683	03a
21	言	譻		1626	03a
21	言	譶		1718	03a
21	言	讏		1471	03a
21	言	譽		1565	03a
21	言	讔		1602	03a
21	言	譸		1609	03a
21	言	護		1559	03a
21	走	趨		1001	02a
21	走	趣		1015	02a
21	走	趯		987	02a
21	足	躃		1338	02b
21	足	躍		1347	02b
21	足	躋		1346	02b
21	車	轟		9563	14a
21	車	轙		9486	14a
21	車	籫		9543	14a
21	辛	辯		9714	14b
21	邑	酆		4011	06b
21	邑	鼺		4168	06b
21	邑	鄻		4119	06b
21	邑	酅		4128	06b
21	酉	醶		9778	14b
21	酉	醻		9790	14b
21	酉	醹		9771	14b
21	酉	醬		9822	14b
21	酉	醾		9801	14b
21	金	鐺		9383	14a
21	金	鏽		9279	14a
21	金	鎮		9226	14a
21	金	鑢		9260	14a
21	金	鑴		9294	14a
21	金	鐘		9394	14a

21	金	鐵	鐵	9222	14a
21	金	鐲	鐲	9333	14a
21	金	鐸	鐸	9337	14a
21	長	鬤	鬤	6040	09b
21	門	闥	闥	7750	12a
21	門	闢	闢	7713	12a
21	門	闡	闡	7695	12a
21	門	闠	闠	7727	12a
21	門	闣	闣	7749	12a
21	阜	隨	隨	9665	14b
21	阜	隵	隵	9572	14b
21	隹	隴	隴	2308	04a
21	雨	霹	霹	7514	11b
21	雨	霸	霸	4294	07a
21	面	靤	靤	5670	09a
21	革	鞲	鞲	1791	03b
21	革	韄	韄	1844	03b
21	韋	韠	韠	3370	05b
21	韭	肇	肇	4520	07b
21	韭	蟠	蟠	4524	07b
21	頁	顧	顧	5623	09a
21	頁	顤	顤	5626	09a
21	頁	顥	顥	5633	09a
21	頁	顦	顦	3008	05a
21	頁	顢	顢	5656	09a
21	頁	顠	顠	5636	09a
21	頁	顡	顡	5607	09a

21	風	飆	飆	8935	13b
21	食	饌	饌	3217	05b
21	食	饑	饑	3240	05b
21	食	饒	饒	3229	05b
21	食	饘	饘	3238	05b
21	食	饐	饐	3202	05b
21	馬	驅	驅	6178	10a
21	馬	驀	驀	6155	10a
21	馬	驃	驃	6134	10a
21	馬	驇	驇	6137	10a
21	馬	驂	驂	6160	10a
21	馬	驄	驄	6121	10a
21	馬	驁	驁	6195	10a
21	馬	驃	驃	6125	10a
21	骨	髏	髏	2561	04b
21	骨	髐	髐	2578	04b
21	髟	鬋	鬋	5730	09a
21	髟	鬘	鬘	5721	09a
21	髟	鬍	鬍	5702	09a
21	髟	鬆	鬆	3879	06b
21	鬥	鬮	鬮	1887	03b
21	鬥	鬩	鬩	1891	03b
21	鬲	鬻	鬻	1848	03b
21	鬲	鬵	鬵	1862	03b
21	鬼	魑	魑	5808	09a
21	鬼	魔	魔	5809	09a
21	魚	鰊	鰊	7562	11b

21	魚	鰡		7544	11b
21	魚	鰼		7594	11b
21	魚	鰩		7645	11b
21	魚	鰫		7548	11b
21	魚	鰭		7573	11b
21	魚	鰯		7545	11b
21	魚	鰝		7627	11b
21	魚	鱅		7576	11b
21	魚	鰥		7555	11b
21	鳥	鷙		2472	04a
21	鳥	鷸		2369	04a
21	鳥	鷇		2470	04a
21	鳥	鷭		2381	04a
21	鳥	鶯		2453	04a
21	鳥	鷂		2445	04a
21	鳥	鷉		2423	04a
21	鳥	鷦		2435	04a
21	鳥	鸕		2421	04a
21	鳥	鶴		2402	04a
21	鳥	鶼		2467	04a
21	鹵	覃		3321	05b
21	麥	麷		3343	05b
21	麥	麲		3336	05b
21	麥	麮		3337	05b
21	黃	黇		9158	13b
21	黍	黐		4451	07a
21	黑	黲		6540	10a

21	黑	黶		6511	10a
21	黑	黸		6541	10a
21	黑	黱		6516	10a
21	黑	黰		6524	10a
21	黑	黷		6539	10a
21	鼓	鼞		3068	05a
21	鼓	鼟		3070	05a
21	鼓	鼛		3072	05a
21	齊	齎		3933	06b
21	齒	齗		1300	02b
21	齒	齚		1319	02b
21	齒	齞		1304	02b
21	齒	齠		1313	02b
21	齒	齹		1291	02b
21	齒	齘		1303	02b
21	齒	齛		1311	02b
21	齒	齼		1317	02b
21	齒	齝		1306	02b
21	龜	鼇		8951	13b
22획					
22	人	儻		5176	08a
22	人	儼		4980	08a
22	口	囊		3887	06b
22	大	奱		1767	03a
22	女	孌		8225	12b
22	女	孍		8160	12b
22	子	學		9722	14b

22	宀	㝖	圛	4669	07b
22	尢	爐	欙	6606	10b
22	尸	屭	厲	5408	08b
22	山	巉	嶂	5850	09b
22	山	巒	巒	5843	09b
22	弓	彎	彎	8449	12b
22	心	褰	褰	6725	10b
22	心	懿	懿	6610	10b
22	手	攤	攤	8063	12a
22	木	權	權	3504	06a
22	木	欉	欉	3559	06a
22	木	欅	欅	3429	06a
22	欠	歟	歟	5539	08b
22	欠	歡	歡	5518	08b
22	欠	歠	歠	5509	08b
22	毛	氍	氍	5368	08a
22	水	灑	灑	7387	11a
22	水	灒	灒	7392	11a
22	火	爟	爟	6489	10a
22	火	爓	爓	6491	10a
22	火	爔	爔	6494	10a
22	玉	瓘	瓘	83	01a
22	玉	靈	靈	206	01a
22	玉	瓔	瓔	8453	12b
22	玉	瓊	瓊	86	01a
22	疒	癬	癬	4721	07b
22	疒	瘻	瘻	4703	07b

22	示	禳	禳	53	01a
22	禾	穧	穧	4369	07a
22	禾	穰	穰	4417	07a
22	竹	籥	籥	4472	07a
22	竹	籚	籚	2950	05a
22	竹	籠	籠	2944	05a
22	竹	籟	籟	2979	05a
22	米	糱	糱	4464	07a
22	米	糴	糴	3267	05b
22	糸	纊	纊	8694	13a
22	耳	聾	聾	7773	12a
22	耳	聽	聽	7765	12a
22	肉	臚	臚	2641	04b
22	舟	艫	艫	5417	08b
22	艸	蘺	蘺	410	01b
22	艸	蘘	蘘	678	01b
22	艸	虅	虅	501	01b
22	虫	蠱	蠱	8790	13a
22	虫	蠹	蠹	8927	13b
22	虫	蠨	蠨	8893	13a
22	衣	襲	襲	5248	08a
22	見	覿	覿	5495	08b
22	見	覼	覼	5474	08b
22	見	覿	覿	5493	08b
22	角	觴	觴	2848	04b
22	角	鱳	鱳	2817	04b
22	言	讀	讀	1489	03a

22	言	謳		1708	03a
22	言	癙		1482	03a
22	言	謱		1697	03a
22	豆	䜌		3079	05a
22	貝	贖		3956	06b
22	走	趨		1031	02a
22	走	趯		1053	02a
22	足	躒		1355	02b
22	足	躓		1378	02b
22	車	轢		9533	14a
22	車	轡		8738	13a
22	辵	遾		1099	02b
22	辵	邁		1151	02b
22	邑	鄜		4164	06b
22	邑	酇		4015	06b
22	邑	鄭		3991	06b
22	邑	鄲		4165	06b
22	金	鑑		9247	14a
22	金	鑿		9348	14a
22	金	鑄		9231	14a
22	金	鑊		9252	14a
22	雨	霽		7536	11b
22	雨	霾		7526	11b
22	雨	霜		7527	11b
22	雨	霰		7504	11b
22	雨	霽		7520	11b
22	雨	霸		5496	08b
22	韋	韢		3374	05b
22	韋	韄		3867	06b
22	音	響		1732	03a
22	頁	顬		5596	09a
22	頁	顫		5650	09a
22	食	饕		3235	05b
22	食	饑		3237	05b
22	食	饐		3222	05b
22	食	饘		3199	05b
22	食	饗		3218	05b
22	馬	驕		6142	10a
22	馬	驔		6132	10a
22	馬	驢		6116	10a
22	馬	驕		6122	10a
22	馬	驛		6216	10a
22	馬	騆		6111	10a
22	馬	驍		6140	10a
22	骨	髖		2571	04b
22	骨	髑		2567	04b
22	髟	鬚		5722	09a
22	鬲	鬻		1867	03b
22	鬲	鬻		1861	03b
22	鬲	䰙		1852	03b
22	鬼	鬡		5801	09a
22	鬼	魖		5796	09a
22	魚	鰛		7602	11b
22	魚	鰱		7568	11b

22	魚	鱇	7561	11b
22	魚	鰻	7575	11b
22	魚	鰼	7583	11b
22	魚	鱻	7646	11b
22	魚	鱅	7610	11b
22	魚	鱄	7558	11b
22	鳥	鰸	2429	04a
22	鳥	鶴	2392	04a
22	鳥	鷚	2375	04a
22	鳥	鷄	2365	04a
22	鳥	鷼	2450	04a
22	鳥	鷩	2415	04a
22	鳥	鶺	2465	04a
22	鳥	鱪	2431	04a
22	鳥	鷗	2474	04a
22	鳥	鷟	2363	04a
22	鳥	鷸	2459	04a
22	鳥	鷙	2451	04a
22	鳥	鷞	2384	04a
22	鹿	麗	6234	10a
22	鹿	麞	6243	10a
22	麥	麵	3340	05b
22	黑	黱	6536	10a
22	黑	黲	6535	10a
22	鼓	鼞	3075	05a
22	鼠	鼰	6378	10a
22	鼠	鼲	6377	10a
22	鼻	鼼	2228	04a
22	齊	齎	4335	07a
22	齒	齬	1314	02b
22	齒	齺	1290	02b
22	龍	龕	7651	11b
22	龍	龗	7652	11b
22	龍	襲	1769	03a
22	龍	龓	4303	07a
22	侖	龢	1426	02b

23획

23	人	儻	5041	08a
23	口	嚷	918	02a
23	山	巖	5852	09b
23	弓	彏	8446	12b
23	心	戀	6690	10b
23	手	攪	7973	12a
23	手	攢	7877	12a
23	手	攣	7960	12a
23	手	攫	7944	12a
23	支	戲	2002	03b
23	斗	斖	9455	14a
23	日	曬	4225	07a
23	日	曫	4203	07a
23	日	曬	4228	07a
23	木	欒	3499	06a
23	木	欑	3731	06a
23	欠	歛	5499	08b

23	歹	殭	殭	2546	04b	23	艸	虉	虉	403	01b
23	水	灓	灓	7236	11a	23	艸	蘿	蘿	440	01b
23	水	灘	灘	7401	11a	23	艸	虋	虋	3440	06a
23	水	瀿	瀿	7076	11a	23	艸	虆	虆	577	01b
23	火	爓	爓	6437	10a	23	艸	虈	虈	474	01b
23	牛	㸓	㸓	758	02a	23	艸	蘭	蘭	355	01b
23	犬	玃	玃	6340	10a	23	艸	蘺	蘺	291	01b
23	玉	瓚	瓚	99	01a	23	艸	虅	虅	697	01b
23	疒	癱	癱	4719	07b	23	虍	虇	虇	3092	05a
23	疒	癰	癰	4740	07b	23	虫	蠲	蠲	8784	13a
23	目	矔	矔	2109	04a	23	虫	蠱	蠱	8931	13b
23	竹	籩	籩	2901	05a	23	虫	蠰	蠰	8798	13a
23	竹	籭	籭	6617	10b	23	虫	蠷	蠷	8811	13a
23	竹	蘭	蘭	2963	05a	23	虫	蠿	蠿	8915	13b
23	竹	籤	籤	2923	05a	23	虫	蠹	蠹	8912	13b
23	竹	籥	籥	2879	05a	23	角	觿	觿	2853	04b
23	竹	籟	籟	2945	05a	23	言	變	變	2012	03b
23	竹	籤	籤	2969	05a	23	言	讋	讋	1632	03a
23	糸	纗	纗	8718	13a	23	言	讐	讐	1668	03a
23	糸	纖	纖	8516	13a	23	言	讎	讎	1483	03a
23	糸	纕	纕	8628	13a	23	言	讕	讕	1588	03a
23	糸	纓	纓	8598	13a	23	谷	豅	豅	7466	11b
23	糸	纔	纔	8588	13a	23	貝	贊	贊	3121	05a
23	缶	罐	罐	3284	05b	23	走	趲	趲	1006	02a
23	缶	䍀	䍀	3282	05b	23	走	趮	趮	1005	02a
23	耳	聯	聯	7778	12a	23	足	躞	躞	1362	02b
23	肉	臠	臠	2644	04b	23	辵	邏	邏	1218	02b

23	辵	邏	𨗈	1145	02b		23	魚	鱖	𩻏	7596	11b
23	金	鑠	𨭙	9229	14a		23	魚	鰵	𩼣	7547	11b
23	金	鑢	𨭀	9324	14a		23	魚	鱗	𩼩	7618	11b
23	金	鑠	𨮶	9233	14a		23	魚	鱓	𩻙	7598	11b
23	金	鑼	𨭉	9307	14a		23	魚	鱏	𩼁	7581	11b
23	金	鑮	𨬒	9377	14a		23	魚	鰭	𩽺	7593	11b
23	隹	雞	𨿣	2294	04a		23	魚	鱒	𩾃	7546	11b
23	雨	靁	𩂩	7488	11b		23	魚	鱐	𩾊	7541	11b
23	面	靨	𩏉	5671	09a		23	鳥	鷅	𪇰	2428	04a
23	革	韃	𩏡	1839	03b		23	鳥	鷛	𪇗	2464	04a
23	韭	齏	𩱆	4522	07b		23	鳥	鷹	𪆲	2446	04a
23	頁	顥	𩖆	5654	09a		23	鳥	鷇	𪇫	2442	04a
23	頁	顯	𩖨	5662	09a		23	鳥	鷺	𪇭	2403	04a
23	食	饢	𩛯	3219	05b		23	鳥	鷴	𪇳	2397	04a
23	馬	驚	𩢆	6187	10a		23	鳥	鷸	𪈑	2391	04a
23	馬	驒	𩢨	6194	10a		23	鳥	鷥	𪇚	2456	04a
23	馬	驘	𩠭	6213	10a		23	鳥	鷯	𪈳	2364	04a
23	馬	驛	𩣒	6169	10a		23	鳥	鷚	𪈒	2424	04a
23	馬	驛	𩣏	6204	10a		23	鳥	鷦	𪈴	2389	04a
23	馬	驗	𩢚	6145	10a		23	鳥	鷓	𪇻	2378	04a
23	骨	髓	𩪖	2583	04b		23	鳥	鷴	𪈈	2444	04a
23	骨	髒	𩪴	2575	04b		23	鳥	鷱	𪇺	2419	04a
23	骨	體	𩪢	2577	04b		23	鹿	麟	𪊏	6232	10a
23	骨	髑	𩪎	2560	04b		23	鹿	麠	𪊷	6252	10a
23	髟	鬟	𩯱	5740	09a		23	麻	麢	𪋓	4445	07a
23	鬲	鬷	𩰫	5350	08a		23	麻	麾	𪋖	8047	12a
23	鬲	鬻	𩰿	1871	03b		23	黑	黴	𪐈	6533	10a

총획수

23	黑	黲	𪏲	6513	10a		24	广	癰	𤻮	4718	07b
23	黑	黬	𪐝	6517	10a		24	目	矕	矕	2103	04a
23	肖	鬹	𩰓	4921	07b		24	石	礶	𥖰	6018	09b
23	黽	𪓏	𪓒	4285	07a		24	示	禶	禶	33	01a
23	黽	鼀	𪓣	8959	13b		24	立	竷	竷	3940	06b
23	鼠	鼸	𪕋	6371	10a		24	糸	纜	纜	8629	13a
23	鼠	鼶	鼶	6364	10a		24	缶	罐	罐	3291	05b
23	鼠	鼲	鼲	6368	10a		24	缶	罋	罋	3277	05b
23	鼠	鼷	𪕉	6369	10a		24	网	羉	羉	4794	07b
23	齒	齮	齮	1296	02b		24	艸	虉	虉	643	01b
23	齒	齰	齰	1298	02b		24	虫	蠸	蠸	8762	13a
23	齒	齗	齗	1312	02b		24	虫	蠹	蠹	8911	13b
23	齒	齯	齯	1295	02b		24	虫	蠹	蠹	8920	13b
23	齒	齳	齳	1302	02b		24	虫	蠱	蠱	8902	13b
23	齒	齵	齵	1288	02b		24	虫	蠜	蠜	8872	13b
24획							24	血	盡	盡	3163	05a
24	儿	兓	兓	6266	10a		24	行	衢	衢	1268	02b
24	口	囂	囂	1435	03a		24	衣	襴	襴	5250	08a
24	大	奲	奲	6640	10b		24	見	覶	覶	5482	08b
24	大	奯	奯	6619	10b		24	言	讕	讕	1701	03a
24	女	孎	孎	8198	12b		24	言	讓	讓	1686	03a
24	木	櫕	櫕	3785	06a		24	言	讖	讖	1486	03a
24	水	灡	灡	7340	11a		24	言	讒	讒	1682	03a
24	水	灤	灤	7067	11a		24	走	趲	趲	1002	02a
24	水	灖	灖	7428	11a		24	走	趣	趣	1033	02a
24	水	灝	灝	7360	11a		24	酉	醫	醫	9779	14b
24	玉	瓛	瓛	118	01a		24	酉	釀	釀	9761	14b

24	酉	釃	釃	9808	14b
24	金	鑪	鑪	9276	14a
24	金	鑱	鑱	9242	14a
24	阜	䴙	䴙	9666	14b
24	隹	雦	雦	2356	04a
24	雨	霰	霰	7496	11b
24	雨	靄	靄	7537	11b
24	雨	霳	霳	2354	04a
24	革	韃	韃	1834	03b
24	韋	韤	韤	3378	05b
24	頁	顰	顰	5637	09a
24	頁	顳	顳	7439	11b
24	頁	顴	顴	5578	09a
24	食	饞	饞	3196	05b
24	馬	驥	驥	6127	10a
24	馬	驟	驟	6175	10a
24	骨	髓	髓	2569	04b
24	髟	鬚	鬚	5709	09a
24	髟	鬟	鬟	5703	09a
24	髟	鬢	鬢	5701	09a
24	鬥	鬮	鬮	1889	03b
24	鬲	鬻	鬻	1860	03b
24	鬼	魑	魑	5804	09a
24	鬼	魖	魖	5805	09a
24	鬼	魘	魘	5810	09a
24	鬼	魍	魍	5802	09a
24	魚	鱸	鱸	7616	11b

24	魚	鱺	鱺	7578	11b
24	魚	鱨	鱨	7601	11b
24	魚	鱵	鱵	7620	11b
24	魚	鱷	鱷	7557	11b
24	鳥	鸊	鸊	2420	04a
24	鳥	鸃	鸃	2458	04a
24	鳥	鸇	鸇	2449	04a
24	鳥	鸑	鸑	2377	04a
24	鹵	鹼	鹼	7681	12a
24	鹵	鹽	鹽	7679	12a
24	鹿	麤	麤	6245	10a
24	黑	黷	黷	6543	10a
24	黽	鼈	鼈	8965	13b
24	黽	鼉	鼉	8962	13b
24	鼓	鼕	鼕	3073	05a
24	鼻	齅	齅	2225	04a
24	齒	齬	齬	1286	02b
24	齒	齳	齳	1292	02b
24	齒	齷	齷	1299	02b
25획						

25	力	勸	勸	9169	13b
25	尢	尵	尵	6604	10b
25	彳	㣠	㣠	1234	02b
25	斤	斷	斷	9432	14a
25	木	欖	欖	3772	06a
25	木	欒	欒	3765	06a
25	木	欔	欔	3675	06a

25	欠	歠		5542	08b
25	水	灝		7233	11a
25	火	爛		6436	10a
25	目	矑		2113	04a
25	石	礦		6004	09b
25	内	闟		9688	14b
25	竹	籆		2929	05a
25	竹	籭		2903	05a
25	竹	籫		2924	05a
25	米	糱		4489	07a
25	米	糶		3850	06b
25	糸	縑		8541	13a
25	糸	纚		8595	13a
25	糸	纗		8558	13a
25	糸	纘		8507	13a
25	艸	蘱		597	01b
25	艸	蘮		290	01b
25	虫	蠻		8888	13a
25	虫	蠱		8924	13b
25	虫	蠹		8913	13b
25	見	觀		5458	08b
25	見	覽		5469	08b
25	角	觽		2816	04b
25	角	觸		2840	04b
25	言	讕		1672	03a
25	言	讘		1676	03a
25	言	讑		1649	03a
25	言	護		1653	03a
25	言	讟		1629	03a
25	豸	貛		6099	09b
25	走	趯		1010	02a
25	走	趲		1045	02a
25	走	趡		1024	02a
25	足	躍		1334	02b
25	足	躡		1350	02b
25	酉	醹		9793	14b
25	酉	釁		1782	03a
25	金	鏷		9338	14a
25	金	鑲		9237	14a
25	金	鑱		9320	14a
25	金	鐵		9270	14a
25	門	闟		7734	12a
25	門	闞		7725	12a
25	雨	霹		7501	11b
25	頁	顱		5652	09a
25	頁	顧		5577	09a
25	骨	髖		2568	04b
25	髟	鬟		5724	09a
25	髟	鬢		5707	09a
25	髟	鬉		5714	09a
25	鬥	鬪		1885	03b
25	鬲	鬻		1870	03b
25	魚	鰭		7580	11b
25	魚	鰓		7567	11b

25	魚	鱻	𩾏	7647	11b
25	鳥	鸃	𪆰	2418	04a
25	鳥	鸒	𪅷	2362	04a
25	鳥	鶲	𪇮	2376	04a
25	鹿	麠	𪋿	6253	10a
25	黑	黵	𪐭	6532	10a
25	黑	黮	𪐩	6510	10a
25	黽	鼅	𪓘	8953	13b
25	黽	鼉	𪓚	8958	13b
25	鼓	鼞	𪔗	3071	05a
25	鼠	鼱	𪘂	6360	10a
25	齒	齳	𪗸	1320	02b
25	齒	齹	𪘁	1284	02b
25	齒	齵	𪘃	1307	02b
25	齒	齺	𪗾	1316	02b
25	齒	齫	𪗺	1305	02b
25	齒	齻	𪗷	1289	02b
25	齒	齱	𪗶	1285	02b
25	齒	齶	𪘀	1318	02b
25	龠	龡	𪛄	1424	02b

26획

26	匸	匲	𠥻	8388	12b
26	宀	𡩋	𡩌	4664	07b
26	穴	竊	𥨕	4490	07a
26	竹	籭	𥸟	2993	05a
26	竹	籯	𥸝	2925	05a
26	米	糱	𥼜	4498	07a

26	艹	虌	𧄗	249	01b
26	虍	𧆨	𧆫	3116	05a
26	虍	𧆧	𧆪	3106	05a
26	虫	蠹	𧏛	8930	13b
26	見	觀	𧠷	5450	08b
26	足	躣	𧾸	1400	02b
26	車	轞	𨌈	9495	14a
26	酉	釅	𨣲	9765	14b
26	金	钁	𨭖	9410	14a
26	金	鑼	𨭌	9386	14a
26	金	鑽	𨬳	9251	14a
26	革	韊	𩊇	1843	03b
26	頁	顬	𩕯	5611	09a
26	食	饢	𩚰	3215	05b
26	馬	驢	𩥿	6214	10a
26	馬	驦	𩥝	6133	10a
26	髟	鬣	𩯣	5725	09a
26	鬥	鬫	𩰭	1888	03b
26	鬲	鬻	𩱧	1863	03b
26	鬲	鬹	𩱫	1868	03b
26	魚	鱳	𩾅	7607	11b
26	鳥	鸁	𪄘	2466	04a
26	鳥	鸄	𪅲	2401	04a
26	鳥	鸆	𪆯	2417	04a
26	鳥	鶷	𪅻	2383	04a
26	鳥	鸐	𪆋	2440	04a
26	黑	黶	𪐫	6512	10a

획	부수	字	篆	번호	위치
26	黑	黸		6525	10a
26	齒	齱		1287	02b
26	齒	齺		1280	02b
26	龠	龤		1427	02b
27획					
27	水	灥		7455	11b
27	艸	虉		316	01b
27	虫	蟲		8916	13b
27	虫	蠱		8908	13b
27	言	讟		1720	03a
27	豕	豶		6080	09b
27	豸	貜		6090	09b
27	走	趯		1034	02a
27	足	躍		1389	02b
27	車	轣		9525	14a
27	金	鑼		9257	14a
27	金	鑾		9373	14a
27	金	鑽		9323	14a
27	門	闞		7740	12a
27	革	鞲		1835	03b
27	韋	韝		3381	05b
27	食	饕		3193	05b
27	首	䪿		5675	09a
27	馬	驪		6196	10a
27	馬	驥		6138	10a
27	馬	驤		6154	10a
27	鬲	鬻		1864	03b

획	부수	字	篆	번호	위치
27	魚	鱺		7592	11b
27	鳥	鸝		2371	04a
27	鳥	鸕		2422	04a
27	黑	黶		6515	10a
27	黑	黷		6531	10a
27	黽	鼄		8957	13b
27	龠	龥		1425	02b
28획					
28	心	戇		6793	10b
28	火	爨		6454	10a
28	艸	虀		366	01b
28	艸	蘸		268	01b
28	虫	蠹		8929	13b
28	虫	蠺		8928	13b
28	虫	蠶		8909	13b
28	豆	豓		3089	05a
28	金	钁		9301	14a
28	金	鑿		9295	14a
28	佳	雧		2358	04a
28	食	饡		3208	05b
28	馬	驪		6144	10a
28	鬥	鬮		1890	03b
28	囧	爨		3185	05b
28	鳥	鸚		2462	04a
28	鹿	麤		6250	10a
28	黑	黸		6509	10a
29획					

29	厂	廲		7456	11b
29	火	爨		1780	03a
29	广	癲		4709	07b
29	艸	虋		246	01b
29	虫	蠱		8923	13b
29	言	讟		1730	03a
29	馬	驪		6113	10a
29	鬯	鬱		3832	06a
29	魚	鱺		7633	11b
29	鳥	鸛		2448	04a
29	麥	麵		3341	05b

30~38획

30	竹	籬		2938	05a
30	馬	驫		6220	10a
30	鬲	鬻		1869	03b
30	鬲	鬻		1865	03b
30	魚	鱻		7574	11b
30	鳥	鸞		2361	04a
31	鬲	鬻		1856	03b
32	竹	籲		5661	09a
32	隹	雧		2357	04a
32	魚	鱻		7560	11b
32	齒	齺		1310	02b
32	龍	龖		7653	11b
32	革	鞻		1815	03b
33	阜	鬻		9667	14b
33	魚	鱻		7642	11b

33	鹿	麤		6256	10a
33	龍	龍		7650	11b
34	馬	驫		3564	06a
35	艸	虋		607	01b
35	齒	齺		1293	02b
36	鹿	麤		6257	10a
37	鬲	鬻		1866	03b
38	革	鞻		1810	03b

총획수

지은이 **허신** 許愼

동한(東漢) 때의 여남(汝南)군 소릉(召陵)현 사람으로, 자는 숙중(叔重)이며, 당시 최고의 경학자이자 한자학자였다.

그의 저서 『설문해자(說文解字)』는 중국 최고의 한자 연구서로 알려져 있으며, 그에 의해 한자 연구의 이론적 기틀이 마련됐고, 부수의 창안, 육서설의 체계화 등도 그에 의해 이루어졌다. 또 『오경이의(五經異義)』, 『효경고문설(孝經古文說)』, 『회남자주(淮南子注)』 등을 지었다 하나 전하지 않는다.

옮긴이 **하영삼**

경남 의령 출생으로, 경성대학교 중국학과 교수, 한국한자연구소 소장, 인문한국플러스(HK+)사업단 단장, 세계한자학회(WACCS) 상임이사로 있다. 부산대학교 중문과를 졸업하고, 대만 정치대학에서 석.박사 학위를 취득했으며, 한자에 반영된 문화 특징을 연구하고 있다.

저서에 『한자어원사전』, 『100개 한자로 읽는 중국문화』, 『한자와 에크리튀르』, 『부수한자』, 『뿌리한자』, 『연상한자』, 『한자의 세계: 기원에서 미래까지』, 『제오유의 정리와 연구(第五游整理與研究)』, 『한국한문자전의 세계』 등이 있고, 역서에 『중국 청동기 시대』(장광직), 『허신과 설문해자』(요효수), 『갑골학 일백 년』(왕우신 등), 『한어문자학사』(황덕관), 『한자 왕국』(세실리아 링퀴비스트, 공역), 『언어와 문화』(나상배), 『언어지리유형학』(하시모토 만타로), 『고문자학 첫걸음』), 『수사고신록(洙泗考信錄)』(최술, 공역), 『석명(釋名)』(유희, 선역), 『관당집림(觀堂集林)』(왕국유, 선역) 등이 있으며, "한국역대자전총서"(16책) 등을 공동 주편했다.